Filología e informática

Nuevas tecnologías en los estudios filológicos

José Manuel Blecua,
Gloria Clavería,
Carlos Sánchez,
Joan Torruella, eds.

Filología e informática

Nuevas tecnologías en los estudios filológicos

SEMINARIO DE FILOLOGÍA E INFORMÁTICA
DEPARTAMENTO DE FILOLOGÍA ESPAÑOLA
UNIVERSIDAD AUTÓNOMA DE BARCELONA

La publicación de este volumen ha sido posible gracias a la ayuda concedida al Seminari de Filologia i Informàtica de la Universitat Autònoma de Barcelona por el Comissionat per a Universitats i Recerca de la Generalitat de Catalunya en concepto de Grup de Recerca de Qualitat (expedientes 1995 SGR 00544 y 1997 SGR 00125).

SEMINARIO DE FILOLOGÍA E INFORMÁTICA

Departamento de Filología Española
Edificio B - 08193 Bellaterra (Barcelona)
Tel. 93 5812963
Fax 93 5811686
Correo electrónico: seminari@gould.uab.es
Primera edición: junio 1999
Depósito legal: L-503-1999
ISBN: 84-89790-41-8
Impreso en Arts Gràfiques Bobalà, S. L.
Sant Salvador, 8 - 25005 Lleida

ÍNDICE

PRÓLOGO

En 1986 un grupo de profesores del Departamento de Filología Española de la Universidad Autónoma de Barcelona trabajaba en las posibles aplicaciones de los recursos informáticos a las cuestiones relacionadas con el análisis y síntesis de la señal acústica en el Laboratorio de Fonética de la UAB, mientras que otro grupo, recién formado, comenzaba a usar estas aplicaciones en la investigación filológica tradicional. Los trabajos encontraron muy pronto acogida en el Rectorado de nuestra Universidad, al que hay que agradecer su apoyo y protección iniciales para la creación del **Seminario de Filología e Informática** como grupo de investigación reconocido y para su mantenimiento posterior. En el curso 1990-91 comenzó un osado programa de doctorado y se iniciaron los primeros proyectos de investigación y, también, se firmaron los primeros convenios con empresas que confiaron en los grupos de trabajo, la primera fue Biblograf, a la que queremos agradecer públicamente la confianza que siempre demostró en nuestro trabajo, así como a Telefónica I+D, al *Centre National des Études des Télécommunications* y al *Centro Studi e Laboratori Telecomunicazioni*, y se recibieron las primeras ayudas institucionales públicas y privadas, procedentes del Ministerio de Educación y Ciencia, de la Generalitat de Catalunya y la Fundació «la Caixa» para los proyectos de informatización del *Diccionario Crítico Etimológico Castellano e Hispánico*, de J. Corominas y J. A. Pascual, en curso de elaboración desde 1992, y de la «*Edició i Informatització dels Cançoners Catalans Medievals*», desde 1993. A estos primeros núcleos iniciales, se han ido sumando distintos proyectos del Departamento de Filología Española: el proyecto *Prolope*, dirigido por Alberto Blecua y Guillermo Serés, hoy felizmente establecido tanto en el equipo investigador como en sus valiosas publicaciones, proyecto al que se unió posteriormente la aventura de la edición del Instituto Cervantes de *Don Quijote de la Mancha*, dirigida por el profesor Francisco Rico, y cuya edición electrónica se ha realizado en el Seminario bajo la responsabilidad y el cuidado de Joan Torruella y de Carme Planas. Actualmente, los dos grupos que integran el Seminario forman parte del *Centre de Referència en Enginyeria Lingüística (CREL)*, juntamente con 9 grupos más pertenecientes a 6 universidades y entidades investigadoras.

En 1962 D. Rafael Lapesa escribía el prólogo del *Vocabulario de Cervantes*, obra del benemérito Carlos Fernández Gómez, en él anotaba la siguiente observación a propósito del contenido del libro: «No se trata de unas concordancias exhaustivas como las que podría reunir un cerebro electrónico:

la masa de citas habría impuesto a la obra dimensiones y costes desmesurados» (Lapesa, 1962: VII); en lo que se me alcanza es esta una de las primeras citas de la aplicación de los conocimientos informáticos a la investigación de la filología española; el profesor Lapesa, con su juventud y valentía intelectuales, ponía el dedo en una serie de llagas: la importancia de las concordancias para el estudio de las obras literarias (me parece que la primera es la del gran poeta cubano Eugenio Florit[1]) y la necesidad de establecer criterios selectivos a la montaña gigantesca de datos que se avecinaba. Muy pronto, la filología conoció el trabajo de aplicación de la informática al análisis y sistematización de una de nuestras más veteranas publicaciones periódicas, la *Revista de Filología Española*, realizado en 1964 por especialistas de la Universidad de Nueva York, que aplicaban un ordenador IBM 7090 (Pollin y Kersten, 1964). El mismo año se publicaba la obra de Alphonse Juilland y Eugenio Chang-Rodríguez (1964), *Frequency Dictionary of Spanish Words*.

Los investigadores del grupo heredero de la labor de Solalinde en Wisconsin reconocieron la necesidad señalada por Lapesa de reducción de costes y de volumen, y realizaron la publicación de las obras de Alfonso el Sabio en microfichas, cuyos resultados fueron trasladados en 1997 a un ligero y cómodo disco compacto (Kasten *et al.*, 1997), soporte en el que habían aparecido las publicaciones de los inicios del proyecto ADMYTE preparado por F. Marcos Marín, Charles B. Faulhaber *et al.* Poco a poco se fue configurando un complejo panorama de aplicaciones de la informática a la investigación de la lengua española y de la literatura: concordancias, aplicaciones a la investigación de la historia literaria o de uno de sus aspectos más apasionantes (Catalán, 1975), a la estilística, al análisis del léxico, de la señal acústica o a la enseñanza del español para extranjeros (Llisterri y Garrido, 1998). Términos como **corpus** fueron frecuentes en los Departamentos, se conoció el paso del empleo de los grandes ordenadores a máquinas más ligeras y potentes, y se advirtió muy pronto la necesidad de imponer procedimientos de normalización en el tratamiento informático de las lenguas naturales (TEI, NERC o EAGLES) para que los datos se obtuvieran con procedimientos uniformes y muchos de ellos fueran intercambiables y compatibles en investigaciones futuras. La aparición y popularización de las redes han contribuido a que hoy los problemas citados sean de mayor extensión y las posiblidades de investigación sean inmensas, piénsese por ejemplo en los materiales del español usado en los medios de comunicación que se pueden obtener sin salir de casa (Díaz Nosty, 1999).

Los responsables del Seminario de Filología e Informática observaron tanto en su labor investigadora como en las tareas docentes la ausencia de obras colectivas capaces de ofrecer de manera sintética los avances existentes en cada uno de los campos o de los aspectos citados y decidieron encargar los distintos capítulos a diferentes especialistas; algunos no pudieron aceptar el compromiso, lo que lamentamos profundamente, y otros que tuvieron la gentileza de confiar en nuestro proyecto han sufrido los avatares de una edición que presentó graves dificultades.

1. Véase Alice M. Pollin (1967), apud E. Ruiz-Fornells (1976: 11).

Hoy los avances técnicos nos permiten soñar con un futuro lleno de innovaciones, incluso nos permiten en materia de sueños no asustarnos por la profecía que en 1966 escribía D. Rafael Lapesa (1996: 250-51): «La estabilidad ortográfica es deseable porque cada reforma importante supone una ruptura con el pasado. Las grafías y puntuación anteriores establecen barreras que el lector acostumbrado a las nuevas no acierta a superar, por lo que es necesario proveerle de ediciones modernizadas. De todos modos, por incómodos que sean los reajustes, la ortografía no podrá menos de simplificarse, más pronto o más tarde. Los progresos técnicos hacen pensar que está cerca el momento en que la palabra humana pase automáticamente de la voz a la escritura.[...] El día en que estos procedimientos alcancen pleno desarrollo y se extiendan a la imprenta, la ortografía abandonará irremisiblemente todos sus arcaísmos y se ajustará a la fonología. La severidad con que hoy se reprueban los yerros ortográficos será sustituida entonces por exigencias de buena dicción. Y no para mantener en algún sector del lenguaje normas aristocráticas, sino porque a las máquinas no les será posible poner en juego el esfuerzo de comprensión con que toda inteligencia humana colabora al recibir el mensaje hablado que otra le dirige. Las máquinas no tendrán manga ancha en punto a dicción: reclamarán articulaciones netas e inconfundibles [...] Lingüistas y técnicos habrán de habilitar en un futuro inmediato soluciones para que esta unidad no desaparezca con la transcripción automática del habla.»

En los momentos siempre felices de los agradecimientos, nuestro Seminario se dirige en primer lugar a los autores, por la paciencia infinita que han mostrado y por su generosidad intelectual, al editor de Milenio, Lluís Pagès, y a la labor de dos jóvenes colaboradores, Juan María Garrido Almiñana y Laura del Barrio, que amorosamente han cuidado de la regularización del texto y de todos los aspectos tipográficos. A todos, nuestro reconocimiento más cordial y sincero; y a ti, lector, que como en los prólogos de los libros clásicos no puedes ser olvidado para suplicarte que perdones sus muchas faltas y todos los aspectos que los veloces avances han dejado ya en la prehistoria de las relaciones entre filología e informática.

Personalmente, a la hora de la publicación de este libro, siento en estos momentos la alegría de ver el trabajo y la investigación del Seminario de Filología e Informática, alegría que sólo puede combinarse con las exigencias que el trabajo diario y la investigación futura nos van a exigir, pero con la seguridad de que intentaremos no defraudar a las instituciones y empresas que han puesto su confianza en el Seminario, comenzando por nuestra Universidad Autónoma de Barcelona, siguiendo por nuestra Facultad de Letras y acabando por nuestro Departamento de Filología Española. A todos los miembros del Seminario, muchas gracias por una década completa de amistad, de colaboración y de trabajo. Esperemos que la celebración de la próxima década, nos traiga nuevas e impensables tecnologías que enriquezcan el maravilloso invento del libro.

José Manuel Blecua Perdices

Bibliografía

CATALÁN, D. (1975) «Análisis electrónico de la creación poética oral», en *Homenaje a la memoria de D. Antonio Rodríguez-Moñino 1910-1970*, Madrid: Castalia, pp. 157-194.

DÍAZ NOSTY, B. (1999) «El fenómeno de las ediciones digitales de la prensa diaria en lengua española», en *El español en el mundo. Anuario del Instituto Cervantes. 1999*, Barcelona: Círculo de lectores, Instituto Cervantes, Plaza y Janés, pp. 65-129.

POLLIN, A. M. - KERSTEN, R. (comp.) (1964) *Guía para la consulta de la «Revista de Filología Española (1914-1960)»*, codificación electrónica dirigida por KELLER, J., Nueva York: New York University Press.

JUILLAND, A. - CHANG-RODRÍGUEZ, E. (1964) *Frequency Dictionary of Spanish Words*, Londres: Mouton.

KASTEN, L. - NITTI, J. - JONXIS-HENKEMANS, W. (1997) *The Electronics Texts and Concordances of the Prose Works of Alfonso X, El Sabio*, Madison.

LAPESA, R. (1962) *Prólogo* al libro de Carlos FERNÁNDEZ GÓMEZ, *Vocabulario de Cervantes*, Madrid: Real Academia Española.

— (1996) «América y la unidad de la lengua española», *Revista de Occidente*, Año IV, 2ª época, núm. 38, mayo de 1966, reimpreso en *El español moderno y contemporáneo. Estudios lingüísticos*, Barcelona: Crítica, pp. 241-252.

LLISTERRI, J. - GARRIDO ALMIÑANA, J. M. (1998) «La ingeniería lingüística en España», en *El español en el mundo, Anuario del Instituto Cervantes, 1998*, Madrid: Arco/Libros-Instituto Cervantes, pp. 299-391.

MARCOS MARÍN, F., et al. (preparado por) (1992, 1994) *ADMYTE. Archivo digital de manuscritos y textos españoles*, vol. 1:1992, vol. 0:1994, Madrid: Micronet, s.a.

POLLIN, Alice M. (1967) *Concordancias de la obra poética de Eugenio Florit*, Nueva York: New York University Press, apud. RUIZ-FORNELLS, E. (1976) *Concordancias de «El ingenioso hidalgo Don Quijote de la Mancha»*, Madrid: Ediciones Cultura Hispánica, I.

HERRAMIENTAS

CORPUS Y ESTÁNDARES

Cualquier trabajo en filología que utilice la informática como herramienta requiere disponer a priori de una 'materia prima' a partir de la cual se pueda, por una parte, realizar análisis y descripciones de las obras que se estudien o de su lengua y, por otra, desarrollar productos de tecnología lingüística (sistemas que incorporan conocimientos lingüísticos). Esta 'materia prima', que son los recursos lingüísticos en soporte informático, está constituida, como es obvio, por textos, orales o escritos, diccionarios, bases de datos terminológicas, etc. Estos recursos lingüísticos, imprescindibles para los trabajos informatizados, deben de algún modo estar preparados para ser interpretados por los ordenadores y los programas que los gestionan; para ello es necesario que su transcripción en formato digital esté básicamente estandarizada y tenga un mínimo de organización, dos aspectos que no sólo van a facilitar las distintas tareas de cada investigación sino que, al mismo tiempo, posibilitarán la reusabilidad de estos recursos en investigaciones diversas.

Estandarización y *organización* en la representación formal de los recursos lingüísticos son, pues, dos puntos básicos para su tratamiento informatizado. Estos aspectos han tomado últimamente gran importancia en el mundo de la filología informática, debido a la gran cantidad de datos que en este momento se manejan, y a la complejidad que representa su preparación para ser tratados informáticamente. Debido a ello, las instituciones competentes al respecto, tanto europeas como del resto del mundo, dedican hoy gran cantidad de dinero y esfuerzo a potenciar este campo de investigación.

Por esta razón, se ha querido dedicar a cada una de estas materias los dos primeros capítulos de este libro. El primero, elaborado por Gerardo Arrarte, estudia la codificación de los textos para lograr su máxima estandarización y, por lo tanto, su total disponibilidad para plataformas y programas informáticos diferentes y, sobre todo, para intereses filológicos diversos; el segundo capítulo, realizado por Joaquim Llisterri y Joan Torruella, presenta las diferentes tipologías y organizaciones de los textos (corpus) almacenados de forma adecuada en nuestros ordenadores, para que sean fácilmente tratados dependiendo de los objetivos y de las necesidades de cada momento.

GERARDO ARRARTE
Instituto Cervantes

Normas y estándares para la codificación de textos y para la ingeniería lingüística

El ordenador como herramienta de escritura

Vivimos en una época en que la manipulación de textos en formato digital se ha convertido en una actividad cotidiana para casi todo el inmenso colectivo de personas cuyas actividades se relacionan de forma directa con el lenguaje escrito. Cuantos nos hemos visto alguna vez en esta situación de trabajar con textos mediante la ayuda de un ordenador conocemos las enormes ventajas de las nuevas técnicas sobre los sistemas tradicionales de escritura.

A modo de ejemplo y por recordar sólo algunas de estas ventajas, todos hemos podido comprobar cómo la introducción de cambios en el contenido o en la forma de un documento ya no es una tarea tan laboriosa como antaño, cómo todo texto puede ser fácilmente reproducido o modificado, cómo pueden generarse documentos distintos pero basados en un modelo común de manera automática mediante la combinación de dicho modelo con información contenida en una base de datos, cómo un documento puede ser transmitido o consultado a distancia mediante redes telemáticas, y cómo la búsqueda y recuperación de información se realiza de forma casi instantánea, aun cuando el volumen de la documentación a la que tenemos acceso crece de manera espectacular.

Como cabe esperar, no obstante, no todo son ventajas en el empleo de estas técnicas. Cualquier usuario mínimamente asiduo de las mismas habrá experimentado alguna vez la frustración de ver desaparecer sin remedio un trabajo a causa de un simple error en la manipulación de los documentos archivados en un soporte digital, o bien la desazón de no poder recuperar un texto grabado en un formato que su sistema informático no consigue reconocer.

Es cierto que las técnicas tradicionales de escritura, pese a la labor de los copistas, de los archivos y bibliotecas y de la imprenta, no garantizan tampoco la permanencia de los textos, cuya destrucción accidental o intencionada ha formado parte de la historia humana desde sus orígenes hasta nuestros días. Tampoco resulta siempre una tarea trivial la interpretación de la palabra escrita. Pero el paso de las técnicas mecánicas a las técnicas electrónicas de escritura constituye un auténtico desafío para la conservación de los textos en forma inteligible.

En efecto, en el supuesto de que conozcamos la lengua y el sistema gráfico empleado, podremos descifrar textos codificados mediante técnicas mecánicas, ya se trate de inscripciones sobre piedra o tablas de arcilla, sobre metal, papel o pergamino, podremos interpretar los jeroglíficos egipcios, los manuscritos del Mar Muerto o las antiguas inscripciones ibéricas, un códice medieval, un incunable del siglo XV o un periódico del día, el texto de una valla publicitaria o el de una pancarta propagandística, el de un anuncio de neón o aquel codificado mediante el sistema Braille. Para ello no necesitamos valernos más que de nuestros propios sentidos y del conocimiento de los códigos empleados en cada caso. Estos códigos, por haber sido diseñados para el uso humano sin ayuda de máquinas, pueden ser dominados tras un aprendizaje adecuado.

¿Podríamos, en cambio, descifrar con igual facilidad los textos codificados por un programa informático y destinados a ser descifrados y manipulados también mediante herramientas informáticas? Estos textos, aun teniendo como destinatario último al hombre, no permiten que éste los lea o consulte de forma directa. En primer lugar, nuestros sentidos son incapaces de percibir sin ayuda las señales que constituyen la representación de un texto en soporte informático.[1] Pero incluso si pudiéramos detectar esas señales, tendríamos ante nosotros unos datos en código binario, es decir una secuencia de dígitos binarios o *bits*.[2] Cada bit representa una cantidad mínima de información: la resultante de la alternancia entre dos estados contrapuestos y complementarios, por lo cual los datos en código binario suelen representarse mediante secuencias de ceros y unos.

Así, en determinados sistemas de codificación digital de textos, cada uno de los caracteres alfabéticos o numéricos que aparecen en esta página, así como los distintos signos de puntuación y espacios entre palabras, estaría representado por una combinación de 8 bits; por ejemplo, en el estándar ISO 8859 la secuencia "01100101" representa la letra "e" minúscula, mientras que "00101101" es la representación del carácter "-". La información codificada de esta manera resulta de difícil manejo para la mente humana y, además, estas largas ristras de ceros y unos que constituyen el texto propiamente dicho suelen ir mezcladas con otros datos, también en código binario, que proporcionan al sistema información complementaria sobre el formato y disposición del texto, sobre el propio sistema de representación empleado o sobre la segmentación de los datos y su distribución en el soporte informático, la cual puede no ser secuencial, sino responder a razones de disponibilidad de espacio.[3]

Debido a esta diferencia cualitativa de los textos codificados mediante sistemas informáticos con respecto a los codificados mediante técnicas mecánicas, aunque los primeros sean fáciles de reproducir y transmitir, nos resulta prácticamente imposible su interpretación si no contamos con la ayuda del

1. Habría que exceptuar algunos soportes ya en desuso, como las tarjetas y cintas perforadas.

2. El término *"bit"* es un acrónimo de la expresión inglesa *"binary digit"*.

3. Los sistemas informáticos suelen almacenar la información de manera similar a la que emplearíamos si, en lugar de escribir un texto de forma continua en un cuaderno, fuéramos pegando notas autoadhesivas de distintos tamaños en las páginas de un álbum, colocándolas allí donde, por haber retirado previamente otras ya inservibles, fueran quedando huecos libres que se adaptaran al tamaño de las nuevas. En este caso, para mantener el orden original de la información, necesitaríamos anotaciones que nos remitieran a la posición de cada retazo de texto en el álbum.

sistema informático adecuado a la codificación en cuestión. La gran variedad de sistemas de codificación textual en soporte informático no sólo dificulta a menudo la interpretación de los textos, sino que puede llegar a amenazar su propia conservación.

Para corroborar esta última afirmación, bastará que el lector con una experiencia suficientemente larga en el uso de sistemas de tratamiento de textos piense en las dificultades que le acarrearía la recuperación de cualquier documento en soporte informático que hubiera creado él mismo hace, por ejemplo, una docena de años. Es muy probable que, entonces, utilizara un ordenador y un programa de procesamiento de textos distintos de los que emplea actualmente. Seguramente, el documento en cuestión estaría almacenado en un disquete flexible de 5,25 pulgadas o en otro soporte cuya lectura requiriese el uso de un dispositivo de uso poco frecuente en la configuración de un sistema informático actual. Aun salvando estas dificultades de lectura física de los datos, es posible que el sistema de codificación resulte total o parcialmente indescifrable para el procesador de textos que use actualmente.

Si consideramos documentos codificados en soporte informático en épocas un poco más lejanas, digamos que anteriores a hace 15 años, las probabilidades de descodificarlo con éxito mediante los recursos técnicos normalmente disponibles en la actualidad disminuyen de manera drástica. Es un hecho que grandes volúmenes de información se han perdido de forma definitiva con los sucesivos cambios en los tipos de soportes y en los sistemas de codificación. Lógicamente, estas pérdidas podrían haberse evitado transfiriendo la información a los nuevos soportes y convirtiéndola a los nuevos códigos; sin embargo, este tipo de precauciones ha sido a menudo la excepción más que la regla.[4]

La normalización de los recursos lingüísticos y de la tecnología lingüística

De lo dicho anteriormente, se deduce fácilmente la necesidad de establecer unas normas para la codificación textual que sean de uso común por parte de distintos usuarios y que, en la medida de lo posible, sean independientes de los sistemas informáticos que se usen. Sin embargo, las necesidades de estandarización en los sistemas de tratamiento del lenguaje abarcan aspectos mucho más variados. La aplicación de sistemas informáticos al estudio y al procesamiento del lenguaje comporta la resolución de problemas tan diversos como la representación en formato digital de caracteres gráficos o señales acústicas, el diseño de corpus de lenguaje escrito o hablado, la elaboración de formalismos léxicos y gramaticales adecuados para conseguir un eficaz tratamiento automático del lenguaje, o la adecuación de determinados módulos de procesamiento lingüístico a su utilización con distintos fines.

Las estrategias adoptadas ante cada uno de estos problemas han sido, a menudo, tan variadas como las características y objetivos de cada proyecto dedicado a la investigación en este campo. Las importantes dificultades que

4. El lector interesado encontrará información más detallada sobre este problema en Rothenberg (1995).

entraña cualquier intento de automatizar los procesos relacionados con algo tan complejo como el lenguaje humano han propiciado la búsqueda constante de soluciones innovadoras.

Ahora bien, el desarrollo de estas soluciones requiere normalmente la utilización de recursos lingüísticos de gran escala. Entendemos por *recursos lingüísticos* todos aquellos materiales en soporte informático, tales como corpus escritos y orales, diccionarios, bases de datos terminológicas, etc., que sirvan como fuente de información, por una parte, para el estudio del lenguaje y, por otra, para el desarrollo de sistemas informáticos que incorporen conocimientos lingüísticos. A estos sistemas que incorporan conocimientos lingüísticos, los llamaremos sistemas de *tecnología lingüística.*

Los distintos tipos de recursos lingüísticos y de sistemas de tecnología lingüística son objeto de análisis detenido en otros capítulos de este libro. En las siguientes páginas se aborda un tema que atañe, en mayor o menor medida, a cada uno de ellos: los esfuerzos llevados a cabo para el desarrollo y la adopción de unas normas aplicables al diseño, a la elaboración y a la utilización de los mismos.

La necesidad de llevar a cabo estos esfuerzos de normalización se debe principalmente al alto coste de estos recursos y sistemas, el cual a menudo impide o, al menos, desaconseja que su diseño se realice teniendo en cuenta únicamente los requisitos planteados por su utilización en el marco de un proyecto concreto o para el desarrollo de un producto específico. En el curso de los últimos años, ha resultado cada vez más evidente la conveniencia de disponer de unos recursos lingüísticos y de una tecnología lingüística genérica que sean compartibles, intercambiables y reutilizables con fines diversos.

Consideraremos que un recurso lingüístico determinado puede ser adecuadamente compartido y reutilizado cuando su diseño se ajuste a unas normas de uso común, o bien permita hacer que se ajuste a ellas estableciendo una correspondencia directa entre su estructura y la requerida por las normas en cuestión. Así, por ejemplo, el hecho de que, en un corpus, tanto la codificación de los textos como la representación de la estructura de los mismos y su anotación lingüística se adapten a determinadas convenciones permitirá que el corpus sea explotado de múltiples formas y mediante cualquier sistema que, a su vez, haya sido diseñado para adaptarse a esas convenciones. Otro tanto ocurrirá con una base de datos léxica o terminológica en cuyas entradas la información adopte una estructura y formato de codificación acorde con unas normas de uso común, o que permitan su adaptación a tales normas.

Del mismo modo, se puede considerar compartible y reutilizable cualquier componente de tecnología lingüística capaz de aceptar unos datos de entrada *(input)* y de producir otros de salida *(output)* que se adapten a unas determinadas normas. Al igual que ocurre con cualquier otro tipo de productos, la adopción de normas y estándares facilita, además, la comparación entre sistemas de características equiparables y la evaluación de la calidad de cada uno de ellos.

Cualquier normalización puede alcanzarse bien mediante el paulatino establecimiento de prácticas comunes y marcos generales compatibles (estándares *de facto*) a través de un consenso que puede ser espontáneo o acordado, o bien mediante la elaboración de pautas y normas definidas de forma precisa y avaladas por agencias de estándares nacionales o internacionales (estándares *de jure*). Los estándares *de jure* suelen tener su origen en estándares *de facto*, aunque estos últimos no necesariamente acaban por obtener un reconocimiento oficial. Los estándares *de facto* surgen a menudo de una propuesta unilateral de una determinada organización, que obtiene con el tiempo el apoyo de un grupo suficientemente amplio de organizaciones y usuarios. En otros casos, son el resultado de un proceso más formal, que requiere el consenso previo de grupos de empresas, asociaciones profesionales y de usuarios y organismos públicos, los cuales elaboran una propuesta conjunta y la someten a la consideración del resto de personas y entidades que pueden verse afectadas por la definición del estándar, quienes colaboran a su vez en el desarrollo y establecimiento del mismo, tanto con aportaciones que lo modifiquen o amplíen, como con su adopción de forma más o menos generalizada.

En las páginas que siguen, se intenta dar una visión introductoria de tres importantes iniciativas que tienen o han tenido como objetivo la normalización, ya sea en el campo de la codificación de textos o en el de la tecnología lingüística: el estándar *SGML*, la iniciativa *TEI* y el proyecto *EAGLES*. El primero es un *estándar* internacional ya establecido, mientras que los otros dos son proyectos de normalización en marcha actualmente. La TEI ha desarrollado ya unas *normas* que han obtenido una aceptación bastante generalizada entre los investigadores. EAGLES, en cambio, es una iniciativa más reciente, pero que ya ha logrado proponer unas primeras *recomendaciones*.

Tanto la TEI como EAGLES han adoptado como método de trabajo la constitución de grupos de expertos que se han ocupado de distintos aspectos relativos a la codificación textual, en el primer caso, o a la tecnología lingüística, en el segundo, la discusión por parte de estos grupos de las soluciones propuestas a problemas específicos y la elaboración de sucesivas versiones de documentos con recomendaciones, las cuales han sido sometidas a una discusión más amplia por parte de especialistas externos para su posterior refinamiento y actualización.

SGML es un lenguaje que sirve para la representación con carácter general de cualquier tipo de textos en formato digital y su uso está ampliamente extendido en el sector de la edición de documentos electrónicos. La TEI se ocupa de elaborar unas pautas más concretas y específicas para la codificación de tipos textuales determinados, por lo cual sus recomendaciones son de interés para los investigadores y profesionales cuyos trabajos requieran la generación o el empleo de textos en formato electrónico, especialmente cuando estos textos deban trascender el ámbito de trabajo individual y, por tanto, adaptarse a diversas necesidades y al uso de sistemas informáticos variados y cambiantes. Resulta evidente que, entre las disciplinas implicadas en estas labores, la filología y la lingüística ocupan un lugar prominente aunque no exclusivo. El proyecto EAGLES, por su parte, se ocupa de la normalización de los recursos lingüísticos y de los sistemas de tecnología lingüística, por lo cual su ámbito de interés se circunscribe de forma más específica al trabajo de quienes aplican la tecnología informática al estudio del lenguaje y, en especial, de quienes tienen como objetivo el desarrollo de sistemas informáticos de procesamiento del lenguaje.

De lo expuesto se deduce que entre los beneficiarios de las normas y recomendaciones propuestas tanto por la TEI como por EAGLES están, por un lado, quienes diseñan, crean, gestionan y explotan recursos lingüísticos en soporte informático y, por otro, los productores y usuarios de tecnología lingüística.

Comenzaremos por una breve introducción al estándar *ISO 8879*, más conocido como SGML, en el cual se basan las normas TEI, así como buena parte de las recomendaciones de EAGLES.

SGML: Un marco general para la codificación de textos

Cuando escribimos un documento cualquiera con la ayuda de un sistema de procesamiento de textos, introducimos en el ordenador dos tipos de datos: por una parte, cadenas de caracteres que constituyen el texto propiamente dicho y, por otra, *marcas textuales* con las cuales señalamos determinados elementos del documento e indicamos al sistema las funciones de procesamiento que debe llevar a cabo con cada uno de ellos. Podemos definir estas marcas textuales como texto añadido al contenido de un documento con información sobre el mismo.

A veces añadimos estas marcas expresamente; por ejemplo, cuando destacamos un fragmento del texto mediante el uso de una letra de un tipo, estilo o tamaño distinto que el resto, o bien cuando separamos unos párrafos de otros. En otros casos, es el propio sistema el que incorpora las marcas al texto de forma automática; este es el caso cuando se produce un salto automático de línea al llegar al margen derecho. El que la inserción de las marcas textuales se produzca de una u otra forma depende de la capacidad del sistema para tomar la decisión de forma autónoma; así, mientras la separación del texto en párrafos es una decisión propia del autor del documento, el sistema puede estar suficientemente capacitado para tomar decisiones sobre la disposición de las palabras en líneas dentro de un mismo párrafo.[5]

Pues bien, *SGML (Standard Generalized Markup Language)* es un lenguaje de marcas textuales que sirve para representar documentos en formato digital. Por su versatilidad y por tratarse de un estándar internacional oficialmente reconocido y adoptado de forma cada vez más generalizada, SGML cumple de forma satisfactoria el objetivo con que fue diseñado, es decir, que los documentos codificados mediante este lenguaje puedan ser procesados independientemente de los distintos programas, sistemas o dispositivos que se utilicen, de la lengua en que esté escrito el documento, de los juegos de caracteres específicos empleados por distintos sistemas y de la forma de disponer el flujo de datos o la organización física de los archivos.

Para comprender mejor el espíritu que inspiró el surgimiento de este estándar, aprobado en 1986 por la ISO (Organización Internacional para la Estandarización), convendrá repasar brevemente su historia, que comienza por la creación del lenguaje *GML (Generalized Markup Language)* en 1969.

5. A veces, la inserción de una marca textual se produce tras una interacción del sistema con el usuario, como cuando el sistema propone partir una determinada palabra a final de línea y pide la confirmación del autor sobre la adecuación de esa decisión.

A finales de la década de los sesenta, había surgido, entre los especialistas estadounidenses en codificación de textos electrónicos, una tendencia que propugnaba el uso de lo que se denominó *codificación genérica*. Hasta entonces, la codificación de los textos se realizaba mediante la inserción de códigos de control que, al ser detectados por el sistema, hacían que se ejecutaran determinadas instrucciones para que el texto adoptara el formato deseado; estos códigos sólo podían ser interpretados por el sistema para el que habían sido ideados.

En la codificación genérica se sustituían estos códigos de formato por otros de tipo descriptivo; por ejemplo, *"heading"* ("título, encabezamiento") en lugar de *"format-17"*. Aunque pueda parecer trivial, este cambio de unas etiquetas orientadas al funcionamiento del sistema a unas *etiquetas descriptivas* basadas en la estructura del documento conlleva un cambio de enfoque fundamental, que permitirá separar el contenido y la estructura del documento, por una parte, de su formato físico y de los procesos que debe seguir el sistema para producir ese formato, por otra.

El hecho de que las marcas textuales describan la estructura de un documento en lugar de los procesos informáticos que deben llevarse a cabo con él permite que esta codificación descriptiva del documento se realice una sola vez, siendo suficiente para cualquier procesamiento futuro del mismo. Por otra parte, los defensores de la codificación genérica abogaban por el uso de una codificación sistemática y rigurosa que permitiera procesar documentos con las mismas técnicas ya existentes para el procesamiento de otros objetos rigurosamente definidos, tales como programas informáticos o bases de datos.

El lenguaje GML, además de incorporar este enfoque descriptivo, introdujo una novedad importante: la asociación de cada documento a un tipo de documento formalmente definido. Como veremos a continuación, la *declaración o definición*[6] *de tipo de documento (DTD)* característica de SGML consiste básicamente en una descripción explícita de la estructura potencial de un documento perteneciente a un tipo determinado en función de los elementos anidados que pueden formar parte de ella.

El desarrollo de SGML como estándar de codificación textual se produjo a partir de 1978 y culminó con su reconocimiento oficial en 1986. Durante ese período fue adoptado para la codificación de publicaciones y documentos de diversas empresas, instituciones y organismos nacionales e internacionales. Se han desarrollado, asimismo, una variedad de programas informáticos para el tratamiento de documentos SGML, así como diversos conversores que permiten transferir documentos de SGML a otros formatos de codificación y viceversa; algunos de los procesadores de texto más comunes incluyen, en sus versiones más recientes, la posibilidad de convertir los documentos desde y hacia SGML.

---

6. La bibliografía especializada en SGML y en la TEI habla casi siempre de *"document type definition"*, aunque el texto oficial del estándar ISO 8879 emplea la expresión *"document type declaration"*.

En los últimos años, con la extensión del uso de *hipertextos,*[7] especialmente en los interfaces de usuario de sistemas *multimedia* y para la navegación por Internet, ha alcanzado gran popularidad un lenguaje de codificación hipertextual basado en él: *HTML (HyperText Markup Language).*

Veamos ahora algunas de las características básicas de SGML. En primer lugar, y como puede deducirse de lo dicho anteriormente acerca de las declaraciones de tipos de documentos, el término "documento" tal como se emplea en SGML se refiere no a una entidad física como un archivo o un conjunto de páginas impresas, sino a una entidad lógica que contiene un *elemento documento*, el cual constituye el nodo raíz de un árbol de elementos que forman el contenido del documento. Así, por ejemplo, un documento de un determinado tipo que llamaremos "libro" podrá contener elementos "capítulo", que a su vez podrán contener elementos "sección", y así sucesivamente hasta alcanzar los nodos terminales, que contendrán los caracteres (u otro tipo de datos no textuales)[8] que constituyen el contenido propiamente dicho del documento.

Cada elemento de un documento SGML está delimitado por dos marcas textuales: la *etiqueta inicial* y la *etiqueta final.* Estas etiquetas describen la naturaleza y características del elemento en cuestión, por lo cual reciben el nombre de *marcas descriptivas.* Una de estas características es el tipo de elemento de que se trate, que aparece reflejado en las marcas descriptivas a través de un *identificador genérico.* Además del identificador genérico, las marcas descriptivas pueden contener otros datos, o *atributos*, que aportan información sobre cualidades específicas del elemento descrito.

Las marcas textuales deben ser a su vez debidamente identificadas como tales para distinguirlas del contenido del documento. En el caso de las marcas descriptivas, esto suele[9] hacerse de la siguiente forma: el carácter "<" señala el inicio de una etiqueta inicial y los caracteres "</" el inicio de una etiqueta final; el carácter ">" señala el final de uno u otro tipo de etiqueta.

El ejemplo de la figura 1 incluye varias marcas descriptivas que delimitan los componentes de un fragmento de texto. Los identificadores genéricos empleados en este caso son "tit" (título), "p" (párrafo), "lista", "el" (elemento de una lista) y "td" (texto destacado). En este ejemplo no se han incluido atributos específicos para cada elemento, por lo cual todas las etiquetas iniciales responden al formato "<IG>" y las finales al formato "</IG>", donde "IG" representa al identificador genérico.

---

7. Se llama *"hipertexto"* a la información estructurada no de forma secuencial, como es habitual en documentos convencionales, sino en forma de red de documentos con vínculos entre sus distintas partes, que los unen de tal forma que se podrían representar mediante un grafo. El lector puede acceder interactivamente a la información que le interesa seleccionando palabras o elementos de un documento que le llevan a otro punto del mismo o de otro documento.

8. Si el nodo terminal es, por ejemplo, un elemento "párrafo", su contenido podrá estar formado por caracteres. En cambio, si se trata de un elemento "figura", es probable que el contenido consista en datos no textuales que constituyan la representación de una imagen.

9. Empleamos aquí la forma de identificar las etiquetas correspondiente a la *sintaxis concreta de referencia.* SGML es, en realidad, un metalenguaje que permite la definición por parte del usuario de distintas *sintaxis concretas.* La sintaxis concreta de referencia, definida en el propio estándar, es la de uso más corriente.

```
[...]
<tit>
Ejemplo de codificaci&oacute;n textual en <td>SGML</td>
</tit>
<p>
He aqu&iacute; un ejemplo de un fragmento de texto codificado en
<td>SGML</td>. Este fragmento consta de un t&iacute;tulo y dos
p&aacute;rrafos, el segundo de los cuales contiene a su vez una
lista de tres elementos. Adem&aacute;s, algunas palabras han sido
destacadas del resto.
<p> Nuestro prop&oacute;sito es:
<lista>
<el>
por una parte, mostrar c&oacute;mo estos componentes del texto
forman parte de su <td>estructura l&oacute;gica</td>, que es
independiente de su <td>estructura f&iacute;sica</td>, la cual
puede ser bien su representaci&oacute;n gr&aacute;fica (mediante
letras y s&iacute;mbolos dispuestos en una p&aacute;gina o pantalla
de acuerdo con diversas convenciones tipogr&aacute;ficas), o bien
la propia codificaci&oacute;n del texto en formato digital
(mediante la disposici&oacute;n lineal de determinadas cadenas de
caracteres definidas tambi&eacute;n de forma convencional);
<el>
por otra parte, ilustrar la correspondencia entre esa &uacute;nica
estructura l&oacute;gica del texto y algunas de sus m&uacute;ltiples
representaciones gr&aacute;ficas posibles;
<el>
finalmente, ofrecer al lector una impresi&oacute;n del aspecto que
puede presentar la codificaci&oacute;n en <td>SGML</td> de un texto
sencillo.
</lista>
[...]
```

Fig. 1. Ejemplo de codificación de un fragmento de texto.

En la figura 1, algunas marcas descriptivas se presentan en líneas separadas. Se trata de una práctica habitual cuyo único fin es facilitar la interpretación humana del texto codificado en SGML, aunque no afecta en nada a la interpretación automática del mismo, ya que el análisis de su estructura se realiza según la disposición de las marcas respecto a la cadena de caracteres que constituyen el contenido del documento y no según su disposición en distintas líneas. También para facilitar la interpretación humana de las marcas, es conveniente emplear nombres que resulten fácilmente inteligibles. Además, aunque aquí hemos empleado en general nombres inspirados en palabras españolas, en algunos casos puede ser preferible usar una nomenclatura más corriente de etiquetas basadas en palabras inglesas que resulte familiar a la mayoría de usuarios de SGML.

Tal como puede observarse en este ejemplo, en algunos casos puede omitirse la etiqueta final; esto es así cuando se ha especificado en la DTD que la misma es opcional. En este caso no se han incluido etiquetas finales para los elementos de tipo *p* y *el*; se supone, por tanto, que de la información contenida en la DTD se deduce cuándo el final de un elemento dado está implícito por la aparición de otras etiquetas. Por ejemplo, podría darse por concluido un párrafo cuando se inicia otro párrafo, o bien cuando aparece una etiqueta final de un elemento de los tipos sección, capítulo o documento. De igual manera, el final de un elemento de una lista podría estar implícito por el inicio de otro elemento de la lista o por el final de la lista.[10]

La figura 2 muestra algunas de las múltiples representaciones gráficas que podría tomar el fragmento de texto cuya codificación hemos visto. Puesto que la codificación es puramente descriptiva, el aspecto y disposición del texto depen-derán de las correspondencias que se establezcan entre la estructura del texto y las funciones que deba ejecutar el sistema para cada elemento de esa estructura.

En estos ejemplos no se muestra la estructura general del documento; aunque se aprecia la forma en que están anidados los elementos dentro de la lista, ésta dentro de un párrafo y los fragmentos de texto destacado dentro de algunos de estos elementos, no sabemos de qué manera dependen los elementos de tipo *tit* y *p* de los elementos que constituyen los nodos superiores del árbol hasta llegar al nodo raíz.

Veamos, por tanto, en la figura 3 un ejemplo que nos permita tener una visión global de la estructura de un documento completo como puede ser un libro (aunque en este caso se trata de una estructura más bien simple en relación con la de un libro típico). Vemos que la totalidad del documento consta de un elemento que hemos llamado *libro*, cuyos componentes inmediatos son tres elementos denominados *prelim, cuerpo* y *post*. El elemento *prelim* contiene a su vez varios elementos preliminares como el título, el autor y el prólogo, mientras que el elemento *cuerpo* consta de una serie de capítulos, y el elemento *post*, de una serie de apéndices. Tanto el prólogo, como cada uno de los capítulos y de los apéndices están compuestos por párrafos; los capítulos y los apéndices, además, comienzan con un título. Los nodos terminales de la estructura del documento son, por lo tanto, los denominados *titulo*,[11] *autor*, *p* (párrafo) y *tit* (título de un capítulo o apéndice). El contenido de estos nodos terminales, indicado en el ejemplo mediante puntos suspensivos, sería el contenido del documento y podría estar constituido en este caso por simples cadenas de caracteres.

Todos los ejemplos de marcas descriptivas vistos hasta el momento contienen solamente un identificador genérico, el cual, como se ha dicho, indica de qué tipo de elemento se trata. Hemos visto, sin embargo, que las marcas descriptivas pueden contener también *atributos*, es decir, datos que nos informan sobre cualidades específicas del elemento concreto identificado por la marca.

10. Conviene tener presente que se trata sólo de un ejemplo; estas suposiciones no tienen valor general, sino que dependerán siempre de la DTD asociada a cada documento.

11. Debemos señalar que la ausencia de tildes en las etiquetas de los ejemplos no significa que SGML no permita hacer uso de caracteres acentuados en las marcas textuales. No obstante, es práctica común ceñirse a un juego de caracteres restringido con el fin de no complicar innecesariamente la sintaxis empleada en la codificación. Hay que tener en cuenta que esto no afecta al contenido del documento.

[...]

Ejemplo de codificación textual en *SGML*

He aquí un ejemplo de un fragmento de texto codificado en *SGML*. Este fragmento consta de un título y dos párrafos, el segundo de los cuales contiene a su vez una lista de tres elementos. Además, algunas palabras han sido destacadas del texto.

Nuestro propósito es:

- por una parte, mostrar cómo estos componentes del texto forman parte de su *estructura lógica*, que es independiente de su *estructura física*, la cual puede ser bien su representación gráfica (mediante letras y símbolos dispuestos en una página o pantalla de acuerdo con diversas convenciones tipográficas), o bien la propia codificación del texto en formato digital (mediante la disposición lineal de determinadas cadenas de caracteres definidas también de forma convencional);
- por otra parte, ilustrar la correspondencia entre esa única estructura lógica del texto y algunas de sus múltiples representaciones gráficas posibles,
- finalmente, ofrecer al lector una impresión del aspecto que puede presentar la codificación en *SGML* de un texto sencillo.

[...]

[...]

EJEMPLO DE CODIFICACIÓN TEXTUAL EN SGML

He aquí un ejemplo de un fragmento de texto codificado en SGML. *Este fragmento consta de un título y dos párrafos, el segundo de los cuales contiene a su vez una lista de tres elementos. Además, algunas palabras han sido destacadas del resto.*

Nuestro propósito es:

i) por una parte, mostrar cómo estos componentes del texto forman parte de su estructura lógica, *que es independiente de su* estructura física, *la cual puede ser bien su representación gráfica (mediante letras y símbolos dispuestos en una página o pantalla de acuerdo con diversas convenciones tipográficas), o bien la propia codificación del texto en formato digital (mediante la disposición lineal de determinadas cadenas de caracteres definidas también de forma convencional);*

ii) por otra parte, ilustrar la correspondencia entre esa única estructura lógica del texto y algunas de sus múltiples representaciones gráficas posibles;

iii) finalmente, ofrecer al lector una impresión del aspecto que puede presentar la codificación en SGML *de un texto sencillo.*

[...]

Fig. 2. Ejemplos de distintas representaciones gráficas de un fragmento de texto.

Sólo a modo de ejemplo, mencionaremos uno de los atributos más habituales: el que sirve para identificar de forma única a un determinado elemento del documento. El documento cuya estructura acabamos de analizar (figura 3) contiene algunos tipos de elementos que sólo aparecen una vez (*libro, prelim, titulo, autor, prologo, cuerpo* y *post*). En cambio, los tipos de elementos *cap, apend, tit* y *p* pueden aparecer un número indefinido de veces. Puede resultar de especial interés que las marcas descriptivas de un tipo de elemento puedan incluir un identificador único de un elemento concreto de ese tipo. Esto permitiría, por ejemplo, realizar referencias al contenido de ese elemento en otros lugares del documento.

```
<libro>
    <prelim>
            <titulo>...</titulo>
            <autor>...</autor>
            <prologo>
                    <p>...
                    <p>...
                    .
                    .
                    .
                    <p>...
            </prologo>
    </prelim>
    <cuerpo>                                        <post>
            <cap>                                           <apend>
                    <tit>...</tit>                                  <tit>...</tit>
                    <p>...                                          <p>...
                    <p>...                                          <p>...
                    .                                               .
                    .                                               .
                    .                                               .
                    <p>...                                          <p>...
            <cap>                                           <apend>
                    <tit>...</tit>                                  <tit>...</tit>
                    <p>...                                          <p>...
                    <p>...                                          <p>...
                    .                                               .
                    .                                               .
                    .                                               .
                    <p>...                                          <p>...
            .                                               .
            .                                               .
            .                                               .
            <cap>                                           <apend>
                    <tit>...</tit>                                  <tit>...</tit>
                    <p>...                                          <p>...
                    <p>...                                          <p>...
                    .                                               .
                    .                                               .
                    .                                               .
                    <p>...                                          <p>...
</cuerpo>                                                   <post>
                                            </libro>
```

Fig. 3. Ejemplo de codificación en SGML de un libro de estructura muy simple.

Así, podemos añadir a las marcas descriptivas de elementos como *cap* y *p* un atributo que llamaremos *"id"* y cuyo valor será cualquier cadena de caracteres que no se repita como valor del atributo *id* de ningún otro elemento del documento y que, además, se ajuste a otras restricciones que especifiquemos para el valor de dicho atributo en lo que concierne a la longitud de la cadena y al conjunto de caracteres que pueden formar parte de ella.

En el ejemplo de la figura 4 hemos añadido este atributo en las etiquetas iniciales de algunos de los elementos de tipo *cap* y *p*. Esto nos permitirá realizar referencias a los elementos así identificados.

```
[...]
<cap id=estrvege>
    <tit>Estructura y medio ambiente de la vegetaci&oacute;n</tit>
    <p>
    La vegetaci&oacute;n que cubre los continentes de la Tierra
    es de vital importancia [...]
    <p id=dfvegnat>
    El tema que aqu&iacute; nos ocupa es el de la <td>vegetaci&oacute;n
    natural</td>, es decir, la vegetaci&oacute;n que se desarrolla sin
    ser interferida y modificada apreciablemente por el hombre. [...]
    .
    .
    .
<cap id=distrvege>
    <tit>Distribuci&oacute;n de la vegetaci&oacute;n natural</tit>
    <p>
    En el cap&iacute;tulo <capref refid=estrvege> ya se han tratado
    los principios de descripci&oacute;n de la vegetaci&oacute;n en
    funci&oacute;n de su estructura, [...]
    <p>
    Toda la vegetaci&oacute;n natural (v&eacute;ase <pref refid=dfvegnat>)
    puede agruparse en cuatro grandes subdivisiones estructurales,
    [...]
    p id=dfbosque>
    Un <td>bosque</td> puede definirse como una formaci&oacute;n vege-
    tal constituida por &aacute;rboles que crecen unos junto a otros y
    forman un estrato de hojas que cubre de sombra el suelo.
[...]
```

Fig. 4. Ejemplo de codificación con uso de atributos de identificación única de elementos

Al editar un documento mediante un lenguaje de codificación genérica como SGML, es imposible conocer la disposición final del texto en páginas, ya que ésta será el resultado del proceso que se lleve a cabo con el texto. Por ello, la posibilidad de referirnos a cualquier elemento independientemente de su ubicación final en el documento resulta especialmente útil. Incluso el orden y la numeración de los capítulos y secciones, así como el de las ilustraciones, pueden sufrir numerosos cambios a lo largo de la edición del documento. Es por esto que resulta conveniente el uso de identificadores que, como los del ejemplo de la figura 4, no dependan de esa numeración. Aunque también es práctica habitual el uso de identificadores basados en la numeración (por ejemplo, "<cap id=cap20>"), es aconsejable el empleo de nombres que nos remitan al contenido del elemento en cuestión más que a su situación en el documento.

Los sistemas que se utilicen para procesar el documento posteriormente a su codificación en SGML se encargarán de distribuir el texto en páginas y de numerar tanto las páginas como otros elementos del documento; asimismo, podrán asignar a cada referencia el formato que se estime oportuno. En la figura 5 se muestran algunas de las diversas formas que podrían tomar los fragmentos del texto de la figura 4 que incluyen referencias a otros elementos del documento.

Este ejemplo nos ha llevado a la introducción de un tipo excepcional de marcas descriptivas: las empleadas para indicar un *elemento vacío*, es decir, un elemento cuyo contenido no es introducido por el usuario, sino que es generado por el sistema de procesamiento. Los elementos *capref* y *pref* usados en el ejemplo para introducir referencias a capítulos o párrafos son elementos de este tipo; presentan una estructura similar a las etiquetas iniciales de un elemento: un indicador genérico ("capref" y "pref"), un atributo ("refid") con la indicación de su valor y los delimitadores inicial ("<") y final (">"). Como cabe esperar, las marcas de este tipo nunca van acompañadas de una etiqueta final.

```
[...]

En el cap&iacute;tulo <capref refid=estrvege> ya se han tratado [...]

    En el capítulo 20 ya se han tratado...
    En el capítulo 20, Estructura y medio ambiente de la vegetación, ya
    se han tratado...
    En el capítulo Estructura y medio ambiente de la vegetación (página
    351) ya se han tratado...
    En el capítulo Estructura y medio ambiente de la vegetación
    pp. 351-367) ya se han tratado...

Toda la vegetaci&oacute;n natural (v&eacute;ase <pref refid=dfvegnat>)
puede agruparse [...]

    Toda la vegetación natural (véase pág. 351) puede agruparse...
    Toda la vegetación natural (véase pág. 351, párrafo 2) puede
    agruparse...
    Toda la vegetación natural (véase Capítulo 20, pág. 351) puede
    agruparse...

[...]
```

Fig. 5. Algunas de las formas que pueden tomar las referencias del ejemplo anterior (figura 4).

Además de las marcas descriptivas que, como hemos visto, se emplean para delimitar los elementos que componen la estructura de un documento, se emplean en SGML otros tipos de marcas. Uno de ellos es el constituido por las *referencias a entidades*. En un sistema informático determinado, un documento puede estar almacenado en varias partes, cada una de ellas en una unidad de almacenamiento separada (archivos, conjuntos de datos, miembros de "librerías" o bibliotecas de datos, etc.). A cada una de esas partes se las llama *entidades*. Estas entidades están conectadas por las referencias a entidades que forman parte de la codificación del documento. Una referencia a una entidad es una llamada para que el sistema inserte un determinado texto (la entidad) en el documento en el lugar de aparición de la referencia. El texto que constituye la entidad puede haber sido definido dentro del mismo documento o bien de forma externa.

El lector habrá observado ya en los ejemplos precedentes el uso de determinadas secuencias de caracteres en sustitución de algunos caracteres especiales, como las letras acentuadas y la letra "ñ". Secuencias como "`é`", "`üaut;`" o "`ñ`" son referencias a las entidades "é", "ü" y "ñ". Los caracteres "&" y ";" actúan como delimitadores de las referencias a entidades, permitiendo distinguirlas del resto de caracteres del documento. Para que estas referencias surtan el efecto deseado durante el procesamiento del documento, es necesario que las entidades estén definidas en algún sitio. En los ejemplos anteriores, las entidades pertenecen a uno de diversos *conjuntos públicos de entidades*, es decir a un conjunto de entidades empleado de forma estándar o compartido por una determinada comunidad de usuarios para la codificación de documentos. SGML nos permite definir nuestras propias entidades, por lo cual podríamos haber optado por nombres como "`&eacento;`", "`&udieresis;`" o "`&enne;`". No obstante, el uso de entidades pertenecientes a conjuntos públicos facilita la interpretación del documento por parte de otros usuarios y sistemas sin necesidad de recurrir a un nuevo juego de entidades definido especialmente para ese documento. También podríamos haber prescindido por completo del uso de estas referencias a entidades empleando, previa declaración del mismo en la DTD del documento, un conjunto de caracteres que incluyera los de uso más frecuente en el texto, pero esto podría causar igualmente problemas a usuarios y sistemas que no utilizaran ese mismo juego de caracteres.

Las referencias a entidades no sólo son útiles para sustituir caracteres que, como éstos, pueden no estar disponibles en determinado teclado, no ser visualizables en pantalla en determinado sistema o presentar problemas en su transmisión de un sistema informático a otro. También permiten emplear abreviaturas en sustitución de largas cadenas de caracteres. Por ejemplo, si en un documento se repite a menudo la expresión "Organización de las Naciones Unidas para la Alimentación y la Agricultura", podríamos declararla como una entidad y sustituirla en el texto por la referencia "`&fao;`". Finalmente, mediante referencias a entidades se puede indicar el lugar de inserción de una parte del documento almacenada en un archivo distinto.

Aparte de las marcas descriptivas y de las referencias a entidades, existen otros dos tipos de marcas en SGML: las *declaraciones*, que definen el uso de las restantes marcas y controlan su interpretación, que se usan fundamentalmente en las declaraciones de tipos de documentos (DTD); y, finalmente, las *instrucciones de procesamiento*, que, a diferencia de las restantes marcas, se codifican en función de un sistema informático concreto y constituyen, por lo tanto, un último recurso cuando el uso de codificación genérica no resulta adecuado para nuestros fines.

Para concluir esta breve introducción a SGML, veremos de forma somera en qué consiste la *declaración de tipo de documento (DTD)*. Una DTD contiene, entre otras informaciones, las reglas que definen las estructuras permitidas para cualquier documento de un tipo dado. Los elementos que componen un documento pueden aparecer en él sólo de acuerdo con esas reglas, que se definen en las *declaraciones de elementos*.

La figura 6 muestra las declaraciones de algunos de los elementos que hemos visto en nuestro ejemplo de estructura de un libro sencillo (figura 3). El delimitador inicial "<!" indica que se trata de declaraciones, y la palabra clave "ELEMENT" que aparece a continuación, el tipo de declaración. Los dobles guiones que acompañan a los delimitadores de la primera línea indican que el contenido de esta marca constituye un *comentario*, es decir, un texto explicativo para referencia del usuario pero que será ignorado por el sistema. Para facilitar la comprensión de los códigos, éstos se han dispuesto en forma de tabla mediante tabuladores; el sistema ignorará también esta disposición: en las marcas de SGML, varios espacios (o códigos de tabulación) consecutivos equivalen a un solo espacio. El nombre que sigue a "ELEMENT", y que aquí hemos colocado bajo el epígrafe "Elementos", es el identificador genérico del elemento que se declara, mientras que los nombres alineados bajo el epígrafe "Contenido" indican los identificadores genéricos de los elementos que puede contener el elemento declarado.

```
<!--        ELEMENTOS           MIN   CONTENIDO                     -->
<!ELEMENT   libro               - -   (prelim?, cuerpo, post?)       >
<!ELEMENT   cuerpo              - o   cap+                           >
<!ELEMENT   (cap | apend)       - o   (tit, (p | fig)+)              >
```

Fig. 6. Ejemplos de declaraciones de elementos

Así, la primera declaración corresponde al elemento *libro* y establece que su contenido constará de un elemento *prelim*, seguido por un elemento *cuerpo*, seguido a su vez por un elemento *post*. Las comas (",") que separan los tres identificadores genéricos indican que se trata de una secuencia ordenada, es decir, que no pueden aparecer en otro orden; el signo "?" a continuación de los elementos *prelim* y *post* indica que ambos son optativos. El signo "+" en la declaración del elemento *cuerpo* indica que éste debe estar formado por *uno o más* elementos *cap*. La barra vertical ("|") de la tercera declaración es un operador disyuntivo: su primera aparición indica que la declaración es válida para el elemento *cap* o para el elemento *apend*; en el grupo de nombres que define el contenido permitido para estos dos elementos, se ha usado la barra vertical para indicar que al elemento *tit* deben seguir uno o más elementos pertenecientes al par formado por *p* y *fig*.

Los dos caracteres situados en el ejemplo bajo el epígrafe "Min" y comprendidos entre el nombre o grupo de nombres de los elementos declarados y el nombre o grupo de nombres de los elementos del contenido corresponden respectivamente a los dos *parámetros de minimización* de las etiquetas inicial y final y sirven para indicar en qué casos se puede omitir alguna de estas etiquetas. La letra "o" indica que la omisión está permitida, mientras que el signo "-" indica que no lo está. Por lo tanto, en nuestro ejemplo, podremos omitir la etiqueta final de los elementos *cuerpo*, *cap* y *apend*. La omisión de la etiqueta final del elemento *cuerpo* es posible debido a que el final de este elemento siempre coincide con el inicio de *post* o, en caso de que no aparezca este elemento optativo, con el final del elemento *libro*. Para los elementos *cap* y *apend*, la posibilidad de omitir la etiqueta final se debe a que el final de cualquier elemento de uno de estos tipos está implícito bien por el inicio de otro elemento del mismo tipo, o bien por el final del elemento que lo contiene (*cuerpo* y *post*, respectivamente). La omisión no sería posible en elementos que pudieran contener elementos del mismo tipo, permitiendo por tanto anidar elementos con un mismo identificador genérico (por ejemplo, una cita dentro de otra cita, o una lista de elementos dentro de otra).

Además de las declaraciones de elementos, la DTD debe contener otra información, como las declaraciones de las listas de atributos asociados a cada elemento y las declaraciones de las entidades empleadas (ya sea de aquellas definidas por el usuario o de las pertenecientes a conjuntos públicos de entidades, con indicación, en este último caso del conjunto de que se trata). Los ejemplos anteriores constituyen sólo una primera aproximación a la codificación de documentos en SGML, por lo cual remitimos al lector interesado a la bibliografía indicada.[12]

Conviene realizar una aclaración final en relación con las diversas aplicaciones de SGML y con el enfoque adoptado en esta sección. Los ejemplos empleados y la mayor parte de las explicaciones han servido para describir este lenguaje de codificación desde la perspectiva de quien crea un documento y lo codifica para su posterior procesamiento mediante sistemas informáticos. Es necesario tener en cuenta que SGML se emplea también, y muy especialmente en el campo de la filología y la lingüística, para la codificación de documentos ya existentes, tanto en la preparación de ediciones críticas de los mismos como en su disposición en soporte informático para la realización de estudios estilísticos o para su uso como parte de corpus lingüísticos. En estos casos el codificador, en lugar de generar una estructura de marcas que se conforme a su concepción del documento que está creando, generará una que se adecue al documento original y que refleje lo más fielmente posible su interpretación del mismo.

12. Goldfarb (1990) contiene el texto oficial completo del estándar ISO 8879, acompañado de abundantes aclaraciones, ejemplos, índices y referencias cruzadas que facilitan su comprensión.

TEI: Unas normas comunes para la codificación y el intercambio de textos

Es precisamente esta necesidad, indicada en el último párrafo de la sección anterior, de codificar textos ya existentes, o bien de permitir el intercambio de textos ya codificados electrónicamente, uno de los motivos fundamentales que dieron origen a la iniciativa *TEI (Text Encoding Initiative)*. Como hemos visto, el lenguaje SGML proporciona al codificador de textos en formato electrónico un marco general que le deja suficiente autonomía para crear su propio esquema de codificación según sus necesidades y las características del texto en cuestión. La TEI va más allá: su objetivo es la elaboración de unas normas que aborden en su integridad el vasto problema planteado por la representación de información textual en formato electrónico y que tengan en cuenta la multiplicidad de fenómenos que pueden presentarse en distintos tipos de texto, así como la diversidad de fines con que la representación de dichos fenómenos puede ser usada, especialmente en los distintos campos de investigación que se basan en el análisis de textos.

La historia de esta iniciativa comienza en noviembre de 1987, cuando un grupo de unos 30 expertos provenientes de archivos, centros de investigación y asociaciones profesionales se reúne en Vassar College (Poughkeepsie, Nueva York) para tratar el problema de la estandarización en un área que, durante las últimas décadas, había visto surgir una multitud de esquemas distintos y a menudo incompatibles que intentaban hacer frente a la necesidad de representar caracteres especiales, codificar las divisiones lógicas de un texto, representar información analítica o interpretativa, o reducir todo el conjunto de informaciones de crítica textual con las distintas interpretaciones y anotaciones de un texto a una única secuencia lineal.

Esta iniciativa de 1987 había sido precedida ya por otros intentos de estandarización, aunque fue en esta ocasión cuando por primera vez se alcanzó un consenso sobre unos principios que servirían de guía al proceso que se llevaría a cabo en los años siguientes. La urgencia del problema, cuyas consecuencias se hacían sentir con más apremio año a año, el compromiso de las principales organizaciones y centros de investigación especializados en la manipulación de textos en formato electrónico, así como las posibilidades abiertas por la recien-te aprobación del estándar SGML, fueron seguramente causa del éxito del encuentro.

De este encuentro nace, pues, la TEI como iniciativa conjunta de tres asociaciones profesionales, la *ACH (Association for Computers and the Humanities)*, la *ALLC (Association for Literary and Linguistic Computing)* y la *ACL (Association for Computational Linguistics)*, a las cuales se sumarían diversos organismos de investigación y proyectos afiliados así como otras entidades públicas y privadas de Europa y Norteamérica. Si bien la TEI surgía como un proyecto internacional y plurilingüe cuyo objetivo era el desarrollo de normas comunes para la codificación y el intercambio de textos electrónicos con fines de investigación científica, pronto resultaría evidente que sus objetivos eran de interés primordial para aplicaciones de todo tipo en el creciente mundo de las industrias de la lengua.

El método de trabajo adoptado por la TEI se ha basado en el estudio minucioso, por parte de grupos de especialistas en cada área, de las distintas cuestiones concernientes a la codificación de textos de tipos muy diversos, en la elaboración de propuestas pormenorizadas pero flexibles para el tratamiento de esas cuestiones y en una amplia discusión de las sucesivas versiones de las recomendaciones resultantes por parte de la comunidad científica en general.

Las normas de la TEI[13] proporcionan convenciones de codificación que permiten describir la estructura física y lógica de una gran variedad de tipos de textos, así como elementos característicos de tipos de textos determinados, abordando los problemas habituales que surgen durante la codificación textual.

La TEI ofrece soluciones para un amplio espectro de usuarios, que incluye a investigadores de campos como las humanidades, las ciencias sociales y otras muchas disciplinas científicas, a editores, bibliotecarios y documentalistas. También da respuestas a muchas de las necesidades del creciente sector de la tecnología lingüística, en el cual se están constituyendo importantes corpus de textos escritos y de lengua oral, así como diccionarios computacionales y bases de datos terminológicas, con el fin de avanzar en el desarrollo de sistemas capaces de manipular el lenguaje humano, trabajos que, como hemos visto, requieren cada vez más unas normas comunes que permitan que sean compartibles e intercambiables.

Los grupos de trabajo encargados del estudio de los distintos aspectos específicos de la codificación textual dependen de cuatro comités que se ocupan de las grandes áreas abordadas en este proyecto: la documentación de los textos, su representación, su análisis e interpretación y las cuestiones metalingüísticas. A continuación, mencionaremos muy brevemente el trabajo realizado en cada una de estas áreas.

El comité encargado de la *documentación de los textos* trabaja en la elaboración de las recomendaciones relativas al *prólogo o cabecera*, es decir, a aquella sección de cualquier documento codificado conforme a la TEI que contiene información sobre el mismo. Esta información metatextual incluye, por ejemplo, la identificación y descripción bibliográfica del texto codificado que permita al usuario localizar la edición empleada en su codificación o bien alguna otra edición del mismo. La cabecera debe contener, asimismo, la identificación de la propia codificación del texto que permita a bibliotecarios y documentalistas catalogar los archivos informáticos que la contienen, así como otra información de interés para los gestores de los archivos o para sus usuarios. Finalmente, la cabecera de un documento TEI contiene las declaraciones relativas al propio sistema de codificación empleado, para que los programas puedan interpretar las marcas textuales usadas y procesar el texto de forma adecuada.

El comité de *representación textual* se encarga de proporcionar recomendaciones para la adecuada representación de las versiones impresas o manuscritas

13. El texto completo de estas normas en su estado actual se recoge en Sperberg-McQueen & Burnard (1994). Este documento, que comprende dos volúmenes y más de 1.300 páginas, es conocido comúnmente por el nombre abreviado de *TEI P3 (TEI Proposal 3)* por tratarse de la tercera versión de estas recomendaciones.

del texto. Esta representación incluye tanto la descripción física del texto según su disposición en la edición de la que fue tomado para su codificación, como la descripción lógica de los elementos del texto representados mediante convenciones tipográficas, tales como los caracteres especiales, símbolos y caracteres correspondientes a otros alfabetos, los elementos de la jerarquía estructural del texto (*v.g.* libro, capítulo, verso), otros elementos habituales en un texto representados mediante recursos tipográficos (*v.g.* texto destacado, citas, disposición tabular) o elementos menos habituales que pueden acompañar a un texto (*v.g.* notas, anotaciones marginales, aclaraciones, textos paralelos, rectificaciones editoriales, comentarios de crítica textual).

El comité de *análisis e interpretación* tiene como cometido el estudio de la codificación de aquellos elementos implícitos en el texto que no suelen representarse tipográficamente. Algunos de los problemas abordados son comunes a diversos campos, tales como las referencias intratextuales e intertextuales, la delimitación de determinados segmentos de texto con referencias a comentarios y a otros materiales relacionados, o las etiquetas que permiten la inclusión de elementos o segmentos del texto en índices y bajo términos determinados; otros, en cambio, corresponden al campo específico del análisis lingüístico del texto, como los relativos a su análisis sintáctico, morfológico o léxico, a la anotación de corpus lingüísticos o a la codificación de diccionarios; un tercer grupo corresponde a los estudios literarios e incluye las etiquetas para estudios temáticos, para la identificación de alusiones, así como marcas textuales ideadas especialmente para la representación de elementos propios de determinados tipos textuales y géneros literarios.

Como cabe suponer, la representación de aspectos analíticos e interpretativos del texto plantea más problemas que la de aquellos elementos que ya están señalados en él mediante convenciones tipográficas. La necesidad de definir conjuntos de etiquetas para diversos campos requiere tomar las máximas precauciones para no caer en presuposiciones teóricas que harían que el esquema de codificación no resultase aceptable para los investigadores que no compartieran dichas presuposiciones, por lo cual se ha intentado definirlos de tal manera que permitieran la codificación de los fenómenos considerados de interés por distintas teorías. Para ello, se han delimitado las áreas que se prestan a divergencias en el análisis del texto, permitiendo en algunos casos al codificador la declaración del uso de prácticas específicas en esas áreas o bien, en otros casos, unificando las distintas posiciones existentes en un único conjunto de etiquetas neutral y válido para diferentes teorías.

Finalmente, el cuarto comité, el responsable de *cuestiones metalingüísticas*, está a cargo de elaborar una sintaxis concreta adecuada para los conjuntos de etiquetas propuestos por la TEI. Desde un principio, se determinó que el lenguaje SGML constituía el marco apropiado para el desarrollo de la TEI. Se establecieron algunas restricciones y pautas sobre su uso para hacer frente con éxito al intercambio entre sistemas diferentes, si bien se procuró mantener el carácter general y flexible de SGML que le permite adecuarse a una amplia gama de necesidades.

El esquema de codificación de la TEI ha sido diseñado teniendo en cuenta los siguientes objetivos: que resulte suficiente para representar los elementos del texto necesarios para los investigadores, sin perder por ello de vista las prácticas habituales y las necesidades de las editoriales y de los productores de programas comerciales; que sea simple, claro y concreto; que sea de fácil utilización y que no requiera el uso de programas específicos; que permita una definición rigurosa y un procesamiento eficiente de los textos; que permita al usuario la definición de extensiones propias; y que se ajuste a estándares existentes o en desarrollo.

La búsqueda de claridad y concreción ha llevado a que, lejos de limitarse a dar recomendaciones generales sobre la construcción de una DTD para la codificación de documentos conforme a las normas TEI o a ofrecer un modelo abstracto de DTD, el esquema de codificación incluya la especificación de una DTD completa. Esto permite el uso de dicho esquema por parte de investigadores sin conocimientos previos sobre esta cuestión, sin por ello impedir la modificación y ampliación del mismo cuando se desee adaptarlo a fines específicos.

El afán de simplicidad ha conducido a evitar, en la medida de lo posible, la proliferación de elementos, haciendo coincidir en uno solo aquellos elementos que presentan ciertas semejanzas. Así, por ejemplo, mientras algunos lenguajes de codificación emplean marcas distintas para tres o más tipos de listas,[14] la TEI define un único elemento "`<list>`" y deja las distinciones tipológicas a un atributo especial, "`type`". Sin embargo, este intento de evitar la proliferación de elementos ha debido dejar paso a menudo a una tendencia contraria debida a la necesidad de dar soluciones simples a los casos simples. En efecto, además de una notación general, conviene a veces poder disponer de marcas más específicas para manejar esos casos simples mediante una notación más sencilla. Este tipo de marcas, si bien resultan redundantes y contradicen, por tanto, el principio general que acabamos de enunciar, permiten adaptar el grado de complejidad del esquema de codificación al grado de complejidad con que deseemos describir un texto.

Puesto que el esquema de codificación debe poder extenderse a casos imprevistos, ya sea por las características peculiares del texto o por las del tipo de anotación que deseemos realizar, la TEI prevé la posibilidad de extender y modificar el modelo de DTD propuesto, el cual tiene, como veremos, una estructura modular que consta de un conjunto de marcas básico y distintos conjuntos adicionales de marcas especializadas. Además, el codificador puede introducir módulos nuevos, suprimir determinadas declaraciones, cambiar el nombre de elementos existentes o bien añadir otros nuevos.

Los requisitos establecidos para que la codificación de un texto se conforme a las normas TEI varían según se trate de una codificación nueva o bien de la traducción de textos ya existentes en formato electrónico al esquema de codificación propuesto por la TEI. En este último caso, y para facilitar esa conversión al formato común de la TEI, se considera suficiente que no se

14. Un determinado lenguaje de codificación emplea, por ejemplo, las marcas "`:ol.`" y "`:eol.`" (del inglés *"ordered list"* y *"end of ordered list"*, respectivamente) para aquellas en que los elementos son introducidos por un símbolo numérico o alfabético que indica su orden, "`:ul.`" y "`:eul.`" (inglés, *"unordered list"*) para aquellas en que todos los elementos están marcados por un mismo símbolo, como un punto elevado u otro carácter semejante, y "`:sl.`" y "`:esl.`" (*"simple list"*) para las que carecen de unas u otras señales.

produzca pérdida alguna de información. En cambio, para las codificaciones nuevas, se establecen unos mínimos en relación con la información que debe ser representada.

Veamos brevemente algunas de las principales características del sistema de marcas textuales propuesto por la TEI. En primer lugar, y como ya se ha dicho al tratar la codificación genérica, hay que distinguir entre la estructura física y la estructura lógica del texto: un sistema de marcas que describe meramente la presentación del texto puede usar una etiqueta para señalar el hecho de que un fragmento esté impreso en cursiva, mientras que un sistema de codificación genérica tiende a identificar fenómenos algo más abstractos, como el hecho de que el fragmento en cuestión sea, por ejemplo, una cita metalingüística de una determinada palabra o expresión o bien un fragmento en una lengua distinta a la empleada en el texto. La TEI, a pesar de adoptar un enfoque genérico, permite la representación de la estructura física del texto, ya que ésta puede ser fundamental para la investigación en determinados campos.

Una *etiqueta* es una marca textual específica que señala la presencia o la localización de un determinado fenómeno en el texto. Un mismo fenómeno puede ser indicado por etiquetas distintas en distintos esquemas de codificación. Aunque la TEI propone un modelo de DTD basado en conjuntos de etiquetas predefinidos, el codificador dispone, si lo desea, de mecanismos para abreviar o traducir a una determinada lengua los identificadores genéricos de las etiquetas sin alterar la definición de los fenómenos que señalan o la sintaxis que rige su aparición en el texto.

Las normas TEI describen varias declaraciones de tipos de documentos (DTD): una única DTD principal para la transcripción de textos y varias auxiliares para la codificación de la información metatextual relativa a la transcripción de uno o más textos. Una DTD auxiliar comprende: la cabecera independiente, en la cual se documenta la identidad de un determinado texto electrónico y de su fuente; la declaración de sistema de escritura, en la cual se describe el alfabeto o sistema de escritura, así como los conjuntos de caracteres, esquemas de transliteración y conjuntos de entidades SGML empleados; la declaración del sistema de fenómenos textuales, en la cual se describen los fenómenos que pueden darse en el texto; y, finalmente, la documentación de los conjuntos de etiquetas empleados para describirlos.

En cuanto a la DTD principal, si bien es común a todos los textos codificados conforme a la TEI, permite ser usada de múltiples maneras según las necesidades impuestas por el texto y por el codificador. La variación radica en la posibilidad de combinar diversos conjuntos de etiquetas según lo que los editores de la TEI llaman jocosamente *"Chicago pizza model"*: "En Chicago, como en el resto de Estados Unidos (aunque no en Italia), todas las pizzas tienen algunos ingredientes en común (queso y salsa de tomate); no obstante, el consumidor puede especificar su opción por un tipo de masa (fina, gruesa, rellena) y una selección arbitraria de ingredientes adicionales [...]".[15] La analogía se basa en el hecho de que el codificador de documentos TEI puede adaptar

15. Sperberg-McQueen & Burnard (1995), p. 27.

la DTD principal combinando varios conjuntos de etiquetas disponibles en ella: un conjunto nuclear (que siempre está presente), un conjunto básico determinado y una selección cualquiera de conjuntos adicionales.

El usuario debe, pues, elegir un conjunto básico de etiquetas entre ocho disponibles, seis de ellos diseñados para documentos en los que predomina un tipo textual determinado (prosa, poesía, teatro, transcripción de material hablado, diccionarios impresos y datos terminológicos) y, los dos restantes, para documentos en los que se combinan distintos tipos textuales (una "base general" para antologías y una "base mixta" para combinaciones anárquicas de tipos textuales).

Además, el usuario puede seleccionar cualquier combinación de una serie de conjuntos adicionales de etiquetas, en los que se definen elementos relacionados con determinados tipos de procesamiento del texto, con determinados tipos de investigación, o bien elementos que pueden aparecer en diferentes tipos de texto pero cuyo uso menos generalizado no justifica su inclusión en el conjunto de etiquetas nuclear. Los conjuntos adicionales definen las etiquetas necesarias para representar enlaces hipertextuales, segmentaciones y alineaciones de textos, análisis e interpretaciones textuales, indicaciones sobre el grado de certeza en la codificación y sobre la responsabilidad de la misma, transcripciones de manuscritos, críticas textuales, análisis detallados de nombres o fechas, estructuras como grafos, redes, árboles, tablas, fórmulas o gráficos, información demográfica sobre los autores o hablantes e indicaciones de tipología textual.

La selección del conjunto de etiquetas básico y la de los adicionales, así como cualquier modificación de las definiciones propuestas por la TEI (como los cambios en los nombres de los elementos, o la adición de elementos nuevos), se realizan mediante marcas declarativas similares a las que hemos visto en nuestra introducción a SGML.

Concluiremos esta breve introducción al esquema de codificación TEI con una enumeración ilustrativa de algunos de los elementos definidos de uso más corriente en un documento TEI: por una parte, los que constituyen el conjunto de etiquetas nuclear y, por otra, los incluidos por defecto en todos los conjuntos de etiquetas básicos. En el conjunto de etiquetas nuclear, se definen elementos de tres tipos: i) los que pueden aparecer como componentes directos de una de las grandes divisiones de un texto; ii) los que pueden aparecer en los niveles de los caracteres individuales, de las palabras o de los fragmentos de texto inferiores a los componentes del primer tipo; iii) los que pueden aparecer tanto en el nivel de los componentes de divisiones textuales como en el de los fragmentos inferiores.

Los elementos definidos en el conjunto de etiquetas nuclear que pueden ser componentes directos de las divisiones textuales son los párrafos (etiqueta `<p>`), los versos (etiqueta `<l>`, de "verse line"), las estrofas u otros grupos de versos (`<lg>`, de "line group", y que contienen uno o más elementos `<l>`) y las intervenciones habladas de una obra teatral (`<sp>`, de "speech", y que pueden contener a su vez, además de una indicación opcional del hablante, `<speaker>`, una serie de párrafos, versos o grupos de versos).

Los elementos definidos en el conjunto nuclear que pueden aparecer en los niveles inferiores son mucho más variados por lo cual no los enumeraremos de forma exhaustiva. Incluyen, entre otros: fragmentos destacados tipográficamente (<hi>, de "highlighted"), con distinción opcional entre énfasis (<emph>), términos técnicos (<term>), palabras extranjeras (<foreign>), expresiones citadas (<mentioned>), etc.; elementos diferenciados semánticamente que puede resultar conveniente identificar, como nombres (<name>), números y medidas (<num> y <measure>), fechas y horas (<date>, <time>), etc.; modificaciones editoriales, como correcciones de errores (<corr>), reproducción consciente de errores (<sic>), añadidos (<add>, "addition"), texto transcrito a pesar de estar tachado en el original (<del>, "deleted"), etc.; y distintos elementos para la señalización de estructuras hipertextuales como referencias cruzadas y palabras indexadas.

Por último, los elementos que pueden aparecer tanto en el nivel de los componentes directos de las divisiones textuales como en niveles inferiores comprenden entre otros: las anotaciones (<note>), con la posibilidad de indicar, mediante el uso de atributos, su tipo y localización (notas al pie, finales, marginales); las listas y sus elementos (<list>, <item>); las citas textuales (<q>, de "quotation"); las citas bibliográficas (<bibl>); las acotaciones de escena de textos teatrales (<stage>); y los textos anidados (<text>).

En cuanto a los elementos incluidos por defecto en los ocho conjuntos de etiquetas básicos que hemos mencionado, se trata de aquellos que definen la estructura general de un documento. La estructura proporcionada como opción por defecto divide cualquier texto en tres unidades de máximo nivel: un cuerpo (<body>), que puede ir precedido opcionalmente por materia preliminar (<front>) y seguido, también opcionalmente, por materia posterior (<back>).

Estas grandes unidades suelen estar divididas en componentes que reciben nombres muy diversos según el tipo de texto (capítulos, secciones, subsecciones, actos, escenas, entradas, partes, libros, cantos, etc.). Todos ellos suelen adoptar estructuras arbóreas, en las que los componentes más pequeños se anidan dentro de otros de rango inmediatamente superior. Por ello, todos son tratados por el esquema de codificación de la TEI como un solo tipo de elemento llamado división textual (<div>). Las etiquetas pueden incluir un atributo "type" para distinguir el nombre asociado con cada división concreta (por ejemplo, <div type=capitulo>). La TEI ofrece también la posibilidad de optar por una serie de ocho elementos distintos para ocho niveles jerárquicos de división (<div0>, <div1>, ... <div7>). También se puede emplear simplemente el elemento <div> para todos ellos, ya que la estructura jerárquica está implícita en el propio anidamiento de unos elementos dentro de otros superiores. Sin embargo, esto puede dificultar la detección de errores de codificación.

Cada división de un texto puede incluir un título al comienzo, el cual se codifica mediante una etiqueta específica (<head>). También hay otros elementos típicos de la estructura lógica de ciertos documentos, que suelen aparecer al principio o al final de una división determinada, como epígrafes, fechas, etc., para los cuales se definen también elementos específicos, que suelen incluirse dentro de otros dos elementos que los agrupan al principio (<opener>) o al final (<closer>) de la división en cuestión.

EAGLES: Hacia unas pautas comunes para la ingeniería lingüística

Hemos mencionado ya la creciente necesidad de contar con recursos lingüísticos en soporte informático tanto para el estudio de la lengua como para el desarrollo de productos de tecnología lingüística. La creación de recursos tales como corpus de textos escritos o de lenguaje hablado mediante la recopilación de materiales procedentes de fuentes diversas, su codificación en soporte informático, su anotación o enriquecimiento con información lingüística y el desarrollo de las herramientas necesarias para su gestión y explotación requieren un esfuerzo y una inversión de medios considerables. Lo mismo puede decirse de la compilación y mantenimiento de diccionarios en soporte informático, sea para uso humano o automático, o del desarrollo y perfeccionamiento de conjuntos de reglas gramaticales o de algoritmos estocásticos que proporcionen el conocimiento lingüístico necesario en cualquier sistema destinado a manipular el lenguaje natural. Resulta, por tanto, primordial que el diseño de estos recursos (corpus, diccionarios, gramáticas y herramientas especializadas en la manipulación de información lingüística) no responda a un tratamiento de los fenómenos lingüísticos pensado específicamente para aplicaciones determinadas. Se plantea, por el contrario, una necesidad de normalización, o al menos de armonización, de la información lingüística y de su representación formal.

Si bien este campo evoluciona a un ritmo que impide la fijación de estándares claramente establecidos, los avances realizados en él parecen indicar que sí es posible alcanzar un consenso para la elaboración de recomendaciones sobre determinados aspectos del desarrollo, la explotación y la evaluación de recursos lingüísticos. Para hacer frente a estas necesidades de normalización, y en el marco del programa comunitario de Investigación e Ingeniería Lingüística (LRE), la Dirección General XIII de la Comisión Europea puso en marcha en 1993 el proyecto *EAGLES (Expert Advisory Group on Language Engineering Standards)*. El objetivo principal de EAGLES es elaborar, mediante un amplio consenso, recomendaciones y especificaciones para áreas concretas de la tecnología lingüística a partir de los resultados de trabajos en curso en diversas organizaciones del ámbito comunitario y promover su adopción en futuros proyectos.

La puesta en marcha de EAGLES ha sido posible gracias al compromiso asumido por expertos de más de 30 centros de investigación, empresas, consorcios y asociaciones profesionales de la CE de aportar su tiempo y esfuerzo al trabajo del Grupo. El proyecto está coordinado por el Instituto de Lingüística Computacional de Pisa, y en su Consejo de Administración están representadas diversas empresas e instituciones académicas europeas, además de varias asociaciones y organismos de coordinación, también de ámbito europeo, como la Red Europea de Centros de Excelencia en Lenguaje y Habla (ELSNET), el capítulo europeo de la Asociación para la Lingüística Computacional (EACL), la Asociación Europea para la Comunicación del Habla (ESCA) y la Asociación Europea para la Lógica, el Lenguaje y la Información (FOLLI).

EAGLES pretende alcanzar un consenso de manera pragmática y realista para aquellas cuestiones que se presten a ello y señalar futuras direcciones de trabajo en los aspectos para los cuales tal consenso aún no es factible. Los resultados deben ser aplicables en la práctica al desarrollo de productos y sistemas de procesamiento del lenguaje, y tan exhaustivos como lo permitan los avances técnicos en este campo. Además, deben ser compatibles con los estándares y recomendaciones existentes para campos tecnológicos afines, aplicables a distintas lenguas, y suficientemente abiertos y flexibles como para adaptarse a nuevos avances y a las distintas necesidades y puntos de vista de los usuarios.

La labor de definición de las especificaciones y recomendaciones está siendo llevada a cabo por cinco grupos de trabajo formados por expertos de empresas y universidades europeas, cada uno de los cuales se ocupa de una de las siguientes áreas: corpus textuales, léxicos computacionales, formalismos gramaticales, evaluación de productos de tecnología lingüística y lengua hablada. Dado que el trabajo de elaboración de las primeras recomendaciones está actualmente en marcha,[16] nos limitaremos a mencionar las principales tareas abordadas por cada uno de estos grupos. Comenzaremos por el Grupo de *Corpus Textuales*, con el cual el Instituto Cervantes ha colaborado en calidad de sede técnica y administrativa.

La normalización en la creación y explotación de corpus lingüísticos requiere, en primer lugar, la definición de un conjunto de parámetros para la clasificación y tipificación de corpus y de textos, ya que, para que un corpus sea realmente útil, es imprescindible que tanto los textos que contiene como el propio corpus puedan ser clasificados dentro de una tipología clara. Por otra parte, se ha tratado la elaboración de una solución especializada para hacer frente a las necesidades específicas de la codificación de corpus lingüísticos a partir de las recomendaciones de la TEI.

En lo referente a las normas de anotación lingüística de corpus, puesto que una normalización demasiado rígida de los sistemas de anotación morfosintáctica o etiquetado no resulta recomendable debido a las diferentes necesidades de cada proyecto, el trabajo de EAGLES se orienta hacia un marco general que permita diseñar esquemas concretos de anotación que sean compatibles. No obstante, además de este marco general, se proponen especificaciones por defecto que pueden ser adoptadas cuando no haya motivos especiales que requieran el desarrollo de esquemas específicos. Este marco general es susceptible de ser extendido para lograr la cobertura de fenómenos específicos de determinada lengua o lenguas. Además, permite la adopción de diversos grados de granularidad en la anotación. Por otra parte, se están elaborando recomendaciones preliminares para la anotación sintáctica, en especial para la descripción de información sintáctica superficial, como es el caso de la delimitación de sintagmas.

Otros asuntos que han sido objeto de estudio por parte del Grupo de Corpus Textuales han sido la documentación que debe acompañar a un corpus, la definición de un entorno de usuario y de las herramientas de que debe constar, el tratamiento de los corpus de textos paralelos (es decir, textos producidos en

16. No obstante, algunos de los documentos preparados por los grupos de trabajo están ya disponibles en Internet (*vid.* Bibliografía).

varios idiomas o traducidos a varios idiomas), y los métodos de transcripción y representación del lenguaje hablado.

A continuación, describiremos de forma somera algunos de los cometidos de los restantes Grupos de Trabajo.

El Grupo de Trabajo sobre *Léxicos Computacionales* tiene como principal objetivo la elaboración de estándares para recursos léxicos reutilizables para procesamiento del lenguaje natural. Dichos estándares se están elaborando principalmente a partir de la evaluación e integración de resultados ya alcanzados en diversos proyectos. Los trabajos del Grupo se ocupan de los distintos niveles de información lingüística presentes en los mismos, especialmente en el nivel morfosintáctico, para el cual se ha trabajado en estrecha colaboración con el subgrupo encargado de anotación morfosintáctica de corpus, adoptando el mismo enfoque en lo que atañe a la flexibilidad en el grado de granularidad elegido y en la posibilidad de extender el esquema para cubrir fenómenos específicos. Para el nivel sintáctico, se ha realizado un estudio comparativo de cómo se abordan los fenómenos de subcategorización en diferentes sistemas y teorías para diferentes lenguas europeas, y se ha elaborado un esquema preliminar de clasificación, también en colaboración con el correspondiente subgrupo de anotación de corpus. El Grupo de Trabajo sobre *Formalismos Gramaticales* se ha propuesto alcanzar un consenso sobre las características básicas de los formalismos aplicados al procesamiento del lenguaje natural e indicar posibles tendencias y necesidades futuras a partir de un estudio exhaustivo de los formalismos existentes y de las necesidades planteadas por la industria, con especial atención a las novedades en materia de descripción gramatical y desarrollo de gramáticas. El Grupo sobre *Evaluación* ha desarrollado un marco general para el diseño de evaluaciones. El objetivo es mejorar los métodos de evaluación, como primer paso hacia el establecimiento de estándares para productos de tecnología lingüística, así como identificar y especificar los componentes de un compendio de criterios de evaluación y técnicas asociadas, junto con recomendaciones sobre su uso, del cual los profesionales encargados de la evaluación puedan seleccionar las técnicas adecuadas para sus propósitos. El Grupo de Trabajo sobre *Lengua Hablada* se ha ocupado de las especificaciones aplicables a la producción de corpus de lengua hablada, así como a la evaluación de los sistemas de conversión de texto escrito a lengua hablada y viceversa, y otras tecnologías de esta área, como identificación del hablante e identificación de la lengua.

En el momento de preparar este artículo, se prevé la publicación inminente de un conjunto de especificaciones y recomendaciones que incluirán, para cada una de las áreas tratadas, un estudio sobre el estado actual de la cuestión, y una evaluación del grado de adecuación de las soluciones existentes para ser tenidas en cuenta como modelos genéricos de sus dominios respectivos. Para aquellas áreas cuyo grado de desarrollo ha permitido alcanzar un consenso, se incluirán recomendaciones basadas en dicha evaluación, o propuestas que complementen o modifiquen las soluciones ya existentes. Se identificarán asimismo los puntos que no hayan podido ser tratados debidamente en el curso del proyecto y se propondrán acciones futuras al respecto.

Referencias bibliográficas

BURNARD, L. (1995) "What Is SGML and How Does It Help?", *Computers and the Humanities*, 29, 41-50.(*)

CALZOLARI, N., BAKER, M., KRUYT, T. (eds.) (1994) «Towards a Network of European Reference Corpora», report of the *NERC Consortium Feasibility Study*. Pisa: Giardini Editori e Stampatori.

EAGLES, documentos de trabajo: En el momento de preparar este artículo, estaba prevista la publicación inminente de una primera serie de documentos de trabajo de EAGLES. Algunos de ellos estaban ya disponibles para su consulta a través de Internet en la siguiente dirección: "http://www.ilc.pi.cnr.it/EAGLES/home.html".

GOLDFARB, C.F. (1990) *The SGML Handbook*. Oxford: Oxford University Press.

HEID, U., MCNAUGHT, J. (eds.) (1991) *EUROTRA-7 Study: Feasibility and project definition study of the reusability of lexical and terminological resources in computerised applications*. Final report submitted to the CEC. Stuttgart: IMS, University of Stuttgart.

IDE, N.M., SPERBERG-MCQUEEN, C. M. (1995) "The TEI: History, Goals and Future", *Computers and the Humanities*, 29, 5-15. (*)

INTERNATIONAL ORGANIZATION FOR STANDARDIZATION (ISO) (1986) ISO 8879: *Information Processing - Text and Office Systems - Standard Generalized Markup Language (SGML)*. Geneva: ISO.

ROTHENBERG, J. (1995) "Ensuring the Longevity of Digital Documents", *Scientific American*, January, 24-29.

SPERBERG-MCQUEEN, C. M., BURNARD, L. (1994) *Guidelines for Electronic Text Encoding and Interchange*. Chicago and Oxford: ACH-ACL-ALLC Text Coding Initiative.

— (1995) "The Design of the TEI Encoding Scheme", *Computers and the Humanities*, 29, 17-39. (*)

(*). Estos tres artículos, así como otros sobre aspectos más concretos de la TEI, constituyen el contenido de un número monográfico de *Computers and the Humanities* y se reproducen también en IDE, N. y J. VÉRONIS (eds.), 1995. *Text Encoding Initiative: Background and Context*. Dordrecht: Kluwer Academic Publishers.

JOAN TORRUELLA
JOAQUIM LLISTERRI
Seminari de Filologia i Informàtica
Universitat Autònoma de Barcelona

Diseño de corpus textuales y orales

A la memoria de nuestro buen amigo
Giovanni Pontiero.

1. Introducción

Cada vez parece más evidente la conveniencia de utilizar recursos informáticos en las investigaciones humanísticas. Pero para poder utilizar estos recursos es necesario disponer de un material donde aplicarlos; este material, en el caso de la filología, son los textos, orales o escritos, y los documentos que los contienen, los cuales, debidamente recopilados, forman los llamados corpus.

Actualmente, en muchas ramas de las humanidades, y sobre todo en lingüística aplicada, se pretende trabajar con datos reales y lo más exhaustivos posibles que permitan reproducir con la máxima fidelidad las características del objeto de estudio. Esto implica que, de algún modo, hay que recopilar, en cantidades más o menos grandes, muestras de los elementos que constituyen la realidad que se quiere observar. El auge que últimamente ha tenido la aplicación de la informática y su inevitable presencia en cualquier campo de la investigación ha facilitado enormemente las tareas mecánicas de recopilación y organización en formato electrónico de los textos, lo cual ha provocado que el investigador se pueda encontrar delante de cantidades considerables de documentos que aportan un número de datos tan grande que sólo una codificación, ordenación y organización de estos datos en la proporción adecuada pueden salvarlo del naufragio en un mar inmenso de información. De ahí que, en este capítulo, más que describir investigaciones concretas que se han llevado a cabo en el área de los corpus o a partir de ellos, presentamos las pautas para obtener un corpus suficientemente organizado y representativo de la realidad que quiera reflejar, para que pueda ser explotado con ciertas garantías de éxito.[1]

Ya J. Svartvik (1992) señaló que la lingüística basada en los corpus hacía posible nuevas aproximaciones a viejos problemas, y no solamente esto sino que, en muchos casos permite poner en el terreno de las afirmaciones ideas que antes solo eran conjeturas o especulaciones provenientes de impresiones más o menos fundadas de los lingüistas. Una característica importante de los corpus es que estan compuestos por datos reales y, por lo tanto, sus resultados son empíricos, a diferencia de otras metodologías de análisis lingüístico en las que se parte de hipótesis más intuitivas. La función principal de un corpus, tanto textual como

1. Para una presentación general de la lingüística de corpus véase, por ejemplo, Leech (1991), Leech y Fligelstone (1992) o McEnery y Wilson (1996).

oral, es establecer la relación entre la teoría y los datos; el corpus tiene que mostrar a pequeña escala cómo funciona una lengua natural; pero para ello es necesario que esté diseñado correctamente sobre unas bases estadísticas apropiadas que aseguren que el resultado sea efectivamente un modelo de la realidad. Si el corpus tiene que ser un modelo de la realidad lingüística, o de una parte de esta realidad, es necesario que sea neutro, o sea, que recoja muestras proporcionales de todos sus aspectos (niveles, temáticas, registros, etc.). En la medida en que un corpus sea neutro, es decir, no marcado, se podrá explotar posteriormente para trabajos y enfoques diferentes: fonéticos, fonológicos, morfológicos, sintácticos, semánticos, pragmáticos, etc., siendo constantemente un producto actualizable y reutilizable, dos conceptos importantísimos de la investigación de hoy, ya que si la tarea de confección de un corpus es considerable, a pesar de la ayuda informática, lo mínimo que hay que asegurar es que el resultado sea rentable, y lo será en la medida en que pueda ser utilizado en diversos medios y para diversos fines. De todos modos, hay que aceptar el hecho de que la neutralidad es una tendencia y no una realidad ya que siempre dirigimos la mirada o el pensamiento hacia aquello que, consciente o inconscientemente, queremos ver o demostrar; "no deberíamos olvidar que lo que observamos no es la naturaleza misma, sino la naturaleza determinada por la índole de nuestras preguntas".[2]

Por eso hay que tener siempre presente que un corpus nunca puede ser la realidad sino solamente un modelo de ésta, modelo que debería mostrar sus aspectos más destacados y más característicos. Cuanto más grande sea el corpus y el número de niveles, tipologías, etc. de textos que lo integren más posibilidades habrá de asegurar la presencia de todos los aspectos de la lengua y, por lo tanto, de acercarse a la realidad. Pero un corpus siempre tiene que ser selectivo ya que no es posible (y de serlo tampoco sería rentable) recopilar todo lo escrito y/o hablado de una lengua, y, de hecho, operativamente, es preferible un corpus bien seleccionado y representativo a un corpus exhaustivo, que lo quiera recoger todo. El carácter selectivo de los corpus puede limitar algunas veces las posibilidades de extraer conclusiones, ya que, por ejemplo, en la lista de frecuencias de las unidades léxicas presentes en cualquier corpus, por grande que este sea, un número bastante elevado de unidades (la mitad aproximadamente) tienen frecuencia absoluta de aparición 1, con lo cual no es posible extraer según que tipo de informaciones referentes a estas unidades ni poder explicar su funcionamiento dentro de la lengua. Y lo mismo podríamos decir de las palabras con un índice de frecuencia absoluta de aparición superior a 1 pero sin llegar a ser lo suficientemente grandes como para permitir deducir generalizaciones.

Para que los corpus faciliten la extracción de datos homogéneos y cuantificables de manera que permitan elaborar teorías empíricas, es necesario restringir las diferentes ocurrencias léxicas a ocurrencias formales comunes (unidades estandarizadas); para ello es necesario reducir las variantes a invariantes.[3]

2. Cita tomada de Marina (1993: 38).

3. Para este tema en concreto y otros relacionados con los corpus, véase el excelente capítulo de Blecua (1996).

Y no debemos entender estas variantes solo como las puramente gráficas, las de carácter fonético o las de naturaleza diatópica, sino también las producidas por la polisemia de las lenguas (en muchas de ellas la mitad de las palabras tienen más de una acepción). Otro paso también necesario de cara a reducir a un común denominador las diferentes formas flexivas que adquieren las palabras cuando son tratadas únicamente como cadenas de caracteres delimitadas entre espacios en blanco, es agrupar bajo de un lema todas sus formas flexionadas. Pero todos estos procesos suponen ya una teoría previa de la morfología.

Todo esto ha hecho que la creación y el mantenimiento o actualización de los corpus se haya convertido en una ciencia interdisciplinar en la que no solamente tienen que intervenir los lingüistas sino también historiadores, sociolingüistas, matemáticos, informáticos, teóricos de la literatura, etc. Decidir el tamaño que tiene que tener un corpus textual u oral y cada una de las muestras que van a configurarlo para que éste sea un reflejo de la lengua que pretende representar no es nada fácil, como tampoco lo es definir las diferentes etapas diacrónicas posibles, la variedad temática que ha de contemplar o la conveniencia de trabajar con documentos enteros o con fragmentos de cada uno de ellos. Establecer los documentos y las ediciones más representativas para incluirlas en el corpus puede ser algo muy subjetivo si no se hace siguiendo algún criterio mínimamente imparcial: ¿se han de escoger los textos más leídos?, ¿los más reconocidos?, ¿seleccionados al azar?, etc.; ¿quién se atreve a priorizar obras de tanto prestigio como el *Quijote* o *Cien años de soledad* frente a otras con tanta difusión como pueden ser las de Corín Tellado, J. J. Benítez o Vizcaíno Casas?, y ¿con qué criterio?

Actualmente existe un gran número de corpus, muy variados por lo que respecta a la extensión, al diseño y a las finalidades.[4] El hecho es que los corpus informatizados han demostrado ser unas herramientas excelentes para muchos tipos de investigaciones; principalmente en el campo de la investigación lingüística porque, como ya se ha dicho, proporcionan bases mucho más reales para el estudio de las lenguas que los métodos intuitivos tradicionales. A partir de los corpus podemos disponer de bases muy provechosas para comparar diferentes variedades de una lengua o para explotar sus aspectos cuantitativos y probabilísticos. Efectivamente, los corpus informatizados han venido a dar un nuevo impulso a los estudios descriptivos de los diferentes aspectos de la lengua: prosodia, léxico, morfología, sintaxis, historia de la lengua, etc.[5]

A parte de estas cuestiones más generales, los corpus informatizados han influido y cambiado bastante los métodos de investigación e, incluso, han propiciado el nacimiento de nuevas tendencias lingüísticas. Muchos trabajos que

4. Algunos inventarios de corpus existentes pueden encontrarse en Cole (ed.) (1996), Edwards (1993), McEnery y Wilson (1996) y en los catálogos de ELRA (*European Language Resources Association*) < http://www.icp.grenet.fr/ELRA/catalog.html> o de LDC (*Linguistic Data Consortium*) < http://www.ldc.upenn.edu/ldc/catalog/index.html>. Véanse también Taylor *et al.* (1991) para el inglés, Fernández y Llisterri (1996a) o Llisterri (1996) para el español y Badia *et al.* (1994) para el catalán.

5. Una muestra reciente de ello la constituyen los trabajos recogidos en Thomas y Short (eds.) (1996).

antes tenían que hacerse a mano, empleando mucho tiempo y esfuerzo leyendo y repasando textos para encontrar datos concretos que sirvieran para demostrar nuestras hipótesis, hoy, con la ayuda de la informática, se pueden hacer no solamente con menos tiempo sino también más ordenada y exhaustivamente, o sea, con mayor eficacia y eficiencia. Los avances más significativos en el campo de la lingüística de corpus se han producido en el área de la creación de modelos probabilísticos de la lengua y como pruebas para verificar estos modelos; ello ha permitido avanzar significativamente en el campo de los análisis gramaticales automáticos de textos, tanto en sus aspectos morfológicos (*tagging*) como en sus aspectos sintácticos (*parsing*). Pero últimamente se han producido avances considerables en áreas más aplicadas, como la de la traducción automática o la del reconocimiento y síntesis del habla.

La ventajas de trabajar con corpus informatizados, sobre todo con aquellos que están anotados, es tan grande, que está obligando a los lingüistas "tradicionales" a trabajar conjuntamente con lingüistas computacionales. La finalidad última, sin embargo, es siempre la misma: entender mejor cómo funciona el lenguaje humano, a pesar de que la finalidad inmediata pueda ser obtener datos para preparar un curso de lengua para extranjeros, para confeccionar un programa de traducción automática, para construir un conversor de texto a habla, etc.[6]

La lexicografía y la terminología son dos de los campos de investigación y de estudio que más se benefician de las informaciones que los corpus textuales y los corpus de lengua oral aportan. Éstos son de gran ayuda para configurar el lemario de los diccionarios (tanto para incluir nuevas palabras como para excluir las desusadas), así cómo para separar las distintas acepciones de cada lema, para detectar las palabras co-ocurrentes, las combinaciones sintácticas, etc. Los corpus también proporcionan material muy útil para trabajar sobre fraseología, la detección de neologismos y la obtención de ejemplos reales susceptibles de aparecer en los diccionarios.[7]

Este método de trabajo también resulta muy productivo en el campo de la estadística lingüística donde se utiliza para establecer índices de frecuencias tanto de palabras, morfemas, sílabas, letras, etc., como de combinaciones léxicas de distinta naturaleza. Así se pueden definir las reglas combinatorias de los formantes léxicos, el grado de vitalidad de los elementos de formación de palabras, la frecuencia de aparición de diferentes tipos de vocablos (tecnicismos, barbarismos, neologismos, etc.) o de diferentes niveles del lenguaje (vulgar,

6. Un útil resumen de las aplicaciones de los corpus se encuentra en el capítulo 4 de McEnery y Wilson (1996). Pueden encontrarse ejemplos específicos en Aarts y Meijs (eds.) (1986), (1990), Oostdijk y de Haan (eds.) (1994) y Svartvik (ed.) (1992). Específicamente dedicadas al inglés son las recopilaciones de Aarts y Meijs (eds.) (1984), Aarts *et al.* (eds.) (1993), Aijmer y Altenberg (eds.) (1991), de Haan y Oostdijk (eds.) (1993), Fries *et al.* (eds.) (1994), Johansson (ed.) (1982), Johansson y Stenström (eds.) (1991), Kytö *et al.* (eds.) (1988), Leitner (ed.) (1992), Meijs (ed.) (1987). Para el español, véase Alvar y Villena (Coord.) (1994) y Sánchez *et al.* (1995).

7. Uno de los ejemplos más clásicos de la aplicación de los corpus a la lexicografía lo constituye el *Collins-COBUILD English Language Dictionary* (Sinclair (ed.), 1987). Puede encontrarse más información sobre este proyecto en <http://titania.cobuild.collins.co.uk/>.

culto, literario, etc.), datos, estos últimos, muy interesantes no solo para los estudios lexicógrafos sino también para los estudios sociolingüísticos y estilísticos.

En el terreno de la gramática histórica y la historia de la lengua, los corpus proporcionan datos referentes a la formación de palabras, a los cambios de significado producidos en un vocablo, a las diferentes áreas de utilización de una voz, a las evoluciones formales de una palabra, a la introducción de palabras no normativas en la lengua, etc.[8]

Otro campo en el que los corpus aportan grandes ventajas es el de la confección de herramientas lingüísticas informatizadas. Una de las más importantes es la de los diccionarios-máquina, de usos tan diversos como la corrección de textos informatizados o la segmentación de las palabras por sílabas. Estas herramientas son importantísimas para la traducción automática y otras tareas basadas en el tratamiento automático del lenguaje.[9]

En el campo de la fonética, los corpus constituidos por grabaciones de laboratorio son herramientas imprescindibles para el estudio experimental del habla, mientras que los que contienen registros menos formales son necesarios para la caracterización de diversos estilos. En el ámbito de las tecnologías del habla, las bases de datos orales proporcionan datos importantes para la modelización de los fenómenos segmentales y suprasegmentales en la conversión de texto a habla y son esenciales para el entrenamiento y la validación de los sistemas de reconocimiento y de diálogo en entornos de comunicación persona máquina, cuyas aplicaciones se extienden desde la oferta de servicios telefónicos automatizados hasta las ayudas para personas con discapacidades.

Los corpus también pueden proporcionar elementos muy útiles en el campo de la enseñanza de lenguas,[10] sobre todo a la hora de preparar materiales o ejercicios de trabajo en clase basados en un uso real de la lengua. Del contenido de los corpus puede desprenderse información tanto de uso (palabras y construcciones más frecuentes en los libros de texto y lecturas recomendadas en relación con los materiales auténticos) como de corrección de barbarismos o malos usos lingüísticos (errores más repetidos, construcciones no normativas, léxico mal usado, grafías incorrectas, etc.). La recopilación de corpus de producciones de estudiantes de lengua extranjera constituye también una fuente de datos sobre la interferencia entre la primera y la segunda lengua en todos los niveles del análisis lingüístico y una base empírica importante para el análisis de errores y de las estrategias comunicativas de los alumnos.

En cuanto a las utilidades de los corpus en otros campos de las humanidades que no sean los estrictamente lingüísticos cabe mencionar las posibilidades que ofrecen para los estudios históricos, para los de la teoría de la literatura, etc. Si los textos que componen un corpus están asociados a una documentación detallada de sus rasgos externos: fecha, tema, región, edad del

8. Sobre las aplicaciones de los corpus a la diacronía véanse, por ejemplo, los estudios reunidos en Kytö *et al.* (eds.) (1994) o en Rissanen *et al.* (eds.) (1993).

9. Para un tratamiento más detallado de los usos de los corpus en la lingüística computacional véase el capítulo 5 de McEnery y Wilson (1996); trabajos más específicos pueden encontrarse en Souter y Atwell (eds.) (1993).

10. Véase, por ejemplo, Knowles (1990) o Mindt (1996).

autor, *estatus* social, sexo, etc., éstos pueden convertirse en fuente de datos para aquellas personas interesadas en los aspectos de contenido textual los historiadores, por ejemplo, pueden seguir la evolución de opiniones e ideas mediante el estudio de palabras o frases asociadas a ellas.

En la sociolingüística, aunque usando parámetros diferentes de los utilizados por los historiadores, también se pueden obtener de los corpus datos de gran utilidad; al contrario que a los estudiosos de la historia, a los sociolingüistas no les interesa tanto el tema del texto o el nombre del autor como la clase social, el sexo o el nivel cultural del receptor. Estrechamente relacionada con el uso de corpus en la sociolingüística está la utilización de los mismos como base de estudios dedicados a la diferenciación entre registros o estilos —por ejemplo entre la lengua escrita y la oral o entre diversos 'géneros' como la correspondencia privada, el discurso jurídico, político, publicitario o religioso, incluyendo incluso trabajos sobre las características de los mensajes de correo electrónico— asociados a variaciones en la situación de comunicación y a dimensiones como el grado de formalidad, el carácter público o privado, etc.[11] Estos trabajos entroncan directamente con los realizados desde la perspectiva del análisis del discurso, encaminados a establecer tipologías textuales.

La psicolingüística puede también verse beneficiada por el uso de corpus, especialmente en campos como el análisis de los errores de producción del habla o el desarrollo del lenguaje infantil.[12] El análisis de las patologías del lenguaje y del habla requiere igualmente colecciones sistemáticas de muestras recogidas de personas que presentan transtornos de la comunicación.

También los estudiosos de la literatura pueden tener en los corpus una buena herramienta para sus investigaciones. En el campo de la estilística, por ejemplo, los corpus pueden ayudar a definir los trazos que caracterizan distintos estilos literarios o, en el terreno de la estilometría, los análisis estadísticos del uso de las palabras en los textos pueden dar luz a problemas de adscripción de trabajos de dudosa autoría.

2. ¿Qué es un corpus lingüístico (informatizado)?

Durante los últimos años ha habido, tanto en América como en Europa y Japón, un gran crecimiento del interés en la creación y explotación de corpus lingüísticos como parte de la infraestructura para el desarrollo de aplicaciones encaminadas al procesamiento del lenguaje. El tratamiento estadístico de los datos que facilitan los corpus ha demostrado ser eficaz para encontrar la solución a algunos problemas tradicionales de la lingüística computacional, de la traducción automática, etc. El auge que ha tomado esta disciplina ha hecho que actualmente en casi todos los centros de investigaciones lingüísticas se esté trabajando en la confección de algún tipo de corpus.

---

11. Una revisión de los trabajos sobre registro en esta línea puede encontrarse en Atkinson y Biber (1994). Se enmarcan también en esta perspectiva Biber y Finegan (1991) o Biber (1990).

12. En este campo es especialmente relevante el proyecto CHILDES (MacWhinney, 1991) sobre el cual puede obtenerse más información en <http://poppy.psy.cmu.edu/childes/childes.html>.

Pero, ¿qué es un corpus? ¿Entendemos todos lo mismo cuando hablamos de corpus?

Según J. Sinclair, uno de los grandes especialistas en el campo de los corpus modernos, un *corpus* es:

> A collection of *pieces of language* that are selected and ordered according to *explicit linguistic criteria* in order to be used as a *sample of the language* (Sinclair, 1994:4).[13]

Según esta definición la informática no tiene que ver con el concepto de "corpus", y, de hecho, así es. Pero hoy en día la informática facilita tanto la organización y la explotación de grandes cantidades de datos que sería impensable crear un corpus prescindiendo de este medio o herramienta. Por esto, hoy más que hablar de *corpus* hay que hablar de *corpus informatizados* ya que son dos conceptos íntimamente ligados.

Así, según el mismo J. Sinclair, un *corpus lingüístico informatizado* es:

> ... a corpus which is encoded in a standardised and homogenous way for open-ended retrieval tasks. Its constituent pieces of language are *documented* as to their origins and provenance (Sinclair, 1996:4).[14]

2.1. Colecciones de textos

En el campo de la lingüística, la palabra *corpus* es una palabra algo ambigua y que actualmente se utiliza en un sentido general para referirse a cualquier tipo de recopilación de textos. En realidad, para ser más exactos, en el ámbito de la recopilación de textos hay que distinguir, según el grado de especificación en los criterios de selección, al menos entre tres tipos diferentes de recopilaciones:

Archivo/colección (informatizado) (*Archive/Collection*). Es un repertorio de textos en soporte informático sin buscar ningún tipo de relación entre ellos.

Biblioteca de Textos Electrónicos (*Electronic text library*). Es una colección de textos en soporte informático, guardados en un formato estándar, siguiendo ciertas normas de contenido, pero sin un criterio riguroso de selección.

Corpus Informatizado (*Computer corpus*). Es una recopilación de textos seleccionados según criterios lingüísticos, codificados de modo estándar y homogéneo, con la finalidad de poder ser tratados mediante procesos informáticos y destinados a reflejar el comportamiento de una o más lenguas.

Los dos primeros tipos de recopilaciones no implican una selección o una ordenación hecha siguiendo criterios lingüísticos, mientras que los corpus sí. Estos criterios lingüísticos pueden ser a) externos o b) internos (Sinclair, 1996:5).

a) son *externos* cuando hacen referencia a datos de los autores, a los medios de transmisión utilizados, al nivel social de los participantes, a la función comunicativa de los textos, etc.

13. La cursiva es nuestra.

14. La cursiva es nuestra.

b) son *internos*, cuando hacen referencia a patrones lingüísticos presentes en los textos. (Sinclair, 1996:4)

2.2. Niveles en los corpus

En una selección de textos destinada a constituir un corpus propiamente dicho podemos encontrar diferentes niveles: corpus, subcorpus y componentes.

Corpus. Un corpus es un conjunto homogéneo de muestras de lengua de cualquier tipo (orales, escritos, literarios, coloquiales, etc.) los cuales se toman como modelo de un estado o nivel de lengua predeterminado. El conjunto de enunciados incluidos en un corpus, una vez analizados, debe permitir mejorar el conocimiento de las estructuras lingüísticas de la lengua que representan.

Subcorpus. Suele ser una selección estática de textos, derivada de un corpus normalmente más general y complejo, el cual está dividido en grupos de muestras textuales más específicas; pero también puede ser una selección dinámica de textos de un corpus en crecimiento: un número determinado de textos destinados a aumentar algún apartado de un corpus general.

Componente. Es una colección de muestras de un corpus o de un subcorpus, las cuales responden a un criterio lingüístico específico muy concreto. Los componentes reflejan un tipo determinado de lengua. Sobre todo los corpus, pero también los subcorpus, son muy heterogéneos, mientras que los componentes son muy homogéneos.

2.3. Corpus textuales y corpus orales

Llegados a este punto, parece conveniente detenerse brevemente en la distinción entre los llamados 'corpus textuales' y los 'corpus orales'. Mientras que en el caso de los primeros es claro que constituyen muestras de la lengua escrita, los segundos pueden consistir tanto en transcripciones ortográficas de la lengua hablada como en grabaciones acompañadas de la correspondiente transcripción. La procedencia de las grabaciones suele ser muy diversa: desde las que se realizan en laboratorios de fonética con materiales altamente controlados hasta las obtenidas en entrevistas espontáneas o las recogidas de los medios de comunicación, incluyendo también las interacciones ficticias usadas en el diseño de los sistemas de diálogo persona-máquina.

Mientras que en el campo de la lingüística de corpus existe una tendencia a considerar como corpus orales (*spoken corpora*) las transcripciones ortográficas del habla, tanto en fonética como en tecnologías del habla difícilmente se concibe un corpus que no vaya acompañado del correspondiente registro sonoro en formato digital (*speech corpus*). Sin embargo, la necesidad de obtener modelos estadísticos de la lengua en el desarrollo de sistemas de reconocimiento pensados para aplicaciones como el dictado automático ha llevado a un uso cada vez más frecuente de los corpus textuales y de las transcripciones del registro oral espontáneo en este ámbito. Por otro lado, el interés por los aspectos prosódicos del discurso y la conversación hace que desde la lingüística de corpus tradicional surja la necesidad de disponer de grabaciones sincronizadas temporalmente con la transcripción, sea ésta ortográfica, fonética o fonológica.

En el presente capítulo, utilizaremos 'corpus oral' para referirnos a todo tipo de materiales, tanto transcripciones como grabaciones, en los que se recoge la lengua hablada.[15] Nos referiremos también a 'textos' como elementos integrantes de un corpus, tanto si constituyen material originariamente escrito como si provienen de transcripciones de la lengua oral.

3. Clasificación de los corpus

3.1. Criterios generales para la clasificación de los corpus

Los diferentes tipos de corpus se pueden clasificar de diferentes maneras en función de los parámetros que se quieran utilizar: según el porcentaje y la distribución de los diferentes tipos de textos que lo componen; según la especificidad de los textos que lo componen; según la cantidad de texto que se recoge en cada documento; según la codificación y las anotaciones añadidas a los textos; según la documentación que le acompañe.

En principio, un corpus bien estructurado ha de responder, aunque sea por defecto, a algún parámetro de cada uno de estos grupos. Veamos ahora con más detalle en qué consisten los criterios mencionados.

3.1.1. *Según el porcentaje y la distribución de los diferentes tipos de texto*

Los corpus pueden clasificarse según la distribución y el porcentaje escogido de los diferentes tipos de texto que lo componen. Según estos parámetros tenemos:

1. **Corpus grande**. Corpus que no se plantea el límite del volumen de textos que ha de recoger o que, si se lo plantea, lo cuantifica en un número de palabras muy elevado sin tener en cuenta cuestiones de equilibrio, de representatividad, etc.

Esta característica es, en muchos casos, ambigua, ya que se habla de *corpus grandes* pero sin precisar las dimensiones en número de unidades léxicas que un corpus ha de tener para ser considerado como tal. El valor por defecto de los diferentes tipos de corpus en cuanto a su extensión es "grande" por oposición a corpus cuantitativamente más pequeños como pueden ser los *corpus monitor*, los *corpus piramidales*, etc., los cuales, a pesar de que también pueden ser muy extensos, tienen que tener controlado el volumen de cada tipo de textos que los componen. De todos modos, el volumen de los corpus crece constantemente, sobre todo gracias a las facilidades informáticas para su recopilación, manipulación y explotación, por lo que el término "corpus grande" se ha de entender más en el sentido de opuesto a otros tipos de corpus voluntariamente delimitados en su extensión que en un sentido de cantidad.

2. **Corpus equilibrado**. Corpus que contiene diferentes variedades de textos distribuidos cuantitativamente en proporciones parecidas para cada variedad.

15. Una elaboración más detallada de la distinción entre *speech corpora* y *spoken corpora* puede encontrarse en Llisterri (1996b).

3. **Corpus piramidal**. Corpus en que sus componentes, o sea sus textos, están distribuidos en diversos estratos o niveles: un primer estrato que recoge pocas variedades temáticas pero con muchos textos en cada variedad; un segundo estrato que recoge mayor variedad de textos pero menos cantidad en cada una de ellas; un tercer estrato compuesto por muchas variedades pero con pocos textos en cada variedad; y así hasta un número de estratos opcional.

4. **Corpus monitor**. Este tipo de corpus es consecuencia de la gran cantidad de palabras que últimamente están incluyendo los corpus. Las grandes dimensiones de los corpus hacen que sean difíciles de controlar y de explotar. Para evitarlo, los corpus monitor quieren tener un volumen textual constante pero en continua actualización. El conjunto de textos que lo componen se va renovando cada cierto tiempo de manera que siempre se van incluyendo nuevos textos al mismo tiempo que se van excluyendo otros, consiguiendo de este modo un corpus vivo y dinámico como lo es la propia lengua.

Normalmente la inclusión y exclusión de textos se hace siguiendo pautas temporales (se incluyen textos del último año y se excluyen los del primero) y conservando debidamente ordenados los textos que se van excluyendo, de manera que podemos llegar a tener un buen material para construir un *corpus diacrónico*, ya que podremos disponer de diversos grupos de textos con más o menos las mismas proporciones y las mismas características pero representantes de momentos sucesivos de la lengua. De este modo se pueden establecer las frecuencias de distribución de las palabras en diversas etapas cronológicas, identificar neologismos, palabras que entran en desuso, nuevas acepciones de palabras ya existentes, etc.

A lo largo del tiempo, la distribución de los distintos grupos y componentes de un corpus monitor va cambiando porque siempre van apareciendo nuevos temas y nuevas fuentes, por lo que las distintas proporciones se han de ir ajustando para poder reflejar mejor la realidad lingüística de cada momento.

5. **Corpus paralelo**. Es una colección de textos traducidos a una o varias lenguas. El más sencillo es el que consta del original y su traducción a otra lengua. La dirección de la traducción no es necesario que sea constante, un corpus paralelo puede contener tanto textos traducidos de la lengua A a la lengua B como textos traducidos de la lengua B a la lengua A. Este tipo de corpus es de gran utilidad sobre todo en el campo de la traducción, y principalmente de la traducción automática, ya que los programas suelen trabajar con datos probabilísticos que sólo pueden obtenerse a partir de los corpus.

6. **Corpus comparables**. Son corpus que seleccionan textos parecidos en cuanto a sus características en más de una lengua o en más de una variedad. Una de las principales finalidades de este tipo de corpus es poder comparar el comportamiento de diferentes lenguas o de diferentes variedades de una lengua en circunstancias de comunicación parecidas pero evitando las inevitables distorsiones lingüísticas introducidas en las traducciones recogidas en los corpus paralelos.

7. **Corpus multilingües**. J. Sinclair sugiere que cuando se recopilan textos de diferentes lenguas sin que sean traducciones unos de otros y sin compartir criterios de selección, como lo hacen los textos que componen un corpus comparable, habría que hablarse de corpus multilingües.

8. **Corpus oportunista**. Corpus que recoge textos que encuentra disponibles sin seguir ningún criterio de selección. Esto normalmente está motivado por la poca disponibilidad de textos en soporte electrónico (aun que cada vez se pueden encontrar en mayor cantidad) y por el elevado número de palabras necesarias para poder realizar muchos trabajos de investigación y la falta de recursos para obtenerlas. En realidad, de acuerdo con lo dicho en el apartado anterior, en este caso no se debería hablar de *Corpus Oportonista* sino que se debería hablar de *Archivo de Textos Informatizado* o de *Biblioteca de Textos Electrónicos.*

3.1.2. *Según la especificidad de los textos*

Otra clasificación que se puede hacer de los corpus es en función de la especificidad de los textos que lo componen. Atendiendo a este parámetro podemos definir cuatro tipos:

1. **Corpus general**. Corpus que, al pretender reflejar la lengua común en su ámbito más amplio, se interesa por recoger cuantos más tipos de géneros mejor. Este tipo de corpus es útil para describir la lengua común de una colectividad, el lenguaje que utilizan los hablantes en situaciones comunicativas normales.

2. **Corpus especializado**. Se opone al corpus general. El corpus especializado recoge textos que puedan aportar datos para la descripción de un tipo particular de lengua. El corpus especializado es diferente al corpus que contempla una o más variedades de la lengua general (*subcorpus*); un corpus que recoja conversaciones de la calle no es un corpus especializado, como tampoco lo es uno que recoja el lenguaje de los periódicos; sí que lo sería, por ejemplo, un corpus que solo recogiera textos poéticos.

3. **Corpus genérico**. Corpus condicionado por el género de los textos que contiene, interesándose solo por algunos de ellos; por ejemplo, una recopilación de textos de revistas científicas especializadas o la selección de textos poéticos.

4. **Corpus canónico**. Corpus formado por todos los textos que configuran lo obra completa de un autor, independientemente de los géneros.

5. **Corpus periódico o cronológico**. Corpus que recoge textos de unos años determinados o de unas épocas concretas.

6. **Corpus diacrónico**. Corpus que incluye textos de diferentes etapas temporales sucesivas en el tiempo con el fin de poder observar evoluciones en la lengua.

3.1.3. *Según la cantidad de texto que se recoge de cada documento*

También se pueden clasificar los corpus según la cantidad de texto que se escoja de cada documento para cada muestra. Atendiendo a este criterio los corpus se pueden dividir en:

1. **Corpus textual** *(Whole text corpus)*. Corpus que recoge íntegramente todos los textos de los documentos que lo constituyen. Se entiende como textos enteros las series de frases y/o párrafos coherentes, homogéneos estilísticamente y completos en sí mismos. Las novelas, por ejemplo, son un prototipo de texto que cumple estos requisitos, pero hay otros tipos de documentos que también

se adaptan a esta definición. Atkins y otros consideran como un texto entero las recopilaciones de pequeños anuncios de periódico o colecciones de poemas cortos de un mismo autor. A veces incluso todos los artículos de un periódico o de una revista se han considerado como un solo texto, aunque es más razonable considerar como un solo texto los diversos artículos de una misma sección (economía, deportes, editoriales, etc.) aparecidos en diversos números de la misma publicación. El caso de los textos que aparecen en la sección de "cartas al director", textos que por su procedencia pueden ser muy interesantes, es un caso algo especial que los editores del corpus deberán considerar.

2. **Corpus de referencia** *(Reference corpora).* Corpus formado por fragmentos de los textos de los documentos que lo constituyen. En este caso no interesa tanto el texto en sí sino el nivel de lengua que representan. En este tipo de corpus son muy importantes los aspectos de equilibrio y representatividad en la selección de los fragmentos.

3. **Corpus léxico** *(Samples corpus).* Corpus que recoge fragmentos de textos muy pequeños y de longitud constante de cada documento. En este caso el interés de los diseñadores del corpus está en el léxico.

3.1.4. *Según la codificación y la anotación*

También se pueden clasificar los corpus atendiendo a las etiquetas descriptivas y analíticas que se han usado en la codificación de los textos. Según estos criterios los corpus serán:

1. **Corpus simple** *(o no codificado ni anotado).* Corpus que ha sido guardado en formato neutro (ASCII, también llamado *plain text*), y sin codificación para ninguno de sus aspectos.

2. **Corpus codificado** o **anotado**. Corpus formado por textos a los cuales se les ha añadido, ya sea manual o automáticamente, etiquetas declarativas de algunos elementos estructurales de los documentos (indicación de título, de principio de capítulo, de cambio de lengua, etc.) —codificación— o etiquetas analíticas de algunos aspectos lingüísticos (indicación de frase subordinada, de aspectos pragmáticos, etc.) —anotación.[16] De todos modos es importante que las etiquetas usadas para codificar y anotar los textos sean siempre extratextuales, de manera que se puedan reconocer y, si es necesario, eliminar fácilmente. También es importante que se usen sistemas de codificación estándares para asegurar la transportabilidad y reusabilidad de los textos.[17]

---

16. Sinclair (1996:8) opina que las etiquetas estructurales no son suficientemente importantes como para considerar que un corpus es anotado si los textos que lo componen solo llevan este tipo de etiquetado.

17. En este sentido debemos recomendar el uso del sistema propuesto por las llamadas "Normas TEI". *Guidelines for Electronic Text Encoding and Interchange (TEI P3)* presentadas en Sperberg-McQueen y Burnard (eds.) (1994). Sobre la TEI, véase también Burnard (1995a) y Ide y Véronis (eds.) (1995). Puede encontrarse más información en las siguientes URLs: <http://www-tei.uic.edu/orgs/tei/> (*Text Encoding Initiative Home Page*), <http://etext.virginia.edu/TEI.html> (TEI *Guidelines for Electronic Text Encoding and Interchange P3*). Véase tambien el capítulo de Gerardo Arrarte en este mismo libro sobre "Normas y estándares para la codificación de textos y para la ingeniería lingüística".

3.1.5. *Según la documentación que acompaña a los textos*

Otra clasificación que se puede hacer de los corpus es en función de si los textos que los componen están documentados o no.

1. **Corpus documentado**. Corpus en el que cada documento que lo compone lleva asociado un archivo DTD (*Document Type Definition*) o una cabecera "*header*" de descripción de su filiación y sus constituyentes.[18]

2. **Corpus no documentado**. Corpus en el que sus textos constituyentes no disponen de ningún apartado o archivo relacionado donde se describan sus elementos o su filiación.

3.2. Criterios específicos para la clasificación de los corpus orales

En el apartado anterior se han definido una serie de criterios generales que permiten establecer distinciones genéricas entre diferentes tipos de corpus. Sin embargo, la especificidad de los corpus diseñados con vistas al análisis fonético o a las aplicaciones a las tecnologías del habla requiere establecer ciertos matices, que se abordan a continuación.[19]

Podríamos considerar tres tipos de corpus: los orientados a la descripción fonética de la lengua, los que se utilizan para el desarrollo de sistemas en el ámbito de las tecnologías del habla y los que propiamente se conocen como corpus orales, consistentes en transcripciones ortográficas de la lengua hablada.

3.2.1. *Corpus para la descripción fonética de la lengua*

Aunque no constituyan exactamente corpus en el sentido en que aquí los estamos definiendo, cabe considerar en este apartado los inventarios de sistemas fonéticos y fonológicos de la lenguas del mundo utilizados en el estudio de los universales, integrados en bases de datos que permiten el análisis estadístico de la frecuencia de aparición de unidades segmentales o de rasgos fonéticos.

Sin embargo, los corpus para la descripción fonética de la lengua consisten tradicionalmente en materiales grabados en condiciones acústicas óptimas que permitan su posterior análisis experimental en el laboratorio. En estos casos solemos encontrar desde combinaciones de segmentos hasta fragmentos de habla espontánea, pasando por frases aisladas o por textos leídos. Lo que caracteriza a este tipo de corpus es un cuidadoso diseño del contenido, basado en el inventario de elementos segmentales y suprasegmentales de la lengua y un tamaño relativamente reducido, debido a que no suelen realizarse grabaciones con un número muy elevado de hablantes. Aún así, cada vez es mayor la tendencia a incluir producciones espontáneas y a utilizar grabaciones procedentes de los medios de comunicación por la diversidad de registos que pueden conseguirse y la relativa facilidad de obtención.

---

18. Para información sobre DTD ver Sperberg-McQueen y Burnard (eds.) (1994) Para información sobre cabeceras (*header*) ver Ide (coord.) (1996).

19. Para una presentación general de los corpus y bases de datos orales en el ámbito de la fonética y las tecnologías del habla véase Carré (1992), Lamel y Cole (1995) y Llisterri (1996c).

Es posible también diseñar un corpus con materiales equivalentes para varias lenguas, en el sentido de los corpus paralelos o comparables definidos en el apartado "Según el porcentaje y la distribución de los diferentes tipos de texto", con lo cual es posible realizar estudios experimentales de fonética contrastiva. Estos mismos materiales pueden ser grabados por hablantes no nativos, con objeto de determinar los mecanismos de interferencia fonética que operan en la adquisición de segundas lenguas, o por hablantes con patologías del habla a efectos de analizar las desviaciones con respecto a los hablantes que no presentan estos problemas.

3.2.2. *Corpus para el desarrollo de sistemas en el ámbito de las tecnologías del habla*

El desarrollo y la validación de los sistemas de síntesis, reconocimiento y diálogo que han surgido en el campo conocido como las tecnologías del habla ha hecho necesario la constitución de corpus de naturaleza muy específica. En el caso de la creación de sistemas de conversión de texto a habla, es preciso disponer tanto de inventarios grabados de unidades de síntesis a partir de los cuales se realiza el paso de una representación ortográfica a una onda sonora, como de corpus que permitan el análisis de los elementos suprasegmentales para dotar al conversor de un modelo prosódico. Los sistemas de reconocimiento de habla requieren también corpus grabados con las unidades fonéticas que se utilizarán en el reconocimiento, y en algunos casos corpus con materiales específicos como por ejemplo números de teléfono o de tarjetas de crédito orientados a determinadas aplicaciones del reconocimiento a los servicios telefónicos automáticos. Ambas tecnologías necesitan también disponer de corpus textuales, a ser posible transcripciones de lengua oral lingüísticamente anotadas, para establecer los modelos probabilísticos de aparición de palabras sobre los que se basa el tratamiento lingüístico efectuado tanto en la síntesis como en el reconocimiento.

Un caso particular lo constituyen los corpus de diálogo utilizados para desarrollar y entrenar sistemas de interacción entre personas y máquinas, enfocados a ofrecer servicios automáticos a través del teléfono como la venta de billetes, la consulta de horarios de transportes públicos o los servicios bancarios. En este caso, suelen utilizarse corpus grabados y transcritos obtenidos mediante interacciones entre personas reales y una simulación del sistema de diálogo que se está construyendo, aunque también es útil el análisis de los diálogos naturales obtenidos en las situaciones comunicativas que se pretende modelar. En el caso de sistemas que incorporan además la traducción automática del habla, es imprescindible disponer de corpus orales paralelos en dos lenguas.

3.2.3. *Transcripciones ortográficas de lengua hablada*

En la lingüística de corpus tradicional se ha trabajado habitualmente con transcripciones ortográficas de la lengua hablada, procedentes de entrevistas realizadas especialmente para el corpus, de conversaciones espontáneas o de los medios de comunicación, incluyéndose también otros materiales propios del registro oral como discursos políticos, clases, sermones, etc. Aunque el punto de partida sea una grabación, una vez transcrito, el corpus se trata con los mismos procedimientos que un corpus textual, enmarcándose plenamente en las caracterizaciones definidas en el apartado "Criterios generales para la clasificación de los corpus".

4. Principales aspectos en el diseño de un corpus

Una vez delimitados los distintos tipos de corpus y sus aplicaciones, es el momento de entrar en la discusión de los principales aspectos que deben considerarse en el diseño de un corpus.[20] Al igual que en los apartados anteriores, nos centraremos primero en las cuestiones generales, para introducir después aquellas que son específicas de algunas áreas de aplicación de los corpus.

4.1. Aspectos generales

4.1.1. *Finalidad*

El primer aspecto que hay que definir cuando se empieza a diseñar un corpus es la finalidad concreta para la que tiene que servir, aunque, como ya se ha dicho, se deba procurar que los recursos lingüísticos sean siempre reutilizables. Este punto va a condicionar todos los demás, ya que es el que servirá de base para tomar las decisiones en todos ellos.

4.1.2. *Límites del corpus*

Una vez especificada la finalidad, se han de establecer bien claramente los límites temporales, geográficos y/o lingüísticos que el corpus va a tener. Para ello se deberá marcar una fecha de inicio y otra de final y aclarar si las fechas se van a referir a la de los documentos originales o a la de las posibles copias transmisoras. Asimismo es necesario definir las lenguas que el corpus va a incluir y/o el área geográfica que abarcará.

Los límites temporales están muy condicionados al hecho de si el corpus es diacrónico o no. Pero incluso en el caso de los corpus sincrónicos[21] estos límites pueden variar substancialmente. En el corpus del español que se está recopilando en el King's College de Londres se recogen textos posteriores a 1990, mientras que en el corpus del español realizado por Alvar y otros en Biblograf se recogen textos publicados a partir de 1950. El *Longman Lancaster English Language Corpus* recoge textos posteriores al año 1899, y el *Corpus Textual Informatitzat de la Llengua Catalana* del *Institut d'Estudis Catalans* empieza la recolección de textos a partir de 1833, como fecha simbólica del inicio de la época moderna en cuanto al uso literario de la lengua.

Los límites geográficos también pueden variar mucho entre un corpus y otro; y no solamente los límites geográficos, sino también las distintas zonas territoriales que se marcan y los porcentajes de textos o palabras que se toman

20. Sobre el diseño de corpus véase, por ejemplo, Atkins *et al.* (1992), Leitner (1992), y Alvar y Corpas (1994) para el español.

de cada zona. Para el español, por ejemplo, el corpus del King's College recoge un 25% de español de la Península, un 25% de español de Argentina y un 50% del español de las otras zonas de América del Sur, mientras que el corpus de Biblograf recoge el 60% de español peninsular, el 30% de español de América del Sur y el 10% de español de otras zonas.

Para el inglés, en el caso del corpus realizado en Birmingham dentro del proyecto COBUILD se ha establecido que se va a recoger un 70% de inglés de las Islas Británicas, un 20% de inglés de Estados Unidos y un 5% de inglés de otras partes (Sinclair (ed.), 1987). En cambio, el *Longman Lancaster English Language Corpus* ha establecido que el 50% de inglés será de las Islas Británicas, el 40% de inglés de Estados Unidos y el 10% restante de inglés de otras áreas geográficas.

4.1.3. *Tipo de corpus*

Una vez establecidos la finalidad y los límites hay que determinar el tipo de corpus que se va a realizar. Para ello será necesario definir cada uno de los parámetros siguientes: a) el porcentaje y la distribución de los diferentes tipos de textos que lo componen; b) la especificidad de los textos; c) la cantidad de texto que se tome de cada documento para formar las muestras; d) la codificación y las anotaciones que se le añaden; e) la documentación que le acompañe.

Cada uno de estos puntos se ha tratado ya en el apartado anterior, pero la elección más controvertida es la referente a la cantidad de texto que se debe tomar de cada documento Este punto ha sido bastante discutido y está íntimamente ligado a las posibilidades económicas, temporales y físicas (*hardware*) que tenga cada proyecto. Los corpus actualmente en preparación o los ya existentes adoptan diversas soluciones. Para el *Corpus del Castellano Contemporáneo* que se está preparando en el *King's College* de Londres, bajo la dirección del profesor Ife, la extensión media que se toma de cada texto es de 70.000 palabras. El *Longman/Lancaster English Language Corpus* incluye fragmentos de textos de unas 40.000 palabras, ya que su interés principal es el de "tener muchas fuentes diferentes más que textos completos". Por contra, el *International Corpus of English*, que dirige el profesor Greenbaum, solo recoge de cada documento fragmentos de 2.000 palabras, siguiendo el ejemplo del *Brown Corpus* y el *LOB Corpus* (Lancaster Oslo / Bergen). Por otro lado, también tenemos bastantes casos de proyectos que han decidido confeccionar el corpus solo con textos enteros; el ejemplo más conocido es el del COBUILD, actualmente con más de 20.000.000 de palabras.

John Sinclair, director del COBUILD, sintetiza su posición respeto a la conveniencia de trabajar con corpus de un tipo o de otro asumiendo que reuniendo textos enteros se evitan los problemas de las posibles diferencias que pueden haber entre distintas partes de un mismo texto, evitando así los inconvenientes de la validación de las muestras. Además, continúa Sinclair, si es necesario, siempre es posible extraer muestras de una determinada longitud si

21. Aunque cualquir recopilación de textos tiene que ser obligatoriamente diacrónica porque casi nunca dos textos se han escrito en el mismo momento, cuando hablamos de corpus sincrónicos nos referimos a los que recogen muestras de la lengua de nuestro siglo.

se dispone de un corpus que recoja textos enteros. A corto plazo, el inconveniente de querer reunir un corpus textual es que con el mismo esfuerzo la cobertura de diferentes tipos de textos no será tan completa como la que puede proporcionar una colección de pequeñas muestras. Pero, a largo plazo, las ventajas de disponer de textos enteros son mayores.

Desde un punto de vista parecido, M. Alvar Ezquerra y sus colaboradores en el proyecto NERC (*Network of European Reference Corpora*) (Alvar y Villena (coord.), 1994), recomendaron la inclusión de textos enteros para el corpus del español, ya que consideraban que con los 20 millones de palabras propuestos como objetivo se podía abarcar un número importante de diferentes tipos de texto.

La inclusión de textos enteros en un corpus lo convierte en más abierto y apto para el estudio de un amplio abanico de aspectos lingüísticos. Además, siempre es más fácil recortar un texto entero que añadir fragmentos a los textos para completarlos.

Por otro lado, para obtener un corpus equilibrado es más fácil si se trabaja con corpus de referencia, sobre todo a corto plazo. Según Pierre Guiraud, una compilación de 300.000 palabras no ofrece garantías de ser equilibrada si las muestras son mayores de 500 palabras porque entonces aparecen pocas muestras (unas 600); tampoco la ofrece una compilación de 5 millones de palabras si las muestras se hacen más grandes de 2 o 3 mil palabras (unas 2.000).

Hay también quien opina que los corpus de referencia son poco adecuados para investigaciones estilísticas, pragmáticas, etc. porque las características discursivas de un texto se pierden cuando sólo disponemos de pequeñas partes. Las palabras y, sobre todo, las unidades fraseológicas necesitan ser examinadas dentro de la totalidad del discurso para poder comprender sus matices semánticos y pragmáticos. Pero este es un argumento más bien en contra de los corpus léxicos porque las muestras de los corpus de referencia suelen ser lo suficientemente largas como para que cada una contenga todo el sentido de las palabras o de las frases. En el caso de los corpus léxicos lo que interesa es el funcionamiento de las unidades léxicas dentro de las frases, pero no dentro del discurso. Sinclair opina que este tipo de corpus, por el hecho de estar compuesto por fragmentos muy escogidos y todos de la misma longitud, más que aportar imparcialidad lo que hace es dar una falsa idea de la realidad que quiere representar.

4.1.4. *Proporciones de los diferentes grupos temáticos del corpus*

Este es un punto bastante difícil de definir ya que las posibilidades pueden ser muchas y no hay unos criterios objetivos a los que podamos recurrir. De todos modos, es obvio que la definición de los diversos tipos y de las proporciones que se deben atribuir a cada uno de ellos es una cuestión en la que los sociólogos culturales deben tener mucho que decir. En los corpus *Brown* y *LOB*, por ejemplo, los textos están repartidos en 15 géneros, con una pequeña selección de textos elegida al azar en cada uno de ellos. El *Longman Lancaster English Language Corpus* está basado en muestras teóricas escogidas sin seguir ningún método estadístico. En este corpus se estableció recoger un 60% de textos informativos y un 40% de textos de creación, proporción extraída de las estadísticas de los libros más leídos en las bibliotecas. Las proporciones dentro de los textos escritos se establecieron en el 80% de libros, el 13,3% de periódicos y el 6,7% de otros medios. Dentro de estos porcentajes se establecieron, siguiendo el mismo sistema de obras más leídas, 10 grupos temáticos:

1	Ciencias puras y naturales	6,0%
2	Ciencias aplicadas	4,3%
3	Ciencias sociales	14,1%
4	Cuestiones mundiales	10,4%
5	Comercio y finanzas	4,4%
6	Artes	7,9%
7	Creencias y pensamientos	4,7%
8	Pasatiempos	5,7%
9	Ficción	40,0%
10	Poesía, teatro y humor	2,3%

Los distintos textos de cada grupo se seleccionaron utilizando el "Whitaker's Books in Print". Se dejaron de lado las traducciones, los textos no escritos totalmente en lengua inglesa, diccionarios y obras de referencia, trabajos de menos de 64 páginas, libros destinados a niños de menos de 11 años, obras publicadas en países de habla no inglesa y trabajos en los que más del 75% del texto no era alfabético.

Una de las distribuciones más complejas pero a la vez más justificada es la que se hizo para el corpus de Birmingham, la cual no detallamos aquí por cuestiones de espacio.[22]

El corpus del español de Biblograf está distribuido en los siguientes grupos y proporciones:

1. no-ficción	25%
2. ficción	35%
3. periódicos	25%
4. panfletos	2,5%
5. cartas	2,5%
6. otros	10%

Por su parte, el corpus de español del King's College ha basado su criterio de selección en la última edición de la "*Dewey classifications*", clasificación utilizada en la mayoría de bibliotecas de todo el mundo. Para los libros, la selección principal se hizo a partir de los más vendidos, de los más recomendados en las universidades y de los sugeridos por expertos de cada tema.

22. Esta distribución se puede encontrar en "Appendix 1: An Analysis of the Written Data in the Birmingham Main and Reserve Corpora" en Sinclair (ed.) (1987).

4.1.5. *Población y muestra*

Como la finalidad de los corpus es la de describir el funcionamiento de la lengua a partir de una selección de textos lingüísticos, en el momento de construir uno es necesario aplicar los principios estadísticos de obtención de "muestras" representativas de una "población".[23] Desafortunadamente, en algunas ocasiones es difícil poder aplicar las fórmulas de extracción de muestras porque es muy complejo (a veces imposible) delimitar el total de la población y además, en el caso de que ésta pueda ser delimitada, siempre habrá alguna característica de la población que no se habrá tenido en cuenta o no estará representada adecuadamente por las muestras. Otro factor que dificulta el muestreo en los corpus es el hecho de que no haya una unidad de la lengua evidente que se pueda usar para definir la población y las muestras, sino que a veces la unidad lingüística puede ser la palabra, otras veces la frase, otras el texto, etc.

Asimismo, todas las muestras son, de algún modo, tendenciosas. Los usuarios de los corpus tienen que estar evaluando continuamente los resultados obtenidos y, a la vista de ellos, ir corrigiendo las muestras. En todo momento, los investigadores se tienen que cuestionar cómo fueron obtenidas las muestras y hasta qué punto pueden ser válidas las conclusiones que de ellas se han extraído.

Un corpus siempre está construido a base de muestras con la intención de que de su observación se puedan extraer generalizaciones sobre la lengua; por eso, la relación entre las muestras y la población es tan importante. De todos modos, la recopilación de una muestra representativa del total de la lengua es imposible. En el caso de los corpus que quieran representar la lengua general, la primera decisión que hay que tomar es la de si la muestra se va a escoger del lenguaje que se oye y lee (lenguaje de recepción: pocos productores pero muchos receptores), del lenguaje que se habla y escribe (lenguaje de producción: muchos productores con pocos receptores) o de ambos.

Cuanto más alto sea el grado de especialización de los diferentes grupos de la muestra, más pequeños serán los problemas para seleccionar los textos que se deben incluir en cada uno de ellos.

El "constructor" de un corpus tiene que estar siempre muy atento a los aspectos de producción y recepción de los textos y, a pesar de que los textos de mucha recepción como los artículos periodísticos, son de fácil obtención, si se quiere que el corpus sea un reflejo real del uso de la lengua de los hablantes es necesario hacer todo lo posible para que también incluya textos de registros difíciles de obtener, como por ejemplo correspondencia personal. Definir la población en términos del lenguaje receptivo representa asignar mucho peso a una pequeña proporción de escritores y de hablantes cuyo *out put* de la lengua es recibido por una amplia audiencia a través de los medios de comunicación.

La producción puede estar muy influenciada por la recepción, pero solo la producción define la variedad de la lengua.

---

23. La cuestión de la representatividad en el diseño de un corpus se trata, por ejemplo, en Biber (1993), Clear (1992) o de Haan (1992). En estos trabajos se abordan también algunas de las cuestiones discutidas en el apartado "Proporciones de los diferentes grupos temáticos del corpus".

4.1.6. *Número y longitud de los textos de la muestra*

La selección de las partes de los textos de las que se van a extraer las muestras para un corpus de referencia se puede hacer de tres maneras: a) al azar; b) dividiendo los textos en tres partes de extensión parecida y extrayendo de cada una de ellas las muestras en número y proporciones aproximadamente iguales; c) determinando la estructura externa de los textos y decidiendo qué niveles estructurales se usarán para el muestreo (un número determinado de palabras o de frases de cada capítulo, un número determinado de cada apartado, un número determinado de cada párrafo, etc.).

Una vez establecidas las partes de los textos que se utilizarán para la extracción de las muestras, hay que acordar qué muestras se tomarán y la longitud que éstas deben tener.

Las muestras dentro de cada parte o sección definida se pueden seleccionar o bien escogiendo un número determinado de palabras o de oraciones a partir del inicio de cada sección, o bien haciendo una selección aleatoria entre las diferentes oraciones o los diferentes párrafos de cada sección. Normalmente se intenta que las muestras empiecen y terminen en un punto o en un punto y a parte.

Una vez definidas las secciones que se van a utilizar en cada texto para la extracción de las muestras, y establecido de dónde se tomarán las muestras dentro de cada sección, es necesario concretar el número de muestras y su longitud.

En el caso de los corpus de referencia, el número de palabras que se aconseja recoger de cada texto varía mucho según la finalidad y, sobre todo, las posibilidades tanto económicas como de equipamiento del proyecto. Se ha apuntado la conveniencia de recoger muestras de entre 2.000 y 70.000 palabras. De todos modos, los números y porcentajes que se han sugerido para la composición de muestras parecen bastante gratuitos, dado que ningún autor los ha justificado.

4.1.7. *Captura de los textos y etiquetado*

La introducción en el ordenador de los textos que tienen que configurar un corpus requiere tiempo, y el tiempo significa un coste considerable que puede condicionar el volumen que podrá tener el resultado final. Los textos impresos en papel pueden ser introducidos en el ordenador mediante un escáner y un programa informático de reconocimiento automático de caracteres (OCR: *Optical Character Recognition*). Con las mejoras que han experimentado últimamente los aparatos y los programas OCR —sobre todo al estar conectados a diccionarios de corrección—, la conversión de texto impreso a texto en formato electrónico está siendo cada vez más efectiva.[24] Alternativamente, el texto impreso también puede ser informatizado de forma manual tecleándolo directamente al ordenador, pero, está claro, que ésta debe ser la última opción, reservada solamente para las transcripciones de cintas o para la recuperación de textos impresos en muy mal estado o de formato complicado, dos casos en que el escáner ofrece pocas garantías y requiere mucho trabajo de revisión.

De todos modos, para dar por bueno un texto que se ha introducido en el ordenador mediante un escáner se recomienda:

24. Véase, por ejemplo, Belaïd (1995).

1. Escanear el texto dos veces y realizar un control del resultado por parte de dos personas distintas.
2. Comparar automáticamente los dos ficheros, comprobando con el original cada punto de divergencia.
3. Realizar una lista de frecuencias para revisar sobre todo las unidades de una sola aparición (no es normal cometer varias veces el mismo error).
4. Efectuar una lectura de la última versión entre dos personas trabajando juntas.

A veces los textos se pueden obtener directamente en formato electrónico, ya sea porque otra persona los había introducido para un uso propio ya sea porque originariamente se habían hecho en este formato. Actualmente, a través de Internet se puede acceder a gran cantidad de textos digitalizados de todo tipo. Para la confección de corpus textuales son especialmente interesantes los periódicos y publicaciones a los que esta red da acceso. Este sistema de captura de textos elimina costes y posibilidades de errores, siendo solamente necesario adaptar los archivos importados a los formatos usados en el corpus.

Los textos ya digitalizados que forman un corpus deberán ser marcados con determinados códigos —codificación— para señalar sus elementos estructurales, para especificar las características de sus fuentes originales, para marcar determinadas informaciones importantes para su explotación, etc. La codificación y etiquetado de los textos es importantísimo para facilitar la posterior explotación del corpus y, por lo tanto, este aspecto tiene un peso considerable en la planificación y en los costes de cada proyecto.

Precisamente el alto coste que supone la codificación y el etiquetado de los textos (ya sea en términos de tiempo o en términos económicos) ha impulsado la idea de definir estándares de codificación y etiquetado para facilitar el intercambio y la reusabilidad de los textos ya preparados. Actualmente hay un consenso creciente en que las marcas SGML (*Standard Generalized Markup Language*) proveen una base adecuada para un esquema estándar y que la TEI (*Text Encoding Initiative*), basada precisamente en este sistema[25] proporciona un buen procedimiento para la codificación de textos en formato electrónico; las propuestas desarrolladas por Ide (coord.) (1996) en el marco de los proyectos EAGLES (*Expert Advisory Group on Language Engineering Standards*) y MULTEXT (*Multilingual Text Tools and Corpora*) constituyen, sin duda, una aportación importante en el ámbito de la codificación de corpus. En lo que se refiere a la anotación lingüística mediante etiquetas que definan, por ejemplo, partes de la oración, existe una mayor diversidad de sistemas, entre los que cabe destacar las recogidas en las *Guidelines* de EAGLES.[26] Esta anotación puede, naturalmente, llevarse a cabo utilizando los mecanismos propios del SGML.

25. Sperberg-McQueen y Burnard, (eds.) (1994).

26. En el marco del proyecto EAGLES se ha propuesto un esquema para la anotación morfosintáctica de textos (Leech y Wilson, 1996) y unas orientaciones preliminares para la anotación sintáctica (Leech *et al.*, 1996). En lo que se refiere al español, puede verse, por ejemplo, una propuesta de codificación en SGML de la anotación morfosintáctica desarrollada para el Corpus de Referencia del Español Actual (CREA) de la Real Academia Española en Pino y Santalla (1996).

4.1.8. *Procesamiento del corpus*

El corpus por sí solo no es suficiente para facilitar datos exhaustivos del comportamiento del lenguaje. Para poder aprovechar al máximo las informaciones que contiene es necesario poder disponer de herramientas adecuadas para su procesamiento y para su explotación. En este sentido hay que decir que tan importante es el corpus como las herramientas. Actualmente se trabaja en programas de gran complejidad destinados a la lingüística de corpus, así que ya se dispone de un buen número de ellos destinados a tareas muy específicas.[27] Entre los trabajos básicos que deben facilitar los programas para explotación de corpus en el campo de la lingüística cabe destacar:

— frecuencia de aparición de palabras
— índices y concordancias
— lematización
— análisis morfológico (*tagging*)
— análisis sintáctico (*parsing*)
— desambiguación semántica
— detección de unidades recurrentes (*collocations*)

4.1.9. *Crecimiento del corpus y "Feedback"*

Con la finalidad de tener un corpus equilibrado es conveniente adoptar un método de aproximaciones sucesivas. Primero, en su preparación hay que procurar conseguir un corpus representativo; después, al utilizarlo, hay que analizar los resultados y detectar sus puntos débiles respecto de la representatividad. A la vista de estos análisis, se debe ir reajustando las proporciones del corpus constantemente. Para ello es necesario colaborar conjuntamente con expertos en estadística que aporten métodos para mejorar el equilibrio del corpus y estar en constante contacto con los usuarios ya que ellos son los que mejor detectaran sus limitaciones.

4.1.10. *"Hardware" y "software"*

Un aspecto también muy importante que hay que tratar al diseñar un corpus es el de la estimación de la infraestructura informática, tanto en su componente de *hardware* (aparatos) como en el de *software* (programas), que se va a necesitar para poder desarrollarlo y explotarlo. Las necesidades de infraestructura dependerán, como es lógico, de la extensión que deba tener el corpus, de los diferentes procesos que se deban realizar y de la naturaleza oral o textual de los materiales. Almacenar simplemente los textos de un corpus es una tarea que necesita poco equipamiento y escasos programas, pero tenerlo dispuesto para una fácil recuperación de la información y para la realización de procesos de

27. El apéndice B de McEnery y Wilson (1996) ofrece información sobre estas herramientas, así como el *Natural Language Software Registry*, que puede consultarse en <http://cl-www.dfki.uni-sb.de/cl/registry/>. Algunas muestras de herramientas desarrolladas para el español se describen en los diversos trabajos publicados en en *Procesamiento del Lenguaje Natural*, revista de la Sociedad Española para el Procesamiento del Lenguaje Natural <http://gplsi.ua.es/sepln/>.

análisis requiere ya ordenadores preparados (generalmente estaciones de trabajo) y programas sofisticados, en algunos casos realizados *ad hoc.*

4.1.11. *Aspectos legales*

Uno de los problemas más difíciles de resolver, principalmente por su carácter no filológico ni científico, es el de los derechos de autor (*copyright*). Esta cuestión se convierte en trascendental cuando se trata de corpus que usan fuentes literarias o periodísticas y al que se quiere dar difusión para su explotación. El problema se hace más difícil por el hecho de que en muchos casos la legislación no ofrece soluciones claras; hay algunos países, por ejemplo, que tienen un consenso para conceder ciertos privilegios a las universidades. Tampoco está bien definida la normativa a que está sujeta la reproducción y utilización de los textos periodísticos capturados a través de Internet, o el límite de palabras seguidas que se pueden copiar para no incumplir la normativa de los derechos de autor.

Es necesario y justo proteger, mediante el *copyright*, los derechos de los autores y de las editoriales sobre los textos que ellos han creado o publicado. Es necesario revisar y ampliar la normativa actual como respuesta al rápido desarrollo de las técnicas informáticas de captura de textos. Es probable que cualquier texto editado (o parte considerable de texto) que tenga que ser computerizado e incluido en un corpus esté bajo esta ley y se necesite pedir autorización para su uso.

Las siguientes consideraciones son importantes al tratar de los derechos de autor y el corpus:

- ¿El texto está protegido por la ley de los derechos de autor? La legislación varía según los países pero por norma general la duración de los derechos es limitada.
- La transcripción de textos orales registrados de un medio de comunicación (radio, televisión) también está sujeta a esta normativa.
- La difusión de grabaciones que no proceden de los medios de comunicación requiere el permiso escrito de los hablantes, obtenido en general con posterioridad a la realización de las mismas para no restar espontaneidad al intercambio comunicativo. Es necesario también proteger la intimidad de las personas, cambiando, por ejemplo, sus nombres por iniciales.
- Aunque se paguen pequeñas cantidades por cada texto incluido en un corpus, si el corpus es grande, los trabajos administrativos y el total que se debe pagar pueden ser considerables, de manera que solo algunas organizaciones con importantes medios que se aseguren su explotación podrán justificar los costes.
- En el caso de la cesión desinteresada de los derechos, los propietarios de los derechos de autor tienen que tener la seguridad de que la compilación del corpus no será inconveniente para el potencial de ganancias y de que no habrá ninguna explotación comercial directa del corpus.
- La posible explotación y distribución de un corpus tiene que estar cuidadosamente pactada con los propietarios de los derechos de autor de los textos que lo componen.

- Si el corpus se ha hecho con finalidades comerciales, tienen que constar los propietarios de los derechos de autor.

4.1.12. *Presupuesto y etapas*

Una vez definidas todas las cuestiones mencionadas hasta este momento sólo hace falta establecer las diferentes etapas en que se va a realizar el proyecto y cómo se va a llevar a cabo su mantenimiento (en el caso de tratarse de un corpus abierto). Ello implica la realización de un presupuesto teniendo en cuenta tanto los costes del personal humano como los de los programas y ordenadores y demás aparatos, así como los de la adquisición de los derechos de autor en el caso de que los textos utilizados así lo requieran.

4.2. Aspectos específicos de los corpus orales

El diseño y las distintas fases de elaboración de corpus orales que incluyen grabaciones de la señal sonora tiene algunos aspectos específicos que, complementando los más generales discutidos en el apartado anterior, se exponen a continuación. Es preciso tener en cuenta que en lo que se refiere especialmente a la creación de corpus para las aplicaciones propias de las tecnologías del habla se han desarrollado propuestas de estandarización para cada una de las fases de la constitución de un corpus en el marco de los proyectos europeos SAM (*Speech Assessment Methodologies*) y EAGLES (*Expert Advisory Group on Language Engineering Standards*), que actualmente constituyen una referencia esencial en el momento de abordar este tipo de corpus.[28]

4.2.1. *Adquisición de los datos*

En los corpus orales a los que aludíamos en el apartado "Criterios específicos para la clasificación de los corpus orales" la adquisición de los datos requiere necesariamente la realización de grabaciones o, alternativamente, su obtención a través de la radio y la televisión o de archivos sonoros que se encuentren disponibles. Si el objetivo del corpus es el análisis de la lengua oral (*cf.* "Transcripciones ortográficas de lengua hablada"), es suficiente con que la grabación tenga la calidad necesaria para permitir una transcripción ortográfica sin dificultades. En cambio, si pretendemos realizar un trabajo experimental en fonética (*cf.* "Corpus para la descripción fonética de la lengua") o desarrollar los sistemas propios de las tecnologías del habla (*cf.* "Transcripciones ortográficas de lengua hablada"), el material sonoro debe reunir unas características específicas, para lo cual la grabación debe realizarse en un entorno acústico controlado como una cabina insonorizada o anecoica y por procedimientos digitales.

Mención aparte merecen los corpus para el estudio articulatorio del habla, que requieren técnicas más complejas para recoger los movimientos del aparato

28. Los principales resultados del proyecto SAM se recogen en Fourcin *et al.* (1989) y se resumen en Fourcin y Dolmazon (1991). Las recomendaciones elaboradas por EAGLES en el campo de los corpus orales se exponen en Gibbon *et al.* (1997); un resumen delos trabajos realizado en EAGLES se encuentra en Winski *et al.* (1995).

fonador; también debemos referirnos a los diversos métodos desarrollados para la obtención de producciones orales controladas que mantengan a la vez un cierto grado de espontaneidad, como por ejemplo la denominada "tarea del mapa" (Anderson *et al.*, 1991), o que permitan el análisis fonético de los diversos estilos de habla (Péan *et al.*, 1993). Igualmente constituyen un caso específico los corpus recogidos a través del teléfono a fin de entrenar y evaluar sistemas de reconocimiento de habla[29] y los que se recopilan mediante el procedimiento conocido como 'el Mago de Oz' a fin de modelar la interacción entre un sistema automático y un usuario (Fraser y Gilbert, 1991).

4.2.2. *Selección de locutores*

A los problemas de la delimitación del corpus y de la selección de las muestras discutidos en los apartados anteriores, se une, en el caso de los corpus orales, el de la selección de los locutores. Los criterios utilizados varían, naturalmente, en función de los objetivos del corpus, pero suelen incluir el sexo, la edad, la procedencia espacial y el nivel sociocultural, pudiendo tenerse también en cuenta hábitos que pueden originar patologías vocales como el uso del tabaco. Mientras que en algunos estudios se pretende reflejar las características fonéticas de un grupo reducido de hablantes considerado representativo, en corpus diseñados para desarrollar servicios telefónicos que pueden ser utilizados por toda la población, suele emplearse una estrategia de recogida de datos que garantice la presencia de muestras procedentes de un gran número de locutores aunque las muestras de habla sean relativamente breves. La selección del locutor plantea, en estos casos, problemas análogos a la selección de textos en un corpus que pretenda una cobertura general.

4.2.3. *Procesamiento del corpus*

Al igual que en el caso de los corpus textuales, una vez se han recogido los materiales de base, debe llevarse a cabo un procesamiento de los mismos que permita su utilización posterior. El primer paso suele ser la transcripción ortográfica, que en determinado tipo de corpus se acompaña de una transcripción fonética o fonológica. A continuación, a cada segmento de la onda sonora se le asocia una etiqueta que lo define en términos fonéticos o fonológicos (*labelling*) y se lleva a cabo la alineación (*alignment*) entre la señal sonora y las etiquetas, obteniendo una representación que puede compararse a la de una partitura musical con la letra correspondiente. El proceso de etiquetado segmental puede llevarse a cabo a varios niveles (Barry y Fourcin, 1992; Tillmann y Pompino-Marschall, 1993) y completarse con una anotación de las características suprasegmentales, codificadas según diversos sistemas que se exponen en el siguiente apartado.

29. Véanse, por ejemplo, los trabajos realizados en el marco de los proyectos SPEECHDAT (*Spoken Language Resources*) <http://www.icp.grenet.fr/SpeechDat/home.html>. y SPEECHDAT II (*Speech Databases for the Creation of Voice Driven Teleservices*) <http://www.phonetik.uni-muenchen.de/SpeechDat.html>.

Si se cumplen todas las etapas, es posible llegar a disponer de un corpus que contenga la señal sonora sincronizada con la transcripción ortográfica y la transcripción fonética o fonológica, de modo que, una vez definida una estructura de base de datos, el corpus pueda ser consultado partiendo de etiquetas fonéticas, de marcas prosódicas o de la transcripción ortográfica al tiempo que se accede a la grabación correspondiente.

Los corpus de lengua oral que consisten únicamente en transcripciones ortográficas —ya que no suele ser factible realizar una transcripción fonética completa de un número elevado de horas de grabación— conllevan un procesamiento menos complejo, aunque en algunos casos contienen marcas prosódicas útiles para el análisis del discurso o de la conversación.

4.2.4. *La transcripción fonética segmental y suprasegmental*

Como acabamos de ver, un corpus puede enriquecerse con anotación lingüística, que en el caso de los corpus orales para determinadas aplicaciones, suele ser de tipo fonético segmental o suprasegmental.

En lo que respecta a la transcripción fonética segmental, suele recomendarse el uso del Alfabeto Fonético Internacional (AFI).[30] Sin embargo, las necesidades del intercambio electrónico de textos han llevado a establecer una codificación de los símbolos del AFI (Esling y Gaylor, 1993). En el campo de las tecnologías del habla en el contexto europeo es de uso común el sistema de transcripción conocido como SAMPA (SAM *Phonetic Alphabet*), que utiliza los símbolos presentes en un teclado convencional y ha sido adaptado a buena parte de las lenguas europeas; una propuesta más reciente —conocida como X-SAMPA— sugiere la ampliación del sistema para codificar los símbolos del AFI.[31]

En lo que respecta a la transcripción de los elementos suprasegmentales, además del conjunto de símbolos del AFI, se dispone también de varios sistemas que pueden ser utilizados en corpus en soporte electrónico,[32] sin que parezca existir, por el momento, unanimidad en cuanto a la utilización preferente de ninguno de ellos. Entre los más difundidos cabe citar ToBI (*Tone and Break Index*) (Silverman *et al.*, 1991), SAMPROSA (*SAM Prosodic Alphabet)*, desarrollado en el marco del proyecto SAM (Gibbon, 1989)[33] e INTSINT (*International Transcription System for Intonation*) (Hirst *et al.*, 1994).[34] Además de los procedimientos mencionados, propios del ámbito de la fonética y las tecnologías

---

30. La última revisión del AFI aparece en IPA (1993); en IPA (1995) puede encontrarse una versión preliminar del *IPA Handbook*, de próxima publicación.

31. Véanse sobre SAMPA Wells (1989) y la información recogida en <http://www.phon.ucl.ac.uk/home/sampa/home.htm> donde aparecen las adaptaciones a diversas lenguas realizadas hasta el momento; X-SAMPA se presenta en Wells (1994) y en <http://www.phon.ucl.ac.uk/home/sampa/x-sampa.htm>.

32. En Gibbon (1989) y en Llisterri (1994) se presenta una revisión de diversos sistemas de anotación prosódica.

33. SAMPROSA se describe también en <http://www.phon.ucl.ac.uk/home/sampa/samprosa.htm>.

34. Puede obtenerse más información sobre INTSINT en <http://www.lpl.univ-aix.fr/~hirst/intsint.html>.

del habla, desde la perspectiva de la lingüística de corpus se han desarrollado también sistemas de anotación prosódica de corpus orales ortográficamente transcritos en los que suelen marcarse pausas, unidades tonales, cambios de intensidad, de rango melódico o de velocidad de elocución —como en el caso de las convenciones de la TEI para la transcripción de corpus orales (Johansson 1995a,b)— o bien sílabas acentuadas, sílabas prominentes no acentuadas y movimientos tonales como en la propuesta de French (1992) para el proyecto NERC.

4.2.5. *La transcripción y codificación de la lengua oral*

La transcripción ortográfica de los corpus de lengua oral tal como se describen en "Transcripciones ortográficas de lengua hablada" plantea diversos problemas entre los que se cuentan las variaciones en la pronunciación no recogidas en los diccionarios normativos, el uso de los signos de puntuación y la representación de siglas, abreviaturas, palabras deletreadas o secuencias numéricas.

A estas cuestiones debe sumarse la representación de los elementos propios de la lengua oral como las pausas, la delimitación de los enunciados y de las unidades tonales, las variaciones en los elementos suprasegmentales, los elementos vocales tanto semi-léxicos (por ejemplo las denominadas 'pausas llenas') como no léxicos (por ejemplo risas o toses), los cambios de turno de palabra, las intervenciones simultáneas de varios hablantes o las dudas, palabras truncadas, repeticiones y errores de producción corregidos o no por el propio hablante. Se trata aquí de fenómenos tradicionalmente tratados por los especialistas en análisis del discurso y de la conversación,[35] cuya codificación representa un enriquecimiento de la transcripción ortográfica y resultad indispensable para determinadas utilizaciones de los corpus en el análisis lingüístico.

Proyectos de naturaleza tan diversa como NERC dedicado a definir corpus de referencia o *SpeechDat* centrado en la creación de bases de datos para el desarrollo o la evaluación de sistemas de reconocimiento de habla han creado una serie de convenciones para la transcripción ortográfica —a veces denominada transliteración— de la lengua oral.[36] Los posibles estándares tanto en lo que se refiere a la transcripción ortográfica como a la codificación de la lengua oral se han abordado en el marco de la TEI y de EAGLES, intentando combinar las necesidades de la lingüística de corpus con las de las tecnologías del habla.[37]

35. Véanse, por ejemplo, Du Bois (1991), Du Bois *et al.* (1993), Edwards (1993, 1995), Gumperz y Berenz (1993) o Payrató (1995). Una buena muestra de las prácticas de transcripción y codificación de textos orales en la lingüística de corpus se encuentra en la recopilación de Leech *et al.* (eds.) (1995).

36. Las convenciones de transcripción ortográfica del proyecto NERC se encuentran en French (1992) y se desarrollan para el español en Villena (1994); las recomendaciones sobre la transcripción de SpeechDat se encuentran en Winski *et al.* (1996).

37. Las propuestas de la TEI se dicuten en Johansson (1995a,b) y las de EAGLES se recogen en el capítulo dedicado a la representación textual del *EAGLES Handbook on Spoken Language Systems* y en Llisterri (1996b).

Sin embargo, al igual que en la transcripción de los elementos prosódicos, no parece que dispongamos aún de un procedimiento unánimente aceptado y utilizado en lo que se refiere a la codificación. Por ello, parece recomendable la utilización de sistemas que permitan una traducción (semi)automática entre diversas propuestas y que no sean incompatibles con procedimientos estandarizados como el etiquetado en SGML, facilitando además al máximo la labor de transcriptor mediante un sistema de ayuda a la codificación.

5. Conclusiones

En este capítulo se ha intentado presentar, por una parte, una definición de 'corpus' completada por una tipología que permita deslindar los corpus en sentido estricto de otro tipo de recopilaciones de materiales lingüísticos y por una breve reseña de sus principales aplicaciones. Por otra parte, se ha intentado ofrecer también algunas indicaciones sobre las principales etapas propias del proceso de elaboración de un corpus, teniendo en cuenta tanto la lengua escrita como la hablada. Con ello se ha querido mostrar que nos encontramos ante una poderosa herramienta que puede dar lugar tanto a investigaciones sobre el uso o la evolución de la lengua como al desarrollo de productos en el marco de la denominada ingeniería lingüística.

Es importante insistir aquí en que los corpus son recursos que pueden ser utilizados de muy diversas maneras; sin embargo, en la fase de diseño, es imprescindible disponer de una definición clara de los objetivos que guían la constitución del corpus, sin la cual resulta extraordinariamente difícil enfrentarse a las múltiples opciones metodológicas que se plantean en esta primera etapa. Un segundo aspecto esencial es que, dado el esfuerzo económico y humano que supone la creación de un corpus, parece lógico pensar en que éste debe poder ser reutilizado por otros investigadores y para fines diferentes a los que fue concebido. Para ello es del todo necesario intentar adaptarse al máximo a los estándares existentes o, cuando existen varias alternativas, considerar la posibili-dad de una conversión relativamente poco costosa y lo más automatizada posible.

Por estos dos motivos, el diseño —tanto del contenido como del modo de representación— se plantea como la etapa más importante en la constitución de un corpus o de cualquier recurso lingüístico. Invertir esfuerzos en esta actividad es, a nuestro modo de ver, la mejor manera de garantizar el éxito del proyecto y de facilitar el intercambio y la reutilización del producto final.

6. Referencias bibliográficas

AARTS, J., de HAAN, P., OOSTDIJK, N. (eds.) (1993), *English Language Corpora: Design, Analysis and Explotation*, Amsterdam: Rodopi.

AARTS, J., MEIJS, W. (eds.) (1984), *Corpus Linguistics. Recent Developments in the Use of Corpora in English Language Research*, Amsterdam: Rodopi.

— (1986), *Corpus Linguistics II. New Studies in the Analysis and Exploitation of Computer Corpora*, Amsterdam: Rodopi.

— (1990) *Theory and Practice in Corpus Linguistics*, Amsterdam: Rodopi.

AIJMER, K., ALTENBERG, B. (eds.) (1991), *English Corpus Linguistics. Sudies in Honour of Jan Svartvik*, London: Longman.

ALVAR EZQUERRA, M., CORPAS PASTOR, G. (1994), "Criterios de diseño para la creación de córpora", in ALVAR EZQUERRA, M., VILLENA PONSODA, J. A. (coord.), *Estudios para un corpus del español,* Málaga: Universidad de Málaga, pp. 31-40.

ALVAR EZQUERRA, M., VILLENA PONSODA, J. A. (coord.) (1994), *Estudios para un corpus del español,* Málaga: Universidad de Málaga (Anejo 7 de Analecta Malacitana, Revista de la Sección de Filología de la Facultad de Filosofía y Letras de Málaga).

ANDERSON, A. H., BADER, M., BARD, E. G., BOYLE, E., DOHERTY, G., GARROD, S., ISARD, S., KOWTKO, J., MCALLISTER, J., MILLER, J., SOTILLO, C., THOMPSON, H. S.,WEINERT, R. (1991), "The HCRC Map Task corpus", *Language and Speech,* 34, 4, pp. 351-366.

ATKINS, S.,CLEAR, J., OSTLER, N. (1992), "Corpus design criteria", *Literary and Linguistic Computing* 7, 1, pp. 1-16.

ATKINSON, D., BIBER, D. (1994), "Register: A Review of Empirical Resarch", en BIBER, D.- FINEGAN, E. (eds) *Sociolinguistic Perspectives on Register,* Oxford - New York: Oxford University Press, pp. 351-385.

BADIA, T., CABRÉ, M. T., LLISTERRI, J., DE YZAGUIRRE, Ll. (1994), *Recursos en llengua catalana: estat de la qüestió.* Jornada de compatibilitat i accessibilitat dels corpus de dades en llen-gua catalana. Institut Universitari de Lingüística Aplicada, Universitat Pompeu Fabra.

BARRY, W. J., FOURCIN, A. J. (1992), "Levels of Labelling", *Computer Speech and Language,* 6, pp. 1-14.

BELAÏD, A. (1995), "OCR: Print", in COLE, R. A., MARIANI, J., USZKOREIT, H., ZAENEN, A., ZUE, V. (eds.), Survey of the State of the Art in Human Language Technology, pp. 81-85. Publicación electrónica en URL: <http://www.cse.ogi.edu/CSLU/HLTsurvey/HLTsurvey.html>.

BIBER, D. (1990), "Methodological issues regarding corpus-based analyses of linguistic variation", *Literary and Linguistic Computing,* 5, 4, pp. 257-269.

— (1993), "Representativeness in corpus design", *Literary and Linguistic Computing,* 8, 4, pp. 243-257.

BIBER, D., FINEGAN, E. (1991), "On the exploitation of computerized corpora in variation studies", in AIJMER, K.,ALTENBERG, B. (eds), *English Corpus Linguistics. Sudies in Honour of Jan Svartvik,* London: Longman, pp. 204-220.

BLECUA, J. M. (1996), "Reflexiones al margen de los corpus escritos", en *Corpus, corpora, actes del 1r i 2n Col·loquis Lingüístics de la Universitat de Barcelona* (Club-1, Club-2), Barcelona: PPU, pp. 15-26.

BURNARD, L. (1995a), "The Text Encoding Initiative: an overview", en LEECH, G., MYERS, G., THOMAS, J. (eds), *Spoken English on Computer: Transcription, Markup and Applications,* Harlow: Longman, pp. 69-81.

— (1995b), "Text Encoding for Information Interchange. An Introduction to the Text Enxoding Initiative", TEI Document no. TEI J31, July 1995. Publicación electrónica en URL: <http://www.uic.edu/orgs/tei/info/teij31/>.

CARRÉ, R. (1992), "Speech Databases" en AINSWORTH, W. A. (ed.), *Advances in Speech, Hearing and Language Processing. A Research Annual, Volume 2,* London: Jai Press, pp. 199-216.

CLEAR, J. (1992), "Corpus sampling", en LEITNER, G. (ed.), *New Directions in English Language Corpora. Methodology, Results, Software Development,* Berlin: Mouton de Gruyter, pp. 21-32.

COLE, R. (ed.) (1996), "Language Resources", en COLE, R. A., MARIANI, J., USZKOREIT, H., ZAENEN, A., ZUE, V. (eds.) (1997), *Survey of the State of the Art in Human Language Technology,* Cambridge: Cambridge Univversity Press, pp. 441-474. Publicación electrónica en URL: <http://www.cse.ogi.edu/CSLU/HLTsurvey/HLTsurvey.html>.

de HAAN, J. P., OOSTDIJK, N. (eds.) (1993), *English Language Corpora: Design, Analysis and Exploitation*, Amsterdam: Rodopi

de HAAN, P. (1992), "The optimum corpus sample size?", en LEITNER, G. (ed.), *New Directions in English Language Corpora. Methodology, Results, Software Development*, Berlin: Mouton de Gruyter, pp. 3-20.

DU BOIS, J. W. (1991), "Transcription design principles for spoken discourse research", *Pragmatics* 1, pp. 71-106.

DU BOIS, J. W.,SCHUETZE-COBURN, S., CUMMING, S., PAOLINO, D. (1993), "Outline of discourse transcription", en EDWARDS, J. A., LAMPERT, M. D. (eds.), *Talking Data: Transcription and Coding in Discourse Research,* Hillsdale, N. J.: Lawrence Erlbaum Associates, pp. 45-90.

EDWARDS, J. A. (1993), "Principles and Contrasting Systems of Discourse Transcription", en EDWARDS, J. A., LAMPERT, M. D. (eds.), *Talking Data: Transcription and Coding in Discourse Research,* Hillsdale, N.J.: Lawrence Erlbaum Associates, pp. 3-32.

— (1993), "Survey of Electronic Corpora and Related Resources for Language Researchers", en EDWARDS, J. A., LAMPERT, M. D. (eds.), *Talking Data: Transcription and Coding in Discourse Research,* Hillsdale, N. J.: Lawrence Erlbaum Associates, pp. 263-310.

— (1995), "Principles and alternative systems in the transcription, coding and mark-up of spoken discourse", en LEECH, G., MYERS, G., THOMAS, J. (eds.), *Spoken English on Computer: Transcription, Markup and Applications.* Harlow: Longman, pp. 19-34.

ESLING, J. H., GAYLORD, H. (1993), "Computer Codes for Phonetic Symbols", *Journal of the International Phonetic Association,* 23, 2, pp. 77-82.

FERNÁNDEZ, A., LLISTERRI, J. (1996), *Informe sobre recursos lingüísticos para el español (II): Corpus escritos y orales disponibles y en desarrollo en España,* Alcalá de Henares: Observatorio Español de Industrias de la lengua, Instituto Cervantes.

FOURCIN, A., DOLMAZON, J. M. (on behalf of the SAM Project) (1991) "Speech knowledge, standards and assessment" en *Actes du XIIème Congrès International des Sciences Phonétiques. 19-24 août 1991, Aix-en-Provence, France,* Aix-en-Provence: Université de Provence, Service des Publications, Vol 5, pp. 430-433.

FOURCIN, A., HARLAND, G., BARRY, W., HAZAN, V. (eds.) (1989), *Speech Input and Output Assessment. Multilingual Methods and Standards,* Chichester: Ellis Horwood Ltd.

FRASER, N., GILBERT, G. N. (1991), "Simulating speech systems", *Computer Speech and Language,* 5, 1, pp. 81-99.

FRENCH, J. P. (1992), *Transcription proposals: multilevel system,* Working paper, University of Birmingham, October 1992. NERC-WP4-50.

FRIES, U., TOTTIE, G., SCHNEIDER, P. (eds.) (1994), *Creating and Using English Language Corpora,* Amsterdam: Rodopi.

GIBBON, D. (1989), "Survey of Prosodic Labelling for EC Languages". SAM-UBI-1/90, 12 February 1989; Report e.6, en ESPRIT 2589 (SAM) *Interim Report, Year 1.* Ref. SAM-UCL G002, University College London, February 1990.

GIBBON, D., MOORE, R., WINSKI, R. (eds.) (1997), *Handbook of Standards and Resources of Spoken Language Systems,* Berlin: Mouton de Gruyter. Publicación electrónica en URL: <www.degruyter.de/EAGLES/>.

GUMPERZ, J. J., BERENZ, N. (1993), "Transcribing Conversational Exchanges", en EDWARDS, J. A., LAMPERT, M. D. (eds.), *Talking Data: Transcription and Coding in Discourse Research,* Hillsdale, N.J.: Lawrence Erlbaum Associates, pp. 91-122.

HIRST, D. J., IDE, N., VÉRONIS, J. (1994), "Coding fundamental frequency patterns for multi-lingual synthesis with INTSINT in the MULTEXT project", en *Conference Proceedings of the Second ESCA/IEEE Workshop on Speech Synthesis.* September 12-15, 1994, Mohonk Mountain House, New Paltz, New York, USA, pp. 77-80.

Ide, N. (coord.) (1996), *Corpus Encoding Standard.* Document CES 1. Version 1.4. October, 1996. Publicación electrónica en URL: <http://www.cs.vassar.edu/CES/>.

Ide, N., Véronis, J. (eds.) (1995), "The Text Encoding Initiative: Background and Contexts", *Computers and the Humanities* 29, 1-3; publicado en forma de libro en Dordrecht: Kluwer Academic Publishers.

IPA (1993) "IPA Chart, revised to 1993", *Journal of the International Phonetic Association* 23,1. Publicación electrónica en URL: <http://www.arts.gla.ac.uk/IPA/ipachart.html>.

IPA (1995) Preview of the IPA Handbook, *Journal of the International Phonetic Association,* 25, 1.

Johansson, S. (1995a), "The Encoding of Spoken Texts", *Computers and the Humanities* 29, 1, pp. 149-158; en Ide, N., Véronis, J. (eds) (1995), *The Text Encoding Initiative. Background and Context,* Dordrecht: Kluwer Academic Publishers, pp. 149-158.

— (1995b), "The approach of the Text Encoding Initiative to the encoding of spoken discourse", en Leech, G., Myers, G., Thomas, J. (eds.), *Spoken English on Computer: Transcription, Markup and Applications,* Harlow: Longman, pp. 82-98.

— (ed.) (1982), *Computer Corpora in English Language Research.* Bergen: Norwegian Computing Centre for the Humanities.

Johansson, S., Stenström, A. (eds.) (1991), *English Computer Corpora: Selected Papers and Research Guide,* Berlin: Mouton de Gruyer (Topics in English Linguistics, 3).

Knwoles, G. (1990), "The use of spoken and written corpora in the teaching of language and linguistics", *Literary & Linguistic Computing,* 5, 1, pp. 45-48.

Kytö, M., Ihalainen, O., Rissanen, M. (eds.) (1988), *Corpus Linguistics, Hard and Soft. Proceedings of the Eighth International Conference on English Language Research on Computerized Corpora,* Amsterdam: Rodopi.

Kytö, M., Rissanen, M., Wright, S. (eds.) (1994), *Corpora across the Centuries,* Amsterdam: Rodopi.

Lamel, L., Cole, R. (1995), "Spoken Language Corpora", en Cole, R. A., Mariani, J., Uszkoreit, H., Zaenen, A., Zue, V. (eds.) (1997), *Survey of the State of the Art in Human Language Technology,* Cambridge: Cambridge University Press, pp. 450-454. Publicación electrónica en URL: <http://www.cse.ogi.edu/CSLU/HLTsurvey/HLTsurvey.html>.

Leech, G. (1991), "The State of the Art in Corpus Linguistics" en Aijmer, K., Altenberg, B. (eds.), *English Corpus Linguistics. Sudies in Honour of Jan Svartvik.* London: Longman, pp. 8-29.

Leech, G., Barnett, R., Kahrel, P. (1996), *Preliminary Recommendations for the Syntactic Annotation of Corpora.* EAGLES Document EAG-TCWG-SASG1/P-B, March 1996. Publicación electrónica en URL: < http://www.ilc.pi.cnr.it/EAGLES96/segsasg1/segsasg1.html>.

Leech, G., Fligelstone, S. (1992), "Computers and corpus analysis", en Butkler, C. S. (ed.) (1992), *Computers and Written Texts,* Oxford: Basil Blackwell, pp. 115-140.

Leech, G., Myers, G., Thomas, J. (eds.) (1995), *Spoken English on Computer: Transcription, Markup and Applications,* Harlow: Longman.

Leech, G., Wilson, A. (1996), *Recommendations for the Morphosyntactic Annotation of Corpora.* EAGLES Document EAG-TCWG-MAC/R, March 1996. Publicación electrónica en URL: <http://www.ilc.pi.cnr.it/EAGLES96/annotate/annotate.html>.

Leitner, G. (1992), "International Corpus of English: Corpus Design- problems and suggested solutions", en Leitner, G. (ed), *New Directions in English Language*

Corpora. Methodology, Results, Software Development, Berlin: Mouton de Gruyter, pp. 33-64.

LEITNER, G. (ed.) (1992), *New Directions in English Language Corpora. Methodology, Results, Software Development*, Berlin: Mouton de Gruyter (Topics in English Linguistics, 9).

LLISTERRI, J. (1994), *Prosody Encoding Survey.* WP 1 Specifications and Standards. T1.5. Markup Specifications. Deliverable 1.5.3. Final version, 15 September 1994. LRE Project 62-050 MULTEXT. Publicación electrónica en URL: <http://www.lpl.univ-aix.fr/projects/multext/CES/CES2.html>.

— (1996a) "Survey of Spanish Resources", *The ELRA Newsletter*, 1, 1, pp. 7-8. Publicación electrónica en URL: <ftp://ftp.icp.grenet.fr/pub/elra/newslet/en/v1n1/v1n1newsp7.ps.gz>.

— (1996b) *Preliminary Recommendations on Spoken Texts.* EAGLES Documents EAG-TCWG-STP/P, May 1996. Publicación electrónica en URL: <http://www.ilc.pi.cnr.it/EAGLES96/spokentx/spokentx.html>.

— (1996c) "Els corpus lingüístics orals", en *Corpus, corpora, actes del 1r i 2n Col·loquis Lingüístics de la Universitat de Barcelona,* (Club-1, Club-2), Barcelona: PPU, pp. 27-70.

MACWHINNEY, B. (1991) *The Childes Project: Tools for Analyzing Talk*, Hillsdale, N.J.: Lawrence Erlbaum.

MARINA, J. A.(1993), Teoría de la inteligencia creadora, Barcelona: Anagrama.

MCENERY, T., WILSON, A. (1996), *Corpus Linguistics*, Edinburgh: Edinburgh University Press (Edinburgh Textbooks in Empirical Linguistics).

MEIJS, W. (ed.) (1987), *Corpus Linguistics and Beyond. Proceedings of the Seventh International Conference on English Language Research on Computerized Corpora*, Amsterdam: Rodopi.

MINDT, D. (1996), "English corpus linguistics and the foreign language teaching syllabus", en THOMAS, J., SHORT, M. (eds.), *Using Corpora for Language Research. Studies in Honour of Geoffrey Leech,* London: Longman, pp. 232-247.

OOSTDIJK, N., de HAAN, P. (eds.) (1994), *Corpus-based Research into Language.In Honour of Jan Aarts*, Amsterdam: Rodopi.

PAYRATÓ, Ll. (1995), "Transcripción del discurso coloquial", en CORTÉS RODRÍGUEZ, L. (ed.), *El español coloquial. Actas del I Simposio sobre Análisis del Discurso Oral.* Almería, 23-25 de noviembre de 1994, Almería: Universidad de Almería, Servicio de Publicaciones, pp. 43-70.

PÉAN, V., WILLIAMS, S., ESKÉNAZI, M. (1993), "The Design and Recording of ICY, a Corpus for the Study of Intraspeaker Variability", en *Eurospeech'93. 3rd European Conference on Speech Communication and Technology, Berlin, Germany, 21-23 September 1993*, vol. 1 pp. 627-630.

PINO, M., SANTALLA, M. P. (1996), "Codificación de la anotación morfosintáctica en SGML", *Procesamiento del Lenguaje Natural, Revista nº* 19, pp. 101-117.

RISSANEN, M., KYTÖ, M., PALANDER-COLLIN, M. (eds.) (1993), *Early English in the Computer Age*, Berlin: Mouton de Gruyter.

SÁNCHEZ, A., SARMIENTO, R., CANTOS, P., SIMÓN, J. (1995), *Cumbre. Corpus lingüístico del español contemporáneo. Fundamentos, metodología y aplicaciones,* Madrid: SGEL.

SILVERMAN, K., BECKMAN, M., PITRELLI, J., OSTENDORF, M., WIGHTMAN, C., PRICE, P., PIERREHUMBERT, J., HIRSCHBERG, J. (1992), "TOBI: A standard for labelling English prosody", *Proceedings of the Second International Conference on Spoken Language Processing, ICSLP-92.* Banff, October 1992, pp. 867-870.

SINCLAIR, J. (1996), Preliminary Recommendations on Corpus Typology. EAGLES Document EAG-TCWG-CTYP/P, May 1996. Publicación electrónica en URL: <http://www.ilc.pi.cnr.it/EAGLES96/corpustyp/corpustyp.html>.

SINCLAIR, J. (ed) (1987), *Looking Up, An Account of the COBUILD Project*. London: Collins.

SOUTER, C., ATWELL, E. (eds.) (1993), *Corpus Based Computational Linguistics*. Amsterdam: Rodopi.

SPERBERG-MCQUEEN, C. M., BURNARD, L. (eds.) (1994), *Guidelines for Electronic Text Encoding and Interchange. TEI P3*. Association for Computational Linguistics / Association for Computers and the Humanities / Association for Literary and Linguistic Computing: Chicago and Oxford. Publicación electrónica en URL: <http://etext.virginia.edu/TEI.html>

SVARTVIK, J. (1992), "Corpus linguistics comes of age", en SVARTVIK, J. (ed.) *Directions in Corpus Linguistics (Proceedings of Nobel Symposium 82, Stockholm, 4 - 8, august 1991)*, Berlin - New York: Mouton de Gruyter (Trends in Linguistics), pp. 7 - 13.

— (ed.) (1992), *Directions in Corpus Linguistics. Proceedings of Nobel Symposium 82, Stockholm 4-8 August 1991*, Berlin: Mouton de Gruyter (Trends in Linguistics, Studies and Monographs, 65)

TAYLOR, L., LEECH, G., FLIGELSTONE, S. (1991), A Survey of English machine-readable corpora", en JOHANSSON, S., STENSTRÖM, A.-B. (eds.), *English Computer Corpora: Selected Papers and Research Guide*, Berlin: Mouton de Gruyter, pp. 319-354.

THOMAS, J., SHORT, M. (eds.) (1996), *Using Corpora for Language Research. Studies in Honour of Geoffrey Leech*, London: Longman.

TILLMANN, H. G., POMPINO-MARSCHALL, B. (1993), "Theoretical Principles Concerning Segmentation, Labelling Strategies and Levels of Categorical Annotation for Spoken Language Database Systems" en *Eurospeech'93. 3rd European Conference on Speech Communication and Technology*, Berlin, Germany, 21-23 September 1993, vol. 3, pp. 1691-1694.

VILLENA PONSODA, J. A. (1994), "Pautas y procedimientos de representación del corpus oral de la Universidad de Málaga. Informe preliminar", en ALVAR EZQUERRA, M., VILLENA PONSODA, J. A. (coord.), *Estudios para un corpus del español*, Málaga: Universidad de Málaga, pp. 73-102.

WELLS, J. C. (1989), "Computer-coded phonemic notation of individual languages of the European Community ", *Journal of the International Phonetic Association*, 19, 1, pp. 31-54.

— (1994), "Computer-coding the IPA: a proposed extension of SAMPA", *Speech, Hearing and Language, Work in Progress, 1994* (University College London, Department of Phonetics and Linguistics) 8, pp. 271-289.

WINSKI, R., MOORE, R., GIBBON, D. (1995), "EAGLES Spoken Language Working Group: Overview and Results", en *Eurospeech'95. Proceedings of the 4th European Conference on Speech Communication and Speech Technology. Madrid, Spain, 18-21 September, 1995*. Vol 1, pp. 841-844. Publicación electrónica en URL: <http://coral.lili.uni-bielefeld.de/~gibbon/EAGLES/rwpaper/rwpaper.html>.

WINSKI, R., SENIA, F., CONNER, P., HÄB-ÜMBACH, R., CONSTANTINESCU, A., NIEDERMAIR, G., MORENO, A., TRANCOSO, I. (1996), *Specification of Telephone Speech Data Collection*. LRE-63314 SPEECHDAT, Deliverable D1.4.1. Publicación electrónica en URL: < http://www.icp.grenet.fr/SpeechDat/deliv.html>.

MÉTODOS ESTADÍSTICOS

Es justamente en los fenómenos llamados aleatorios, aquellos que en contraposición a los deterministas, en unas mismas condiciones iniciales pueden dar lugar a resultados diferentes, en los que se pueden aplicar de forma adecuada las técnicas estadísticas.

En el proceso de comunicación de las ideas, de los pensamientos (y de los sentimientos) interviene una multitud de factores de índole muy diversa que hace que el uso del lenguaje sea un caso claro y genuino del fenómeno aleatorio, dependiente de sucesos casuales. Por esta razón, el conjunto de signos resultante del proceso comunicativo es susceptible de ser analizado mediante herramientas propias de la estadística. No hay que olvidar, sin embargo, que la estadística no es más que un método y que, por lo tanto, no tiene ninguna utilidad *per se* si no va acompañada de la interpretación realizada por el investigador.

La informática ha adquirido una gran importancia en este campo esencialmente en dos aspectos: a) por una parte, ha hecho posible el análisis de grandes volúmenes de información que sin una automatización hubiera sido prácticamente imposible su estudio; con las herramientas informáticas se puede trabajar sobre toda la «población» o sobre muestras muy grandes pudiendo superar el sistema limitador de los muestreos reducidos, más propensos a ser condicionados; b) por otra parte, además de posibilitar el análisis de grandes cantidades de textos, la estadística utiliza los conjuntos de datos numéricos para obtener inferencias basadas en el cálculo de probabilidades, con lo que crea modelos de referencia que se utilizan como herramientas para el tratamiento automático del lenguaje (sistemas de corrección de textos, sistemas de traducción automática, etc.).

Los dos artículos que siguen, elaborados por Monique Bécue y Horacio Rodríguez, son una excelente muestra de las posibilidades que la estadística ofrece en los estudios de los textos.

MÓNICA BÉCUE BERTAUT
Departament d'Estadística i Investigació
Operativa (UPC)

Análisis estadístico de textos

1. Introducción

Bajo el nombre de estadística textual se agrupan métodos estadísticos, diversos en sus orígenes y objetivos, empleados para el estudio de textos. La posibilidad de aplicar métodos cuantitativos interesó, en un primer momento, a investigadores dedicados al estudio del vocabulario. Más tarde, la llegada de los ordenadores facilitó el trabajo sobre grandes corpus de textos y propició el desarrollo de métodos estadísticos para el tratamiento de variables cualitativas, con lo que se consiguió aportar nuevos enfoques y afrontar nuevos problemas.

Con el objetivo de perfeccionar las herramientas disponibles y como consecuencia del incremento tanto en la utilización de estas técnicas como en los ámbitos de aplicación de las mismas, recientemente se ha producido una aproximación a otras disciplinas como la lexicometría, la documentación automática, el análisis del discurso, la lingüística computacional y, evidentemente, la lingüística cuantitativa.

Actualmente, la estadística textual constituye un área de trabajo y de investigación en pleno auge situada en la encrucijada de ámbitos de investigación relacionados con el estudio de los textos, puesto que aporta herramientas de naturaleza estadística y, como tal, ofrece un enfoque comparativo que pone de relieve las diferencias entre los textos estudiados.

En función del objetivo —que depende del texto analizado— se pueden diferenciar dos grandes tipos de aplicaciones. En el primero, se intenta resaltar las particularidades estilísticas de un autor mediante la medición de determinados índices o la identificación de las peculiaridades de la distribución del vocabulario. El contenido del texto, en este caso, pasa a segundo plano y sus rasgos estilísticos formales son considerados como marcas o características relevantes del autor.

En el segundo tipo de aplicaciones, el contenido del texto (su significado) adquiere una importancia fundamental. Es lo que ocurre con los problemas de categorización que se plantean en la documentación automática, en el tratamiento de respuestas abiertas en encuestas, en el análisis de entrevistas psicológicas, en el estudio de textos políticos, etc. Para realizar estos estudios, es interesante relacionar textos que tengan un contenido similar y poner en una misma categoría documentos que aborden un mismo tema.

No obstante, no se debe olvidar que forma y contenido difícilmente pueden separarse, ya que es imposible determinar *a priori* cuál de las dos es la información más relevante. Por ejemplo, la forma de expresar ciertas opiniones o la elección de una palabra frente a otra, puede aportar una información de naturaleza psicológica o sociológica relevante. Frecuentemente, la forma puede dar información sobre el contenido, indicando qué parte del corpus posiblemente presenta un contenido relevante.

En este capítulo, se dedicará una especial atención a los métodos estadísticos descriptivos multidimensionales. Se presentarán los diversos métodos que los integran y se mostrará, además, que otros métodos —dedicados fundamentalmente al estudio de la riqueza léxica y de la estructura temporal de los textos— los complementan y enriquecen. Se ofrece así un instrumento que permite abordar la comparación de distintos textos y que opera a partir del recuento exhaustivo de las palabras, teniendo en cuenta que dichas palabras operan dentro de un universo discursivo. Paradójicamente, la transparencia del contenido respecto al análisis estadístico permite descifrar la información sobre el significado de las palabras contenidas en el propio corpus. Además, en el momento de interpretar los resultados, se utiliza lo que uno conoce de la lengua, de las palabras y de los propios textos, y ello permite transformar lo cuantificable en significativo y volver al contenido, al final del análisis.

A continuación, se expondrán qué cuestiones es posible analizar mediante métodos estadísticos; después se comentará la segmentación del corpus en unidades léxicas (que es la base de los recuentos efectuados) y se hará una breve presentación de los estudios estilísticos. A continuación, se estudiarán tres problemas particulares: la comparación de textos a partir de sus perfiles léxicos; la selección de los elementos léxicos —palabras, segmentos de frase o frases— característicos de las partes (o textos) de un corpus, y, finalmente, el estudio de la evolución del vocabulario en un corpus temporal.

2. Corpus y problemas tratados

En el análisis textual se siguen las pautas usuales de cualquier estudio estadístico. Para afrontar un *problema* se observan —o eventualmente se recogen— *datos*; el análisis de estos datos mediante *métodos estadísticos* aportará resultados cuya *interpretación* proporcionará los elementos de la respuesta.

Los aspectos que se quieran analizar pueden surgir del propio estudio de los textos —comparación de estilos, atribución de autor, búsqueda documental, etc.— o ser de naturaleza no textual, pero cuyo tratamiento requiera considerar ciertos textos como datos que aportan información (éste es el caso de las entrevistas en psicología y sociología, de los discursos y programas políticos en politología, etc.). Es incluso posible que la propia investigación genere textos. Entre los corpus generados de este modo se encuentran los corpus de respuestas abiertas en encuestas.

2.1. Un corpus particular: respuestas a preguntas abiertas en encuestas

Este tipo de corpus constituye un material particularmente idóneo para el tratamiento estadístico, sobre todo cuando dicho tratamiento se enriquece con la información complementaria obtenida con las respuestas a un cuestionario cerrado.

Como muestran numerosos estudios de referencia (vid. Lebart y Salem, 1994), no se puede sustituir una pregunta abierta por una pregunta cerrada, ya que estos dos tipos de cuestiones aportan información de naturaleza muy distinta y, por tanto, difícilmente comparable. El uso de preguntas abiertas a) facilita la exploración de dominios mal conocidos para los cuales los unidades de respuesta no se pueden determinar *a priori*; b) reduce el tiempo de la entrevista (cuando una única pregunta abierta sustituye a la elecciones en varias listas); y c) ofrece la posibilidad de hacer explícitas las respuestas a preguntas cerradas (con la muy interesante cuestión complementaria del "¿Por qué?").

Los cuestionarios abiertos condicionan menos al entrevistado, y éste no acostumbra a contestar con respuestas convencionales sino que deja traslucir las opiniones reales. Además, este tipo de preguntas proporciona cierto conocimiento sobre los usos del lenguaje y los signos sociales que éstos conllevan.

El tratamiento clásico de las respuestas abiertas se hace mediante una etapa de codificación manual que permite sustituir a la pregunta abierta por una o varias preguntas cerradas según la presencia o ausencia de ciertas "unidades de contenido" en la respuesta. No obstante, este tratamiento presenta límites evidentes cuando las respuestas tienen cierto grado de complejidad. Entre dichos límites, se pueden mencionar la subjetividad del codificador, la mutilación de la forma y de la calidad de la expresión, el empobrecimiento del contenido y la pérdida de las respuestas poco frecuentes.

Los métodos estadísticos ofrecen poderosas herramientas para extraer información de las respuestas abiertas, debido a que operan a partir de las respuestas "brutas", sin efectuar reducciones *a priori*; de este modo es posible conservar la diversidad e, incluso, la ambigüedad del discurso. Dichos métodos, además, facilitan la conexión entre las respuestas abiertas y las cerradas y, de forma más general, entre los textos, las características de sus autores y las circunstancias de su producción.

2.2. Tipos de corpus

Además de los corpus de respuestas abiertas y de entrevistas extensas (producidos sobre todo para los estudios psicológicos o sociológicos), se pueden tratar estadísticamente otros corpus de diversa naturaleza.

Tradicionalmente, los estudios literarios y, especialmente, los estudios bíblicos, han suscitado numerosos problemas que han impulsado a algunos estadísticos a aportar nuevas herramientas para intentar resolverlos. Entre los objetivos usuales en este campo, estarían la atribución de un texto a un autor cuando éste es desconocido o discutido; el estudio de la existencia de uno o varios autores; la determinación de la lengua original de ciertos fragmentos conocidos únicamente mediante traducciones; la determinación de la versión más antigua, cuando existen varias; la comparación del estilo y riqueza del vocabulario entre varios autores, etc. Algunos de estos estudios responden a la necesidad de decidir alguna cuestión sobre el texto como, por ejemplo, la autoría; en estos casos, la estadística aportará argumentos de naturaleza probabilística en un sentido o en otro. Otros, simplemente tienen la finalidad de mejorar la descripción de ciertos fenómenos textuales, corrigiendo impresiones subjetivas ampliamente extendidas mediante datos cuantificables.

En sociología y en política, los datos textuales (discursos políticos, programas de partidos y sindicatos, artículos de periódicos, etc.) constituyen una información insustituible. Es un campo particularmente adecuado para el tratamiento estadístico de los textos por las características de las situaciones en las que éstos se enuncian.

Generalmente, se puede afirmar que la naturaleza del problema es la que hará que resulte o no pertinente la utilización de métodos estadísticos.

2.3. Corpus-ejemplos

Para ilustrar ciertas características de los métodos empleados, se utilizarán dos corpus concretos. El primero es un corpus de respuestas abiertas. Hemos elegido este tipo de corpus por dos motivos. El primero es que los métodos estadísticos resultan especialmente aptos (casi indispensables) para el tratamiento de los datos textuales recogidos al formular una pregunta abierta. El segundo motivo es que los resultados obtenidos sobre este tipo de corpus son de más fácil comprensión.

El segundo corpus-ejemplo está formado por todas las críticas publicadas sobre la novela *La Regenta* desde la aparición del primer tomo de esta novela en 1885, hasta la muerte del autor en 1901. Este corpus presenta la característica de ser un corpus temporal y de permitir, por consiguiente, la aplicación de técnicas dedicadas al estudio de la evolución del vocabulario.

3. Unidades de segmentación del corpus

Una primera elección, de gran importancia, consiste en definir la unidad de segmentación del corpus. Aunque algunos estudios estilométricos pueden utilizar la letra, la sílaba o el fonema (para contar, por ejemplo, el número medio de letras o de sílabas por palabra) a continuación únicamente se tratarán las unidades, simples o complejas, derivadas de la palabra o, más precisamente, de la forma gráfica.

La unidad estadística —lo que se va a contar—, que servirá de base para las comparaciones, debe ser invariable y conservar su identidad a lo largo de todo el corpus. Por esta razón, se busca una definición formal que permita atribuir las ocurrencias a una unidad dada. Si procedemos de este modo, quedan todavía dos posibilidades: contar formas gráficas o contar lemas.

3.1. Forma gráfica

La forma gráfica constituye una unidad frecuentemente utilizada por lo simple que resulta su recuento, por la claridad de su definición y, también, por la información que contiene. Una forma gráfica (o palabra gráfica) se define como una sucesión de caracteres (en general letras) separados por delimitadores (blanco y signos de puntuación). A un mismo lema, o forma léxica —que se puede definir como una unidad de lengua que constituye una entrada en el diccionario— pueden corresponderle varias formas gráficas (femenino y masculino de un mismo adjetivo, flexiones distintas de un verbo, etc.). Inversamente, una misma forma gráfica puede remitir a lemas distintos (formas homógrafas).

La conservación del género de un adjetivo o del tiempo de un verbo no sólo facilita la completa automatización del tratamiento sino que, sobre todo, mantiene una información no despreciable, la información contenida en la propia utilización del género o de un tiempo pasado en lugar del presente, por ejemplo.

La no diferenciación de homógrafos (*como* del verbo comer y *como* conjunción, por ejemplo) no suele acarrear consecuencias graves en cuanto al comportamiento estructural de los textos, aunque puede dificultar la interpretación. En la mayoría de los casos, la lematización resuelve este tipo de dificultades.

3.2. Lema

Una vez segmentado el corpus en formas gráficas —lo que resulta ser una operación sencilla después de tomar algunas decisiones elementales tales como el tratamiento que se debe dar a los guiones que unen dos formas gráficas—, se puede sustituir cada forma gráfica por su correspondiente entrada del diccionario (infinitivo para los verbos, masculino singular para los adjetivos, etc.). Esta operación es difícil e incluso cuando se hace manualmente pueden quedar ambigüedades sin resolver. Automatizar esta operación resulta costoso, pero actualmente la potencia de los analizadores morfosintácticos permite obtener resultados bastante aceptables.

Lematizar o no lematizar es una discusión antigua que sigue vigente. En cualquier caso, es indispensable reflexionar siempre sobre qué se desea contar y tomar la decisión en función del problema y de los textos. Sobre todo, no se debe lematizar demasiado pronto y, a menudo, es aconsejable comparar los resultados obtenidos con los tratamientos efectuados sin y con lematización.[1] En adelante, se empleará el término *palabra*, y éste podrá ser tanto una *forma gráfica* o un *lema* según la opción escogida por el investigador. Los estudios que se presentarán se pueden aplicar en general a un corpus segmentado en cualquiera de ambas unidades.

3.3. Segmento repetido y casi segmento

La segunda unidad estadística considerada es el *segmento* de frase *repetido*. Es frecuente observar ocurrencias repetidas de expresiones tales como *me considero, me gusta, no estar enfermo*, que tienen un sentido global. Esta unidad, que se puede considerar compleja, fue introducida por Salem (1987). Los tratamientos propuestos aquí se pueden, en general, aplicar a partir del recuento de las formas, o a partir del recuento de los segmentos (esta última posibilidad permite tomar en consideración el contexto de las formas). Recientemente, se ha propuesto otra unidad compleja llamada *casi segmento* (Bécue y Peiró, 1993) que generaliza la definición de segmento repetido. Un *casi segmento* está compuesto

1. Para una presentación de los problemas que presenta la lematización, se puede consultar Muller (1977). Para una discusión sobre la conveniencia o no de la lematización en el análisis de datos textuales, véase Lebart y Salem (1994) y Bolasco (1990).

por varias formas vecinas, pero no obligatoriamente contiguas, y permite tener en cuenta expresiones como *hacer deporte* en cualquiera de las frases siguientes: *hacer un poco de deporte, hacer algo de deporte, hacer de vez en cuando deporte.*

3.4. Palabras gramaticales y palabras llenas

Las palabras se suelen dividir en *llenas*, o con contenido semántico, y palabras *gramaticales* o funcionales. *A priori* sería difícil determinar qué formas pertenecen a una u otra categoría. En una primera etapa es aconsejable contar todas las formas, sin decidir de antemano y por tanto de forma subjetiva, qué formas son las importantes. Según los casos, esta diferenciación conlleva decidir qué formas tienen una utilización específica diferenciada en los textos del corpus, qué formas contienen algún tipo de información o qué palabras nos ayudarán a entender el funcionamiento del texto estudiado. Es frecuente observar palabras que parecen no significar nada y, sin embargo, dicen mucho. En efecto, hay palabras que no aportan un contenido semántico específico y que, sin embargo, provocan una determinada actitud en el receptor. Este fenómeno, por ejemplo, se produce frecuentemente en los textos políticos y, más específicamente, en los textos cuya finalidad es persuadir a una amplía audiencia.

La forma de proceder que permitirá desvelar lo significativo del corpus es contar todas las formas gráficas sin prejuzgar nada sobre su sentido ni su contenido. Reducir el corpus a su aspecto formal permite, paradójicamente, una mayor comprensión de la coherencia del texto y del funcionamiento global del conjunto de las formas empleadas. Si se quiere tener en cuenta no la forma sino el significado, se debe proceder de otra manera; por ejemplo, mediante un análisis del contenido, ya que cualquier solución intermedia no hará otra cosa que multiplicar los problemas.

4. Vocabulario y características estilísticas de un corpus

4.1. Glosario de formas y segmentos repetidos

El tratamiento preliminar del corpus consiste en identificar las formas léxicas y los segmentos repetidos, contarlos y enumerarlos, en general, por orden alfabético y de frecuencia. Se obtiene así, además de la longitud y el número de formas distintas, una primera aproximación a la información que aporta el corpus.

Los glosarios de las formas y segmentos repetidos presentan el corpus de forma discontinua y, por tanto, proporcionan un enfoque distinto de su contenido. Se suelen efectuar diversas lecturas en las que se buscan las palabras y segmentos más frecuentes, las formas llenas más empleadas, los verbos, las palabras relacionadas con cierto tema y, por supuesto, la ausencia o escasez de determinadas palabras.

4.2. Medidas estilísticas

La aplicación de métodos estadísticos en diversos ámbitos científicos, impulsó a los lingüistas y especialistas en estudios literarios a querer utilizar estas herramientas para resolver los problemas de estilometría mencionados anteriormente. Para ello era necesario cuantificar las características del corpus, lo cual obligó a definir múltiples índices.[2] Entre los distintos índices, se pueden citar, por ejemplo, los que se extraen a partir de la frecuencia de una determinada palabra considerada particularmente importante, o del número de veces que un verbo va seguido de un sustantivo. Se suelen utilizar también índices establecidos a partir de la longitud de las palabras, las frases etc.

4.3. Distribución de frecuencias

Una vez identificadas y ordenadas por frecuencias todas las palabras, es fácil obtener las ocurrencias de cada clase de frecuencia (se habla de distribución o gama de frecuencias). Desde los inicios de la estadística léxica, se ha intentado construir modelos para la distribución teórica de las frecuencias. G. Zipf (1935) constató que todas las gamas de frecuencias obtenidas a partir de distintos corpus presentan características comunes: si se enumeran los elementos de la gama de frecuencias reordenados de forma decreciente, se puede apreciar una relación aproximada entre el rango y la frecuencia; *grosso modo* se puede afirmar que "el producto rango por frecuencia es casi constante". La ley Waring-Herdan (Herdan, 1964; Muller, 1977) propone una fórmula que permite calcular todas las ocurrencias de las clases de frecuencias a partir del conocimiento de una de ellas. La gama de frecuencias ofrece una imagen de la estructura léxica del corpus. En general, se intenta determinar las regularidades existentes en las gamas de frecuencias para obtener leyes o modelos que sirvan de referencia para el análisis de los textos. En efecto, las desviaciones respecto a las regularidades pondrán en evidencia los rasgos específicos de la estructura de un corpus particular.

4.4. Riqueza del vocabulario

Estudiar la riqueza del vocabulario de un corpus es una cuestión compleja. Según Hubert y Labbé (1994), se puede considerar que engloba cuatro nociones: diversidad, originalidad, especialización y crecimiento del vocabulario. En este párrafo se presentan diversas maneras de medir la diversidad del vocabulario. El párrafo 6.5 está dedicado a la especialización y crecimiento del vocabulario. En cuanto a la originalidad del vocabulario de un texto dado, nos limitaremos a mostrar que se trata de evaluar el desfase entre el vocabulario del texto y el del corpus de referencia.

Como muestran varios estudios, las impresiones subjetivas y las ideas preconcebidas se deben rechazar al evaluar la diversidad léxica de un autor. En efecto, la presencia de ciertas palabras inusuales o de términos eruditos puede llamar la atención del lector, mientras que puede pasar desapercibida la riqueza del vocabulario procedente del fondo común de la lengua. Por ello, es necesario recurrir a la cuantificación.

Para comparar la diversidad léxica de varios textos, se puede recurrir a la construcción de un índice que constituya la "medida" de dicha diversidad. La principal dificultad radica en tener en cuenta las distintas longitudes de los corpus

2. Por ejemplo, Portnoy y Peterson (1984) mencionan treinta y seis índices estadísticos distintos utilizados para determinar la existencia de uno o varios autores del libro del Génesis.

que se comparan. Sea V el número de formas distintas, y T el número total de ocurrencias, los ratios R=V/T o R'=Log V/ Log T, este último propuesto por Herdan (1964). Los dos son índices sencillos pero demasiado dependientes de la longitud del texto. Cuando se trata de comparar la diversidad léxica de dos textos de longitudes distintas, es preferible recurrir a los métodos elaborados respectivamente por Muller (1977) o Hubert y Labbé (1994).

Muller propone recortar todos los textos comparados, reduciéndolos al tamaño T del más corto. Para cada texto, se calcula el tamaño teórico del vocabulario que le correspondería si su longitud fuese igual a T. Para obtener dicho cálculo, se forman todos los textos posibles de longitud T mediante extracciones al azar. El tamaño teórico del vocabulario se corresponde con la media de los tamaños de los textos así formados. Labbé y Hubert prefieren escoger un tamaño estándar (por ejemplo, mil palabras). Para cada uno de los textos que se ha de comparar, se forman todos los fragmentos contiguos con una longitud de mil palabras. El valor teórico del tamaño del vocabulario es entonces el número medio de las palabras distintas que aparecen en dichos fragmentos.

5. La comparación de perfiles léxicos: una aproximación diferencial al contenido

5.1. Un corpus de respuestas abiertas: el corpus "Identidad"

M. Martínez González y L. Iñíguez Rueda (Área de Psicología Social, *Universitat Autònoma de Barcelona*), en una investigación sobre la percepción de la identidad en la adolescencia, han estudiado la presentación que hacen los adolescentes de sí mismos. Con este objetivo, utilizaron el test *Twenty Statement Test* (Kuhn y McPartland, 1954); un test clásico que consiste en contestar veinte veces seguidas a la pregunta "¿Quién soy yo?". Dicho test presupone que cada individuo dispone de un repertorio de referencias correspondientes a los componentes cognitivo-afectivos de lo que él considera que es su identidad, y utiliza para presentarse una muestra representativa de dicho repertorio. Se trata de un test abierto en el que se intenta obligar al individuo a definirse utilizando un discurso libre sobre él mismo.

No se trata de analizar aquí este corpus, sino de presentar herramientas útiles para el análisis de corpus formados a partir de preguntas abiertas y, más genéricamente, de corpus diversos siempre que el objetivo sea comparativo.[3]

El test se aplicó a una muestra de 633 alumos matriculados en un instituto de enseñanza secundaria en Barcelona en 1986 (1º, 2º y 3º de BUP y COU). No se tuvieron en cuenta los alumnos de más de veinte años, con lo cual quedaba un total de 589 adolescentes. Estos alumnos tuvieron que contestar por escrito a la pregunta "¿Quién soy yo?" veinte veces seguidas y, además, rellenar una ficha con sus características personales, en particular, sexo, edad y curso en el que estaban. El conjunto de las respuestas abiertas dadas por los 589 adolescentes constituye el corpus que denominaremos "Identidad".

3. Remitimos al lector interesado por los resultados de esta investigación a la publicación de Martínez, Bécue e Iñíguez (1988).

5.2. Vocabulario del corpus "Identidad"

El corpus "Identidad" tiene una longitud de 49924 ocurrencias, y está formado por 4598 palabras distintas. La palabra más frecuente es *soy* con 3.725 ocurrencias, seguida de *una* (2.692 ocurrencias), *un* (2.388), *que* (2.030), *de* (1.539), *persona*

frec.		*frec.*	
548	alguien	87	humano
68	alguien a quien	55	intenta
20	alguien que quiere	39	intento
64	creo	40	me considero
29	creo que	44	me encanta
58	deportista	59	mis amigos
35	divertida	31	mis padres
30	egoísta	43	mujer
252	estudiante	48	nada
1.095	gusta	55	no le gusta
21	gusta el cine	125	no me gusta
32	gusta el deporte	24	no me gustan
49	gusta estar	166	no soy
26	gusta estudiar	35	odia
60	gusta la música	40	odio
18	gusta la soledad	23	que quiere ser
185	gustan	15	que cree en
57	gustaría	48	que intenta
79	hacer	3.725	soy
38	hija	114	soy yo
63	hijo	524	yo soy
46	hombre	64	yo soy yo

Tabla 1. Extracto del glosario de las palabras y segmentos repetidos en el corpus "Identidad".

(1.519), *me* (1.318), *la* (1.318) y *gusta* (1.095) por citar solamente las palabras empleadas más de mil veces. Cuarenta y nueve palabras aparecen en más de cien ocasiones. Se trata de un corpus extremamente repetitivo, debido al tipo de pregunta. La tabla 1 reproduce parte del glosario de palabras y segmentos repetidos.

El objetivo del estudio era comparar el lenguaje de los individuos y dar razón de las semejanzas o diferencias y relacionarlas con las características de los adolescentes. Para los análisis estadísticos, los adjetivos se redujeron al lema; es decir, a la forma masculina singular (ya que descubrir que los chicos se describen con adjetivos masculinos y las chicas con adjetivos femeninos ¡no es una cuestión de gran interés!).

5.3. Tablas léxicas y perfiles léxicos

En el caso de las respuestas abiertas, se puede estudiar la distribución de las palabras entre las distintas respuestas individuales o entre los distintos grupos de respuesta —grupos formados según alguna característica de los entrevistados— que se conocen previamente a partir de sus respuestas a una pregunta cerrada. En el primer caso se utiliza la tabla léxica (cruzando individuos y palabras); en el segundo, una tabla léxica agregada por grupos (cruzando grupos de individuos y palabras).

Para analizar el corpus "Identidad", se reagrupan las respuestas según las 8 modalidades de la variable *Edad x Sexo*. Para los análisis estadísticos, se conservan solamente las 165 palabras pronunciadas por lo menos 25 veces. La Tabla 2 muestra algunas características de la repartición en grupos así efectuada. Se llama hápax a una palabra documentada una sola vez.

Etiqueta	*Longitud*	*Palabras distintas*	*Hápax*	*Número de respuestas*	*Longitud media*	*Longitud conservada*	*Palabras conservadas*
H-14 años	6.582	1.244	334	77	85.5	4.349	187
H-15 años	6.461	1.338	393	74	87.3	4.201	185
H-16 años	5.731	1.278	350	68	84.3	3.679	188
H-17/18	4.519	1.088	268	55	82.2	2.769	177
M-14 años	7.500	1.248	282	84	89.3	5.221	188
M-15 años	6.358	1.180	247	72	88.3	4.281	186
M-16 años	6.051	1.178	270	73	82.9	4.007	181
M-17/18	6.722	1.294	333	86	78.2	4.442	186

Tabla 2. Repartición del corpus entre las 8 categorías de *Edad x Sexo*.

La tabla léxica agregada correspondiente a la reagrupación efectuada tiene tantas filas como palabras, y tantas columnas como grupos; o a la inversa, porque las filas y las columnas desempeñan papeles simétricos. En la casilla situada en el cruce de la fila *i* y de la columna *j*, se anota la frecuencia con la cual el grupo *j* emplea la palabra *i*. La tabla sintetiza los recuentos efectuados y permite relacionar los grupos y las palabras. Se trata de representar las semejanzas entre grupos y palabras. Dos palabras son similares si están empleadas mayoritariamente por los mismos grupos, aunque tengan frecuencias muy distintas. Análogamente dos grupos son similares si escogen y rechazan más o menos las mismas palabras. Finalmente, una palabra está asociada con un grupo si éste emplea la palabra más que la media de los distintos grupos. Con esta breve exposición se muestra la información que interesa extraer de la tabla. Se debe precisar que se compararán a los grupos no en función de las frecuencias absolutas de utilización de las palabras, sino de las frecuencias relativas. Esto permite eliminar la influencia de la distinta longitud de cada subcorpus.

5.4. Análisis de correspondencias: herramientas de comparación de perfiles léxicos

Aunque existen estudios precursores, se puede atribuir el método de análisis de correspondencias tal como se emplea hoy a J. P. Benzécri (1973).[4] Lebart y Salem (1994) ofrecen una exposición del método orientada al análisis textual, y destinada a lectores poco familiarizados con el formalismo matemático. En esta presentación, nos limitaremos a ofrecer breves indicaciones destinadas a poner de relieve el interés del método como herramienta de análisis de textos.

Volviendo a la comparación de los grupos de *Edad x Sexo*, si todos los grupos empleasen todas las palabras con la misma frecuencia relativa, la tabla de contingencia no aportaría ninguna información. Conociendo la frecuencia total de una palabra en el corpus, y la longitud del subcorpus correspondiente a un grupo, una simple regla de tres permitiría saber cuántas veces cada grupo emplea cada una de las palabras. Se diría entonces que el vocabulario y los grupos son independientes. Evidentemente, este es un caso que nunca se produce en un corpus, pero que es, no obstante, útil como punto de referencia. Lo que el análisis de correspondencias proporciona es justamente una descripción de la diferencia entre lo que ocurre en el corpus y dicha situación de referencia, es decir, una descripción de las relaciones entre palabras y grupos del corpus. De ahora en adelante, emplearemos la palabra *texto* al referirnos a los subcorpus formados por las respuestas de los individuos de un grupo dado.

El análisis de correspondencias opera mediante la comparación de los perfiles-columna, por una parte, y de los perfiles-fila, por otra. Para ello se define una distancia entre perfiles-columna y perfiles-fila. El principio seguido para definir esta distancia —llamada distancia de chi-dos— es el de la equivalencia distribucional. La palabra *distribución* se ha tomado de Harris (1954), quien afirmó que casi todo lo referente a la estructura de una lengua puede obtenerse sin recurrir al significado mediante el análisis de los hechos distribucionales. Por distribución de una palabra se entiende el conjunto de todos los contextos posibles en los que ésta aparece. De hecho, el análisis de correspondencias analiza y sintetiza las características distribucionales de las palabras.

Este método ofrece una representación simultánea de las proximidades entre perfiles-textos, por una parte, y perfiles-palabras, por otra; es decir, una representación esquemática de la información contenida en la tabla de contingencia. Para ello, se busca la mejor representación de las palabras y de los textos en un espacio de dimensión reducido, pero conservando lo mejor posible las distancias (esto es: la mayor parte de la información contenida en la tabla).

5.5. Análisis de correspondencias de la tabla Palabras x Grupos de edad-sexo

La figura 1 representa el primer plano factorial, llamado plano principal, obtenido mediante el análisis de correspondencias de la tabla *Palabras x Sexo-edad*. La representación visual obtenida permite efectuar una comparación de los perfiles-palabras (distribución de las palabras en los distintos grupos), por una parte, y de los perfiles-grupos (frecuencias relativas del uso de las palabras en

4. Se puede encontrar una presentación detallada del análisis de correspondencias y de sus propiedades matemáticas en Benzécri (1973), Lebart *et al.* (1995), Saporta (1986) y Volle (1981), por citar algunas de las obras clásicas sobre la materia.

cada grupo), por otra. De la lectura de las gráficas factoriales se obtiene la siguiente información: a) dos palabras con perfiles parecidos —es decir, empleadas frecuentemente en los mismos textos— tendrán una posición próxima sobre la gráfica; b) de manera análoga, dos textos con vocabulario similar estarán cerca sobre la gráfica; c) las palabras situadas en la periferia de las gráficas factoriales son formas cuya frecuencia de utilización diferencia a los textos; d) del mismo modo, los textos que se encuentran en la periferia son textos cuyo perfil se diferencia fuertemente del perfil medio, es decir, son textos muy peculiares.

Es interesante estudiar la posición de un texto en relación a todas las palabras, y de una palabra en relación a todos los textos. Pero se debe saber que el principio de representación simultánea —justificado por las relaciones que enlazan las coordenadas de un texto con las coordenadas de todos las palabras (y viceversa), de tal forma que cada texto se sitúa en el pseudocentro de gravedad de las palabras que dicho texto utiliza (y viceversa)— no permite interpretar las proximidades entre un texto y una palabra, sino solamente entre un texto y todas las palabras (y viceversa). Por ejemplo, sería arriesgado concluir que los chicos de 16 años utilizan la palabra *soy* con una frecuencia particularmente alta.

Es normal pensar que el vocabulario siga —en parte— una evolución inducida por la edad. Por eso, no es sorprendente encontrar las distintas edades ordenadas a lo largo del primer eje, desde los más jóvenes a la derecha de la gráfica hasta los más mayores a la izquierda. Este fenómeno ratifica la existencia de una variación progresiva del vocabulario en función de la edad y el sexo. Esto permite seguir la progresión del lenguaje con la edad, más o menos paralela entre chicos y chicas, pero diferenciada. Se puede constatar, también, un cierto desfase entre chicos y chicas, puesto que a edad igual, las chicas se sitúan más a la izquierda sobre el primer eje que los chicos; es decir, los cambios en el vocabulario empleado se producen más tempranamente en las chicas que en los chicos. Las dos categorías de chicas de más edad son muy próximas, lo que indica una variación de vocabulario pequeña entre las correspondientes edades. El segundo eje opone las chicas a los chicos y, más particularmente, los chicos de edad superior a 15 años a las chicas de 14 años.

Se puede utilizar una representación en un espacio de dimensión superior a dos, estudiando de forma sucesiva varios planos. De hecho, uno de los resultados proporcionados por el propio método es una medición de la validez de la representación obtenida según la dimensión conservada. Para dicha medición, se utiliza la varianza (o inercia) de la tabla original, y se calcula el porcentaje de varianza conservada en cada eje. En este análisis, los dos primeros ejes conservan respectivamente el 41.5% y 23.4 % de la varianza. Por lo tanto, el plano principal conserva el 65% de la varianza de la tabla original, lo que corresponde a un porcentaje bastante alto. Generalmente, dichos porcentajes constituyen una medida pesimista de la parte de información representada; porcentajes bajos pueden estar asociados a una representación interesante de la estructura de la tabla analizada.

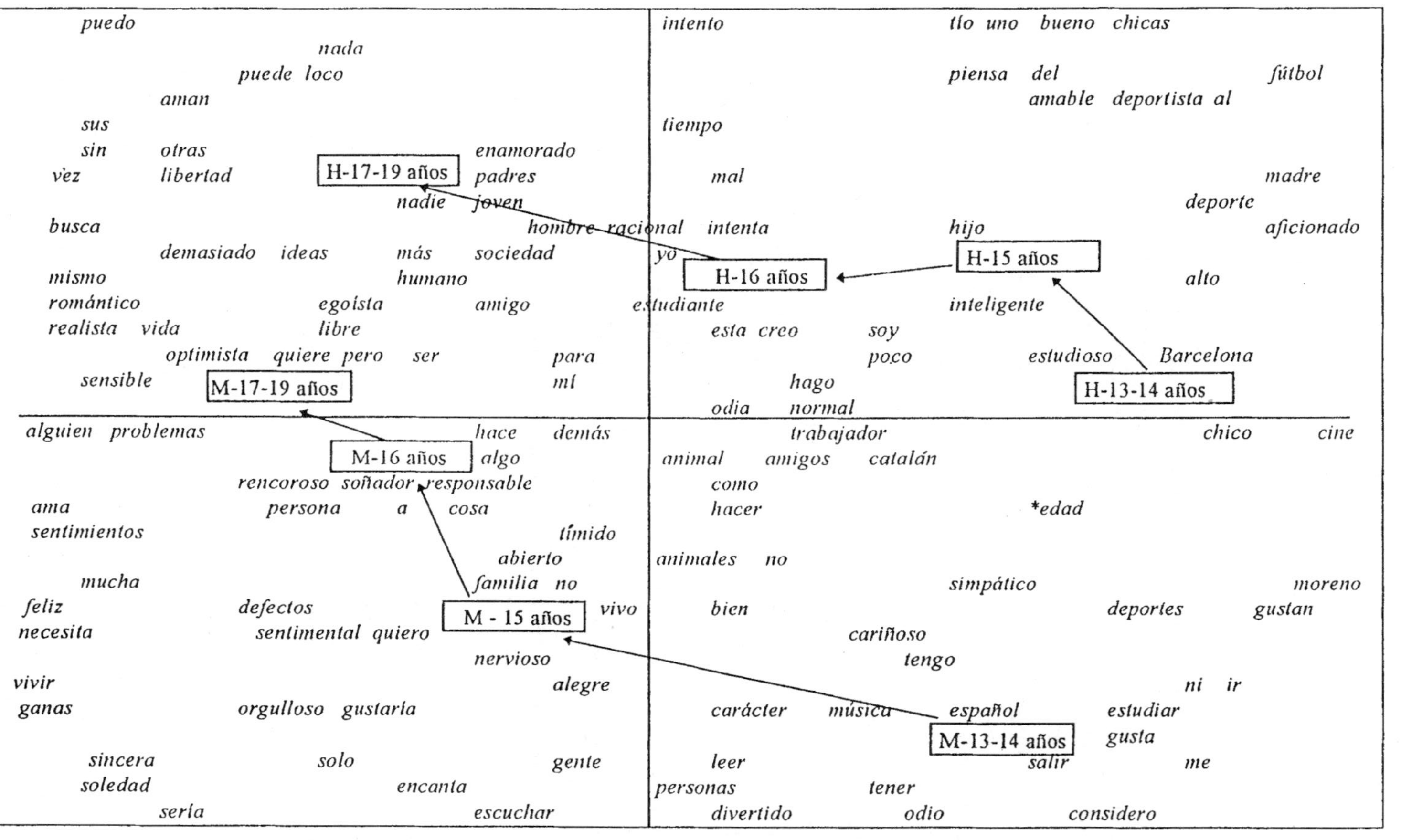

Figura 1. Plano principal del análisis de correspondencias de las respuestas a la pregunta ¿Quién soy yo? reagrupadas por categorías según la variable Sexo-Edad.

5.6. Evolución del vocabulario en función de la edad y del sexo

El plano principal permite visualizar la evolución del vocabulario en función de la edad y del sexo y muestra los cambios de temas o de tono, así como las oposiciones.

Las palabras con coordenadas extremas sobre el primer eje corresponden en este caso a términos empleados por los más jóvenes a la derecha, y por los mayores a la izquierda. A la derecha del eje, se encuentran palabras que corresponden a una definición de sí mismo por los gustos que uno tiene o por los atributos a que uno se asocia: *me, considero, gusta, gustan, odio, salir, estudiar, deporte, deportes, chicas, ir, fútbol, aficionado, soy.* Corresponden a las expresiones *me gusta(n) salir / ir al cine / el(los) deporte(s), soy aficionado a / odio estudiar.* Otras palabras en este mismo extremo del eje son relativas al aspecto físico, como *alto* o *moreno*; a la situación actual, *Barcelona*; o corresponden a cualidades como *inteligente, amable, bueno, simpático.* Los jóvenes se presentan diciendo *(yo) soy* (o *me considero*) *alto / moreno / inteligente / amable / de Barcelona.* La palabra *hijo* (que puede ser hijo o hija) se encuentra en *soy hijo de.*

En el otro extremo, *alguien,* y, más hacia el centro, *persona,* indican que con la edad se pasa de decir *yo soy* o *me gusta* a emplear *(soy) una persona que* o *(soy) alguien a quien,* es decir, a utilizar unas expresiones más distantes. En este mismo extremo, se encuentran *realista, feliz, libertad, vida,* palabras que corresponden a conceptos más generales que las empleadas por los más jovenes.

En cuanto a la diferencia entre sexos, se oponen sobre el segundo eje las palabras *odio, considero, me, gusta, gustan, necesita, demás, quien* (*en me gusta, me considero, una persona que necesita, alguien que, los demás*) y abajo *puede, puedo, sociedad, buen, amante, yo, soy* (en *yo soy, yo soy yo, soy amante de, alguien quien puede, yo puedo*).

El análisis pone en evidencia oposiciones globales, haciendo intervenir el conjunto de las palabras y el conjunto de los grupos. Sería útil identificar las palabras responsables de la evolución constatada.

5.6.1. Palabras características

Es interesante identificar las palabras que en comparación con el conjunto del léxico están especialmente representadas en un texto. Para ello (simplificando mucho las cosas) se compara —utilizando un test clásico— la frecuencia relativa de cada una de las palabras de un texto con la que presenta dicha palabra en el corpus, puesto que ésta se considerada como una frecuencia de referencia.

Para facilitar la lectura de los resultados del test, se traduce la probabilidad asociada a la comparación en un valor-test estandarizado de tal forma que se pueda leer como realización de una variable de Laplace-Gauss centrada y reducida. Por lo tanto, se puede considerar como características las palabras cuyo valor-test es superior a 1.96 (palabra anormalmente frecuente) o inferior a 1.96 (palabra anormalmente poco frecuente). El valor-test constituye una medida de la diferencia entre la frecuencia de la palabra en el grupo y la frecuencia de esta misma palabra en el conjunto.

Palabra	Porcentaje interno	Porcentaje global	Frecuencia interna	Frecuencia global	Valor Test	Probabil.
Subcorpus "Chico de 13-14 años"						
1 CHICO	2.90	1.83	146	697	5.616	0.000
2 GUSTAN	1.05	0.49	53	185	5.438	0.000
3 SOY	11.90	9.80	600	3725	5.251	0.000
4 BARCELONA	0.36	0.11	18	43	4.498	0.000
5 BUEN	0.44	0.17	22	66	4.068	0.000
6 ALTO	0.32	0.12	16	45	3.660	0.000
7 FUTBOL	0.22	0.08	11	29	3.169	0.001
8 GUSTA	3.55	2.88	179	1095	2.941	0.002
9 CINE	0.26	0.11	13	41	2.909	0.002
10 ODIO	0.24	0.11	12	40	2.614	0.004
11 INTENTA	0.28	0.14	14	55	2.293	0.011
12 CHICAS	0.22	0.11	11	40	2.233	0.013
Subcorpus "Chico de 17-19 años"						
1 YO	2.79	1.81	93	690	4.100	0.000
2 VIDA	0.87	0.46	29	174	3.254	0.001
3 NADA	0.36	0.13	12	48	3.197	0.001
4 BUSCA	0.24	0.07	8	28	2.856	0.002
5 JOVEN	0.45	0.21	15	78	2.763	0.003
6 AMANTE	0.69	0.38	23	145	2.667	0.004
7 QUIEN	0.69	0.39	23	149	2.551	0.005
8 MISMO	0.39	0.20	13	76	2.191	0.014
9 ALGUIEN	1.89	1.44	63	548	2.145	0.016
10 SOY	10.85	9.80	361	3725	2.085	0.019
11 HOMBRE	0.42	0.23	14	89	2.008	0.022
12 PUEDO	0.18	0.07	6	26	2.008	0.022
Subcorpus "Mujer de 13-14 años"						
1 ME	6.90	3.64	400	1384	13.138	0.000
2 GUSTA	5.21	2.88	302	1095	10.567	0.000
3 NI	0.48	0.22	28	83	4.078	0.000
4 CONSIDERO	0.29	0.11	17	40	3.989	0.000
5 GUSTAN	0.84	0.49	49	185	3.866	0.000
6 NO	3.00	2.36	174	899	3.316	0.000
7 MÚSICA	0.67	0.40	39	152	3.242	0.001
8 ESTOY	0.28	0.15	16	57	2.343	0.010
9 TENGO	0.79	0.57	46	216	2.297	0.011
10 ENCANTA	0.26	0.14	15	53	2.291	0.011
11 ESTAR	0.34	0.21	20	80	2.155	0.016
12 ESTUDIAR	0.29	0.17	17	65	2.148	0.016
Subcorpus "Mujer de 13-14 años"						
1 PERSONA	5.91	3.99	300	1.519	7.069	0.000
2 ALGUIEN	2.33	1.44	118	548	5.255	0.000
3 AMA	0.32	0.11	16	43	3.798	0.000
4. REALISTA	0.24	0.07	12	27	3.782	0.000
5. SINCERA	0.26	0.09	13	36	3.302	0.000
6. SER	1.64	1.19	83	454	2.930	0.002
7. FELIZ	0.35	0.18	18	67	2.818	0.002
8. DEMÁS	0.59	0.35	30	135	2.735	0.003
9. INTENTO	0.24	0.10	12	39	2.675	0.004
10. PUEDO	0.18	0.07	9	26	2.585	0.005
11. LIBRE	0.28	0.13	14	51	2.530	0.006
12. VIDA	0.69	0.46	35	174	2.404	0.008

Tabla 3. Extracto de las palabras más empleadas en los diversos grupos de edad.

La tabla 3 ofrece un extracto de las palabras características de los chicos y chicas más jóvenes y más mayores. Cada grupo tiene un lenguaje muy específico, lo que indica una notable evolución del lenguaje en función de la edad, y una diferenciación marcada por el sexo. La lectura de dicha tabla completa, facilita y enriquece la lectura de los planos factoriales.

5.7. Frases o respuestas características

Al extraer las palabras características de cada texto o grupo, se ignoran totalmente los contextos de las palabras, elementos fundamentales del discurso. Para remediar este problema, se intentan identificar las *respuestas (o frases)* que se pueden considerar *características (modales)* de cada grupo.

Dado un grupo de individuos, se puede llegar a calcular su perfil léxico medio. Se consideran como respuestas modales de este grupo las respuestas más próximas a dicho perfil medio, según la distancia de chi-dos. La caracterización anterior puede mejorarse dividiendo la distancia respuesta-grupo por la media aritmética de las distancias de esta respuesta respecto a todos los demás grupos. Se suelen también seleccionar las respuestas características siguiendo otro criterio: el criterio del valor-test medio.

Subcorpus "Chico de 13-14 años"	Subcorpus "Chico de 17-19 años"
1 Soy buen estudiante	Yo soy una persona
Soy mal estudiante	Yo soy humano
Soy listo	Yo soy racional
Soy tonto	Yo soy pacifista
Soy simpático	Yo soy tímido
(...)	(...)
2 Soy un chico simpático	Yo soy un estudiante
Soy un chico agradable	Yo soy un aburrido
Soy un chico moreno	Yo soy un enamorado
Soy un chico con ojos oscuros	Yo soy un solitario
Soy un chico complicado	Yo soy un mal pensado
(...)	(...)
Subcorpus "Chica de 13-14 años"	**Subcorpus "Chica de 17-19 años"**
1 Un chica que estudia BUP	1 Una persona sensible
Me gusta viajar	Una persona sentimental
Me gustan las fiestas	Una persona triste y alegre a la vez
No soy muy aburrida	Una persona comprensiva
Me gustan las vacaciones	Una persona a veces distante
(...)	(...)
2 No muy inteligente	2 Persona sincera
Tengo muchos amigos	Persona optimista
Me gusta la naturaleza	Persona sensible
Me gusta divertirme	Persona muy sentimental
Me encanta quedar con los amigos	Persona bastante alegre
(...)	(...)

Tabla 4. Respuestas modales según el criterio del valor medio

Como hemos comentado, para cada uno de los grupos se aplica a cada palabra un valor-test que determina su frecuencia en el grupo en relación a su frecuencia en la muestra. Se puede atribuir a cada respuesta la media de los valores-test de las palabras que la componen. Las respuestas con valor medio más alto serán las más características del grupo.

La Tabla 4 presenta un extracto —solamente las cinco primeras definiciones de sí mismo que dan los encuestados— de las dos respuestas modales de los grupos para los cuales se han editado las palabras características. En este caso, las respuestas se han seleccionado utilizando el criterio del valor-medio.

Las respuestas características son o bien respuestas originales, pronunciadas por individuos entrevistados (si se trata de una encuesta), o bien frases extraídas de textos (si estudiamos textos literarios). En todos los casos se tratará de fragmentos íntegros del corpus analizado. El listado de resultados cuantitativos se enriquece de este modo con el discurso real, con toda su originalidad y carga emotiva. En general, se extraerán varias respuestas modales para cada texto (10 ó 20, según los casos), ordenándolas según la distancia creciente o por el valor medio decreciente. Una sola respuesta nunca resumirá toda la riqueza de un texto como tampoco nunca un único individuo modal será un buen representante de toda una clase de individuos.

6. Análisis de un corpus temporal

6.1. Corpus temporal

Los corpus temporales son corpus extraídos de un mismo locutor o fuente textual a lo largo de un tiempo más o menos extenso. Como ejemplo, se pueden citar los corpus formados por los discursos de un mismo político o las declaraciones programáticas de los primeros ministros de un estado, los corpus de prensa, etc. En el tratamiento de corpus temporales, un objetivo consiste en poner de relieve lo que varía con el tiempo. Salem (1993) denomina *series textuales cronológicas* (STC) a corpus homogéneos emitidos por una misma fuente textual —en condiciones de enunciación similares— que presentan características lexicométricas comparables. Los estudios que se han realizado al respecto muestran la importancia de la evolución global del vocabulario con el paso del tiempo; es decir, la existencia de un *tiempo léxico.*

El estudio del vocabulario estable y del flujo de palabras nuevas o crecimiento del vocabulario completan los métodos anteriormente citados y permiten poner en evidencia la importancia del factor tiempo. La selección de las palabras y frases características permiten determinar los elementos léxicos responsables de dicha evolución.

6.2. El corpus "críticas a *La Regenta*"[5]

Como se comentó al principio de este artículo, el segundo corpus-ejemplo que vamos a comentar está formado por todas las críticas publicadas desde la

5. Debemos agradecer al Dr. Ramon Pla i Arxé el habernos dado a conocer este corpus, así como sus comentarios y consejos; los errores e interpretaciones incorrectas o discutibles son responsabilidad nuestra.

aparición de la novela *La Regenta* hasta la muerte del autor. La tabla 5 reproduce sus principales características.

Crítica	Longitud	Palabras distintas	Hápax
1. *La Ilustración Ibérica* 1/1885	288	179	25
2. *El Día* 2/ 1885	375	199	32
3. *El Correo* 1-3/ 1885	2340	943	248
4. *El Globo* 1-3/ 1885	3181	1346	452
5. *La República* 4/1885	883	434	79
6. *El Barcelonés* 7/ 1885	2655	1042	274
7. *El Progreso* 7/ 1885	2744	1086	331
8. *La Institución Libre de Enseñanza* 8/ 1885	2234	878	220
9. *El Día* 9/ 1885	412	223	26
10. *La Revista de España* 8/ 1885	7850	2419	834
11. *La Opinión* 10/ 1885	2540	1038	303
12. *Le Monde Latin* 9-12/1885	478	268	41
13. *La Ilustración Ibérica* 12/ 1885	572	305	68
14. *El Globo* 12/ 1885	2094	904	264
15. *La Revue Britannique* /1886	4215	1491	438
16. *La Justicia* 4/1888	863	407	62
17. *La Revista de España* 5-6/1888	953	425	77
18. *La Vanguardia* 6/ 1895	2875	1133	360
19. *La Publicidad* 6/ 1895	3405	1272	429
20. *Arte y Letras* 6/1901	495	247	52
21. *El Imparcial* 6/1901	2009	812	230
22. *El Diluvio* 6/1901	928	464	97
23. *El Imparcial* 6/1901	1011	497	172
24. *La Publicidad* 6/1901	738	350	67
25. *Nuestro Tiempo* 7/1901	4921	1795	674

Tabla 5. Críticas a "La Regenta" publicadas desde enero de 1885 hasta julio de 1901.

La Regenta de Leopoldo Alas, "Clarín", publicada en 1885 es uno de las obras maestras de la literatura española. Pese a ser la primera novela del autor, su publicación se esperaba con impaciencia y curiosidad. En efecto, Clarín, crítico literario apreciado pero temido a causa de sus comentarios a veces crueles, se había creado numerosos enemigos. La novela, muy extensa, se publicó en dos volúmenes (el primero en febrero de 1885 y el segundo en julio de 1885).

La publicación de *La Regenta* causó un gran escándalo. Para conocer el argumento de la novela, y tener una idea del tono y estilo de las críticas de la época, reproducimos aquí un párrafo de la crítica escrita por Natalio Vida y publicada en *El Progreso*, el 24 de julio de 1885:

> En efecto, cásase Anita, sin amor, pero sin repugnancia ni empachos por lo pronto, con don Víctor Quintanar, antiguo regente de Audiencia, excelente sujeto, pero ya cotorrón y más aficionado a visitar los montes y las playas acompañado de su escopeta y su párajo, que la alcoba de su mujer. La Regenta, que, aunque inocente, es muy soñadora y un tanto exaltada de imaginación, empieza a sentir que los nervios le hacen toda suerte de travesuras y a notar un vacío de muy mal agüero para don Víctor. Y en tan propicios momentos, es sitiada la fortaleza, de un lado por don Álvaro Mesía, un lechugino soso, tan huero de cascos y de corazón, como repleto de todas las travesuras y redomados artificios de un Tenorio asaz corrido y averiado, pero hermoso, elegante y pulquérrimo; y de otro el Magistral, que aunque acomete la empresa en nombre de la religión, sus intenciones son algo aviesas y torcidas, y no muy en armonía con los sagrados cánones. Toda esta lucha es el objeto del libro, y termina con el triunfo de Mesía y la muerte de Quintanar.

Clarín desarrolla este argumento en el contexto de una crítica de la hipocresía social de una ciudad española de provincia (Vetusta es Oviedo, la ciudad natal del autor) lo que contribuyó a convertirla en la mejor novela española moderna y, sin duda, en la más controvertida.

La calidad indiscutible de *La Regenta* sumió a muchos críticos en el silencio, ya que la novela no fue el fracaso que se esperaba. No obstante, se puede considerar el conjunto de artículos publicados sobre *La Regenta* en el momento de su aparición como uno de los mejores repertorios críticos publicados en la prensa española en el siglo XIX. Por esta razón, y a causa de la personalidad del autor, el estudio de la recepción crítica de *La Regenta* es de gran importancia histórica para los investigadores. M. J. Tintoré (1987) ha recopilado, editado y comentado todos los documentos críticos publicados en los periódicos y revistas de la época desde la publicación de la obra en febrero de 1885 hasta la muerte del autor en junio de 1901.

6.3. Vocabulario de las críticas

El corpus tiene una longitud de 51045 palabras, y presenta 9417 palabras distintas. La palabra más frecuente es la preposición *de*, empleada 3359 veces. Las palabras llenas con un índice de aparición más elevado son *Regenta* y *Clarín*, que repetidas 199 y 170 veces, que se encuentran respectivamente en los rangos 26 y 27 del glosario de palabras ordenados por frecuencia. Después vienen *Alas* (148), *novela* (31) *y Vetusta* (93), siendo el número entre paréntesis la frecuencia de cada palabra. Se puede comparar la distribución de frecuencias y el rango de las primeras palabras llenas con lo observado en el corpus "Identidad".

Se suele sintetizar la lectura del glosario de las palabras en un resumen, no necesariamente único, elaborado a partir de una categorización de las palabras ligada al problema planteado. En la Tabla 6, se muestra uno de los posibles resúmenes en el que se consideran únicamente las palabras repetidas por lo menos veinte veces y que se pueden considerar propias de la terminología crítica. Las palabras pertenecientes a las dos primeras categorías son de uso casí obligado. Lo que importa es su frecuencia. Se puede constatar, por ejemplo, que, entre las palabras relativas al argumento de la novela, destacan *Vetusta* y *Magistral*, los dos motivos de escándalo de la obra. La tercera y cuarta categorías son las más significativas. La tercera categoría es el reflejo de una visión positivista de la literatura, como estudio de la sociedad y de sus costumbres. En cuanto a la última categoría, contiene un léxico inexistente hoy, propio de una crítica que deriva de la filosofía.

Las palabras también se pueden reagrupar según su categoría gramatical para estudiar después la distribución de dichas categorías. De hecho, es necesario efectuar varias lecturas de los glosarios, tanto globalmente como por textos.

1. Términos específicos de La Regenta:
Regenta (199), Clarín (170), Alas (148), Vetusta (93), Magistral (70) —título del canónigo de la catedral—, *Leopoldo (64), Ana (52)* —Doña Ana Ozores es el nombre de "La Regenta"—, *Álvaro (40)* —Álvaro Mesía, el "Don Juan" de Vetusta que acosa a Ana Ozores—, *Víctor (33)* —Don Víctor Quintanar, "El Regente"—, *doña (32), Mesía (31), tomo (30), marido (27), ciudad (27), casa (27), catedral (25), Ozores (25), Quintanar (24), madre (20)* —referencia a la madre del Magistral.
2. Términos de uso general en la crítica literaria
novela(s) (131+33), obra(s) (79+27), autor (70), libro (57), crítico(a) (51+39), personajes (37), literatura (32), novelista (29), lector (28), género (27), escritor (22).
3. Conceptos críticos
talento (36), siente (32), costumbres (31), años (29), realidad (28), carácter(es) (28+21), verdad (26), naturaleza (26), tipos (25), sociedad, (25) fuerza (24), sentido (24), manera (23), momento (23), pobre (22), forma, (21) observación (20).
4. Conceptos generales específicos de la época
vida (87), espíritu (66), hombre (62), alma (50), mujer (43), idea(s) (20+43), amor (42), mundo (41), España, (43), Dios (23).

Tabla 6. Palabras propias de la terminología crítica empleadas más de veinte veces en el corpus "Críticas".

6.4. Vocabulario estable, vocabulario especializado

El glosario pone en evidencia la frecuencia de repetición de las palabras. Un complemento, casi indispensable a la lectura de estas frecuencias es el estudio de la distribución de las palabras. Para poner un ejemplo, una palabra empleada 500 veces en un corpus de longitud 50000 palabras, puede aparecer una vez cada cien palabras, con la regularidad de un reloj; en este caso, la repartición es estable. Y, al contrario, estas 500 ocurrencias pueden aglutinarse en un segmento del corpus; se trata entonces de una palabra localizada en grado sumo. Evidentemente, ninguna de estas dos situaciones extremas se encuentran en un corpus "natural"; pero lo cierto es que antes de emitir un juicio sobre la frecuencia, es necesario estudiar la estabilidad de las palabras a lo largo del corpus. Hubert y Labbé (1990) proponen un índice que permite medir la peculiaridad de la repartición de las palabras, sin tener que efectuar ninguna segmentación del corpus. Para una palabra de frecuencia igual a F en un corpus de longitud N, dicho índice —que se calcula a partir de la longitud de los intervalos que separan las repeticiones y varía entre 0 y 1— se puede considerar como una aproximación a la probabilidad de encontrar esta palabra en cualquier parte del corpus de longitud igual a N/F. Un valor próximo a 1 indica que la palabra se emplea de manera habitual, a lo largo del corpus; un valor próximo a 0 es, al contrario, la marca de una utilización circunstancial y localizada de la palabra. En las críticas, considerando sólamente las palabras repetidas por lo menos 10 veces, el índice de repartición varía entre 0.24 —para la palabra *discreción*— y 0.76 —para la palabra *lucha.*

La interpretación que se puede dar a la estabilidad de ciertas palabras depende de la nauturaleza del corpus. Un primer factor que interviene es el del uso indispensable, impuesto por la misma lengua, de ciertas palabras gramaticales. De hecho, gran número de palabras estables son palabras gramaticales. Pero no son ni las únicas ni las más regulares. Entre las diez palabras más regulares —considerando las repetidas por lo menos diez veces—, se encuentran sólo cuatro palabras gramaticales: *esa* (21; 0.73), *eso* (27; 0.73), *ellas* (12; 0.74) y *cuya* (13; 0.74), siendo los números entre paréntesis la frecuencia de repetición y el valor tomado por el índice de repartición.

En el caso del corpus "Críticas", existen casi tantos autores como críticas y no se puede atribuir, por tanto, la estabilidad de una palabra a las costumbres de lenguaje del locutor. Por el contrario, el objeto común de las críticas induce a recurrir a ciertas palabras. No obstante, ni todos los personajes —ni siquiera los principales— ni todos los aspectos de la novela tienen la misma distribución. Podría pensarse que las palabras estables inducidas por la novela ponen de relieve aquellos aspectos más constantes a través del tiempo. Por ejemplo, *lucha* es la palabra más estable con un índice igual a 0.76, cuando su frecuencia es solamente igual a 12. *Lucha* no se menciona en todas las críticas, pero su distribución deja constancia de una impresión que causó la novela a lo largo de los veinte años que duraron las críticas. Además, *lucha* es una palabra propia del siglo XIX que traduce una visión positivista de la vida entendida como una lucha. Entre las palabras cuyo índice está alrededor de 0.60, se pueden señalar *tenorio* (0.60), *Quintanar* (0.63) y *madre* (0.62), entre los personajes de la novela; *talento* (0.60), *imaginación* (0.60), *arte* (0.62), *belleza* (0.63), *fuerza* (0.65) y *cualidades* (0.64) constituyen claros indicios de las alabanzas generales y constantes que recibió la novela.

Al contrario, los personajes como *Ana* (0.43), *magistral* (0.43), *Álvaro* (0.43) y el propio autor, *Clarín* (0.43), son palabras más localizadas, con índices ligeramente superiores a 0.40. Dichos personajes se mencionan con más frecuencia en las primeras críticas que, evidentemente, cuentan con más detalles el argumento. Al contrario, la presencia de *Clarín* crece con el paso del tiempo. Entre las palabras que se pueden considerar muy localizadas —cuyo índice es inferior a 0.40— se encuentran *naturalista* (0.28), *realismo* (0.30), *ciencia* (0.33) y *naturalismo* (0.39), palabras que hacen referencia a un debate de escuelas literarias, relacionado con las diversas concepciones de lo que debe ser una novela.

Evidentemente, para inferir información a partir de este tipo de listas, suele ser necesario volver al texto. Para este tipo de problema, las concordancias aportan una ayuda indispensable. La tabla 7 reproduce las concordancias de la palabra *lucha* con una frecuencia de repetición 12 en el corpus.

la	*lucha*	entre él y Mesía queda entablada y las situaciones
vive en perpetua	*lucha*	la tradición religiosa y secular con las novedades
la	*lucha*	que se entabla entre aquellos dos hombres es la
toda esta	*lucha*	es el objeto del libro
de gran empuje aquí sostienen una	*lucha*	épica con el medio exterior
la	*lucha*	del gomoso
esta	*lucha*	entre la pasión del magistral y las obligaciones de
sus costumbres y sus tipos es también la	*lucha*	por una mujer entre De Pas y Mesía
	lucha	que a través de incidentes mil de la vida de Vetusta
la	*lucha*	violentísima y los debates de la pasión y del odio
un amor constante y entre los ecos de una	*lucha*	que ha promovido su insaciable amor por lo bueno y
que a la postre se deja vencer en la	*lucha*	por el espíritu

Tabla 7. Concordancias de la palabra lucha.

6.5. Modelo de partición del vocabulario

El estudio del crecimiento del vocabulario ofrece una manera de abordar la estructura temporal del corpus. El flujo de palabras nuevas no es constante a lo largo de un corpus sino que se observa un crecimiento marginal cada vez más débil a medida que el corpus se alarga. Interesa ajustar la curva de crecimiento observada mediante un modelo correspondiente a un crecimiento regular, pero respetando el ritmo propio del locutor. Para determinar dicho modelo, es necesario postular ciertas hipótesis. Hubert y Labbé (1988) parten del siguiente presupuesto: el locutor tiene a su disposición un vocabulario general y polivalente utilizado a lo largo de todo el discurso cualesquiera que sean las circunstancias; y varios vocabularios especializados tan numerosos como sea necesario, que varían en función de la situación comunicativa. El corpus se construye extrayendo palabras de la urna del vocabulario general y de las urnas de los vocabularios especializados. Algunos estudios empíricos han mostrado que las palabras generales aparecen frecuentemente al principio del corpus y que, a medida que éste se alarga, la probabilidad de encontrar una palabra general disminuye. Por el contrario, la aparición de una palabra especializada es más o menos constante.

Partiendo de estas constataciones y suponiendo que, al extraer una palabra de la urna general, la probabilidad de obtener una determinada palabra es proporcional a su frecuencia, dichos autores han propuesto un modelo que permite no sólo estimar la proporción p de vocabulario especializado, sino también determinar la curva teórica, independientemente de la necesaria partición del corpus efectuada *a priori*. Este modelo recibe el nombre de *modelo de partición del vocabulario*. El parámetro p es intrínseco al corpus estudiado. Para una misma fuente o locutor, puede variar de un corpus a otro en función de la situación de enunciación y de las diversas circunstancias.

Dicho parámetro p constituye una medida de la especialización del vocabulario. En el corpus analizado, la especialización del vocabulario es fruto de varios factores: la existencia de un vocabulario distinto según el período al que pertenece la crítica; el reflejo de la evolución de la crítica; la influencia de acontecimientos diversos como la muerte de Clarín; la personalidad de los distintos autores de las críticas, etc. En un corpus de textos de un único autor, el nivel de especialización traduce la adaptación de dicho autor al tema tratado o, a la inversa, su tendencia a utilizar el mismo vocabulario cualquiera que sea el tema.

Los cambios detectados en el nivel de especialización de un mismo autor o locutor suelen ser significativos. Por ejemplo, el General de Gaulle utilizaba pocas palabras especializadas en sus conferencias de prensa, preparadas minuciosamente. En cambio, en sus entrevistas televisivas de la campaña electoral de diciembre de 1965, improvisadas, encontramos un índice de especialización elevado, igual a 0.35. De lo expuesto se puede concluir que el contenido genérico de sus conferencias de prensa consituye una característica buscada conscientemente.

Los valores bajos (entre 0% y 10%) se encuentran en discursos que responden a una circunstancia concreta como, por ejemplo, el discurso de año nuevo de un jefe de estado o los textos largos que presentan una gran unidad temática. Los valores intermedios (alrededor de 15-20%) corresponden a una novela o una pieza de teatro estudiada aisladamente, a un discurso político lo suficientemente largo, o a una entrevista bien conducida. Finalmente, los valores elevados (superiores al 30%), se han obtenido al estudiar debates políticos (como el debate Miterrand-Giscard en 1981) o en la obra entera de un autor como Racine (dramaturgo francés del siglo XVII). En los debates, las preguntas de los periodistas, las interpelaciones del adversario o la voluntad de abordar múltiples temas pueden explicar este alto grado de especialización. En la obra de un autor, desarrollada a lo largo del tiempo, se explica porque, aunque el autor tenga temas privilegiados y un estilo propio, debe buscar siempre para cada obra personajes, lugares y argumentos nuevos.

6.5.1. Aplicaciones al corpus "Críticas"

La proporción p de vocabulario especializado se estima igual al 20% en el corpus "Críticas". Por lo tanto, se obtiene un valor intermedio. Se puede pensar que la multiplicidad de autores debe tender a aumentar p, pero la coincidencia en la obra criticada tiene seguramente un efecto contrario, lo que explica que se obtenga, justamente, un valor medio.

Después de determinar la curva teórica de crecimiento de vocabulario, se estudian las desviaciones de crecimiento observado en dicha curva y sus variaciones a lo largo del tiempo, que se representan mediante una gráfica clásica, con el tiempo en abscisas y las desviaciones en ordenadas (figura 2). A un punto por encima del eje, le corresponde una riqueza de vocabulario superior al nivel esperado en ese momento, y a un punto por debajo del eje, lo contrario. Interesa también observar la pendiente de cada segmento de la curva. Una pendiente positiva indica una aportación de vocabulario nuevo; una negativa, la presencia de repeticiones de palabras ya introducidas. Los cambios de orientación permiten dividir el corpus en diversos períodos, de manera que a cada período le corresponde una curva en forma de campana, que indica la aportación de vocabulario nuevo, propio del período, seguida de un agotamiento del mismo.

Las dos primeras críticas (31 de enero y 15 febrero de 1885) empiezan con una aportación de vocabulario ligeramente superior al teórico, lo que es habitual en muchos corpus. Después, se observa una llegada masiva de palabras en las críticas 3 y 4. Dichas críticas introducen el vocabulario que utilizarán las siguientes, desde la 5 hasta la 10. En efecto, aunque estas últimas aportan nuevas palabras, lo hacen en menor cantidad que lo previsto por el modelo. Por esta razón, la pendiente se hace cada vez más negativa, en particular, para la crítica 10 *(Revista de España*, septiembre / octubre de 1885), que es la más larga, y suele ser considerada como de muy alto nivel. En la crítica 11 (*La Opinión*, 16 de octubre de 1885) se nota un pequeño rebrote, es decir, una aportación moderada de nuevo vocabulario que se frena en las dos críticas siguientes. La pendiente vuelve a ser positiva en la crítica 14 (*El Globo*, 31 de diciembre de 1885) que, seguramente, aborda una temática distinta a las anteriores. A continuación, desde la crítica 15 hasta la 17, publicadas en los años 1886 y 1888, se agotan los temas ya comentados y se vuelven a utilizar las palabras ya empleadas en críticas anteriores. Con la crítica 18, un nuevo vocabulario irrumpe en el corpus, y la crítica 19 sigue la misma tendencia, aunque de manera un poco más moderada. Se trata de las dos críticas publicadas en junio de 1895 en *La Vanguardia* y en *La Publicidad*. Finalmente, después de un descenso que sigue hasta la crítica 22 (*El Diluvio*, 16 de junio de 1901), las críticas 23 y 25 (*El Imparcial*, 16 de junio de 1901 y *Nuestro Tiempo*, julio de 1901) introducen nuevas palabras.

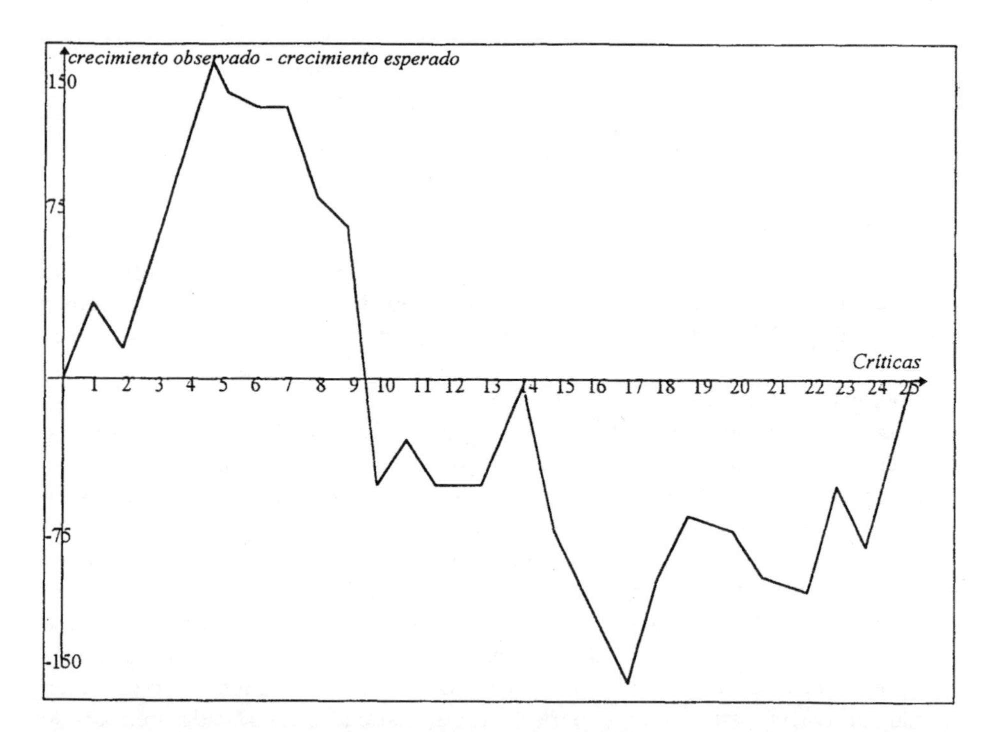

Figura 2. Crecimiento marginal del vocabulario. Comparación de los valores observados y de los valores teóricos.

A partir de la interpretación de estas curvas, se puede considerar que existen 4 períodos bien diferenciados en las críticas de *La Regenta*: desde la crítica 1 hasta la 10 (octubre de 1885); desde la 11 hasta la 17 (16 de octubre de 1885, mayo-junio de 1988); desde la 18 hasta la 22 (12 de junio de 1895, 16 de junio de 1901) y, finalmente, las tres últimas (16 de junio de 1901, julio de 1901).

En el corpus estudiado, las críticas de un mismo período no ofrecen obligatoriamente un vocabulario homogéneo, ya que otros fenómenos, además del tiempo, intervienen en la selección del vocabulario. Pueden existir también semejanzas entre críticas alejadas en el tiempo; un fenómeno que es interesante detectar. Por esta razón, se debe proceder a un estudio más detallado de las diferencias entre las críticas. Para este estudio, el análisis de correspondencias que se ha presentado en el párrafo 5 será muy útil, como demostraremos en el párrafo 6.6.

6.5.1. *Aplicación del modelo de partición del vocabulario a cada crítica*

Cuando las críticas son lo suficientemente largas, es posible estudiar su ritmo interno, su dinámica propia, aplicándoles, a cada una por separado, el modelo de partición de Hubert-Labbé. La proporción de vocabulario especializado es extremadamente variable, desde un valor igual a 3% para la crítica *14-El Globo* hasta uno igual a 33% para la *crítica 25-Nuestro Tiempo*. Esta última crítica, a pesar del nombre de la revista, se publicó en Francia, pero está escrita por un crítico español llamado F. B. Navarro (que firmaba con el seudónimo G. de Frezals).

Un bajo índice de especialización, lejos de ser un rasgo negativo, indica unidad temática y estilística. En una crítica, se tiende a presentar la tesis al principio, para después desarrollarla, considerando sus diversos aspectos de manera equilibrada. Por esta razón, para este tipo de corpus el esquema que presenta una "buena crítica" es, quizá, similar, a grandes rasgos, al que ofrece

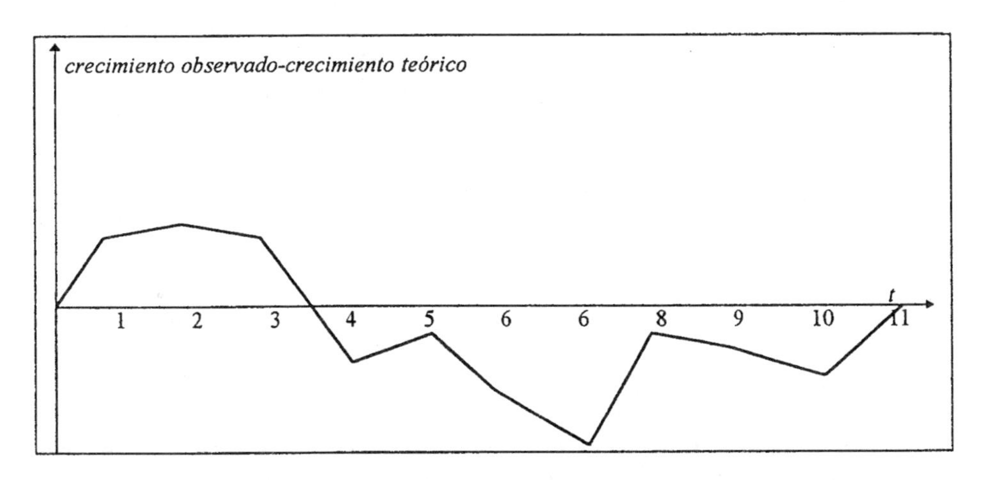

Figura 3. Crecimiento marginal del vocabulario. Crítica 10-*Revista de España*.

la crítica *10-Revista de España*: introducción de abundante información al principio y temática unitaria y desarrollo equilibrado de los distintos aspectos a lo largo del trabajo. Para obtener la curva de crecimiento teórico, y calcular las desviaciones entre el crecimiento observado y el teórico, se dividió la crítica en 11 bloques de longitud similar (nunca inferior a 600 palabras), pero buscando que las fronteras entre bloques respetasen los párrafos que había establecido el autor.

6.6. Análisis de correspondencias y modelo de partición

Al someter un corpus temporal, segmentado en partes, al análisis de correspondencias, es frecuente obtener un primer eje factorial sobre el cual dichas partes se suceden ordenadas en función del tiempo. En efecto, dos textos consecutivos son relativamente próximos el uno del otro porque las palabras aparecen y desaparecen progresivamente. Si el tiempo conlleva una renovación pautada del vocabulario y su influencia es predominante, entonces los textos aparecen sobre el primer plano factorial a lo largo de una curva más o menos parabólica. No obstante, pueden entrar en juego otros factores y alterar la regularidad correspondiente a este patrón.

En el caso del corpus "Críticas", es evidente que, además del tiempo, el autor —su opinión crítica y su estilo— será un factor influyente en cuanto a proximidades y diferencias entre los perfiles léxicos de los textos. Es precisamente esta infomación la que se intentará obtener en el análisis de correspondencias; esto es: las diferencias y proximidades entre críticas, independientemente de la fecha de aparición.

Para aplicar el análisis de correspondencias, se seleccionan solamente las palabras utilizadas al menos 20 veces. El corpus así obtenido tiene una longitud de 31142 palabras (61% del total), y el número de palabras distintas se reduce a 240. A las columnas-texto correspondientes a cada crítica, se añaden las columnas ilustrativas correspondientes a las fechas de publicación, reagrupadas en cinco períodos: primer semestre de 1885, segundo semestre de 1885, 1888, 1895 y 1901. Dichas columnas contienen la frecuencia con la que cada una de las palabras se empleó en las críticas correspondientes a cada uno de los períodos. En efecto, el análisis de correspondencias permite situar en los subespacios de representación columnas (o filas) suplementarias. En nuestro caso, cada columna-período —a lo que corresponde el perfil léxico medio de las críticas publicadas en dicho período— se sitúa sobre el plano principal en el centro de gravedad de las críticas correspondientes al período en cuestión. El plano principal de la tabla *Palabras x Críticas*, completado por la información suplementaria que se suele llamar ilustrativa, se reproduce en la figura 4.

Se observa que las críticas no se sitúan a lo largo del primer eje en un orden estricto —aunque exista una progresión temporal— ya que dicho eje opone las críticas del año 1885 a las críticas de los años 1895 y 1901, siendo estas últimas muy próximas. Se puede notar que la crítica *14-El Globo* (diciembre de 1885), que aportaba un vocabulario nuevo importante en relación con las críticas anteriores, ocupa una posición intermedia; es decir: se adelanta de manera notable sobre el primer eje a lo que le correspondería por su cronología. Es interesante constatar la posición periférica que ocupa la crítica *11-La opinión.*

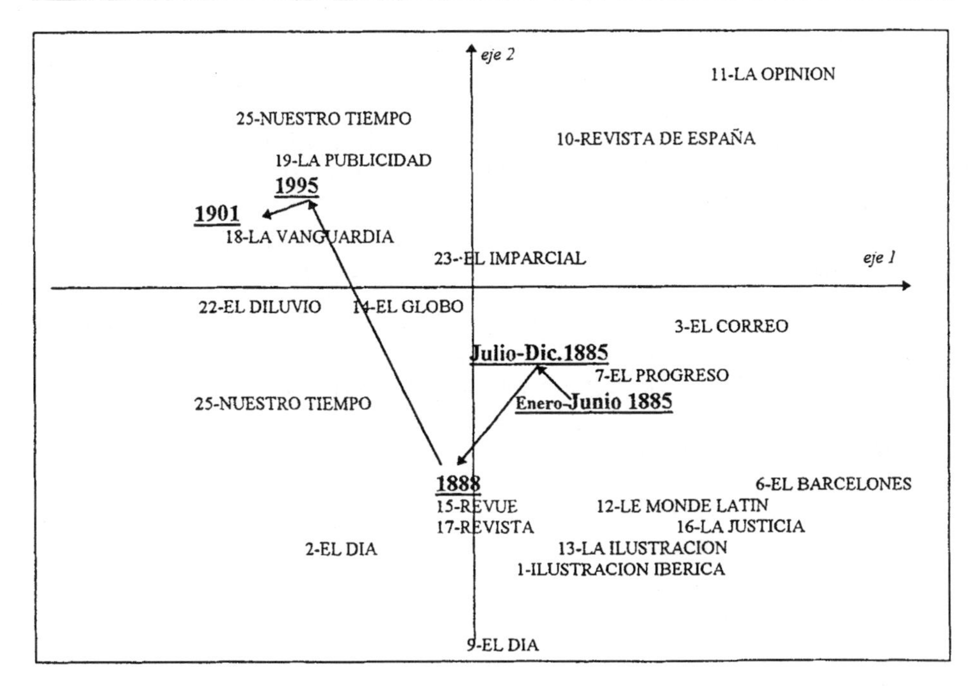

Figura 4. Corpus "Críticas". Plano principal del análisis de la tabla *Palabras x Período*. Fechas de aparición posicionadas como columnas ilustrativas.

El análisis de correspondencias es muy sensible a las peculiaridades de los textos. Ello permite poner de relieve qué críticas presentan una distribución del vocabulario más peculiar (críticas situadas en la periferia, alejadas de las demás). Por otra parte, pone en evidencia las oposiciones globales en las que entran en juego el conjunto de las palabras y de críticas, lo que permite visualizar los retrocesos y las semejanzas entre las partes, aunque estén separadas temporalmente.

Se debe completar la representación espacial así obtenida mediante el estudio de las características léxicas (palabras y frases) de las críticas, en particular de las que ocupan una posición relevante. Se observa de este modo que las palabras *naturalista* y *naturalismo* se emplean exclusivamente en la crítica *15-Revue Britannique* (una crítica muy repetitiva); que la crítica *11-La Opinión* otorga un lugar prominente a la lucha entre *El Magistral* y *Álvaro*; que la crítica *14-El Globo* emplea, de manera algo sorprendente, un vocabulario parecido al de las últimas críticas (aparece la palabra *Clarín* con una frecuencia notable y también otras palabras relacionadas con su vida y carrera profesional). Evidentemente, dicha crítica utiliza también palabras propias del primer período, lo que explica su posición intermedia y el hecho de que emplee un número elevado de palabras distintas (puesto que alude a muchos temas distintos). Al contrario, los hápax son poco numerosos (tabla 5) en comparación con las críticas de longitud similar.

El análisis de correspondencias y el modelo de crecimiento del vocabulario ofrecen dos enfoques de un mismo fenómeno: las rupturas del discurso. Ambos métodos proporcionan resultados complementarios que se refuerzan mutuamente. El modelo de partición del vocabulario permite situar claramente las rupturas cuando éstas están indicadas mediante un vocabulario nuevo y abundante, y opera a partir de todas las palabras distintas. En el análisis de correspondencias, en cambio, sólo se considera las palabras repetidas a partir de una frecuencia mínima.

Conclusión

Los métodos propuestos operan a partir de la repetición de las palabras y de sus asociaciones. Son particularmente sensibles a la presencia y ausencia de determinadas palabras, a la distribución de dichas palabras en los textos y a lo largo del corpus. La descodificación del corpus así operada ofrece una visión distinta a la de su recepción habitual por parte del lector u oyente a quien está destinado, y proporciona, además, información sobre su emisión. Mediante las constataciones efectuadas, hay que concluir que mediante estos métodos no se accede a la intencionalidad del autor del texto, pero sí a sus efectos en el discurso enunciado, poniendo en evidencia diversos aspectos difícilmente aprehensibles mediante otros métodos.

Los métodos descriptivos no proporcionan resultados consistentes en aserciones o decisiones estadísticas; en cambio, son válidos para el estudio de elementos de naturaleza cualitativa. Aunando ambos métodos, es posible afinar los juicios, multiplicar los puntos de vista y, así, orientar y enriquecer los análisis.

Aunque diversos aspectos de los textos analizados han sido ignorados, esta pérdida de información consciente permite ganar en significación. No se debe olvidar que no se busca sustituir a otros métodos de análisis, sino completarlos. En la mayoría de las aplicaciones, la utilización de herramientas estadísticas no tendrá otro objetivo que poner de manifiesto nuevas facetas de los textos ya estudiados.

Referencias bibliográficas

BÉCUE, M. (1991), *Análisis estadístico de datos textuales. Métodos y algoritmos*, Paris: CISIA, 202.

BÉCUE, M., PEIRÓ, R. (1993), "Les quasi-segments pour une classification automatique de réponses ouvertes", *Actes des secondes journées internationales d'analyse statistique de données textuelles*, Anastex ed. Télécom Paris, pp. 411-423.

BENZÉCRI, J. P. (1973), *L'Analyse des Données*. Tome I *La taxinomie*, Paris: Dunod, 625; Tome II *L'Analyse des correspondances*, 632.

— (1981), *Linguistique et lexicologie*, Paris: Dunod, 565.

BOLASCO, S. (1990), "Sur différentes stratégies dans une analyse des formes textuelles: une expérimentation a partir de données d'enquête", *Actes des journées internationales d'analyse statistique de données textuelles*, Servei de Publicacions de la UPC, pp. 69-88.

ESTABLET, R., FELOUZIS G. (1993), "Mise en oeuvre comparative de l'analyse de contenu et lexicométrique sur un corpus de rédactions scolaires", *Actes des secondes journées internationales d'analyse statistique de données textuelles*. Anastex ed. Télécom Paris, pp. 283-303.

HARRIS, Z. S. (1954), "Distributional structure", *Word*, 10/2-3, pp. 146-162.
HERDAN, G. (1964), *Quantitative linguistics*, Londres, Butterworths.
HUBERT, P., LABBÉ D. (1988), "Un modèle de partition du vocabulaire", en THOIRON, P. - D. LABBÉ, D., SERANT, D. (eds.), *Etudes sur la richesse et la structure lexicales*, Paris-Genève: Champion-Slatkine, pp. 93-114.
HUBERT, P., LABBÉ, D. (1990), *La répartition des mots dans le vocabulaire présidentiel (1981-1988)*, Mots, pp. 80-92.
HUBERT, P., LABBÉ, D. (1994), *La richesse du vocabulaire, colloque de l'ALLC-ACH*, Paris.
KUHN, M. H., MACPARTLAND, T. S. (1954), "An empirical investigation of self-attitudes", *American Sociological Review*, 19, pp. 68-75.
LEBART, L., MORINEAU, A., BÉCUE, M. (1988), *SPAD.T, Système Portable pour l'Analyse des Données Textuelles*, CISIA, Saint Mandé, 145.
LEBART, L., MORINEAU, A., PIRON, M. (1995), *Statistique exploratoire multidimensionnelle*, Paris: Dunod, 439.
LEBART, L., SALEM, A. (1994), *Statistique Textuelle*, Paris: Dunod, 342.
MARTÍNEZ, M. C., BÉCUE, M., IÑÍGUEZ, L. (1988), "Réflexion sur une méthode d'approche de l'identité à l'adolescence: l'analyse automatique de contenu", *Actes du Colloque Européen Constructions et Fonctionnements de l'Identité*, CREPCO, Université de Provence, pp. 67-76.
MULLER, CH. (1977), *Principes et méthodes de statistique lexicale*, Hachette Université, 206.
PORTNOY, S., PETERSEN, D. (1984), "Biblical texts and statistical analysis: Zechariah and beyond", *Journal of biblical literature*, 103/1, pp. 1-21.
SALEM, A. (1987), *Pratique des Segments Répétés, Essai de Statistique Textuelle*, Paris: Klincksieck, 333.
SALEM, A. (1993), *Méthodes de la statistique textuelle*, Thèse d'état, Université Sorbonne Nouvelle- Paris-3.
SAPORTA (1990), *Probabilités, Analyse des données et Statistique*, Technip, 433.
TINTORÉ, M. J. (1987), *"La Regenta" de Clarín y la crítica de su tiempo*, Lumen, 407.
VOLLE, M. (1993), *Analyse des Données*, Paris: Economica, 323.
ZIPF, G. K. (1935), *The psychology of language, an introduction to dynamic philology*, Boston: Houghton-Mifflin.

HORACIO RODRÍGUEZ HONTORIA
Universitat Politècnica de Catalunya

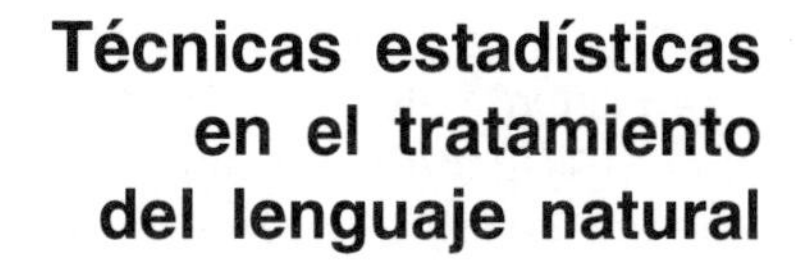

Técnicas estadísticas en el tratamiento del lenguaje natural

1. Motivación e introducción

Tradicionalmente se han seguido dos aproximaciones en el tratamiento del lenguaje natural (LN), una basada en el conocimiento lingüístico, generalmente ligado a las varias formulaciones derivadas de la gramática generativa, y otra en el tratamiento empírico de corpus textuales. Las dos aproximaciones responden a las dos grandes líneas de aplicación del LN, los sistemas basados en la interacción persona/máquina y los sistemas de tratamiento de información textual. Con alguna excepción (la más notable quizás sea la del grupo TOSCA, ver, por ejemplo, Oostdijk, 1991) la relación entre las dos aproximaciones ha sido más de confrontación que de colaboración.

Sería simplificar demasiado limitar el uso de métodos estadísticos a la segunda de estas aproximaciones, pero no cabe duda de que al ser mucho mayores las exigencias de precisión en la primera de las aproximaciones (difícilmente podríamos admitir un porcentaje de error del 5% en un sistema de consulta en LN a una base de datos, mientras que tasas de error muy superiores pueden ser perfectamente aceptables en un sistema de extracción de información), el uso de métodos estadísticos queda limitado a tareas secundarias, por ejemplo la información de *heurísticas*[1] que puedan guiar el proceso de análisis.

El creciente interés por utilizar métodos estadísticos parte de dos factores:

- La necesidad de desarrollo de aplicaciones basadas en el tratamiento masivo de textos no restringidos en LN.
- La existencia de recursos lingüísticos, básicamente diccionarios y corpus, que pueden servir como base sólida a la significación estadística de los resultados obtenidos.

Respecto al primero de los factores podemos señalar la necesidad creciente de sistemas de tratamiento de corpus textuales producidos para uso humano, pero accesibles por ordenador. La relevancia actual del acceso a Internet es quizás la señal más clara de esta necesidad. Sistemas de extracción de información, de

1. Se trata de un término de amplia utilización en Inteligencia Artificial. Se suele utilizar como opuesto a algorítmico. Una técnica heurística para resolver un problema es una técnica que no se basa en un algoritmo concreto sino en un criterio o estrategia para buscar la solución. Por extensión se denomina heurística (como nombre, no como adjetivo) a dicho criterio o estrategia.

indexación y resumen automático de textos, de filtrado o encaminado de información, sistemas de corrección de textos, tanto por lo que respecta al léxico como a la gramática e incluso al estilo, sistemas de traducción automática, etc., por no apartarnos de lo que es tratamiento de textos escritos, justifican claramente esta línea de trabajo.

Por supuesto la necesidad de este tipo de aplicaciones apuntaba claramente a la utilización de técnicas estadísticas, partiendo de la constatación clara de la inadecuación de las técnicas puramente lingüísticas para abordar todos los problemas planteados (Charniak, 1993 hace una profesión de fe en las técnicas estadísticas interesante aunque quizás exagerada). Ahora bien sin el segundo de los factores antes apuntados la aplicación de dichas técnicas no llevaría a ninguna parte. Como bien señala el propio Charniak, el escepticismo con que a veces se contempla la aplicación de técnicas estadísticas al tratamiento del LN va ligado frecuentemente a la utilización de técnicas elementales o a la aplicación de las mismas sin el mínimo necesario de validación empírica (Dunning, 1993 aporta argumentos en esta línea).

En los últimos años se han dedicado considerables esfuerzos a la constitución de recursos lingüísticos que pudieran ser utilizados para los sistemas de tratamiento masivo del LN. Hemos indicado antes que los más importantes, desde la perspectiva que nos ocupa, son los recursos léxicos y los corpus textuales.

En cuanto a los recursos léxicos, se han construido lexicones computacionales y bases de datos léxicas de amplia cobertura, tanto obtenidas manualmente como a partir de diccionarios para uso humano en soporte informático (los denominados MRDs, *Machine Readable Dictionaries*). Entre los primeros, los más relevantes son, quizás, *Comlex*, (Grishman *et al*, 1994), construido en forma híbrida y que contiene información sintáctica detallada sobre unas 38.000 entradas, *WordNet*, (Miller *et al*, 1993), cuya versión actual contiene 120.000 palabras y 90.000 unidades conceptuales (*synsets*) relacionadas a través de varias relaciones semánticas (la principal de las cuales es la hiperonimia/hiponimia) y CYC, (Lenat, 1995), *ontología* (colección de unidades léxico-conceptuales) que contiene unos 100.000 términos. En cuanto a la extracción de información de MRDs para construir bases de datos léxicas, hay muchísimos sistemas, que van desde la simple transformación de los diccionarios para permitir formas variadas de acceso, a los sistemas que tratan las definiciones para obtener a partir de ellas estructuras taxonómicas u otro tipo de información semántica. Los proyectos LINKS, (Vossen, 1995), y, sobre todo, *Acquilex*, (Castellón, 1993), son ejemplos notables de esta línea.[2]

En cuanto a los corpus textuales la situación es similar. Si hace unos años la constitución o el etiquetado de un corpus como el LOB o el *Brown* se consideraban proyectos de gran magnitud, hoy en día existen para uso público corpus de millones de palabras con diferentes niveles de información asociada: corpus etiquetados con la categoría gramatical, corpus etiquetados con el lema,

2. La inmensa mayoría de los recursos léxicos disponibles son para la lengua inglesa. Los proyectos Acquilex (Esprit BRA-3030), Acquilex II (Esprit BRA-7315) y Eurowordnet (LE-4003) son, sin embargo, proyectos multilingües que tratan, entre otras, la lengua española.

corpus analizados sintácticamente, parcial o totalmente, corpus simplemente parentizados, es decir, anotados con el esqueleto de la estructura sintáctica, corpus etiquetados con la categoría semántica de cada palabra o con la acepción correcta, corpus multilingües, alineados o no, etc...

Quizás el corpus más utilizado por la comunidad científica sea el *Brown Corpus*, (Francis y Kucera, 1982), que contiene un millón de palabras de inglés americano (el *LOB Corpus* es la versión en inglés británico). También es muy utilizado el *Wall Street Journal Corpus* (las diferentes versiones van de uno a cuatro millones de palabras). Ambos corpus han sido anotados, en el marco del proyecto *Penn Treebank*, de la universidad de Pennsylvania, con la categoría gramatical, (Marcus *et al*, 1993), y con la estructura sintáctica básica, (Marcus *et al*, 1994). Parte del *Brown Corpus*, unas 250.000 entradas, ha sido etiquetado semánticamente, utilizando como etiquetas los conceptos (*synsets*) de *Wordnet*, (Miller *et al*, 1994). Actualmente existen colecciones de textos en varios idiomas que llegan a los centenares de millones de palabras gracias a esfuerzos de iniciativas como la *Data Collection Intitiative*, de la *Association of Computational Linguistics*, la *European Corpus Initiative*, la ICAME, el *British National Corpus*, el *Linguistic Data Consortium*, o el proyecto PAROLE. Para más detalles, el lector puede recurrir a (Atkins *et al*, 1992), en general, y (Souter y Atwell, 1994), para corpus anotados sintácticamente. En cuanto a nuestro país, la realización más importante es el CTILC, corpus de 52 millones de palabras del idioma catalán contemporáneo, recogido por el *Institut d'Estudis Catalans*. En castellano existen varias realizaciones. Una buena fuente de información es el Instituto Cervantes (1996).

La existencia de una necesidad y de los medios adecuados para satisfacerla es lo que ha motivado el desarrollo de las técnicas estadísticas en el tratamiento del LN. No se pretende en este capítulo dar una visión exhaustiva de las tareas de tratamiento del LN en las que se han utilizado técnicas estadísticas ni una introducción a tales técnicas. Hemos preferido presentar un abanico de tareas en las que el uso de la estadística es determinante y tratar de introducir en cada caso las técnicas específicas que se aplican.

La sección 2 está dedicada al etiquetado de textos, aplicación en la que es muy frecuente el empleo de la estadística. La sección 3 se dedica al análisis sintáctico de textos en LN. La sección 4 aborda el tema de las relaciones de afinidad léxica entre las palabras y su posible explotación, así como de la extracción de información de corpus y de su posible utilización en otras tareas de tratamiento del LN. La desambiguación semántica será el objeto de la sección 5.

2. Etiquetado de textos

2.1. INTRODUCCIÓN

El etiquetado de textos con la categoría gramatical (*Pos Tagging*) es sin duda la tarea de tratamiento del Lenguaje Natural en que con más intensidad, y con más éxito, se han introducido las técnicas estadísticas. Desde el conocido CLAWS1, (Garside *et al*, 1987), hasta ahora, se han desarrollado diferentes técnicas con resultados que se sitúan sistemáticamente por encima de un 96% de corrección en la etiqueta asignada.

El problema del etiquetado gramatical de textos es fácil de enunciar: las palabras, tomadas en forma aislada, son ambiguas respecto a su categoría gramatical. Asignar a cada una de las palabras de un texto el conjunto de categorías posibles independientemente de su contexto es relativamente sencillo y puede realizarse por medio de un analizador morfológico o, simplemente, mediante consulta a diccionarios. Lograr la desambiguación, es decir asignar a cada palabra la categoría gramatical que realmente posee en el contexto en que ha sido enunciada no es, por el contrario, una tarea sencilla. La categoría de la mayoría de las palabras no es, sin embargo, ambigua dentro de un contexto. El objetivo de un etiquetador o desambiguador es el de asignar a cada palabra de un texto la categoría más adecuada dentro de su contexto.

Podemos preguntarnos si vale la pena el esfuerzo de desambiguación de un texto si el resultado no llega en ningún caso a un nivel de corrección del 100% (aunque un 96% pueda parecer bueno hemos de tener en cuenta que supone que 4 de cada 100 palabras quedarán etiquetadas de forma errónea lo que puede dar lugar a que frases completas se consideren no gramaticales si el proceso de desambiguación era un paso previo al análisis sintáctico del texto). La respuesta es afirmativa para algunas aplicaciones del tratamiento del lenguaje natural como el reconocimiento o síntesis del habla, la corrección ortográfica o gramatical, la traducción automática, la recuperación o extracción de información, etc., aunque sea negativa si la aplicación implica un nivel muy alto de comprensión del lenguaje.

Podemos considerar la acción del desambiguador como una función *f* capaz de transformar una cadena de palabras (el texto de entrada al proceso) en una cadena de etiquetas gramaticales.

Si $W = w_1\ w_2 \ldots\ w_n$[3] es una cadena de palabras (observaciones de entrada) y $T = t_1\ t_2 \ldots\ t_n$ es la cadena correspondiente de etiquetas de salida entonces $f\colon W \longrightarrow T$, es decir $T = f(W)$

2.2. Técnicas de etiquetado de textos

Se siguen actualmente tres aproximaciones al etiquetado gramatical de textos:

- Aproximación basada en conocimiento lingüístico (normalmente descrito a través de reglas)
- Aproximación probabilística
- Aproximación híbrida

Todas ellas parten de unas consideraciones comunes: la existencia de un conjunto pequeño de etiquetas potencialmente válidas para cada palabra, obtenibles, como hemos indicado, a partir de un análisis morfológico o de la consulta a un diccionario, y la utilización del contexto para realizar la desambiguación; aunque la cantidad de contexto para realizar esta desambigüación

3. Seguimos la nomenclatura habitual inglesa (*w* para *word*, *t* para *tag*) para evitar confusiones con símbolos usados generalmente para otros fines.

varía de un método a otro y suele ser más reducido en los métodos exclusivamente estadísticos.

Un punto importante respecto al etiquetado es la selección del conjunto de etiquetas válidas (*tagset*). Es evidente que cuanto mayor sea el número de etiquetas mayor habrá de ser el corpus de aprendizaje que deberá proporcionar la información necesaria a los métodos estadísticos o híbridos. No es evidente, por otra parte, que un mayor tamaño en este conjunto (una granularidad[4] más fina) proporcione mejores resultados al desambiguar (de hecho con etiquetas más informativas, aunque aumenta la precisión de las reglas o restricciones utilizadas también lo hace el nivel de ambigüedad de las palabras). En general se suelen utilizar conjuntos de entre 40 y 200 etiquetas.

La aproximación basada en conocimiento lingüístico suele consistir en la utilización de reglas de compatibilidad entre las categorías que constituyen el contexto local (a menudo reducido a las palabras contiguas a la que se trata de desambiguar). Estas reglas suelen ser proporcionadas manualmente, a través de un proceso incremental (a medida que se detectan errores se aportan nuevas reglas o se modifican o refinan las ya existentes de forma que se solucionen estos errores). Las reglas responden a teorías del lenguaje y establecen de forma explícita generalizaciones basadas en una motivación lingüística. A menudo implican la validación empírica de las teorías léxicas sobre datos específicos. El número de reglas varía entre los diversos sistemas pero suele rondar el millar.

Aparte de algún sistema como TAGGIT, interesante por ser el primer etiquetador (data de 1971), los sistemas dignos de mención dentro de esta aproximación son el proyecto TOSCA, (Oostdijk, 1991), desarrollado en Nijmegen por un equipo dirigido por J. Aarts y el formalismo de las Gramáticas de Restricciones (CG, *Constraint Grammars*) desarrollado en Helsinki por F. Karlsson, (Karlsson *et al*, 1993), (Karlsson, 1994). Tanto uno como otro sistema forman parte de proyectos que cubren no sólo la desambiguación gramatical sino el análisis sintáctico. Los resultados son en los dos casos superiores a los que se obtienen con los etiquetadores estadísticos, pero, lógicamente, con un mayor coste debido a la confección manual de las reglas. Voitilainen (1995) señala para el ENGCG (una implementación de las CG para el inglés) un nivel de corrección del 99.5% admitiendo un 3.2% de palabras no desambiguadas. Pueden caber dudas sobre las prestaciones de estos sistemas en corpus no restringidos, distintos de aquellos en los que fueron contrastadas las reglas.

2.3. Técnicas estadísticas de desambiguación gramatical

Las características básicas de la aproximación probabilística se refieren al proceso de adquisición de la información que se utiliza en la desambiguación. Las restricciones se adquieren en forma automática. Las generalizaciones no tienen motivación lingüística sino que se adquieren a partir de corpus a través de procesos de inferencia estadística. Las ventajas que estos modelos presentan son las siguientes:

4. Ver Arrarte, nota 17.

- El marco teórico suele estar bien fundamentado.
- La aproximación es clara.
- Los métodos de desambiguación son sencillos y eficientes.
- Las probabilidades se pueden estimar directamente a partir de los datos.
- Se pueden aplicar métodos estadísticos para valorar el grado de fiabilidad de los resultados.
- El coste de adquisición de la información es claramente inferior al de los otros métodos.

Como hemos indicado antes, la acción de desambiguar puede describirse en términos de la función $f: W \longrightarrow T$. En la aproximación probabilística lo habitual es tratar de obtener la secuencia T de etiquetas que maximice alguna de sus propiedades, dada la secuencia inicial de observaciones W. Existen varios modelos posibles, desde el que establece como propiedad a maximizar el porcentaje de palabras correctamente etiquetadas (Algoritmo de Verosimilitud Máxima, ML), independientemente de la gramaticalidad de las secuencias obtenidas, hasta el que establece este criterio a nivel oracional (Algoritmo de Viterbi). Si consideramos este último criterio, la manera más sencilla de definir la función f es la de proporcionar la secuencia T de etiquetas que maximice la probabilidad condicionada de T respecto a W, es decir:

$$T = f\,(W) = \underset{T}{Max}\; p(T \,/\, W) \qquad (1)$$

donde $\underset{T}{Max}$ indica el valor de T que maximiza la expresión que sigue. Si aplicamos a esta fórmula la regla de Bayes obtenemos:

$$T = f\,(W) = \underset{T}{Max}\; p(T \,/\, W) = \underset{T}{Max}\; \frac{p(W \,/\, T)p(T)}{p(W)} \qquad (2)$$

Dado que $P(W)$, la probabilidad de la secuencia de palabras W, es constante (no depende de las asignaciones posibles de etiquetas a palabras), podemos eliminarla y obtenemos la fórmula habitual, básica en el etiquetado probabilístico:

$$T = f\,(W) = \underset{T}{Max}\; (p(W \,/\, T)\; p(T)) \qquad (3)$$

La expresión a maximizar consta de dos factores, el segundo de ellos, $p(T)$ es el denominado modelo del lenguaje, que modeliza el nivel de corrección (la plausibilidad) de las diversas secuencias posibles de etiquetas (una secuencia <determinante> <nombre> tendrá, por ejemplo, una probabilidad alta en tanto que una secuencia <determinante> <determinante> tendrá una probabilidad nula, o en cualquier caso muy baja). El modelo del lenguaje será el factor básico de esta aproximación y lo que diferenciará a los diferentes modelos que la siguen. El primer factor, $p(W/T)$, que podemos denominar modelo de la comunicación, establece la relación entre las etiquetas gramaticales y su realización léxica.

El modelo del lenguaje más sencillo consiste en considerar que las diferentes etiquetas que constituyen T son independientes y que por lo tanto la probabilidad de la secuencia se reduce al producto de probabilidades de cada una de las etiquetas.

$$p(T) = \prod_{i=1}^{n} p(t_i) \qquad (4)$$

El modelo tiene pues tantos parámetros como posibles etiquetas gramaticales tengamos (es decir como número de elementos tenga el conjunto de etiquetas válidas). Este modelo, denominado unigram, a pesar de su sencillez, produce unos resultados apreciables. Así, aplicado al *Brown Corpus*, produce un índice de corrección de un 91.2%.[5] Podemos considerar, pues, esta cifra como un nivel de aceptación mínimo para un etiquetador.

Es fácil extender el modelo unigram al bigram (y al trigram y, en general, al n-gram). En el bigram la probabilidad de cualquier etiqueta de la secuencia vendrá condicionada por la etiqueta anterior, en el trigram por las dos anteriores. Es decir, tendremos respectivamente para bigrams y trigrams:

$$p(T) = p(t_1) \prod_{i=2}^{n} p(t_i / t_{i-1}) \qquad (5)$$

$$p(T) = p(t_1)p(t_2) \prod_{i=3}^{n} p(t_i / t_{i-2}t_{i-1}) \qquad (6)$$

donde $p(t_1)$ y $p(t_2)$ son las probabilidades de las etiquetas correspondientes a las dos primeras palabras y $p(t_i / t_{i-2}t_{i-1})$ se debe entender como la probabilidad de que la palabra i-ésima tenga la etiqueta t_i condicionada a que las dos palabras anteriores tengan las etiquetas t_{i-2} y t_{i-1} respectivamente. En el caso del bigram el número de parámetros del modelo es el cuadrado del número de etiquetas válidas mientras que en el caso del trigram sería el cubo de esta cantidad. Prácticamente no hay posibilidad de desarrollar n-grams con n superior a 3 debido a los problemas de aprendizaje de los parámetros del modelo que se describen en la sección siguiente.

En cuanto al modelo de la comunicación, la forma más simple (y una de las más empleadas) de construir el modelo es considerar las asignaciones léxicas como independientes del contexto (lo cual es una hipótesis muy fuerte, ya que descarta cualquier tipo de afinidad léxica entre palabras vecinas; en la sección 4 matizaremos esta hipótesis). Con esta simplificación, la probabilidad de *W* condicionada a *T* se puede calcular simplemente como el producto de probabilidades de los componentes:

$$p(W / T) = \prod_{i=1}^{n} p(w_i / t_i) \qquad (7)$$

Una hipótesis aún más fuerte (pero igualmente muy utilizada) es considerar este factor reducido a dos posibles valores, 1, si para toda palabra de la secuencia *W* el valor de su etiqueta pertenece al conjunto de etiquetas posibles (proporcionado por el diccionario o analizador morfológico), ó 0, en caso contrario.

5. Que un modelo tan simple como el *unigram* produzca un 91.2% de asignaciones correctas y cualquier otro modelo estadístico no pase del 97% puede ser objeto de consideraciones diversas y contradictorias sobre el coste que puede suponer el lograr un beneficio marginal relativamente pequeño.

2.4. Estimación de los parámetros de los modelos simples del lenguaje

El problema básico que plantean los métodos estadísticos, tanto los modelos simples que hemos descrito como otros más complicados que se estudiarán, es el de la estimación de los parámetros del modelo del lenguaje utilizado (y también del modelo de la comunicación, aunque en este caso la solución es más sencilla). Este proceso de estimación de los parámetros del modelo puede considerarse un caso particular de las técnicas de Aprendizaje Automático que trata la Inteligencia Artificial. Aunque existen ejemplos de aplicación de técnicas de aprendizaje subsimbólico (como el uso de redes neuronales en Schmid, 1994, de fraguado simulado (*simulated annealing*) en Cowie *et al*, 1992, o de técnicas de relajación en Padró, 1996), la mayoría de los sistemas de aprendizaje se encuadran en las técnicas de aprendizaje simbólico a partir de ejemplos (vid. Sestito y Dillon, 1994, para una presentación extensa pero asequible de estos temas o cualquier libro introductorio de Inteligencia Artificial para una visión superficial de los mismos).

Podemos considerar, en esta línea, dos tipos de aprendizaje, el supervisado y el no supervisado. En el aprendizaje supervisado cada ejemplo consiste en un conjunto de condiciones junto a la decisión adoptada en dicho caso. En el aprendizaje no supervisado no se acompaña cada ejemplo con la decisión adoptada. La idea de esta última aproximación es que el sistema de aprendizaje sea capaz de inducir a partir de los ejemplos la estructura estadística o los patrones de comportamiento que aparecen de forma implícita en los ejemplos. Por supuesto el aprendizaje no supervisado tiene un coste menor que el supervisado (el coste de la supervisión por parte del experto humano de los ejemplos propuestos).

En el caso que nos ocupa los ejemplos son simplemente apariciones en un corpus de los casos que nos interesan. Si el aprendizaje es supervisado el corpus deberá haber sido desambiguado manualmente previamente al proceso de aprendizaje. Si el aprendizaje es no supervisado no será necesaria esta operación. En ambos casos el corpus de que se disponga deberá dividirse en dos partes, una llamada corpus de aprendizaje (o de entrenamiento), a partir de la cual se llevará a cabo la estimación de los parámetros del modelo, y otra, llamada corpus de validación, que permitirá verificar la bondad del proceso y estimar los intervalos de confianza de las asignaciones realizadas.

El ejemplo más simple de sistema de estimación de parámetros basado en aprendizaje supervisado es el denominado *Método de las frecuencias relativas*. Se trata de un método aplicable tanto a un modelo del lenguaje como a un modelo de la comunicación. Se supone que se dispone de un corpus de entrenamiento supervisado. Se trata, simplemente, de calcular las frecuencias de las diferentes secuencias de etiquetas o de combinaciones etiqueta/palabra que aparecen en el corpus y que son necesarias para estimar los parámetros del modelo y calcular éstos a partir de dichas frecuencias. Si calculamos las frecuencias siguientes:

$N(t)$	Número de veces que aparece la etiqueta t en el corpus
$N(t_1,t_2)$	Número de veces que aparece la secuencia de etiquetas t_1, t_2 en el corpus
$N(t_1,t_2,t_3)$	Número de veces que aparece la secuencia de etiquetas t_1, t_2, t_3 en el corpus

$N(w,t)$ Número de veces que la palabra w aparece en el corpus etiquetada como t

$N(w)$ Número de veces que la palabra w aparece en el corpus

Podemos estimar las probabilidades que constituyen los parámetros de un modelo trigram de la forma siguiente:

$$p(t_1 / t_2 \, t_3) = \frac{N(t_2, t_3, t_1)}{N(t_2, t_3)} \quad (8)$$

$$p(w / t) = \frac{N(w, t)}{N(w)} \quad (9)$$

El gran problema que nos plantea este método, por lo demás muy simple y eficiente, es el de la insuficiencia de los corpus utilizables (y el coste de ampliarlos debido a la necesidad de supervisión). Consideremos (tomamos los datos de Schabes, 1994) el caso del corpus del *Wall Street Journal*. El número de etiquetas es de 48 (37 etiquetas léxicas y 11 signos de puntuación). Serían necesarios 2.304 (48^2) parámetros para construir un modelo de bigram y 110.692 (48^3) para construir un modelo de trigram. Si las etiquetas fueran equifrecuentes quizás tuviéramos suficiente con los 4 millones de palabras del corpus para estimar los parámetros del modelo, pero es evidente que no es así. En realidad de los 2.304 pares posibles sólo 1.366 aparecen al menos una vez en el corpus, mientras que de los 110.692 triples sólo aparecen 14.306. Si fuera posible ampliar el corpus (teniendo en cuenta que ampliar implica desambiguar manualmente) sin problemas de costo lo único que lograríamos es paliar el problema, no evitarlo.

El problema es doble: por una parte nos encontramos con los casos que no aparecen en el corpus (que tienen frecuencia nula y a los que se asigna probabilidad nula). Estos casos desvirtúan los resultados del desambiguador. Por otra parte tenemos los casos con frecuencia extremadamente baja que hacen que la estimación de la probabilidad tenga un nivel de fiabilidad también bajo. Se han probado diferentes soluciones para el primero de estos problemas, es decir, para asignar probabilidades a palabras o secuencias de palabras que no aparecen en el corpus, como son el de sumar 1 a las frecuencias encontradas, el de buscar en diccionarios las palabras no encontradas en los corpus, el de extrapolar las distribuciones de frecuencia (ej. método de *Good-Turing*), etc., con resultados no especialmente brillantes.

Respecto al segundo de los problemas la técnica usada más frecuentemente es la de suavizado (*smoothing*). Charniak (1993), por ejemplo, propone un modelo que combina linealmente unigrams, bigrams y trigrams:

$$p(T) = p(t_1)\, p(t_2) \prod_{i=3}^{n} (p(t_i / t_{i-2} t_{i-1})\lambda^3 + p(t_i / t_{i-1})\lambda^2 + p(t_i)\lambda^1) \quad (10)$$

Donde λ^1, λ^2 y λ^3 son tres parámetros adicionales del modelo que ponderan la contribución del unigram, el bigram y el trigram, respectivamente, y que deben ser estimados.

También se han utilizado técnicas denominadas de *back-off* en las cuales se utilizan varios modelos de diferente granularidad. Para efectuar una selección se intenta aplicar el modelo más preciso y en el caso de no encontrar suficiente evidencia estadística para el nivel de fiabilidad deseado se pasa a utilizar un modelo menos preciso. Podríamos de esta manera pasar de un modelo de trigram a uno de bigram y, finalmente a uno de unigram. Y podríamos, también utilizar modelos más complejos o más informados.

En cuanto a los métodos de aprendizaje no supervisado, el más utilizado es el que pretende maximizar la probabilidad total del conjunto de entrenamiento. Este método se denomina de verosimilitud máxima (ML, *Maximum Likelihood*). El algoritmo que se utiliza es el de Baum-Welch, también denominado *Forward-Backward*, y será descrito superficialmente en la sección siguiente. Como hemos indicado anteriormente el corpus de aprendizaje no ha de estar anotado manualmente con lo que quedan paliados hasta cierto punto los problemas de insuficiencia del corpus. Lari y Young (1990) sugieren la aplicación del método para etiquetado. Cutting *et al.* (1993) y Elworthy (1993) son ejemplos de etiquetadores que utilizan este método para la estimación de los parámetros del modelo. Kupiec (1992) modifica este esquema básico para permitir la estimación a nivel de la palabra cuando existe suficiente evidencia estadística o a nivel de clase de palabras si no fuera así.

2.5. Modelos del lenguaje más avanzados. Cadenas ocultas de Markov

Como hemos visto anteriormente, el conocimiento del etiquetado correcto asignado a las palabras anteriores puede guiarnos para asignar la etiqueta correcta a la palabra actual. Calcular con este modelo del lenguaje la probabilidad de una secuencia de etiquetas *T* es sencillo. El método de etiquetado más simple puede entonces consistir en seleccionar todas las secuencias de etiquetas válidas para la secuencia de palabras *W* que constituye la entrada y seleccionar la de mayor probabilidad. De hecho lo que hacemos es utilizar el modelo de la comunicación reducido a su forma más simple.

¿Cómo seleccionamos las secuencias de palabras *W* para llevar a cabo la asignación de la secuencia de etiquetas? Lo ideal sería recurrir a oraciones completas del corpus. Pero seleccionar una oración (máxime si el corpus no está desambiguado) no es sencillo. Tampoco podemos seleccionar secuencias largas de palabras, por ejemplo todas las palabras que estuvieran entre dos puntos, ya que el número de combinaciones posibles (el número de cadenas *T* que se debería considerar) sería enorme. Seleccionar secuencias cortas fijas es desde luego factible, pero desvirtuaría la aportación del modelo del lenguaje. Garside *et al.* (1987), en el sistema CLAWS1, proponen el sistema más utilizado: se recogen como secuencias que deben evaluarse todas las que comienzan y acaban con una palabra no ambigua. Es decir, todas las palabras de la secuencia *W* son ambiguas excepto la primera y la última. El algoritmo es entonces simple: se selecciona del texto aún por procesar la primera secuencia de palabras que satisface la condición citada. Para esa secuencia de palabras se generan todas las secuencias de etiquetas válidas. Para cada etiqueta se calcula su probabilidad de acuerdo al modelo del lenguaje. Se asigna a la secuencia de palabras *W* la secuencia de etiquetas *T* que corresponde a la probabilidad máxima y se continúa hasta agotar el texto de entrada. Aparentemente, todo funciona pero en realidad no es así. Tal como está descrito, el algoritmo es claramente intratable ya que en el mejor de los casos (cuando la ambigüedad de las palabras de W es 2) el número de secuencias T para evaluar es $2^{|W-2|}$, es decir, es exponencial con la longitud de la secuencia, que no está limitada. La solución que se adopta es la de recurrir a un modelo del lenguaje más complejo. El modelo, ampliamente utilizado en el tratamiento del habla, es el de las Cadenas Ocultas de Markov (HMM, *Hidden Markov Models*).

Se trata de un modelo doblemente estocástico en el que el modelo del lenguaje corresponde a una máquina de estados finitos y el modelo de la comunicación es enteramente local (los símbolos emitidos dependen sólo del estado en que se emiten o de la transición que se efectúa). Un modelo oculto de Markov consta de un conjunto finito de estados cada uno de los cuales tiene asociada una probabilidad de emisión de cada uno de los símbolos del vocabulario de salida (las etiquetas válidas). Existen una serie de transiciones válidas entre estados, arcos dirigidos del grafo, cada una de las cuales tiene asignada una probabilidad de realizarse. Potencialmente todas las transiciones podrían ser válidas —el grafo sería entonces completo— y las no admisibles tendrían asociada una probabilidad nula. Es posible señalar uno de los estados del modelo como estado inicial, aunque también es posible asignar una probabilidad de ser nodo inicial a cada uno de los estados. Los parámetros del modelo, que deberemos estimar, corresponden a las probabilidades de emisión (de un símbolo en un estado) y de transición (de un estado a otro) y, de ser necesario, a las de constituir el estado inicial.

Si denominamos S al conjunto de estados, S_i al estado iésimo, π_i a la probabilidad de que S_i sea estado inicial, a_{ij} a la probabilidad de transición del estado S_i al S_j, $b_i(k)$ a la probabilidad de que desde el estado S_i se emita el símbolo k, n al número de estados y V al número de palabras, se deben cumplir las restricciones siguientes:

$$\sum_{i=1}^{n} \pi_i = 1$$

$$\forall i: \sum_{j=1}^{n} a_{ij} = 1 \qquad (11)$$

$$\forall i: \sum_{k=1}^{n} b_i(k) = 1$$

En la figura 1 podemos ver un modelo oculto de Markov de 3 estados. Las etiquetas válidas son a y b. Vemos que en cada estado la suma de las probabilidades de emisión de cada una de estas etiquetas vale 1. También vale 1 la suma de las probabilidades de transición de cada estado a cualquier otro, incluyendo él mismo.

Lo que hace interesantes a los modelos ocultos de Markov como modelos del lenguaje son las siguientes propiedades:

- Es posible calcular en tiempo lineal (respecto a la longitud de la cadena observada) la probabilidad de una observación.
- Es posible calcular en tiempo lineal la secuencia de estados más verosímil para una observación dada.

• Es posible estimar el valor de los parámetros de un modelo de Markov que maximice la probabilidad global de un corpus de aprendizaje.

Discutir en detalle estas propiedades y los algoritmos que las soportan queda fuera del alcance de este trabajo (en Charniak, (1993)) se puede encontrar una descripción excelente). Aportaremos, sin embargo algunas ideas básicas.

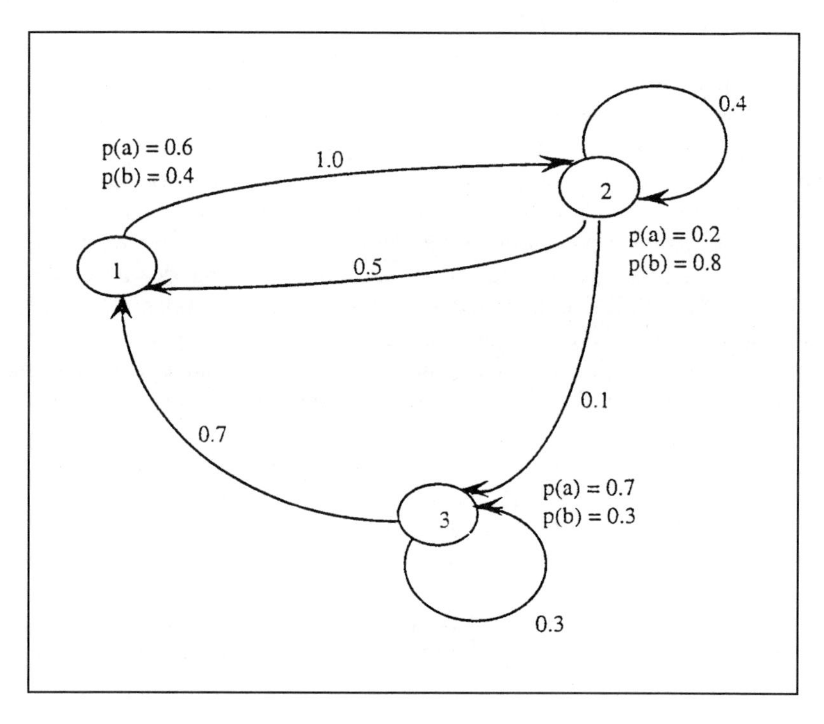

Figura 1. Ejemplo de modelo oculto de Markov.

Respecto al cálculo de la probabilidad de una observación hemos de tener en cuenta que existen muchas secuencias de estados que pueden producir la cadena de observaciones. Cada una de estas secuencias tendrá una probabilidad de realizarse y una probabilidad de emitir la cadena de observaciones. La probabilidad total de la cadena de observaciones deberá incorporar estas probabilidades parciales. De lo que se trata es de calcular aquella sin tener que enumerar y calcular todas éstas. El algoritmo que lo logra se basa en el cálculo incremental de la llamada probabilidad *Forward* que recoge la probabilidad de estar en el estado S_i tras haber emitido la cadena de observaciones $w_1\ w_2 \ldots\ w_n$. El algoritmo procede por inducción sobre los elementos de la cadena de observaciones. Se trata, simplemente, de mantener un vector de longitud igual al número de estados del modelo que contenga el valor de la probabilidad *forward* para cada estado. El algoritmo recorrerá una vez la cadena de observaciones W actualizando para cada observación el vector.

El cálculo de la secuencia de estados más verosímil se lleva a cabo, también en tiempo lineal, mediante el algoritmo de Viterbi. El algoritmo es muy parecido al descrito anteriormente.

Respecto al algoritmo de aprendizaje, aunque es posible, por supuesto, utilizar un método de aprendizaje supervisado como es descrito en la sección "Estimación de los parámetros de los modelos simples del lenguaje", suele preferirse el método del aprendizaje no supervisado. El algoritmo que se aplica es, como dijimos, el denominado de Baum-Welch. El algoritmo funciona mediante un proceso iterativo de reestimación de los parámetros hasta lograr su convergencia. En cada iteración se calculan dos vectores que corresponden a las probabilidades *forward* (ya vista) y *backward* (simétrica a aquella) partiendo de unos valores iniciales de los parámetros del modelo. A partir de estos vectores se reestiman los valores de los parámetros, se comparan con los anteriores y si no se ha logrado la convergencia se pasa a una nueva iteración. El proceso es costoso ya que en cada iteración todo el corpus de entrenamiento debe ser evaluado.

Veamos como podemos utilizar los HMMs para el etiquetado de corpus. Consideremos en primer lugar el caso de un bigram. Podemos construir un modelo que asocie a cada etiqueta gramatical un estado $<t_i>$. Las probabilidades de transición a_{ij} podemos asignarlas a las probabilidades condicionadas de encontrar la etiqueta t_j detrás de la t_i, es decir, $a_{ij} = p(t_j/t_i)$. Las probabilidades de emisión corresponderían a las de emitir una palabra w dada una etiqueta t_i : $b_i(w) = p(w/t_i)$. Como vemos, la correspondencia con el modelo de bigram es total. Si el número de etiquetas válido es E y el tamaño del lexicón es L, el número de parámetros del modelo sería en este caso $E^2 + E\ L$. En la figura 2 podemos ver un fragmento de un modelo de Markov para un bigram.

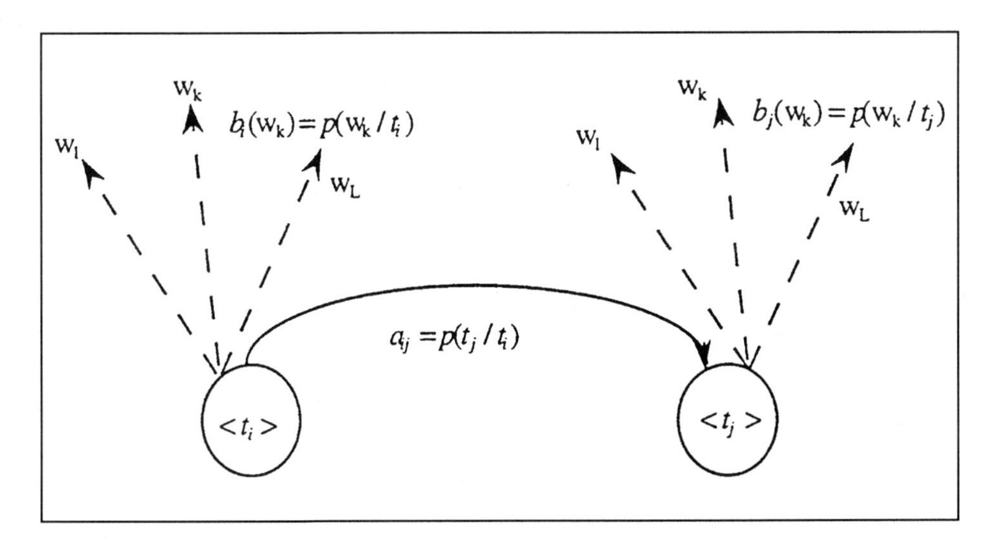

Figura 2. Modelo de Markov para un bigram.

En el caso de un trigram la construcción del modelo de Markov es como sigue: crearemos un estado para cada posible par de etiquetas $\langle t_i,t_j \rangle$. La probabilidad de transición del estado $\langle t_i,t_j \rangle$ al estado $\langle t_j,t_k \rangle$, que notaremos a_{ijk}, podemos asignarla a las probabilidad condicionada de encontrar la etiqueta t_k después de t_i y t_j, es decir, $a_{ijk} = p(t_k/t_i,t_j)$. Las probabilidades de emisión en el estado $\langle t_i,t_j \rangle$ corresponderían a las de emitir una palabra w dada una etiqueta t_j: $b_{i,j}(w) = p(w/t_j)$. También aquí la correspondencia es clara aunque se hayan hecho algunas simplificaciones. En este caso el número de parámetros del modelo sería E^3 + E L. En la figura 3 podemos ver un fragmento de un modelo de Markov para un trigram.

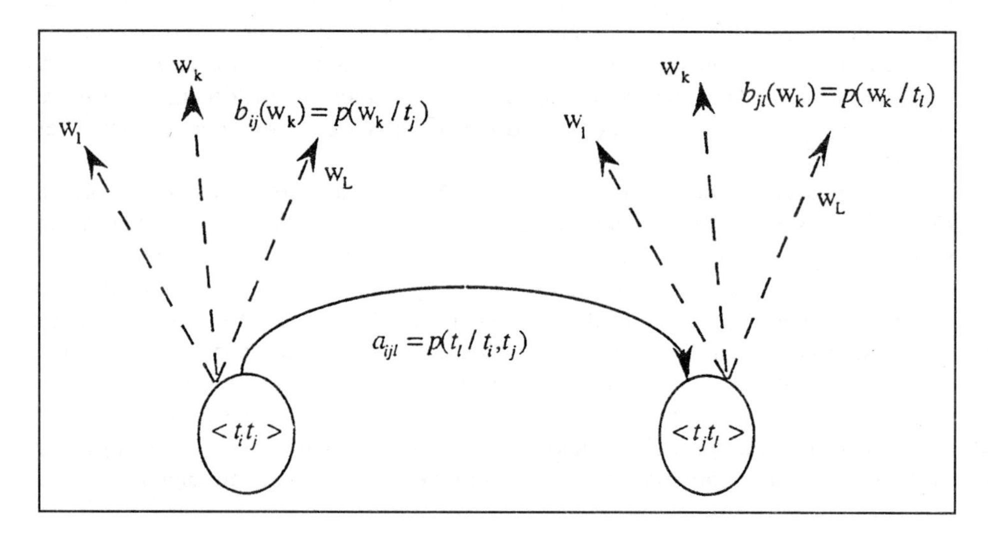

Figura 3. Modelo de Markov para un trigram.

Cualquier otro n-gram puede ser descrito fácilmente en términos de un modelo de Markov.

2.6. Aproximaciones híbridas

Se han realizado diversos intentos de integrar los aspectos positivos de las aproximaciones probabilística y lingüística en un marco común. A menudo se combinan reglas lingüísticas con otras reglas derivadas automáticamente a partir de corpus. En otros casos, sobre una base estadística se analizan los casos más frecuentes de error y se corrigen mediante la adición de reglas de contexto. En otros casos, finalmente, las propias reglas de contexto son extraídas automáticamente a partir de corpus. El sistema más conocido en esta última dirección es el de Brill (1992).

El etiquetador de Brill obtiene un rendimiento similar a cualquier otro etiquetador probabilístico, adquiere las reglas de contexto automáticamente, su coste espacial es muy inferior al de los etiquetadores probabilísticos y el número de reglas sensiblemente inferior al de los etiquetadores lingüísticos.

El etiquetador actúa en tres etapas. En la primera etapa, cada palabra es etiquetada, independientemente de su contexto, con la etiqueta más probable, se trata, pues, de un etiquetador léxico. En la segunda etapa el sistema trata de asignar etiquetas plausibles a las palabras desconocidas. Un pequeño número de reglas bastante simples se encarga de esta tarea (el tipo de información que manejan estas reglas no va más allá de examinar la terminación de las palabras o un contexto muy local). Finalmente actúan, en la tercera etapa, una serie de reglas contextuales que modifican la secuencia inicial de etiquetas. Las reglas de contexto son extremadamente simples. Por ejemplo,

A B PREVTAG C (12)

establece que la etiqueta *A* deberá cambiarse a *B* en el caso de que la palabra anterior esté etiquetada con *C*. Los parámetros de los tres módulos se adquieren mediante aprendizaje supervisado. El de los dos primeros es totalmente convencional. El del tercero presenta algún interés adicional.

Se parte de un paquete de patrones genéricos (como el de (12) si consideramos *A, B, C* como parámetros de la regla) cuya instanciación (dar a *A, B, C* valores concretos) dará lugar a las reglas de contexto específicas. Se parte de un conjunto inicialmente vacío de reglas de contexto. Se dispone de un corpus supervisado. Se aplican al corpus los dos primeros pasos del algoritmo recogiéndose un conjunto de errores en forma de tuplas <*A,B,n*> donde *A* es la etiqueta incorrecta, *B* la correcta y *n* el número de veces que el error ocurre. Para cada tupla se examina qué posible instanciación de uno de los patrones produciría una mayor disminución de la tasa de error. Se añade esta regla instanciada al conjunto de reglas de contexto y se itera el proceso hasta que el número de errores cae por debajo de un umbral.

El problema básico con este tipo de enfoques es la lentitud del proceso de etiquetado (no del de aprendizaje) debido a la necesidad de aplicar en cada caso un número potencialmente alto de reglas.

En Roche y Schabes (1994) se propone una mejora del método. Las reglas se obtienen de forma similar a la descrita. Posteriormente el conjunto de reglas se precompila dando lugar a una estructura de transductor de estados finitos que es la que realmente actúa durante el proceso de etiquetado.

3. Análisis sintáctico

3.1. Introducción

Los modelos descritos en la sección "Etiquetado de textos" son adecuados para lograr un etiquetado gramatical de grandes cantidades de texto no restringido y, como indicamos en la sección "Introducción", útiles para algunas aplicaciones del LN. Es evidente, sin embargo, que para otras aplicaciones, entre las que señalamos todas las que suponen un nivel apreciable de comprensión del texto, el nivel de información logrado es claramente insuficiente.

Para lograr una interpretación semántica adecuada a partir de un análisis sintáctico apropiado, el análisis debe representar las relaciones sintácticas que existen entre los diferentes constituyentes del texto de entrada. Por otra parte, el análisis debe basarse en una teoría lingüística bien formada, de forma que las estructuras sintácticas resultantes sean completamente predecibles. En el estado actual de la tecnología del tratamiento del LN, las dos grandes direcciones en que se sitúan estos formalismos son 1) Las gramáticas de contexto libre, posiblemente extendidas para admitir ciertos elementos de gestión de la contextualidad (básicamente de procedimiento) y 2) las gramáticas de unificación, en sus diferentes formulaciones.

Por supuesto, para lograr una cobertura suficiente en el análisis de grandes cantidades de textos no restringidos el primer elemento necesario es una gramática de amplio espectro. Existen varias en la actualidad, todas ellas para la lengua inglesa. Las más importantes son las desarrolladas en los proyectos *Alvey* (ANLT, *Alvey Natural Language Tools*) (Grover *et al.*, 1989), CLE (gramática CLARE) (Alsawhi, 1992) y TOSCA (gramática de afijos) (Oostdijk, 1991). Otros ejemplos pueden encontrarse en Carroll (1993). Todos estos sistemas proporcionan resultados apreciables pero presentan varias limitaciones. J. Carroll señala al respecto:

- La dificultad de seleccionar las unidades que se deben analizar cuando nos enfrentamos a textos no restringidos, es decir, la dificultad de fragmentar el texto en unidades analizables.
- La dificultad de decidir cuál es el análisis correcto cuando el analizador sintáctico proporciona un gran número de análisis sintácticamente correctos.
- El problema de adaptar una gramática general a un corpus específico
- El problema de obtener análisis plausibles fuera del ámbito de cobertura de la gramática.

No parece haber, en el estado actual de la tecnología, otra alternativa para abordar estos problemas que la utilización de métodos estadísticos.

La aplicación de modelos estadísticos, tanto al proceso total del análisis sintáctico, caso de las gramáticas probabilísticas de contexto libre, como a determinadas decisiones del proceso de análisis, caso de los analizadores LR probabilísticos, o los analizadores que incorporan modelos probabilísticos a determinadas tareas como la asignación de grupos preposicionales, adopta formas muy diferentes. El modelo más extendido es, por supuesto, el de las gramáticas de contexto libre probabilísticas a las que dedicamos la sección "Gramáticas de Contexto Libre Probabilísticas". La sección "El aprendizaje de las GCLP. Inducción gramatical" trata de los problemas de aprendizaje de estas gramáticas y el tema de la inducción gramatical. Algunos de los restantes modelos serán descritos en las secciones "Otros Analizadores probabilíticos" y "Analizadores para el tratamiento de corpus no restringidos".

3.2. Gramáticas Probabilísticas de Contexto Libre

Una gramática probabilística de contexto libre (GCLP) es una gramática de contexto libre (GCL) a la que se han asociado probabilidades a sus reglas. Es habitual imponer, además, la restricción de que la suma de probabilidades de todas las reglas que expandan cada una de las categorías no terminales de la gramática sea igual a 1. En principio cualquiera de los algoritmos de análisis aplicables a una GCL puede aplicarse a una GCLP. El resultado del análisis es, en uno y otro caso, un árbol (en general un bosque) de derivación. El uso de las probabilidades de las reglas puede limitarse a su utilización heurística para guiar el proceso de análisis. Veamos, sin embargo, que las GCLP nos permiten ir algo más allá.

En primer lugar cabrá definir la probabilidad de una derivación (es decir, de un árbol de análisis). Parece claro que la forma más sencilla de calcularla es multiplicando las probabilidades de todas las reescrituras que se realizan en el proceso de derivación. El siguiente paso será el de calcular la probabilidad de una oración que sea gramatical. Podemos suponer que es la suma de las probabilidades de las diferentes derivaciones que conducen a dicha oración. Por supuesto una forma simple de calcularla es la de generar todos los posibles árboles de análisis, calcular las probabilidades de cada uno de ellos y sumarlas. Ahora bien, el número de árboles de derivación posibles crece exponencialmente con la longitud de la frase objeto de análisis.[6] Es pues necesario disponer de algún otro procedimiento que nos permita calcular la probabilidad total de una oración.

Otro problema que deberemos abordar es el de la obtención del árbol de análisis más probable, obviamente sin tener que generarlos todos, o los *k* árboles de análisis más probables. Hemos de tener en cuenta que al usar GCLP podemos permitirnos extender la gramática fuera de su cobertura original, asignando probabilidades pequeñas a las reglas que permiten esa extensión. En esas circunstancias, para la mayor parte de las aplicaciones, nos bastará con tratar los *k* árboles de análisis más probables (con *k* a menudo reducido a 1).

El último problema que debemos abordar es el del aprendizaje de las probabilidades. A menudo la construcción del núcleo GCL de la gramática se lleva a cabo utilizando conocimiento lingüístico. Es inviable hacer lo propio con las probabilidades de las reglas, es decir con los parámetros del modelo del lenguaje.

Afortunadamente podemos resolver los tres problemas simplemente extendiendo los métodos que para resolver los problemas equivalentes en las HMMs presentamos en la sección "Modelos del lenguaje más avanzados. Cadenas ocultas de Markov. Una forma de acentuar las similitudes entre las HMMs y las GCLP es considerar aquellas como gramáticas regulares probabilísticas y expresar las GCLP en forma normal de Chomsky (FNC). Recordemos que en forma normal de Chomsky las únicas reglas admisibles son las de un solo elemento, del tipo $A_p \longrightarrow b_m$, y las binarias, del tipo $A_p \longrightarrow A_q A_r$, donde A_p, A_q y A_r son no terminales y b_m es un terminal.

Respecto al primero de los problemas, el cálculo de la probabilidad total asociada a una cadena de palabras, el equivalente a las probabilidades *forward* y *backward* utilizadas allí son aquí las probabilidades *inside* y *outside*. La probabilidad *inside*, $\beta_j(k,l) = p(A_j \overset{*}{\Rightarrow} w_{k+1},\ldots w_l) = p(w_{k,l} / A_j)$, es decir, la probabilidad de la subcadena de palabras $w_{k+1},\ldots w_l$ subsumida por el no terminal A_j. La

6. En Briscoe (1994) se presenta un ejemplo excelente de hasta donde puede llegar este problema. Briscoe analiza la definición de *"youth hostel"* que aparece en el diccionario *Longmans Dictionary of Contemporary English.* Se trata de una definición de 31 palabras. Para ello utiliza el analizador, gramática y lexicón de *Alvey Natural Language Tools* obteniendo 2500 análisis distintos, obviamente correctos respecto a la gramática.

probabilidad *outside*, por su parte, puede definirse como $\alpha_j(k,l) = p(A_1 \xrightarrow{*} w_1...w_k A_j w_{k+1},...w_n)$, es decir, la probabilidad de subsumir desde el símbolo inicial de la gramática toda la secuencia de palabras excepto la subsumida por el no terminal entre las palabras $w_{k+1},...w_l$. En la figura 4 podemos ver una imagen gráfica del alcance de estas probabilidades. Por supuesto, la solución que buscamos es $\beta_1(1,n)$, es decir, la probabilidad de que desde la categoría no terminal A_1, axioma de nuestra gramática, derivemos toda la oración. Todo consiste, pues, en calcular las probabilidades $\beta_j(k,l)$ de una forma eficiente. Para calcular $\beta_j(k,l)$ el algoritmo procede por inducción a partir del caso $l = k+1$, es decir para fragmentos de longitud 1, y para valores crecientes de $l-k$. El proceso se repetirá para todos los valores posibles de k, desde 1 a n. El primer paso de la inducción corresponde a la aplicación de las reglas de la gramática de un solo elemento, es decir, para la palabra w_{k+1} buscamos todas las reglas de este tipo y para cada una de ellas calculamos $\beta_j(k,k+1) = p(A_j \rightarrow w_{k+1})$.

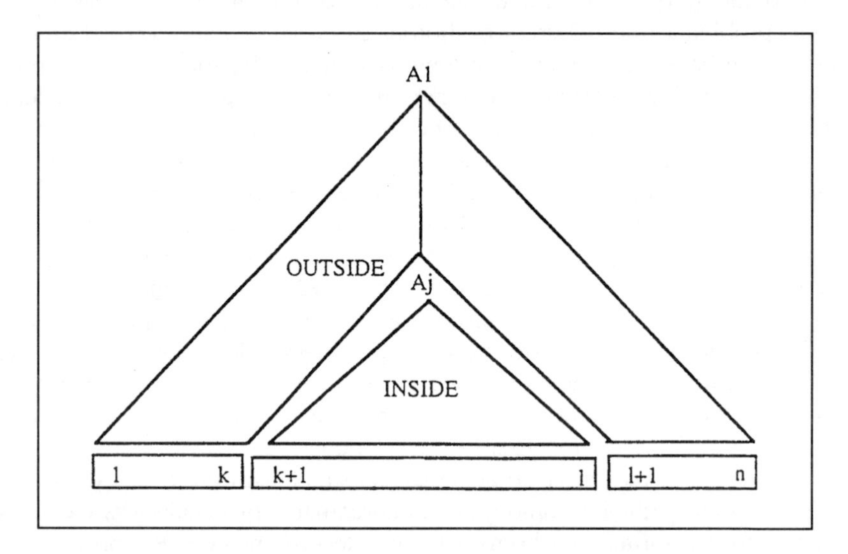

Figura 4. Las probabilidades *inside* y *outside*.

El algoritmo procede, a continuación, a tratar fragmentos cada vez más largos iterando en cada paso sobre todas las formas posibles de descomposición. A partir de aquí las reglas que se apliquen serán las binarias. Así, para cada regla del tipo $A_p \rightarrow A_q A_r$, consideraríamos todas las formas posibles de cortar el fragmento que se trata (desde w_{k+1} a w_l). El algoritmo resultante tiene un coste cúbico con la cadena de palabras para analizar. Es fácil notar la similitud de este algoritmo con el conocido CKY para analizar utilizando una gramática en FNC. Detalles del algoritmo, así como una extensión del mismo eliminando la restricción de usar la gramática en FNC se puede encontrar en Charniak (1993). El segundo problema, la obtención del árbol de análisis más probable, se puede resolver utilizando el algoritmo de Viterbi que sigue a grandes rasgos el mismo razonamiento.

3.3. El aprendizaje de las GCLP. Inducción gramatical

Por último, cabe abordar el problema del aprendizaje. Una vez más nos encontramos ante la alternativa de utilizar aprendizaje supervisado o no supervisado. El problema para utilizar el primero reside en la necesidad de disponer de corpus analizado sintácticamente con un nivel de granularidad y etiquetado compatibles con la gramática a la que tratamos de asignar probabilidades. Existen varios corpus etiquetados sintácticamente (en Souter y Atwell, 1994 se describen algunos). El problema es que en la mayoría de los casos el tamaño es pequeño (del orden de las 100.000 palabras). El único corpus anotado sintácticamente, de uso público y gran tamaño es el *Penn Treebank* (3 millones de palabras) que presenta el problema de utilizar un conjunto de etiquetas pequeño.

Hay que recurrir, pues, al aprendizaje no supervisado. El algoritmo básico en este caso es el conocido como *Inside/Outside*. Se trata de una extensión del algoritmo de Baum-Welch usado para el aprendizaje de HMMs. Como allí, se procede por reestimación de los parámetros del modelo, calculando en cada iteración las matrices que corresponden a las probabilidades *inside* y *outside*, que definimos en 3.2., y repitiendo el proceso hasta lograr la convergencia. Como allí, existe el riesgo de convergencia hacia un máximo local. Los problemas a que allí aludíamos, debido a la necesidad de tratar todo el corpus en cada iteración se agravan aquí debido al mayor coste de tratamiento (lo que para HMMs era lineal aquí es cúbico). Ello hace que sea difícil aplicar este método a gramáticas de tamaño real.

En Lari y Young (1990) se aplica el algoritmo *inside/outside* a varios lenguajes artificiales simples obteniéndose resultados interesantes. Una extensión natural de estos experimentos es la utilización del algoritmo para realizar inducción gramatical. La idea es definir un conjunto fijo de categorías terminales y no terminales y admitir inicialmente todas las combinaciones posibles de categorías para formar las reglas. Posteriormente se aplicaría el algoritmo de reestimación y se desecharían todas las reglas (la mayoría) con probabilidad nula, es decir las que no tuvieran realización en el corpus de aprendizaje. Existen dos problemas; el primero es que las posibles combinaciones de categorías para formar una GCL son infinitas. Hemos de establecer, pues, alguna limitación adicional sobre las características de las reglas a inferir. La más obvia es la de utilizar una gramática en FNC. El segundo problema es la selección de las categorías. Las categorías terminales vienen más o menos impuestas por el corpus etiquetado que se utilice para el aprendizaje (desde un mínimo de 40 como hemos señalado). En cuanto a las categorías no terminales, lo habitual es seleccionar un número pequeño (de 10 a 15), por supuesto sin ningún significado lingüístico.

Así, Pereira y Schabes (1992) utilizan el *Wall Street Journal Corpus*, etiquetado con 48 categorías terminales y consideran 15 categorías no terminales. La gramática inicial resultante tendría 15 × 48 = 720 reglas de un solo elemento y 15 × 15 × 15 = 3.375 reglas binarias, es decir, 4095 reglas en total. Pereira y Schabes señalan que las gramáticas adquiridas mediante reestimación sobre corpus etiquetados no recogen la estructura sintagmática que asignarían las gramáticas construidas manualmente sino que tienden a parentizar elementos con gran dependencia mutua. Por eso proponen utilizar un aprendizaje semisupervisado en el cual el corpus de entrenamiento estará parcialmente parentizado (manualmente) y modifican levemente el algoritmo de forma que sólo se consideran fragmentaciones válidas a las que no atraviesan las fronteras definidas por los paréntesis del corpus de entrada. No sólo las gramáticas obtenidas son más fieles a los criterios lingüísticos, recogidos implícitamente en el corpus de aprendizaje, sino que el tiempo de proceso disminuye substancialmente. De hecho si el corpus estuviera totalmente parentizado el coste del algoritmo sería lineal. Por ello, Pereira y Schabes proponen un preproceso del corpus de entrada prescindiendo de las etiquetas sintácticas, manteniendo sólo la parentización y completando ésta hasta lograr un corpus totalmente parentizado. Utilizando como medida para evaluar el resultado el porcentaje de paréntesis compatibles con el corpus de evaluación el resultado que comunican los autores es de un 90%.

Briscoe y Waegner (1992) (vid. también Briscoe, 1994) señalan la artificiosidad de las categorías asignadas así como el coste del parentizado, o análisis, manual del corpus y proponen una solución híbrida. Concretamente proponen el uso de dos gramáticas cuya reunión produciría la gramática definitiva, una, explícita, construida manualmente siguiendo criterios lingüísticos, y otra, implícita, que se deberá inducir. Los autores proponen, además, la definición de una serie de restricciones, como principios de buena formación, que limitarían la capacidad generativa de la gramática implícita. La gramática explícita recibiría inicialmente unas probabilidades altas. De las reglas implícitas aquellas compatibles con las restricciones lingüísticas recibirían una probabilidad correspondiente al umbral inferior mientras que las incompatibles recibirían una probabilidad nula. El proceso de reestimación, idéntico al *inside/outside* se encargaría del resto.

Briscoe y Waegner describen varios experimentos realizados siguiendo esas ideas. Utilizan para las dos gramáticas la FNC y limitan el número de no terminales de ambas gramáticas. Las restricciones que imponen se derivan de la teoría de $\bar{x}$. La gramática explícita es una derivada de la ANLT. Utilizan un conjunto de 156 categorías léxicas (las de CLAWS2). Tras una serie de simplificaciones y preprocesos (recordemos que la gramática de ANLT es una GPSG, no una GCL) obtuvieron una gramática explícita de 2.316 reglas y una implícita de 7.772 reglas. El número de no terminales resultantes fue 131. Los experimentos que se describen fueron llevados a cabo sobre los corpus AP y SEC.[7] Tras 6 iteraciones del algoritmo *inside/outside* el número de reglas se redujo a 3789. La gramática explícita era capaz de analizar el 56% del corpus mientras que la combinada fue capaz de analizar el 93.5%. Waegner ha extendido con posterioridad el método de forma que sea aplicable a una gramática de unificación.

Un paso más en el proceso de inducción lo constituyen los analizadores que prescinden de la gramática. El ejemplo más relevante es el del análisis orientado por los datos (DOP, *Data Oriented Parsing*) de R.Bod (vid. Bod, 1995).

DOP se diferencia de otros enfoques estadísticos en que omite el paso de inducción de una gramática estocástica a partir de un corpus. En vez de

7. AP, *Associated Press Corpus*; SEC, *Spoken English Corpus*.

gramática, el analizador utiliza un corpus anotado con información sintáctica. DOP analiza la cadena de entrada a través de la combinación de subárboles presentes en el corpus. Consideremos, por ejemplo, un corpus que comprende los siguientes árboles:

$[_F\ [_{SN}$ Juan$]\ [_{FV}\ [_V$ quiere$]\ [_{SP}\ [_{PREP}$ a$]\ [_{SN}$ María$]]]]$ (13 a)
$[_F\ [_{SN}$ Pedro$]\ [_{FV}\ [_V$ odia$]\ [_{SP}\ [_{PREP}$ a$]\ [_{SN}$ Luisa$]]]]$ (13 b)

Para analizar "María quiere a Luisa", oración que no aparece en el corpus, se deberían combinar algunos de estos fragmentos para dar lugar a:

$[_F\ [_{SN}$ María$]\ [_{FV}\ [_V$ quiere$]\ [_{SP}\ [_{PREP}$ a$][_{SN}$ Luisa$]]]]$

Por ejemplo (existen, por supuesto otros fragmentos y formas de combinarlos),

$[_F\ [_{SN}$ *$]\ [_{FV}\ [_V$ quiere$]\ [_{SP}\ [_{PREP}$ a$][_{SN}$ *$]]]]$
$[_{SN}$ María$]$
$[_{SN}$ Luisa$]$

El primer fragmento presenta, marcadas con "*", las posiciones abiertas. Los dos primeros fragmentos se han obtenido de (13a) y el tercero de (13b). Para que el sistema trabaje como un modelo probabilístico deberemos asociar probabilidades a estos árboles. El sistema DOP se caracteriza, pues por: 1) un corpus de estructuras de árbol, cada una de las cuales tiene asignada una probabilidad y 2) un conjunto de operaciones de combinación para obtener nuevos árboles a partir de los ya existentes.

3.4. Otros analizadores probabilísticos

Hemos indicado anteriormente que las GCLP constituyen el núcleo básico de la aplicación de las técnicas estadísticas al análisis sintáctico. Existen sin embargo serias limitaciones a esos formalismos y se han desarrollado otras líneas de trabajo. Aparte del hecho obvio de que el tamaño de una GCL, sea o no probabilística, para una adecuada cobertura de corpus no restringido, ha de ser muy grande y por lo tanto el coste de desarrollo también, existen otros factores. En primer lugar, el tipo de árbol de análisis obtenido no suele contener suficiente información como para permitir el proceso posterior de interpretación semántica. Por otra parte, las CGLP no modelan en absoluto la dependencia del contexto del uso de las reglas. Carroll (1993) señala, por ejemplo, que el uso de un pronombre como sintagma nominal es claramente más probable en posición de sujeto que en cualquier otra posición sintáctica. Este hecho no queda, obviamente, recogido por el modelo.

Existen varias aproximaciones que intentan introducir aspectos contextuales en los modelos del lenguaje o bien tratan de modelizar no el lenguaje en si sino aspectos de las decisiones que debe tomar el analizador.

Así, Carroll y Charniak (vid. Charniak, 1993) se sitúan en el ámbito de las gramáticas de dependencias (de hecho imponen restricciones parecidas a las de

Briscoe y Waegner con la teoría $\bar{x}$ en la referencia ya citada). Su propuesta es la de un algoritmo inductivo para la creación de la gramática que actúa incrementalmente. Sólo se introduce una nueva regla cuando con el conjunto de reglas de que se dispone alguna de las oraciones del corpus de aprendizaje no es correctamente analizada.

Los sistemas *Pearl* (Magerman y Marcus, 1991) y *Picky* (Magerman y Weir, 1992) usan probabilidades de derivación sensibles al contexto. La idea es la de tratar de maximizar no la suma de las probabilidades de las oraciones del corpus dada una gramática, que es lo que se pretende con el algoritmo *inside/outside*, sino la probabilidad de una derivación correcta para cada una de las oraciones del corpus. En *Pearl*, por ejemplo, la probabilidad de aplicación de una regla se modela como una probabilidad condicionada al contexto en que aparece la categoría madre. Este contexto se define, a su vez, como la regla que introdujo dicha categoría como hija junto a los trigramas centrados en los puntos de derivación de dichas reglas.

Sharman *et al.* (1990) separan en un experimento, basado en la utilización de una gramática en formato ID/LP, las probabilidades asociadas a la relación de dominancia de aquellas asociadas a la precedencia.

Black *et al.* (1993) presentan un marco más general, las gramáticas basadas en la historia, para condicionar la aplicación de una regla a aspectos arbitrarios del contexto del árbol de análisis.

Mención especial merecen los intentos de aplicar métodos de análisis basados en la utilización de tablas LR a las GCLP. Ng y Tomita (1991), por ejemplo, extienden el conocido algoritmo de Tomita asociando probabilidades a los nodos del grafo que constituye el núcleo del algoritmo. Parte de su propuesta se ciñe al mantenimiento de esas probabilidades, derivadas inicialmente de las asociadas a las reglas de la gramática, frente a las operaciones que se realizan sobre el grafo. No es posible, sin embargo, utilizar un algoritmo tipo Viterbi para calcular el árbol de análisis más probable.

Carroll (1993) discute esta y otras aproximaciones y presenta, junto a T. Briscoe, una propuesta más ambiciosa (vid también Briscoe y Carroll, 1993). En su propuesta se parte de una gramática de unificación, la ANLT, a partir de la cual se construye en forma automática una GCL nuclear (*backbone grammar*) junto a un residuo que contiene las dependencias entre rasgos y valores no recogidas en la GCL. El analizador debe entonces asociar a las operaciones de reducción de la tabla LR un filtrado basado en la unificación de los rasgos contenidos en el residuo. La GCL obtenida de la ANLT contenía 575 categorías y 1750 reglas. Para esta gramática se generó automáticamente una tabla LR. El modelo probabilístico consistía en asignar probabilidades no a las reglas de la gramática sino a las entradas de la tabla LR. El modelo es, pues, más sensible al contexto. El aprendizaje en los experimentos que se describen en la propuesta fue supervisado. Los resultados obtenidos son alentadores.

3.5. Analizadores para el tratamiento de corpus no restringidos

Los niveles de precisión y cobertura conseguidos por los analizadores sintácticos de amplio espectro, sean o no probabilísticos, distan de ser suficientes para muchas aplicaciones de tratamiento del LN. Ante la dificultad de obtener análisis globales suficientemente precisos de los textos no restringidos se han adoptado dos estrategias: 1) obtener análisis globales pero superficiales, y 2) obtener análisis precisos pero locales. Se suele denominar *análisis robusto* a la familia de técnicas empleadas para lograr estos tipos de análisis. La obra de Abney (1994) es una buena referencia para introducirse en el tema.

Los analizadores superficiales suelen ser extensiones de los etiquetadores gramaticales. El texto es enriquecido no sólo con la categoría gramatical correspondiente a cada palabra sino también con una etiqueta sintáctica que indica la función sintáctica superficial (sujeto, premodificador, auxiliar, verbo principal, etc...). Las gramáticas de restricciones (CG), ya citadas, pertenecen a esta categoría.

Más interés tienen los *analizadores parciales*. El objetivo de estos analizadores es obtener información parcial, lo más completa posible, sobre las relaciones sintácticas que corresponden a fragmentos del texto. Podemos incluir aquí a los analizadores frasales, a los analizadores de coocurrencias y a los analizadores fragmentales.

Los analizadores frasales (*spotters*) tratan de reconocer frases (sintagmas nominales o preposicionales, grupos verbales, etc.) a partir de procesadores simples pero muy especializados y eficientes (máquinas de estados finitos, GCLP, reglas heurísticas, etc.). Sistemas como *NP-tool*, de Voutilainen, *Cass* de Abney, *Fastus*, de Hobbs o *Copsy* de Schwarz, son ejemplos notables de esta aproximación.

El objetivo de los analizadores de coocurrencias es la extracción de tuplas de palabras coocurrentes sintácticamente. Las diferentes aproximaciones que se siguen para realizar esta tarea difieren en la cantidad de información sintáctica que usan, desde los sistemas que no utilizan ningún tipo de información gramatical, limitándose a recoger coocurrencias en ventanas de anchura fija o variable (como el sistema XTRACT de Smadja, (Smadja, 1993) o los descritos en Calzolari y Bindi, 1990 o Church y Hanks, 1990), los que utilizan patrones sobre etiquetas gramaticales o léxicas locales (como el sistema de Brent para detectar la estructura argumental o los de Resnik o Yarowsky para reconocer los complementos locales de los verbos) o a larga distancia (como el sistema de Basili, Pazienza y Velardi) o, finalmente, los que utilizan gramáticas más completas, como las descritas en las secciones anteriores.

Los analizadores fragmentales, finalmente, utilizan una gramática completa y basan su robustez en su capacidad de proponer análisis parciales cuando no logran construir un análisis completo, omitir determinadas ligaduras cuando o se encuentra suficiente evidencia para realizarlas, etc. El conocido *Fidditch*, de Hindle, utilizado como base para la construcción del *Penn treebank*, o el MITFP, de Marcken son ejemplos interesantes de esta línea. En el MITFP se emplean varias técnicas: etiquetado probabilístico, GCL, estructuras de subcategorización verbal, etc... para lograr un análisis del LOB rápido y bastante preciso.

4. Relaciones léxicas. Extracción de información de corpus informados

El estudio de las coocurrencias entre palabras u otras unidades léxicas es uno de los puntos que más interés han despertado de entre las aplicaciones de los corpus textuales. Existe una serie de fenómenos lingüísticos que afectan al nivel léxico y que no pueden ser tratados con niveles de granularidad menos detallados; es decir, a los niveles tratados en las secciones 2 y 3. En este contexto tienen un papel relevante las restricciones de coocurrencia entre palabras o, en general, las medidas de afinidad entre palabras. La utilización de medidas de coocurrencia en campos como la desambiguación de acepciones, la extracción de restricciones selectivas, la selección léxica, la detección de expresiones idiomáticas o locuciones, la estructuración de los compuestos nominales, la detección de patrones frasales o la asignación correcta de componentes en el análisis sintáctico, como la asignación de grupos preposicionales, pone de manifiesto esta importancia.

El núcleo de estos estudios está en el concepto de información mutua, debido a Church y Hanks (1990), que es la medida más utilizada para establecer la significación de la coocurrencia. La información mutua entre dos palabras x e y, $I(x;y)$, mide la cantidad de información que una de las palabras posee de la otra. Si consideramos la fórmula habitual de la información:

$$inf(x) = -log\ p(x)$$

tendremos que:

$$I(x;y) = \inf(x) - \inf(x/y) = -\log p(x) - (-\log p(x/y)) = \log \frac{p(x,y)}{p(x)p(y)} \quad (14)$$

que es la fórmula habitual de la información mutua. Es decir, podemos tomar la I como la relación entre las probabilidades de que las dos palabras aparezcan juntas y las de aparición independiente de ambas. Fijémonos en que si no existe ninguna afinidad entre las dos palabras la probabilidad de que aparezcan juntas es simplemente el producto de las probabilidades de aparición de cada una de ellas. En ese caso la I vale 0. Por supuesto al aumentar la afinidad entre las palabras lo hará también I. Existen, naturalmente, muchas otras formas de medir la afinidad léxica. Resnik (1993) o Ribas (1995) presentan amplios resúmenes. Para un tratamiento más profundo se puede recurrir a Cover y Thomas (1991).

Un punto importante es el ámbito de coocurrencia de las palabras, es decir, a qué nos referimos cuando decimos que dos palabras aparecen juntas. Se han utilizado diferentes medidas:

- La coocurrencia entre palabras dentro de una ventana fija o variable y más o menos ancha.
- La coocurrencia dentro de una posición sintáctica.
- La coocurrencia entre clases.

Smadja (1993) selecciona los pares de palabras candidatos a partir de su frecuencia de aparición en una ventana pequeña (5 palabras a cada lado), también analiza la distancia entre las apariciones y, finalmente, aplica una serie de filtros lingüísticos para clasificar el tipo de colocación y eliminar relaciones carentes de interés.

El uso de medidas de coocurrencia entre clases de palabras y no entre palabras concretas, permite mejorar la calidad estadística de las relaciones estimadas (en general sólo existe evidencia estadística para pares de palabras muy frecuentes incluso para corpus muy grandes). La granularidad es asimismo más adecuada, pero se presenta el problema de la construcción de las clases y la asignación de palabras a las mismas. En algunos sistemas (Ribas, 1995 o Resnik, 1993) se trabaja con estructuras de clases preexistentes, *WordNet*, por ejemplo, mientras que otros, como Pereira *et al.* (1993), prefieren agrupar las palabras en clases teniendo únicamente en cuenta su comportamiento distribucional. En Calzolari y Bindi (1990) se utilizan no sólo medidas de asociación sino también de dispersión, la distribución de las dos palabras que coocurren dentro de la ventana para clasificar de manera adecuada los diferentes tipos de colocaciones.

A partir de corpus y utilizando métodos estadísticos como los descritos se pueden obtener otras informaciones lingüísticas importantes.

Así, Charniak (1993) modeliza el problema de la asignación preposicional para el caso de duda entre la complementación del verbo o de un grupo nominal en base a un modelo de la asignación (no del lenguaje) que hace depender de la preposición, del verbo y de los dos grupos nominales implicados. Si tenemos un fragmento de árbol de análisis como el siguiente:

$$[_{...} [_{verbo}] [_{sn1}] [_{sp} [_{prep}][_{sn2}]]...]$$

Es posible asignar el grupo preposicional al verbo, como argumento o adjunto oracional, o al grupo nominal *sn1* precedente. Charniak hace depender entonces la asignación del modelo $p(A/prep, verbo, sn_1, sn_2)$. Examinar el número de parámetros del modelo revela claramente la imposibilidad de adquirirlos y conduce a varias simplificaciones.[8] De hecho los sistemas que han demostrado su viabilidad reducen drásticamente este número o bien condicionando la probabilidad a menos factores o bien condicionándola a factores más generales (y por lo tanto con menor variabilidad). Un ejemplo interesante lo tenemos en Hindle y Rooth (1993), que hacen depender la decisión tan solo de las asociaciones relativas de la preposición con el verbo y con el núcleo del grupo nominal al que podría complementar.

Resnik (1993) y Ribas (1995) abordan el tema de la extracción de restricciones selectivas, es decir de las restricciones semánticas que un verbo impone a sus argumentos. En ambos casos se utiliza para el aprendizaje un corpus etiquetado sintácticamente y una taxonomía externa, *WordNet*, para la asignación de las categorías semánticas.

En Ribas (1995) y Rigau (1996) se presentan otros ejemplos importantes de extracción de información lingüística a partir de corpus utilizando métodos estadísticos.

8. Aún identificando los grupos nominales con sus núcleos el número de parámetros es enorme. Basta considerar el número de nombres, verbos y preposiciones que pueden aparecer en un corpus para tener una idea de la magnitud del problema.

5. Desambiguación semántica

La desambiguación de acepciones (WSD, *Word Sense Disambiguation*) es uno de los mayores problemas que se presenta a cualquier sistema de tratamiento del LN.[9] El problema consiste en elegir la acepción correcta de una palabra dado el contexto en que se enuncia. Tradicionalmente el problema se aborda estrechando el dominio semántico de la aplicación para disminuir el número de acepciones permitidas pero esta solución no es, por supuesto, aplicable al tratamiento de textos no restringidos.

Existen varias aproximaciones posibles (vid. RIBAS, 1995, RIGAU, 1996 o GUTHRIE *et al.*, 1994). Podemos clasificarlas desde varios puntos de vista:

- granularidad de las acepciones consideradas, es decir, qué etiquetas semánticas se van a utilizar y cuántas.
- origen del conocimiento utilizado para desambiguar.
- tipo de conocimiento utilizado para desambiguar.
- técnicas empleadas para seleccionar la acepción más plausible, dado el contexto.

En cuanto a la granularidad de las etiquetas, se han utilizado varios sistemas que van desde los de granularidad muy fina, considerar como acepciones posibles de una palabra las que aparecen en un diccionario o en un lexicón (*Longmans Dictionary of Contemporary English* o *WordNet* han sido muy utilizados como referencias), a los de granularidad grosera, como utilizar las categorías semánticas de los niveles altos de una taxonomía (por ejemplo los niveles altos de *WordNet* o las categorías del *Roget's Thesaurus*). Entre estos dos extremos se encuentran sistemas con un número medio de categorías, fruto de la eliminación de acepciones poco frecuentes o usadas sólo en entornos geográficos o temáticos restringidos, o de la fusión de acepciones cuya distinción es poco relevante.

Respecto al origen del conocimiento utilizado para desambiguar, existen sistemas que incorporan manualmente este conocimiento, otros lo extraen de MRDs y otros, finalmente, lo extraen de corpus. El ejemplo, ya citado de *WordNet* responde a la primera forma de adquisición. Muchos sistemas utilizan como fuente diccionarios para uso humano o lexicones computacionales (por ejemplo estableciendo un contexto local de las posibles acepciones mediante las correspondientes definiciones del diccionario). Por supuesto, el tipo de conocimiento utilizado dependerá de la información existente en el diccionario y de la facilidad de su extracción. Entre otra información potencialmente útil citaríamos la definición, el término genérico, las colocaciones, el registro, uso, código temático, etc... En cuanto a la utilización de corpus como fuente de conocimiento, es claro que la información aparece en los corpus en forma mucho menos estructurada que en los diccionarios. El tipo de información a utilizar se referirá en este caso a frecuencias y probabilidades léxicas, colocaciones, medidas de afinidad entre palabras, *bigrams*, *trigrams*, etc...

9. La conocida ley de Zipf indica además que cuanto más frecuente es una palabra más polisémica es.

En cuanto a las técnicas de desambiguación podemos considerar tres grandes clases: las que no utilizan contexto alguno, las que utilizan un contexto local para la desambiguación y las que utilizan un contexto global.

Las aproximaciones más simples ignoran simplemente el contexto y seleccionan la acepción más probable. Es necesario, por supuesto, conocer esta probabilidad (que no figura en los diccionarios) y los medios de lograrlo responden a las mismas técnicas que ya hemos expuesto. Es necesario disponer de un corpus etiquetado con acepciones para llevar a cabo un aprendizaje supervisado (no parece aplicable aquí un método de aprendizaje no supervisado). Gale *et al.* (1992) lo logran utilizando un corpus bilingüe y obtienen un grado de precisión del 75% al desambiguar. Miller *et al.* (1994) utilizan el *SemCor* (parte del *Brown Corpus* etiquetado con acepciones de *WordNet*) y obtienen una precisión del 70%.

Otra familia de aproximaciones trata de seleccionar la acepción más apropiada considerando un contexto global (el texto o el párrafo). El sistema más conocido es Yarowsky (1992), que utiliza un contexto de 100 palabras a cada lado de la palabra cuya acepción debemos seleccionar. Yarowsky utiliza las categorías del *Roget's Thesaurus* como etiquetas (unas 1.000) y efectúa un aprendizaje no supervisado a partir de un corpus de 10 millones de palabras. El resultado, 90% de precisión, es bueno aunque hay que tener en cuenta para compararlo con los anteriores que la granularidad de las acepciones es baja en relación con *WordNet* o con cualquier diccionario.

Otros autores utilizan únicamente un contexto local (orden de las palabras, colocaciones). La hipótesis de esta aproximación es debida a Yarowsky ("una acepción por colocación"). Los diferentes sistemas que siguen esta aproximación difieren en cuanto a 1) los rasgos que deben tenerse en cuenta: morfología, palabras adyacentes, categoría de las palabras adyacentes, relaciones sintácticas, etc. 2) la forma de combinar estos rasgos: utilizar sólo el óptimo, construir árboles de decisión como discriminadores, etc. 3) la forma de calcular el peso de cada uno de estos rasgos y 4) el aprendizaje de los discriminadores.

6. Conclusiones

Hemos presentado en este capítulo las principales técnicas estadísticas aplicables al tratamiento del LN y las principales áreas de aplicación de dichas técnicas. La motivación del uso de técnicas estadísticas se derivaba de la existencia de una serie de problemas que no podían ser resueltos simplemente utilizando conocimiento lingüístico y de la existencia de recursos léxicos, básicamente diccionarios y corpus, suficientes para servir de base a la aplicación de dichas técnicas.

A lo largo del capítulo se han descrito 4 grandes áreas de aplicación: la desambiguación gramatical, el análisis sintáctico, la afinidad entre palabras y la desambiguación de acepciones. Se han presentado en cada caso los métodos de tratamiento estadístico más usados y, en caso de existir, los métodos híbridos que combinan aquellos con los sistemas convencionales basados en conocimiento lingüístico.

En buena parte de los temas indicados existe actualmente un nivel muy alto de investigación lo que parece augurar un auge de los mismos en los próximos años. A modo de conclusión quisiera resaltar el éxito creciente de los métodos híbridos (lo que es una constante en buena parte de los desarrollos actuales de la Inteligencia Artificial): no parece que una utilización ciega de los métodos estadísticos sea la solución perfecta pero tampoco los métodos lingüísticos parecen ser capaces de resolver los problemas que el tratamiento del LN plantea actualmente. Una actuación cooperativa de sistemas que integren el conocimiento lingüístico con el aportado por fuentes empíricas, a través de un tratamiento estadístico, parece ser el enfoque adecuado.

Referencias bibliográficas

ABNEY, S. (1994), "Partial Parsing" Tutorial ANLP 1994 (Stuttgart).

ALSHAWI, H. (ed.) (1992), *The Core Language Engine* MIT Press.

ATKINS, S., CLEAR, J., OSTLER, N. (1992), "Corpus Design Criteria", *Literary and Linguistic Computing*, 7, pp. 1-16.

BLACK, E., JELINEK, F., LAFFERTY, J., MAGERMAN, D., MERCER, R., ROUKOS, S. (1993), "Towards History-based Grammars: Using richer models for probabilistic parsing", *Actas de ACL.*

BOD, R. (1995), *Enriching Linguistics with Statistics: Performance Models of Natural Language*, ILLC Dissertation series, Universidad de Amsterdam.

BRILL, E. (1992), "A simple rule-based part of speech tagger", *Actas de ANLP-92.*

BRISCOE, T. (1994), "Prospects for practical parsing of unrestricted text: Robust statistical parsing techniques", en DOSTDYK, N. - P.DE HAAN, P. (eds.) *Corpus-based Research into Language*, Rodopi.

BRISCOE, T., CARROLL, J. (1993), "Generalised Probabilistic LR parsing of NL (corpora) with unification-based grammars", *Computational Linguistics*, 19 (1), pp. 25-59.

BRISCOE, T., WAEGNER, N. (1992), "Robust stochastic parsing using the inside-outside algorithm", *Actas AAAI workshop on statistically-based NLP techniques.*

CALZOLARI, N., BINDI, R. (1990), "Acquisition of Lexical Information from a Large Textual Italian Corpus", *Proceedings of the International Conference on Computational Linguistics 1990.*

CARROLL, J. (1993), *Practical Unification-based parsing of NL*, PHD Thesis, University of Cambridge, Tech. report num. 314.

CASTELLÓN, I. (1993), *Lexicografía Computacional: Adquisición Automática de Conocimiento Léxico*, Tesis Doctoral, Universidad de Barcelona.

CHARNIAK, E. (1993), *Statistical Language Learning*, Cambridge, Massachusetts: The MIT Press.

CHURCH, K., HANKS, P. (1990), "Word Association Norms, Mutual Information and Lexicography", *Computational Linguistics*, 16, 1.

COVER, T. M., THOMAS, J. A. (1991), *Elements of Information Theory*, John Wiley.

COWIE, J., GUTHRIE, J., GUTHRIE, L. (1992), "Lexical Disambiguation Using Simulated Annealing", *Proceedings of the International Conference on Computational Linguistics-1992,* Nantes, pp. 359-365.

CUTTING, D., KUPIEC, J., PEDERSEN, J., SIBUN, P. (1992), "A practical part-of-speech tagger", *Proceedings of the Applied Natural Language Procesing Conference 92.*

DUNNING, T. (1993), "Accurate methods for the statistics of surprise and coincidence", *Computational Linguistics*, 19, 1, pp. 61-74.

ELWORTHY, D. (1993), "Part of speech tagging", *Acquilex II WP Num. 10*, University of Cambridge.

FRANCIS, W., KUCERA, H. (1982), *Frequency Analysis of English Usage*, Boston, Massachusetts: Hougton Mifflin Company.

GALE, W. M., CHURCH, K. W., YAROWSKY, D. (1992), "Estimating Upper and Lower Bounds on the Performance of Word-Sense Disambiguation", *Actas de ACL 1992.*

GARSIDE, R., LEECH, G., SAMPSON, G. (1987), *The computational Analysis of English*, Longman.

GRISHMAN, R., MACLEOD, C., MEYERS, A. (1994), "Comlex syntax: building a computational lexicon", *Actas de 15th Annual Meeting of the Association for Computational Linguistics. (Coling'94)*, Kyoto, pp. 268-272.

GROVER, BRISCOE, CARROLL, BOGURAEV (1989), "The Alvey Natural Language Tools Grammars", Univ. Cambridge Computer Laboratory. Tech. Report 162, Cambridge.

GUTHRIE, L., GUTHRIE, J., COWIE, J. (1994), "Resolving Lexical Ambiguity", en OOSTDIJK, DE HAAN (eds.), *Corpus-based research into language.* Amsterdam: Rodopi.

HINDLE D., ROOTH M. (1993), "Structural ambiguity and lexical relations", *Computational Linguistics*, 19 (1), 103-120.

INSTITUTO CERVANTES (1996), *Informe sobre recursos lingüísticos para el español (II).*

KARLSSON, F. - VOUTILAINEN, A. - HEIKKILÄ, J. - ANTTILA, A. (1993) (eds.), *Constraint grammar: A language-independent system for parsing unrestricted text*, Mouton de Gruyter.

KARLSSON, F. (1994), "Robust parsing of unconstrained text" en OOSTDIJK - DE HAAN (eds.), *Corpus-based research into language*, Amsterdam: Rodopi.

KUPIEC, J. (1992), "Robust part-of-speech tagging using a hidden Markov model", *Computer Speech and Language*, 6.

LARI, K. - YOUNG, S. J. (1990), "The estimation of stochastic context-free grammars using the inside-outside algorithm", *Computer Speech and Language*, 4.

LENAT, D. (1995), "Steps to Sharing Knowledge", en MARS, N. (ed.), *Towards Very Large Knowledge Bases*, IOS Press.

MAGERMAN, D. M. - MARCUS, M. (1991), "Pearl: A probabilistic chart parser", *Proceedings of the Conference European chapter of the ACL.*

MAGERMAN, D. - WEIR, C. (1992), "Probabilistic Prediction and Picky Chart Parsing", *Proceedings of DARPA Speech and Natural Language workshop-92.*

MARCUS M. - SANTORINI B. - MARCINKIEWICZ M. (1993), "Building a large annotated corpus of english: The Penn Treebank", *Computational Linguistics*, 19 (1).

MARCUS, M. - KIM, G. - MARCINKIEWICZ, M. - MACINTYRE, R. - BIES, A. - FERGUSON, M. - KATZ, K. - SCHASBERGER, B. (1994), "The Penn Treebank: Annotating predicate argument structure*", Proceedings of ARPA Workshop on Human Language Technology.*

MILLER, G.A., CHODOROW, M., LANDES, S., LEACOCK, C., THOMAS, R.G. (1994), "Using a Semantic Concordance for Sense Identification", *Proceedings of ARPA Workshop on Human Language Technology-1994.*

NG, S.K. - TOMITA, M. (1991), "Probabilistic LR parsing for general context-free grammars", *2nd Proceedings of the International Workshop on Parsing Technologies 1991.*

OOSTDIJK, N. (1991), *Corpus Linguistics and the automatic analysis of English*, Amsterdam: Rodopi.

PADRÓ, L. (1996), "POS Tagging using relaxation labelling", *Proceedings of the International Conference on Computational Linguistics-1996.*

PEREIRA, F. - SHABES, Y. (1992), "Inside-Outside reestimation from partially bracketed corpora", *Proceedings of the Annual Conference of ACL (1992).*

PEREIRA, F. - TISHBY, N. - LEE, L. (1993), "Distributional clustering of English words", *Proceedings of the Annual Conference of ACL 1993.*

RESNIK, PH. (1993), *Selection and information: a class-based approach to lexical relationship*, PHD thesis, U. Pensylvania.

RIBAS, F. (1995), *On acquiring Appropriate Selectional Restrictions from Corpora Using a Semantic Taxonomy*, PHD thesis, Universitat Politècnica Catalunya.

RIGAU, G. (1995), *Automatic Acquisition of Lexical Knowledge from MRDs*, PHD thesis, Universitat Politècnica Catalunya.

ROCHE, E. - SCHABES, Y. (1994), *Deterministic part-of-speech tagging with finite-state transducers* TR-94-07, Cambridge, USA: Mitsubishi Electric Research Laboratories.

SCHABES, Y. (1994), "Statistical versus Rule-Based Methods for Text Analysis", *Tutorial. European Summer School on Language and Speech Communication*, OTS, Universidad de Utrecht.

SCHMID, H. (1994), "Part of Speech Tagging with Neural Networks", *Proceedings of The International Conference on Computational Linguistics-1994.*

SESTITO, S.- DILLON, T. S. (1994), *Automated Knowledge Acquisition*, Prentice Hall.

SHARMAN , R. - JELINEK, F. - MERCER, R. (1990), "Generating a grammar for statistical training", *Proceedings of DARPA Speech and Natural Language Workshop.*

SMADJA, F. (1993), "Retrieving collocations from text: Xtract", *Computational Linguistics*, 19, 1.

SOUTER, C. - ATWELL, E. (1994), "Using parsed corpora: a review of current practice", en OOSTDIJK - DE HAAN (eds), *Corpus-based research into language*, Amsterdam: Rodopi.

VOUTILAINEN, A. (1995), "A syntax-based part-of-speech analizer", *Proceedings of the Conference European chapter of the ACL.*

VOSSEN, P. (1995), *Grammatical and Conceptual Individuation in the Lexicon*, Ph. Thesis, Amsterdam: Universiteit vam Amsterdam.

YAROWSKY, D. (1992), "Word-Sense Disambiguation Using Statistical Models of Roget's Categories Trained on Large Corpora", *Proceedings of The International Conference on Computational Linguistics-1992*, Nantes.

FILOLOGÍA DEL SIGLO XXI

El número de herramientas informáticas que se pueden aplicar a los estudios filológicos crece día a día y su capacidad de ofrecer resultados se va ampliando constantemente. Esto genera la necesidad de crear plataformas informáticas que pongan a disposición de los investigadores la mayor cantidad posible de materiales. Sólo cuando se dispone de un buen conjunto de datos y herramientas, se puede empezar a analizar los textos y a obtener informaciones imposibles de lograr sin estos medios.

En el primer capítulo de este apartado José Antonio Millán presenta la estación lexicográfica creada para el trabajo con la edición electrónica del DRAE, la cual controla la corrección del texto, la creación de enlaces hipertextuales al servicio de las remisiones internas y su etiquetado. En el segundo capítulo, Manuela Sassi expone la técnica usada para el análisis de todo el corpus de la obra de Santa Teresa de Jesús y también se explica el proyecto de compilación electrónica de un corpus formado por las Constituciones Iberoamericanas vigentes. En el tercer capítulo, Charles B. Faulhaber debate la experiencia del uso de los recursos de las redes informáticas para realizar un curso de catalán medieval con medios virtuales en tres universidades al mismo tiempo, una experiencia que abre múltiples posibilidades al mundo de la enseñanza a distancia. El último capítulo de esta sección, elaborado por Mª Morrás, presenta un panorama amplio, profundo y crítico de las aplicaciones informáticas a la crítica textual en los últimos cincuenta años.

JOSÉ ANTONIO MILLÁN
Editor digital

Estaciones filológicas

Introducción

1. En el gabinete

Una de las fotografías más conocidas del autor del *Oxford English Dictionary*, James Murray, lo muestra de pie en una habitación de paredes cubiertas por ficheros repletos.[1] En una mano mantiene un libro abierto y en la otra una ficha. La mirada de Murray parece suspendida en algún punto entre la página del libro, la ficha que tiene ante él y los numerosos cajones de la pared. En un rincón se apilan unos montones de hojas, al parecer divididas en grupos; a un lado esperan una silla y un escritorio.

Como alegoría, no está nada mal: las tareas del lexicógrafo de A.D. (antes de la digitalización) se llevaban a cabo mediante fichas. En fichas solían estar las fuentes (el corpus que servía para delimitar las acepciones y para dotar de ejemplos a las definiciones), en fichas la redacción de las mismas definiciones, y al final la misma obra quedaba constituida por una sucesión de fichas, que sólo perdían este carácter al llegar a la imprenta.

El humilde artificio de la *ordenación alfabética* ha sido durante siglos la clave del almacenamiento de la información textual y del sistema de recuperación. La gestión informativa se sirve de punteros transitorios (como ese dedo índice con el que Murray señala una página del libro) o diversas localizaciones físicas para distintas partes o diferentes estadios de elaboración (los ficheros, los montones de hojas). En medio de su fábrica de la memoria, el lexicógrafo localiza, consulta, reelabora, coteja y, finalmente, da por bueno.

2. Propósito

En el curso de los últimos años, y debido a mis tareas editoriales, me ha cabido diseñar, llevar a la fase de prototipo o completar felizmente diversas modalidades de estación filológica o similar (respectivamente Millán, 1994; Russell y Millán, 1991 y Bosque, Rivero y Millán, 1995). Asimismo, y para el desarrollo de la versión electrónica en CD-ROM del *Diccionario de la Lengua* (Millán y Millán, 1995) hubo que crear una suerte de estación lexicográfica. Toda

1. Sirve de frontispicio a la biografía escrita por su nieta (Murray, 1978).

esta experiencia, más la consulta de fuentes bibliográficas, es la que va a cristalizar en este capítulo.

Desde el punto de vista expositivo, temas como el presente plantean un dilema. Una posibilidad es tratar en extenso productos y técnicas existentes, pero ello condenaría a la exposición a convertirse en una serie de resúmenes de manuales de programas y técnicas que, además, son muy transitorios. La otra es procurar deducir de algunos de los productos existentes tendencias y procedimientos generales que los sucesivos estadios de la técnica irán traduciendo en soluciones prácticas. He creído preferible utilizar esta segunda vía.

La primera redacción de este capítulo se cerró en febrero de 1997. Desde entonces, me he limitado exclusivamente a poner al día alguna dirección de la Malla Mundial.

3. Agradecimientos

Agradezco a Willard McCarty, del *Center for Computing in the Humanities* de la *University of Toronto*, Canadá, el apoyo dado en bibliografía y sugerencias, así como el permiso para utilizar la biblioteca de su centro. A Claire Smith, su eficaz bibliotecaria, el apoyo *in situ* para trabajar con materiales con frecuencia difíciles. A John Bradley, su temprana introducción a la Web. A Julio Ortega, su invitación a la *Brown University* (Providence, Estados Unidos), donde tengo que destacar la acogida de Robert Coover, y la introducción al hipertexto que me hizo Bob Arellano. Luis Íñigo Madrigal, de la *Université de Géneve*, me invitó a exponer temas presentes aquí. Con José Manuel Blecua, José Antonio Pascual, Stephen Russell y Rafael Millán he discutido muchas veces muchos de estos asuntos, hasta horas muy avanzadas.

A) Estaciones en teoría

En la actualidad todo el entorno de trabajo del especialista en filología puede ser informático (tal vez con contados saltos al papel). El lugar físico y virtual de estas elaboraciones se llama en inglés *workstation*, que en nuestra lengua se suele calcar como “estación de trabajo”, o sencillamente “estación” (así, “estación lexicográfica, filológica”), aunque quizás aún estuviéramos a tiempo de especializar alguno de nuestros términos casi desusados para este fin (¿qué tal “pupitre lexicográfico”?).

Puestos a definir, podríamos aventurar lo siguiente: una *estación de trabajo filológica* es un entorno informático diseñado para el propósito de manejar textos aislados o en conjunto, y que contiene 1) los *datos*, 2) las *herramientas* para su utilización y 3) la *plataforma de desarrollo* de la obra resultante, 4) todo ello de un modo *integrado* y con un *interfaz* adecuada. Intentaré esbozar de la forma más simple posible los elementos constituyentes de una estación típica, para acto seguido recorrerlos detenidamente:

1. Datos
    1.1. Textos electrónicos
    1.2. Imágenes
2. Herramientas para trabajo con los datos

2.1. Programas de trabajo textual
  2.1.1. Formal
  2.1.2. Conceptual
2.2. Programas de trabajo con imágenes
2.3. Obras de estudio y consulta
3. Plataforma de desarrollo de nuevas obras
  3.1. Herramientas de proceso de textos
  3.2. Herramientas auxiliares
4. Integración e interfaz

1. Datos

La presentación electrónica intenta crear tanto una experiencia *vicaria* de la obra como una experiencia *extendida* (es decir, se propone o bien sustituirla, o bien ir más allá de lo que permite en su forma tradicional). Sin llegar a los extremos de aprovechamiento de la tecnología sexual de la realidad virtual para restituir el conjunto sensorial de un manuscrito (como parece añorar McGillivray, 1993), la presentación electrónica se propone un sustituto de trabajo para el investigador que no dispone del original, y una plataforma extendida aun para quienes estan en contacto con él.

1.1. Textos electrónicos

Transcripción

Lo más deseable es que un texto se presente en la transcripción más completa y con el máximo nivel de etiquetado (aunque a continuación veremos qué puede querer decir esto). Un texto electrónico —por ejemplo de una obra de nuestro Siglo de Oro— en el que se ha realizado regularización ortográfica podrá servir para estudios estilísticos, pero no para el trabajo de una edición crítica o para una investigación de gramática histórica. Pero una transcripción paleográfica resultará engorrosa a quien trabaje con propósitos estilísticos. Una estación creada para propósitos generales podría disponer de *filtros* que dejaran pasar sólo el nivel requerido de información.

Como señala Peter Robinson, sería necesario determinar *a priori* "los usos futuros que va a tener la transcripción, para incorporar en ella la información relevante para tales usos" (1993b:281), pero esto será sencillamente imposible en cualquier proyecto ambicioso, destinado a perdurar mucho tiempo, y que puede tener utilizaciones imprevisibles. Dado el terrible coste de la tarea de transcripción (el mismo Robinson, 1993b:286) señala que las *Canterbury Tales* exigen unas 20.000 horas de trabajo), sería conveniente llegar a un consenso sobre el punto de equilibrio entre minuciosidad y utilidad.

"¿Qué se debería registrar cuando se transcribe un manuscrito", pregunta McGillivray (1993:9). Respuesta: "Todo lo que podríamos transcribir o codificar que tiene o podría tener influencia sobre el texto". El problema se inicia, por supuesto, en las obras medievales, en las que ese "todo" puede abarcar rasgos diplomáticos o codicológicos: florituras de letras, manchas... En el polo opuesto se situaría la versión electrónica de la obra de un novelista moderno, idéntica al archivo del procesador de textos en que se creó.[2] Entre ambos extremos discurre la amplísima problemática de la transcripción.

Cuando se transcriben textos modernos de lenguas escritas en alfabeto latino el juego de caracteres de la mayoría de las plataformas informáticas es suficiente. Si el texto se aleja en el tiempo empieza a ser necesario el uso de diacríticos, con frecuencia enojosos. Una posibilidad que comienza a estar bien explorada es la creación de tipos, para uso en interfaces gráficas, que recogen parte de la riqueza en variantes y decoración de la imprenta de los tipos móviles. El Descriptor de Impresos Clásicos Españoles DICE (PEDRAZA *et al.*, 1997) es un proyecto que permite reflejar en la pantalla del ordenador abreviaturas, ligaduras y variantes grafémicas muy útiles para la comparación de ediciones, detección de falsificaciones, etc.

En el caso de que se transcriban textos en alfabetos no-latinos, un recurso habitual es la transliteración, que se usó en las obras primeras en CD-ROM (*The Bible Library*, 1988), y en la actualidad en la Web (por ejemplo, en *Perseus*), por facilitar la consulta a quienes no disponen en su plataforma informática del juego de caracteres correspondiente. Por último, no hay que olvidar que la transliteración permite poner datos filológicos al alcance de aquellos investigadores que no conocen la grafía original. Un caso típico son los datos ugaríticos, que de proporcionarse en versión cuneiforme serían de bien poca utilidad para otros investigadores del área semítica y, así, se sirven transliterados (Cunchillos, 1996).

Pero cualquier transcripción implica siempre toma de decisiones, y en muchos casos puede ser además fuente de errores. Incluso en los casos de ediciones modernas, sometidas a un programa de reconocimiento de caracteres (OCR), queda pendiente una labor de corrección que sólo puede ser humana. Todo esto, por supuesto, es lo que hace conveniente en una estación la presencia de imágenes de la obra (véase el apartado "Imágenes").

Etiquetado

Asimismo, el etiquetado puede ser una tarea engorrosa (y que aumente el costo de preparación de una edición electrónica). En abstracto, se podría decir que es deseable un grado máximo de etiquetado: no sólo de obra y subdivisiones, sino incluso de palabras, pero de nuevo nos encontramos con que niveles muy detallados de asignación de etiquetas implican una toma de decisiones constante, y que incluso el etiquetado de palabra aparentemente más normal (como la asignación de parte de la oración) implica juicios gramaticales no siempre claros, y menos en textos lejanos. Por otra parte, los sistemas de etiquetado al uso imponen más cortapisas de las que podría parecer, que como de costumbre han sido señaladas por los medievalistas. Por ejemplo: no hay

2. Ya existe algún proyecto en el que se saca partido del hecho de que muchos escritores contemporáneos trabajan en soporte digital, y que en el mismo conservan estadios intermedios de su trabajo. *Variantes digitales* se propone poner a disposición de los investigadores esta documentación (véase la sección final de Referencias para los localizadores o direcciones Web de los proyectos citados).

forma de marcar un corte en el texto sin tomar partido respecto a su función estructural: parte subordinada, de la misma jerarquía que la anterior... (McGILLIVRAY, 1993:11).

Variantes, fuentes, análogos y consecuentes

Connatural al trabajo filológico es la comparación entre diversas versiones de la misma obra, entre sus manuscritos y sus ediciones, etc. A todos los elementos de este corpus de trabajo habría que aplicar las reflexiones anteriores, con una adición: que los criterios aplicados a la transcripción y etiquetado de la obra-objeto se extendieran uniformemente al resto del corpus. Me refiero no tanto a las adopción de un mismo criterio general (lo que se debería dar por sentado), sino sobre todo a que se aplicara de forma consistente a lo largo de periodos con frecuencia largos y equipos cambiantes.

Pero además, ¿en qué medida debe extenderse el trabajo filológico con un texto a textos paralelos, antecedentes y consecuentes del que se estudia? Cualquiera que sea la respuesta —maximalista (intertextualidades que se extienden a través de géneros y siglos) o minimalista (precedentes estrictos, copias, imitaciones...)—, parece claro que hay que contar con un considerable número de textos para comparación, a los que se podrían aplicar idénticas reflexiones respecto a transcripción y etiquetado

1.2. Imágenes

Por las razones mencionadas, las imágenes de textos son un eficaz complemento de la transcripción: una simple ojeada al manuscrito o a la edición puede resolver lecciones dudosas o interpretaciones extremadas. Pero además hay otras indagaciones con herramientas lógicas específicas que se pueden llevar a cabo a partir de la imagen digitalizada, como veremos en el apartado 2.

En el contexto de una estación, las imágenes presentes en un manuscrito o edición no tienen por qué desgajarse del texto. Pero además una estación puede aportar imágenes no presentes en la obra, como elemento de comparación o expansión: piénsese en una estación para trabajo sobre emblemas, y en el rico entorno icónográfico que tendría que crearse para penetrar en las muchas cuestiones que plantean.[3]

2. HERRAMIENTAS PARA TRABAJO CON LOS DATOS

2.1. *Programas de trabajo textual*

2.1.1. Formal

El creciente poder de los procesadores de textos pone a disposición de los usuarios normales posibilidades antes reservadas a los profesionales. Funciones

3. Sobre la Web ya se ha empezado la construcción de algunas herramientas de trabajo con emblemas. Véase como guía la página del Grupo de Investigación sobre *Literatura Emblemática Hispánica* de la Universidade da Coruña.

de búsqueda de secuencias, de extracción de concordancias, etc., ya no exigen, como hace años, programas específicos. Sí hay otras capacidades que sólo puede proporcionar un programa especializado.

Desde el punto de vista del *trabajo con un solo texto*, lo que normalmente se desea es responder a peticiones del estilo de "muéstrame las palabras de mi texto que..." (Bradley, 1991). Aquí figurarán condiciones sobre la forma de una palabra (o parte de ella), sobre su coaparición con otros elementos, y cuantificaciones de la aparición de determinados elementos a lo largo de distintas secciones del texto. Esto se consigue normalmente con programas de gestión de *base de datos:* el texto se ha convertido previamente en una base de datos, y las preguntas la explotan con arreglo a determinados protocolos.

Voy a centrarme brevemente en el caso de TACT porque representa muy bien un tipo de herramienta concebida para trabajo textual (vid. Wooldridge, 1991 y McCarty, 1993). TACT es un programa de recuperación de texto que permite crear concordancias dinámicas, cuantificar apariciones, relacionar estos datos con rasgos estructurales de la obra (estos últimos introducidos por el usuario mediante etiquetado). Puede hacer búsquedas con operadores booleanos y también tener en cuenta parámetros de proximidad. Además maneja un conjunto de alfabetos y diacríticos muy completo.

Pero en un momento, normalmente muy inicial, de la investigación puede surgir la necesidad de acceder no sólo a secuencias de caracteres, sino a *lemas.* Buscar todas las apariciones de un verbo dado exige disponer de un *flexionador* (programa que, dado un lema, proporciona todas sus formas flexionadas). En el caso de formas antiguas de lengua con ortografía vacilante serán necesarias herramientas más potentes para agrupar formas candidatas a formar parte de un mismo lema, lo que en inglés se llama *conflation* (Robertson y Willett, 1993).

Por último, si se trabaja con corpus finitos y se dispone de recursos, es posible proceder a una lematización *manual*, que asigne a cada palabra del texto su relación con un lema. Además, en estos casos es posible también aportar información complementaria sobre morfología (un ejemplo en CD-ROM es *The Bible Library*, 1988 y por línea el proyecto *Perseus*).

Un caso especial, pero de particular importancia filológica, es la *comparación* entre varios textos. Diversos programas ya pueden realizar esta fatigosa labor de forma automatizada, entre ellos UNITE (Marcos Marín, 1994:43-577) y COLLATE (Robinson, 1993a). A las operaciones clásicas como la *collatio* o la *recensio* se pueden añadir también procedimientos para tomar decisiones respecto a la genealogía de los textos, como el análisis cladístico[4] (Robinson, 1993a).

Otro tipo de tarea formal que se puede confiar a un programa tiene que ver con rasgos estilísticos: la *recurrencia* de determinados elementos puede ayudar a la investigación de aliteraciones o de rimas. Ya existen programas que

4. De *clado*, sinónimo de *filium*: "conjunto de organismos [...] que están relacionados en el tiempo por vía de descendencia", Real Academia de Ciencias Exactas, Físicas y Naturales (1996). Esta técnica filológica proviene de la utilizada por los biólogos evolucionistas para determinar el grado de relación entre especies. Parece que la rica tradición de metáforas orgánicas para la transmisión textual sigue viva.

recorren el texto a la búsqueda de repeticiones, o algoritmos lo suficientemente sensibles para captar pautas vocálicas...

Por último, no son de desdeñar aspectos más "arqueológicos", como la *reconstrucción* de formas posibles a partir de datos incompletos. Es el caso del programa desarrollado para el ugarítico en el "Laboratorio de hermeneumática" del C.S.I.C. (Cunchillos, 1996). Entre otras posibilidades, comunes a otros tipos de estación filológica, este programa permite, de acuerdo con su manual, "solicitar las distintas palabras atestiguadas en el corpus que pueden restituir a una cadena grafemática incompleta [...], o bien solicitar las cadenas grafemáticas incompletas susceptibles de ser sustitutidas por la palabra seleccionada".

2.1.2. Conceptual

Una gama sorprendentemente amplia de trabajos estilísticos, lexicográficos, de ideología de la lengua, etc., precisan de un acceso por campos semánticos. Poder localizar todos los adjetivos de un texto con valor positivo de luminosidad en un poeta contemporáneo, o todas las armas o piezas de armas mencionadas en una novela del XVII, supone para el investigador una ayuda inestimable. La existencia de *tesauros* digitalizados permite estas operaciones. La combinación de tesauros y flexionadores garantiza que se puede llegar al último rincón del texto donde haya una pieza léxica de interés. La inevitable presencia de homógrafos no llegará a perturbar la utilidad de esta herramienta, y técnicas cada vez más depuradas de desambiguación reducirán al mínimo el *ruido* en las respuestas.

2.2. *Programas de trabajo con imágenes*

Un archivo gráfico de suficiente resolución permite la *ampliación* de la imagen hasta llegar a detalles esenciales (como una sola letra). Pero además es posible aplicar a la imagen de partes borradas o manipuladas de un original procedimientos de reconocimiento de formas, que en algún caso permitirán restituir un signo perdido.

En entornos bien acotados es posible aplicar programas de inteligencia artificial, que ayuden a relacionar imágenes. Un buen ejemplo es el caso de un sistema experto para heráldica, capaz de relacionar una imagen dada con una base de datos de blasones, y seleccionar los candidatos a una identificación.[5]

2.3. *Obras de estudio y consulta*

Constituyen un elemento diferente a todos los anteriores, y cambiante por su propia naturaleza. Sin embargo, está claro que su integración en cualquier estación favorecerá el trabajo.

---

5. Se trata del proyecto europeo "Historia. Heraldic Images Storing Applications". Se presentó este programa, en versión de prueba sobre materiales de la Biblioteca Nazionale Marciana, con la colaboración del Istituto Veneto di Scienza, Lettere ed Arti, en el seno de "Edimedia, Prima Conferenza Nazionale & laboratorio espositivo sull'industria elettronica e multimediale", Roma, 21-23 de marzo de 1996.

Ediciones

Las ediciones modernas de la obra-objeto o de obras de su entorno pueden, cuando están dotadas de bibliografía y aparato crítico, orientar búsquedas y resolver problemas. En un momento en el que prácticamente la totalidad de las publicaciones carece de índice de nombres, de índice de conceptos o de palabras comentadas,[6] el acceso electrónico puede suplir esas deficiencias, y añadir nuevos servicios.

Referencia

Disponer de diccionarios, enciclopedias, etc., digitalizados puede suponer no sólo una comodidad, sino también una eficacísima herramienta de expansión del trabajo. Piénsese en la utilidad que tendría una suerte de *Tesoro lexicográfico* (Gili Gaya, 1957) de acceso electrónico para cualquier trabajo lexicográfico o filológico. Las estaciones bíblicas se benefician también del acceso a enciclopedias culturales, teológicas... (véase más adelante, apartado B).

Bibliografía

La bibliografía especializada puede ser una masa tan difícil de reunir como de manejar. Por ejemplo, se estima que el número de libros y artículos publicados sobre James Joyce era hace un lustro de unos 10.000 (Delany, 1993).

Una buena base de datos bibliográfica (en CD-ROM o por línea) debería permitir el acceso a entradas bibliográficas a partir del nombre del autor, de palabras del título o de la indexación de los contenidos. Las buenas bases de datos bibliográficas deben abarcar no sólo libros, sino también artículos y capítulos en obras colectivas. Su indexación adecuada permite hacer indagaciones sobre un tema, o pasar de una obra localizada a otras de contenidos afines. Por último, la meta deseable es acceder en cualquier momento no sólo a un resumen (*abstract*) de la obra, sino al texto electrónico íntegro.[7] Sólo de esta forma el especialista quedará liberado de las tareas ancilares de búsqueda y acceso al documento, para dejarle allí donde comienza su autentica labor: en su utilización.

Es de señalar que el fenómeno incipiente de las revistas electrónicas (exclusivamente en ese soporte, o bien como versión paralela a la de papel) amenazan cambiar, por lo menos para ciertos sectores, la forma de trabajo, al poner al alcance de los investigadores referencias, resúmenes y textos electrónicos íntegros. Para una presentación de la problemática de estas nuevas publicaciones, vid. Chan (1996).

---

6. Sobre la lamentable, y creciente, falta de índices en las publicaciones vid. *Key Words* (1993).

7. Las bases de datos que sólo llegan a la ficha bibliográfica (es decir, la mayoría) provocan lo que llamaría el *efecto Tántalo* sobre el investigador, sobre todo de la periferia: la localización del artículo o del libro que promete responder a nuestras necesidades... y que ninguna biblioteca en dos mil kilómetros a la redonda podrá proporcionarnos.

3. Plataforma de desarrollo de nuevas obras

3.1. *Herramientas de proceso de textos*

En los últimos veinte años, ¿cuál ha sido el mayor impacto de los ordenadores sobre la investigación? Para Renear y Bilder (1993) la respuesta es clara: el procesador de textos. Su utilidad para la creación personal, para la creación conjunta y para el intercambio de obras de investigación ha justificado con creces el apelativo de "calculadora del humanista" o "procesador de ideas" con el que fue recibido en sus albores (Heim, 1987).

3.2. *Herramientas auxiliares*

Los procedimientos descritos hasta ahora no agotan las posibles necesidades: tareas concretas pueden exigir herramientas determinadas, por no mencionar necesidades que se desprendan del entorno de trabajo.[8] En el apartado C examinaremos algún ejemplo concreto.

4. Integración e interfaz

Todos los datos implicados hasta ahora deben poder estar en comunicación, y se deben poder presentar de forma accesible, incluso simultáneamente. Los sistemas de *ventanas* permiten la presencia simultánea de —por ejemplo—. la imagen de una obra, la transcripción de su texto, el texto de un artículo sobre el tema, un diccionario u obra de consulta y el procesador de textos donde se realizan las anotaciones que conducen al resultado. Parece demasiado, y en cierto sentido es demasiado... por lo menos para los monitores más normales. Pero tal acopio de elementos no es excesivo en el trabajo intelectual, y cualquiera de los lectores se habrá descubierto una tarde con la mesa (y parte del suelo) materialmente cubiertos por libros abiertos, revistas, notas, fotocopias y papeles.

Lo que ocurre es que trabajar en pantalla es complicado: la sensación (real) de mirar el texto por un agujero, la dificultad mental de abarcar varias cosas simultáneamente en ese espacio brillante, el peligro de no saber de pronto *dónde se está*... Incluso las mejores pantallas (que son muy caras), no permiten una acumulación operativa de demasiados elementos. Hay intentos —como el *workspace* de Compton's—, destinados a dotar a la pantalla de cierta apariencia de orden (sobre todas estas cuestiones, vid. Millán, 1996a:44-45). Como factor positivo, el sistema puede gestionar felizmente los paralelismos, por ejemplo, entre las imágenes de páginas ofrecidas y el fragmento de transcripción correspondiente.

Pero quizás el elemento más innovador y útil de las tecnologías informáticas, tanto desde la perspectiva de integración de los elementos, como desde el punto de vista de la interfaz, sea el *hipertexto*. El hipertexto es una especie de huevo de Colón que a los informáticos les parece una banalidad, pero que ha puesto

8. Si hemos de atender a la experiencia de quienes desarrollaron la versión electrónica del *Oxford English Dictionary*, en una estación lexicográfica avanzada no debería faltar un módulo de juegos, para aliviar las esperas durante los procesamientos largos.

a los humanistas (sobre todo a algunos: Landow, 1992) al borde del éxtasis. Heredero avanzado de las técnicas de referencia del códice y posteriormente del libro tipográfico, el hipertexto no es sino el enlace desde cualquier punto de un *documento* (en sentido amplio: texto, imagen, archivo sonoro), hasta otro punto de ese u otro documento. Dicho enlace es automatizado y de doble dirección (en tipografía, una nota al pie en un texto suele ser de doble dirección; la remisión interna de un diccionario normalmente no). Esto lo hace enormemente poderoso, sobre todo —insisto—, para desdichados usuarios de texto en forma de códice, que bendecimos un simple índice de autores bien hecho al final de una obra. (Véase un breve recorrido desde las tecnologías tipográficas hasta el hipertexto en Millán, 1996a:19-45).

Un pequeño ejemplo puede mostrar la operatividad y los tipos de los enlaces hipertextuales. Supongamos una obra: *La Vida de Lazarillo de Tormes.* Nos aparece en la pantalla la imagen de la primera página de un ejemplar. Al lado, el texto la leyenda "Prólogo" y el comienzo: "Yo por bien tengo que cosas tan señaladas, y por ventura nunca oídas ni vistas, vengan a noticia de muchos y no se entierren en la sepultura del olvido". La palabra "Prólogo" está de color rojo, lo que nos indica que tiene una nota del editor. Hacemos clic sobre ella, y aparece una nueva ventana: "Sobre el Prólogo puede consultarse S. Gilman (1966), F. Lázaro (1969), ...". Los dos nombres están también en color. Hacemos clic sobre "Gilman" y nos aparece en otra ventana la ficha bibliográfica completa: "Gilman, S., *The Death of Lazarillo de Tormes*, Publications of the Modern Language Association of America,...". Un icono que representa una página indica que el texto está disponible. Hacemos clic en él, y surge otra ventana con el artículo. Lo leemos y volvemos al texto principal. Nos llama la atención "cosas", y queremos consultar la palabra en el *Tesoro de la Lengua Castellana* de Covarrubias. Pulsamos con el botón derecho del ratón y aparece una nueva ventana (por supuesto, el programa sabe que "cosas" es un plural): "COSA. Quasi quodsa: del nombre quis vel quid, etc. Todo lo que tiene entidad llamamos cosa". Esto nos da una idea para un comentario, y creamos sobre la palabra del texto del Lazarillo un tipo especial de anotación privada: "cosas" aparecerá de color verde. En total, hemos dado seis saltos hipertextuales, que nos han relacionado fácilmente elementos heterogéneos. Varios de ellos estaban *predeterminados* (los enlaces imagen-texto$_1$, texto$_1$-nota, nota-bibliografía y bibliografía-texto$_2$; otro *activa un programa* de consulta a una base de datos (el *Tesoro* de Covarrubias) y el último *crea un enlace* nuevo (a una anotación privada).[9]

B) La práctica de la estación

Hasta aquí hemos recorrido los elementos teóricos de una estación, deteniéndonos en algunas de sus problemáticas o potencialidades, y aportando sólo los ejemplos necesarios para indicar que estábamos refiriéndonos a tecnologías reales. Cabe ahora pasar a preguntarnos dónde se encuentran

9. Descripción basada en el prototipo de Clásicos Electrónicos Taurus (Russell y Millán, 1991), que contenía todos los elementos mencionados menos la imagen.

estaciones así. Adelantaré que es raro encontrarse una estación de trabajo que reúna la totalidad de los elementos descritos, salvo para un fin muy concreto: didáctico, o la elaboración de una obra determinada.

En cualquier área de investigación asistida por ordenador, y aún más en los estudios literarios y lingüísticos, abunda el *bricolage*. Los estudiosos de humanidades se han convertido en usuarios ávidos de unas técnicas que muchas veces no estaban dirigidas a ellos. Muchos investigadores combinan programas de propósito general: el texto ASCII de una obra literaria más un procesador de textos pueden servir para determinadas tareas (y por supuesto, para algunas cosas resulta mejor que el lápiz y papel).

Pero convendrá reservar la denominación *estación de trabajo filológica* para aquellas que integran los tres elementos mencionados (datos, herramientas y plataforma de desarrollo), o partes significativas de ellos, en un entorno orientado específicamente a una tarea. Sin perder demasiado tiempo en discutir qué ejemplos concretos constituyen una estación *sensu stricto* y cuáles no, pasaré a los más provechosos temas de su *realidad física* y sus *fines*.

1. Estaciones locales / por línea

La evolución de las estaciones refleja la de la industria informática: el paso de grandes equipos a ordenadores personales más interactivos y luego a conexión a redes refleja la tendencia progresiva a la distribución que caracteriza los últimos años.

La aparición del CD-ROM hizo posible tempranamente agrupar de forma accesible muchos elementos con destino a un ordenador personal. Una eficaz estación bíblica es *The Bible Library* (1988), que fue una de las pioneras para uso general. Contiene nueve textos (ocho versiones inglesas y una transliteración griega y otra hebrea), un diccionario de griego y otro de hebreo bíblicos, tres glosarios de términos bíblicos, seis diccionarios de teología, cronología y cristología, dos comentarios bíblicos, un libro de himnos, 2500 esquemas de sermones y 500 ilustraciones.

La aparición de interfaces gráficas (primero en Apple, y luego en el sistema Windows) hizo más *amigable* la interacción con el usuario, sobre todo desde el punto de vista de la aparición de distintos elementos simultáneamente en pantalla. Un buen es ejemplo el proyecto ADMYTE (comienzo en 1992) en varios CD-ROM que incluye textos de literatura española, imágenes, bibliografía y un programa de trabajo textual, TACT (para una descripción del proyecto, Marcos Marín, 1994:179-229).

¿Cuál es el siguiente paso? Muy probablemente, la estación filológica del futuro inmediato no pueda ser una estación exclusivamente local, sino que deba constituir un núcleo de funcionamiento con determinados datos *locales*, más una serie de conexiones *por línea*. Esto responderá por una parte a criterios de comercialización de productos (hay obras de consulta o bases de datos bibliográficas sólo accesibles por línea, por ejemplo), y también al hecho de que hay una serie de datos estáticos (manuscritos, obras ya editadas) y otros dinámicos (nuevas ediciones o estudios).

2. Fines

El propósito de una estación con la estructura que ha quedado descrita en el apartado A puede ser múltiple:

2.1. *Investigación*

Parece el fin más típico. Como la mayoría de lo expuesto en el apartado A) puede aplicarse a propósitos de investigación, pasaremos a otras modalidades.

2.2. *Enseñanza*

La mayor parte de las estaciones destinadas al trabajo con la literatura en Estados Unidos en esta década han tenido una orientación más docente que de investigación. En la génesis de algunas de las tecnologías implicadas están también fines de enseñanza: el propósito inicial del *padre* del hipertexto, Ted Nelson[10] era didáctico.

El primer beneficio que se puede desprender de la utilización de ordenadores para la enseñanza de textos literarios quizá sea simplemente facilitar la consulta integrada de toda la cohorte de obras y materiales de consulta y referencia que pueden ser necesarias para trabajar con un texto (en el apartado A hemos presentado el caso del prototipo de Clásicos Electrónicos Taurus). Además de esta simplificación de las tareas ancilares, las estaciones bien concebidas sirven para poner en contacto con la *riqueza y variedad* del objeto de estudio, y al tiempo para dar a conocer las *mediaciones* que éste experimenta hasta llegar a su destinatario. La experiencia de Patrick W. Conner (1991) con el *Beowulf* es muy interesante a todos estos respectos.

Su estación de trabajo tenía una estructura típica: permitía comparar distintas versiones del texto entre sí, con distintas traducciones o con imágenes del manuscrito. Disponía también de un compendio gramatical y de un diccionario, y de imágenes de objetos relacionados con el poema. Si el fin confeso era "reducir las molestias de traducir la arcaica lengua del poema, de forma que los alumnos empezaran a disfrutarlo" (Conner, 1991: 53) (y de ahí las facilidades para buscar palabras, flexiones o distintas versiones), pronto quedó claro que la estación también permitía a los estudiantes "cambiar ciertas creencias acerca de la labor del editor, y darse cuenta de que una edición, como una traducción, es también una forma de interpretación del texto. Los estudiantes se asombran a menudo (y frecuentemente con razón) de descubrir que un editor ha cambiado una lectura que en el manuscrito no tiene ninguna ambigüedad porque (...) de otra forma no puede darle sentido" (Conner, 1991: 55).

Precisamente la meta del "Shakespeare CD-ROM Project" de Neuhaus (1991) no era tanto configurar un "sistema de información textual" como un "sistema de información filológica que recalque una cierta continuidad en los métodos y propósitos con que la erudición aborda los textos" (Neuhaus, 1991: 187).

10. Aunque sus escritos más didácticos se remontan a 1971, el compendio más útil es Nelson (1981).

Además ofrecía un buen sistema de lematización y gramáticas contextuales que permitían operaciones como saltar de una palabra concreta a un lema, y de él a todas las apariciones de ese lema, bajo cualquier forma, en el texto.

Por último, toda obra literaria (sobre todo del pasado) se inscribe en una cultura material y en un universo social que puede ser oscuro para la persona que se acerca hoy al texto. La imagen de un yelmo como los descritos en *Beowulf* puede ser una eficaz ayuda para la comprensión de un pasaje (Conner, 1991 :56). Quizas la máxima demostración de los usos docentes del hipertexto sea la Red de Dickens, o *Dickens Web* (Landow, 1992). En este caso los enlaces hipertextuales sirven para conectar diversos pasajes con contenidos ensayísticos, documentales o de consulta. Cartografía, iconografía, fragmentos de ensayos sociológicos o críticos que ayudan a esclarecer un pasaje, se ponen así a disposición de los estudiantes. Los propios ensayos de éstos se integran también en la red, y todo el dispositivo sirve al tiempo de herramienta de análisis (que explicita las relaciones mediante enlaces visibles), y soporte del trabajo colectivo.

2.3. *Desarrollo de obras*

Una edición crítica o un diccionario, aunque se presenten en su forma final en papel, pueden haber sido desarrolladas en una estación informática. Normalmente estas estaciones son de propósito muy específico, y contarán sólo con el conjunto de elementos indispensable para su función. A cambio, la integración, la plataforma de desarrollo y las herramientas auxiliares pueden adoptar formas muy depuradas. En el apartado C presento el estudio de un caso ilustrativo a este respecto.

2.4. *La estación como principio y fin*

Hay una postura, cada vez más frecuente, que ve la propia estación como la meta de su constitución: el sistema integrado no se crea como medio hacia la consecución de una obra, sino como fin en sí mismo. Por su naturaleza innovadora, trataré de este tema en el apartado D, en el contexto de los cambios conceptuales que provocan estas nuevas tecnologías.

C) Estudio de un caso: estación lexicográfica

En la tarea de confección de diccionarios se pueden reconocer las siguientes etapas (adaptado de LOGAN, 1991):

— recopilación de datos
— ordenación y preparación de las entradas (lo que incluye lematización y reconocimiento de homógrafos)
— subdivisión de las citas según su sentido, para cada lema
— edición: redacción de las definiciones; selección de los ejemplos definitivos (o tal vez su supresión total)
— inclusión de abreviaturas y marcas.

En la actualidad (y a diferencia del gabinete de Murray que abría este artículo) en soporte electrónico pueden estar los textos de donde se extraerán los ejemplos, los ejemplos mismos seleccionados, los distintos estadios de redacción de la nueva obra y las obras de consulta. Juntos, podrían configurar una "estación lexicográfica" como la que pedían hace una década Calzolari, Picchi y Zampolli (1987): "un conjunto de diferentes fuentes de conocimiento (corpus textuales, antiguas fuentes lexicográficas, diccionarios preexistentes, referencias bibliográficas, etc.) disponibles por línea[11] y accesibles por medio de herramientas de software adecuadamente diseñadas".

Muchos de los problemas relacionados con las fuentes y con el proceso de edición son comunes al trabajo filológico general, y se han tratado a lo largo del apartado A. Ahora me centraré en aspectos más propiamente lexicográficos. Para ello utilizaré la experiencia de la creación de la edición electrónica del *DRAE* (Millán y Millán, 1995).

1. La experiencia del DRAE

El trabajo con la edición electrónica del *DRAE* no fue en rigor una labor de creación lexicográfica, aunque sí planteó muchas de las cuestiones que ésta conlleva.

En la primera etapa, el texto íntegro del diccionario se exportó desde las cintas de fotocomposición al sistema de desarrollo, se limpió[12] y se imprimió en pruebas sobre papel, que fueron leídas por un equipo de correctores tipográficos. Esto garantizaba que en el proceso de trasvase no se producían pérdidas.

Por otra parte, y también sobre el papel,[13] se localizó un abundante conjunto de elementos de todo tipo que se proponían como candidatos a la recuperación automática. La base de datos así constituida se montó sobre un programa de gestión de bases de datos, y se desarrolló la *herramienta de consulta y modificación* que permitía a los operadores un acceso controlado a la base de datos, y que constituía la *estación lexicográfica* propiamente dicha. La herramienta se diseñó especialmente para esta tarea.[14]

11. La expresión inglesa *on line* hace referencia tanto a la comunicación entre aplicaciones conectadas (que era el sentido en la época del artículo citado) como a la conexión remota (sentido más moderno, y que es con el que se ha utilizado en este capítulo).

12. No es el objeto directo de estas páginas, pero no puedo dejar de señalar que el proceso de convertir unos códigos de composición en un texto electrónico limpio no es de ninguna manera una cuestión baladí. Entre otros problemas, los códigos de fotocomposición presentaban sinonimia, redundancia (código de alfa acentuada, más código de acento, por ejemplo), asistematicidades (código de acento antes o después del carácter, por ejemplo), polimorfismo, etc. Además, había que eliminar la información al servicio de la puesta en página (roturas de palabra, de columna o de página). Por no mencionar la aparición de informaciones quizás no desdeñables, pero de escasa utilidad para nuestros fines, como el nombre del teclista que en su momento escribió el fichero.

13. La facilidad de manejo y la visión de conjunto que proporciona una cómoda impresión en papel (con un tamaño de letra grande, y buenos márgenes) no la supera por el momento ninguna presentación en pantalla.

14. La programó Rafael Millán en C++, con interfaz en Visual Basic. La base de datos funcionaba con el motor de datos Jet de Microsoft.

2. ESTACIÓN LEXICOGRÁFICA

Los fines de la herramienta desarrollada eran "acceso controlado" más "apoyo para los operadores". Se pretendía que el usuario de la estación:

a) no pudiera corromper los datos por error o inadvertencia
b) tuviera sin embargo posibilidad de modificar los aspectos que exigía su intervención
c) pudiera llevar a cabo toda una serie de consultas como apoyo para su tarea.

La estación funcionaba con dos tipos de representación de los datos: la normal y la representación interna. Las intervenciones se hacían sobre la visión normal del texto. Para determinadas tareas también tenía la capacidad de mostrar su forma interna[15] (en la que, por ejemplo, un carácter acentuado se resolvía como código de carácter más código de acento). Además existía un conjunto de operaciones predeterminadas, para facilidad del usuario de la estación, como luego detallaremos.

Las intervenciones que controlaba la estación eran de tres tipos:

— *corrección* del texto (erratas del original, artefactos de la transmisión...)
— creación de enlaces *hipertextuales* al servicio de las remisiones internas
— *etiquetado* del texto

La operación 1 se llevaba a cabo directamente sobre la representación interna del texto. Las operaciones 2 y 3 se resolvían mediante instrucciones predeterminadas que introducían los correspondientes códigos de forma automatizada.

2.1. *Enlaces hipertextuales*

En los diccionarios electrónicos las *remisiones internas* se resuelven como *enlaces hipertextuales.*[16] La edición del *DRAE* se proponía que hubiera un enlace desde cada remisión a su punto de destino, y en la estación esto se resolvía semiautomáticamente.

La herramienta podía reconocer las remisiones dentro del cuerpo de la definición (por estar en negrita) y proponía un punto de destino. El operador tenía las siguientes opciones: validar la propuesta, buscar una alternativa, o señalar una duda o anomalía. Por ejemplo, s.v. *plata* se podían leer las siguientes remisiones:

4. V. *batidor, bodas, dineral, ducado, edad, librillo, litargirio, maestre, maravedí, papel, real, siglo de plat*a.

La herramienta propondría para la primera el destino *batidor, ra* y buscaría la primera aparición de "plata", localizando así la forma compleja *"de plata"*, que el operador validaría. Para la segunda, la herramienta reconocería el plural y llevaría a la entrada *boda*, que el operador también validaría como destino. Por

15. Que a su vez estaba también lejos de la representación binaria.

16. Me refiero, claro está, a las adaptaciones electrónicas de los diccionarios tradicionales. No es éste el lugar para plantear los numerosos problemas y retos que ofrece la elaboración de un diccionario directamente para uso electrónico (he explorado brevemente esta cuestión en Millán (1996b).

último, la herramienta señalaría que en *real*[1] no está presente "plata", y propondría explorar *real*[2].

2.2. *Etiquetado*

Las *etiquetas* de la edición electrónica del *DRAE* correspondían a un conjunto desarrollado específicamente para la aplicación, orientado a la recuperación de información léxica y a veces gramatical por parte del usuario final. Las etiquetas se aplicaban siempre a palabras completas, y el universo de etiquetas aplicables dependía de su destino: había etiquetas para abreviaturas, para el texto de la etimología o para el texto de la definición. La herramienta controlaba que se asignaran sólo a palabras (y no, por ejemplo, a partes de palabras) y que no se asignaran etiquetas pertenecientes a ámbitos no aplicables. Por último, permitía, también de forma controlada, crear nuevas etiquetas. Para gestionar estas tareas permitía llevar paralelamente un tesauro. Trataremos más detenidamente esta función en el apartado siguiente.

2.3. *Consulta*

Además, se contaba con las *herramientas periféricas de consulta*. Estas coincidían *grosso modo* con las posibilidades normales de la versión 1.0. del CD-ROM del *DRAE*:[17] acceso a palabras, a abreviaturas, a etiquetas, a categorías de las etiquetas..., todas ellas con posibilidad de combinación mediante operadores booleanos y de determinación del contexto. Su fin era claro: poder examinar decisiones tomadas en cualquier punto del diccionario, como fuente para la solución de un problema nuevo. En el apartado siguiente podremos ver un ejemplo.

Por último, había una útil capacidad, recomendable para cualquier estación de trabajo: sus operadores podían añadir notas a sus intervenciones, firmarlas y además asignarles un título. El objeto era acumular las dudas o las consultas, y poder resolverlas según tipología (por ejemplo, todas las dudas que tuvieran que ver con la marca de materia) o por autor (por ejemplo, todas las consultas generadas por el operador X).

3. Un modelo de funcionamiento

En este apartado voy a extrapolar algunas de las funciones de la herramienta de desarrollo de la versión electrónica del *DRAE* para imaginar cómo podría aplicarse a una tarea lexicográfica concreta: la revisión de las marcas de un diccionario preexistente. Supongamos que su texto está sobre soporte electrónico, y que tenemos identificadas como etiquetas todas las marcas primitivas (gramaticales, de uso, geográficas...) del conjunto.

En primer lugar, no haría falta que el conjunto final de etiquetas estuviera predefinido, salvo en sus tipos (etiquetas de categoría gramatical, de ámbito

17. Para un resumen, véase el capítulo 1 del *Manual de instrucciones*, Millán (1995).

geográfico, etc.) Precisamente una de las tareas fundamentales de la estación lexicográfica puede ser asignar etiquetas a un texto, y establecer relaciones jerárquicas entre ellas, con el fin de resolver posteriormente problemas de unificación, de selección de rasgos a los que el usuario pueda tener acceso, etc.

Nuestra estación de trabajo resolvía esta cuestión mediante tres módulos complementarios:

a) un *gestor de tesauros*, que permitía, para cada etiqueta preexistente o de nueva creación, integrarla en un tipo o tipos clasificatorios (de nuevo, ya fueran preexistentes, o creados *ad hoc*). Estos tipos clasificatorios, que agrupaban a conjuntos de etiquetas, podían ser a su vez etiquetas o no.

b) un *creador de nuevas etiquetas*

c) un *asignador de etiquetas* a palabras o conjuntos de palabras

Veamos un ejemplo en extenso: supongamos que estamos trabajando para unificar las *marcas de uso*. Por una parte, tendremos la abreviatura de "vulgar": "vulg.", con apariciones como ésta:

agüela.
1. f. ant. y vulg. *abuela*.

Pero por otro lado, hemos localizado (a través de la herramienta de búsqueda de palabras) apariciones de palabras como "vulgarmente", candidatas a encubrir una marca de uso. Efectivamente:

Aquí
5. Vulgarmente, se usa para presentar personas cercanas a quien habla.
AQUÍ Pepe, mi compañero de oficina.

Supongamos que asignamos a ambas la misma etiqueta "vulgar", conservando subyacentemente el hecho de que en un caso se aplica a una abreviatura y en otro a una palabra.[18] Igualmente prescindiremos en este estadio de unificar formulaciones alternativas (como "popularmente" o "en el habla popular", etc.). Lo que de momento nos interesará es marcar de modo accesible toda una serie de fenómenos afines, con el fin de darles después la forma más adecuada.

En este estadio del proyecto podemos no saber qué estructura definitiva daremos a esta serie de etiquetas de uso, pero provisionalmente nuestro tesauro de categorías puede tener la siguiente estructura

uso
  vulgar
    abreviatura
    no abreviatura

18. Las abreviaturas en el contexto de la tipografía sobre papel, y muy especialmente de los diccionarios, son procedimientos de ahorro de espacio, aunque también pueden tener funciones sinópticas y ergonómicas. El diseño de obras de consulta especialmente concebidas para funcionar electrónicamente supondrá por fuerza una revisión de la función de las abreviaturas.

Pero hemos localizado también otra interesante serie de marcas de uso: "malsonante", "grosero", "popular", "estudiantil", "infantil", "dialectal"... Parecen apuntar dos grandes categorías, que reflejamos provisionalmente así en el tesauro.

uso

variantes desprestigiadas
vulgar
malsonante
grosero
...
variantes socialmente marcadas
estudiantil
infantil
dialectal
...

La herramienta nos dará acceso a las entradas que contengan una determinada etiqueta terminal (en cursiva en la relación anterior), o a las entradas que contengan un conjunto de etiquetas dominado por un nodo común. Es decir: podremos pedir las palabras etiquetadas como "grosero", las incluidas en "variantes socialmente marcadas", o incluso "todas las que tienen marcas de uso". A partir de ahí puede comenzar la tarea de unificación de redacción y tipográfica. Igualmente, y si el diccionario va a tener explotación electrónica, esta estructura sirve de base para diseñar el tipo y profundidad de acceso que va a tener el usuario final.

Pero todavía más: se puede hacer uso de la búsqueda con operadores booleanos para explorar zonas del léxico susceptibles de marcado. Supongamos una consulta como "verbos transitivos que contengan en su definición las palabras *hurtar*, *robar* o *estafar* y que **no** tengan una marca de uso como variante desprestigiada". Si hiciéramos semejante búsqueda en el cuerpo del *DRAE*,[19] obtendríamos una serie de 49 verbos, entre los que no faltarían buenos candidatos a llevar una marca de uso, como *arrapar, cangallar, despabilar, escamotear, limpiar, pillar, pulir, soplar*...

D) Una ruptura conceptual

Como estamos viendo, la digitalización de textos y documentos de todo tipo está conduciendo al ideal de *docuverso*[20] de Nelson (1981): un continuo de textos electrónicos interconectados entre los que se puede mover el investigador (o *navegar*, en metáfora afortunada) y al que también contribuirá con su propia investigación, creada en un entorno digital, y puesta en conexión con su comunidad.

19. En la Versión 1.0. del *DRAE* electrónico (Millán y Millán, 1995), esta sería una *búsqueda múltiple* formulada así: "A(categoría gramatical/verbo/tipos/transitivo) y (P(hurtar, T) o P(robar, T) o P(estafar, T)) y no A(usos: materia y nivel/variantes desprestigiadas)".

20. Amalgama de *documento* y *universo*.

Los condicionantes de manejo tipográfico de textos y sus limitaciones económicas, ¿han inducido una idea concreta de "obra", de "fuentes", de "antecedentes" y de "consecuentes"? Si hemos de atender al cuidadoso repaso de Bestul (1993) de un más de un siglo de historia editorial de las fuentes y análogos de las *Canterbury Tales*, en una gran medida. Sólo la disponibilidad y relativa baratura del soporte electrónico está creando contextos en los que pueden convivir cómodamente —y de forma intercomunicada— muchas obras candidatas a arrojar luz sobre un abanico muy amplio de problemas.

En filología hay varias rupturas conceptuales que la presentación electrónica está propiciando: una de ellas es que las distintas versiones ahora se pueden situar en plano de igualdad, sin necesidad de privilegiar ninguna de ellas en concreto. De ahí puede surgir una nueva idea de "obra" no ya como un arquetipo, ni como una opción entre varias posibilidades, sino como la suma de todas ellas (la edición *ecránica* de Cerquiglini, 1989).

Y aún hay más: la visión de un cambio en la concepción misma del final del proceso, que merece la pena citar en extenso: "el principal cambio conceptual debería ser alejarse del proyecto [en este caso, las fuentes y análogos de las *Canterbury Tales*] como algo sincrónico, que presenta el estado de nuestro conocimiento en el año de su publicación con el códice convencional como el fin primario del producto, y aproximarnos a una concepción diacrónica, en la que el resultado final no sea un libro impreso, ni siquiera una colección de textos computerizados, sino más bien la creación de un marco que pueda mantener, organizar y proporcionar acceso a los textos computerizados a lo largo del tiempo" (Bestul, 1993:184). En suma: la *estación filológica* (o comoquiera que se llame cuando tengamos el placer de poderla utilizar) no sólo como medio de creación sino como producto final.

Esta postura la reencontramos también, curiosamente, en otro estudioso de Chaucer. Peter M. W. Robinson, al discutir la función del editor y del lector de la edición crítica, concluye: "La actividad del lector no tiene por qué limitarse a seguir el rastro de lo que ha hecho el editor: con la edición podrían incluirse programas de colación, bases de datos y análisis cladístico de forma que el lector pudiera rehacer cualquier parte o la totalidad de la obra del editor, e incluso hacer su propia edición basada en diferentes hipótesis" (1993b:284).[21]

Conclusión

El hilo conductor de las necesidades de una *estación filológica* ideal nos ha llevado a través de muchos temas, retos y problemas de la investigación lingüística y literaria. El lector, llegado a este punto, podría verse impelido a sentarse a los mandos de una de esas estaciones, y empezar a recoger los frutos de estas técnicas que tan últiles pueden resultarle. Pero si el lector trabaja sobre el campo del español, no podrá hacerlo... hasta dentro de algunos años. Y no

21. El proyecto *Variantes digitales*, mencionado más arriba, nota 2, se propone, entre otras cosas, impulsar a los estudiantes a hacerse ediciones críticas a la medida de sus necesidades, a partir de los materiales digitales proporcionados.

se trata de un problema informático, sino de una carencia de las investigaciones de nuestra lengua.

Si revisamos por encima los elementos que hemos ido detallando en el apartado A), veremos que carecemos prácticamente por completo de textos electrónicos de la literatura española; no hay una buena base de datos bibliográfica sobre lengua y literatura; no hay disponibles para los investigadores programas lematizadores / flexionadores, no hay tesauros electrónicos, no hay un *Tesoro lexicográfico* en soporte electrónico... Pero es que tampoco hay un *Tesoro lexicográfico* concluso, aunque sea sobre papel; no hay un tesauro suficientemente bueno, y puestos a señalar carencias, faltan ediciones fiables de la inmensa mayoría de nuestra producción literaria. Como señalaba J. A. Pascual (1995), antes incluso de los tratamientos informáticos de una lengua hay toda una investigación de base, que en el caso del español el autor echa en falta con solo pasar la vista por una estantería con los diccionarios y obras de investigación del inglés de cuyos equivalentes carecemos...

Referencias bibliográficas

Cito de cursiva y sin año los proyectos en curso que se encuentran en la Web. En estas y otras direcciones de sitios de la Telaraña prescindo de la parte "http://", que se debe entender al comienzo de cada localizador.

BESTUL, TH. H. (1993), "Chaucer's 'Monk's Tale': Sources and Analogues in the Age of Computing", en LANCASHIRE, I. (ed.) (1993).

Bible Library, The (1988), Sony, CD-ROM para PC.

BOSQUE, I., RIVERO, M., MILLÁN, J. A. (1995), *Archivo Gramatical de la Lengua Española* de Salvador Fernández Ramírez *1. Las partículas*, Alcalá de Henares: Instituto Cervantes, edición preliminar en papel y CD-ROM.

BRADLEY, J. (1991), *TACT Design*, en WOOLDRIDGE (1991).

CALZOLARI, N., PICCHI, E., ZAMPOLLI, N. (1987), "The Use of Computers in Lexicography and Lexicology", en COWIE, A. (ed.), *The Dictionary and the Language Learner*, Tubinga: Max Niemeyer.

CERQUIGLINI, B. (1989), *Éloge de la variante. Histoire critique de la philologie*, París: Éditions du Seuil.

CHAN, L. K. W. (1996), "Exciting Potential of Scholarly Electronic Journals", CAUT Bulletin, vol. 43, núm. 7, sept. Versión 1 en HTML (30 de septiembre) en la red como www.caut.ca/bull/ejournal.html

CONNER, P. W. (1991), "The *Beowulf* Workstation: One Model of Computer-Assisted Literary Pedagogy", *Literary and Linguistic Computing*, 6, 1.

CUNCHILLOS, J. L., CERVIGÓN, R., VITA, J.-P., GALÁN, J. M. y ZAMORA, J.-A. (1996), *Banco de datos filológicos semíticos noroccidentales, Primera parte: datos ugaríticos. III Generador de Segmentaciones, Restituciones y Concordancias,* Madrid, Laboratorio de Hermeneumática, CSIC (CD-rom para Apple Macintosh y Power PC). En la red como www.labherm.filol.csic.es.

DELANY, P. (1993), "From the Scholar's Library to the Personal Docuverse", en LANDOW, G., DELANY, P. (1993).

GILI GAYA, S. (1957), *Tesoro lexicográfico. 1492-1726*, Madrid: CSIC, Patronato "Menéndez y Pelayo", Instituto "Miguel de Cervantes".

HEIM, M. (1987), *Electronic language: A Philosophical Study of Word Processing*, New Haven: Yale University Press.

Key Words, the Newsletter of the American Society of Indexers (1993), 1, 7.

LANCASHIRE, I. (ed.) (1993), *Computer-based Chaucer Studies*, Toronto: Centre for Computing in the Humanities, University of Toronto.

LANDOW, G. P. (1992), *Hypertext. The Convergence of Contemporary Critical Theory and Technology*, Baltimore: The Johns Hopkins University Press.

LANDOW, G. P., DELANY, P. (eds.) (1993), *Digital Word, Text-Based Computing in the Humanities*, Massachussetts: MIT Press.

Literatura Emblemática Hispánica, rosalia.dc.fi.udc.es/emblematica

LOGAN, H. M. (1991), "Electronic Lexicography", en *Computers and the Humanities*, 25, 6, pp. 351-361.

MARCOS MARÍN, F. A. (1994), *Informática y humanidades*, Madrid: Gredos.

MCCARTY, W. (1993), *TACT 2.1. ß tutorial*, Princeton: CETH Summer Seminar, Princeton University.

MCGILLIVRAY, M. (1993), "Electronic representation of Chaucer Manuscripts. possibilities and limitations", en LANCASHIRE, I. (ed.).

MILLÁN, J. A. (1994), *Taller cervantino. Propuesta de edición electrónica de la obra de Cervantes con herramientas para estudiosos*, inédito, encargo del Centro de Estudios Cervantinos, Alcalá de Henares.

— (1995), *Manual de instrucciones. Diccionario de la lengua española. Edición electrónica*, Madrid: Espasa Calpe [complemento de Millán, J.A. y Millán, R. (1995)].

— (1996a), *La edición electrónica y multimedia*, Barcelona, 25º Congreso de la Unión Internacional de Editores.

— (1996b), "Los diccionarios del siglo XXI", en *Cuadernos Cervantes* (Madrid), n.º 11, nov.-dic.

MILLÁN, J. A., MILLÁN, R. (1995), *Diccionario de la lengua española*, vigésima primera edición, edición electrónica en CD-ROM, Versión 1.0, Madrid: Espasa Calpe.

MURRAY, K. M., ELISABETH (1978), *Caught in the Web of Words. James Murray and the Oxford English Dictionary*, New Haven: Yale University Press.

NELSON, T. (1981),, *Literary Machines*, Swarthmore, Pa. (edición del autor).

NEUHAUS, H. J. (1991), "Integrating Database, Expert System, and Hypermedia: the Shakespeare CD-ROM Project", *Literary and Linguistic Computing*, 6, 3, pp. 187-191.

PASCUAL, J. A. (1995), "Escándalo o precacución sobre el futuro de nuestra lengua", en TAMARÓN, MARQUÉS DE (dir.) (1995).

PEDRAZA, M. J., SÁNCHEZ, J. A., JULVE, L. (1997), "El diseño de un tipo para la descripción bibliográfica: DICE", en *LEMIR Revista electrónica, Revista de Literatura Española Medieval y del Renacimiento*, nº 2 (www.uv.es/~lemir/Revista/Revista2/DICE-HTM/DICE.HTM)

Perseus, www.perseus.tufts.edu.

REAL ACADEMIA DE CIENCIAS EXACTAS, FÍSICAS Y NATURALES (1996), *Vocabulario científico y técnico*, Madrid: Espasa-Calpe.

RENEAR, A. H., BILDER, G. (1993), "Two Theses about the New Scholarly Communication", en LANDOW, G. P., DELANY, P. (eds.) (1993).

ROBERTSON, A. M., WILLETT, P. (1993), "A Comparison of Spelling-Correction Methods for the Identification of Word Forms in Historical Text Databases", *Literary and Linguistic Computing*, 8, 3.

ROBINSON, P. M. W. (1993a), "An Approach to the Manuscripts of the "Wife of Bath's Prologue", en LANCASHIRE, I. (ed.) (1993).

ROBINSON, P. M. W. (1993b), "Redefining Critical Editions", en LANDOW, G. P., DELANY, P. (eds.) (1993).

RUSSELL, S., MILLÁN, J. A. (1991), prototipo de "Clásicos Electrónicos", desarrollado por Stephen Russell (Departamento de Inteligencia Artificial de Unysis), para Taurus Ediciones. Programa para DOS.

TAMARÓN, MARQUÉS DE (dir.) (1995), *El peso de la lengua española en el mundo*, Valladolid, Universidad de Valladolid/Fundación Duques de Soria/INCIPE.

Variantes digitales, http://www.ed.ac.uk/~esit04/ver_esp.htm

WOOLDRIDGE, T. R. (1991), *A TACT exemplar*, Toronto: Centre for Computing in the Humanities, University of Toronto.

MANUELA SASSI
Istituto di Linguistica Computazionale
del C.N.R.

Concordancias para filólogos: en pos de la simplicidad

Los últimos años han sido fundamentales en el desarrollo de nuevas tecnologías enormemente útiles para las ciencias humanas y, especialmente, para la filología, en cuyo ámbito era necesario realizar trabajos preparatorios muy laboriosos previos a la investigación estrictamente filológica.

Desde hace años, el Instituto de Lingüística Computacional (ILC) del Consejo Nacional de Investigaciones (CNR) de Pisa se ha dedicado al estudio y al desarrollo de métodos informáticos para ayudar a los lingüistas, en general, y a filólogos, lexicólogos, lexicógrafos e historiadores de la lengua, en particular. Este elenco de especialistas se va ampliando cada día más, puesto que la aplicación de estos métodos en varios campos de las ciencias humanas ha permitido demostrar su interdisciplinariedad, de modo que las áreas del saber en las que se utilizan se han ampliado, por ejemplo, hasta la medicina y la jurisprudencia.

En este artículo, tan sólo nos limitaremos a descubrir algunas de las posibilidades y facilidades que la informática ofrece para la investigación filológica.

Hasta finales de los años ochenta, todavía se publicaban grandes volúmenes que recogían el léxico de un autor y que eran el resultado de un largo trabajo en el que intervenían varios investigadores, además de tipógrafos, que utilizaban listados muy extensos de palabras producidos por los ordenadores.

Las últimas tendencias, en cambio, prevén que se produzcan textos en soportes magnéticos u ópticos de los que sea posible extraer automáticamente todos los datos necesarios para su estudio, incluso los que se precisan para realizar cálculos estadísticos. Este cambio se ha producido gracias a la generalización del uso de los ordenadores personales, que permiten obtener fácilmente resultados antes inimaginables.

Hace años que en nuestro Instituto se ha desarrollado un sistema que permite obtener automáticamente en la pantalla las concordancias de las formas de un texto a partir de un simple fichero ASCII (que se puede obtener con cualquier procesador de textos) en el que se incluyen unos códigos básicos para la localización en el texto y para la identificación de diversos fenómenos lingüísticos (ej. los signos diacríticos).

Este sistema, denominado DBT (*Data Base Testuale*) y cuyo autor es el Dr. Eugenio Picchi, investigador del ILC, ofrece diversas opciones para el análisis de un conjunto de unidades textuales (corpus) y supone una herramienta polifuncional muy útil para la creación de archivos textuales y para el tratamiento de datos lingüísticos.

Este sistema, entre otras, ofrece las siguientes posibilidades:

- respeto de las características gráficas del material textual original;
- capacidad de disponer, en tiempo real y de manera interactiva, de las funciones de un sistema de análisis textual automatizado (búsqueda de palabras en el texto, cálculo de frecuencias, concordancias, *index locorum*, etc.);
- optimización del espacio del disco duro ocupado por los archivos que permiten la consulta *full-text*;
- optimización del tiempo de respuesta;
- posibilidad de acceso directo al conjunto de los textos (corpus) que se van examinando, sin límite de tamaño;
- facilidad de integración de funciones de mayor complejidad para desarrollar investigaciones más especializadas.

Algunas de las funciones más importantes que puede desarrollar este sistema son las que se enumeran a continuación:

- lista de todas las palabras del corpus junto con su frecuencia de aparición;
- restricción de criterios para obtener listas de palabras con sus respectivas frecuencias de aparición en los textos;
- visualización inmediata del contexto de cada palabra;
- visualización del texto completo a partir del contexto;
- búsqueda por grupos de palabras conectadas con AND, OR o NOT;
- creación de archivos en formato de banco de datos a partir de un fichero ASCII con una codificación muy simple;
- posibilidad de interacción con diccionarios o *thesaurus*;
- cálculo estadístico de las voces relacionadas en el entorno de una o más palabras;
- etc.

La estructura modular del sistema permite la integración de otros procedimientos tales como la lematización semiautomática, la elaboración de diccionarios y glosarios o listados de autores que resultan de gran utilidad para el análisis y tratamiento documental de los textos.

En estas páginas se propondrán algunos ejemplos de utilización de un archivo textual creado a partir de un fichero ASCII por el programa DBT de creación de bancos de datos. Esta primera fase de aplicación del programa es mecánica y permite, a partir del archivo creado (que es un conjunto de ficheros crípticos y de ficheros índices), utilizar todas las funciones previstas por el DBT *System*.

Los primeros ejemplos que se expondrán se han extraído de un proyecto de compilación electrónica cuyo universo informativo o corpus lo constituyen las Constituciones Iberoamericanas vigentes en España, dieciocho países de lengua española, Brasil y Portugal (cuyas constituciones están traducidas al español). Este proyecto es una colaboración entre la Sociedad Cubana de Informática y Derecho y el ILC, en el cual trabajan la Dra. Yarina Amoroso Fernández y la autora de este artículo. En el archivo-ejemplo con el que trabajaremos sólo se han incluido los preámbulos y los primeros 10 artículos de cada Constitución.

Si utilizamos el *software* DBT en el entorno Windows, tras haber elegido uno de los archivos del disco, nos aparece esta primera ventana:

Si queremos buscar una palabra en particular, ésta se ha de teclear en lugar del "*", que es el carácter que sirve para seleccionar todas las palabras por defecto o para las búsquedas parciales. Por ejemplo, si seleccionamos "*libertad**" nos aparecerán *libertad, libertades, libertador*, como se puede observar en la ventana siguiente:

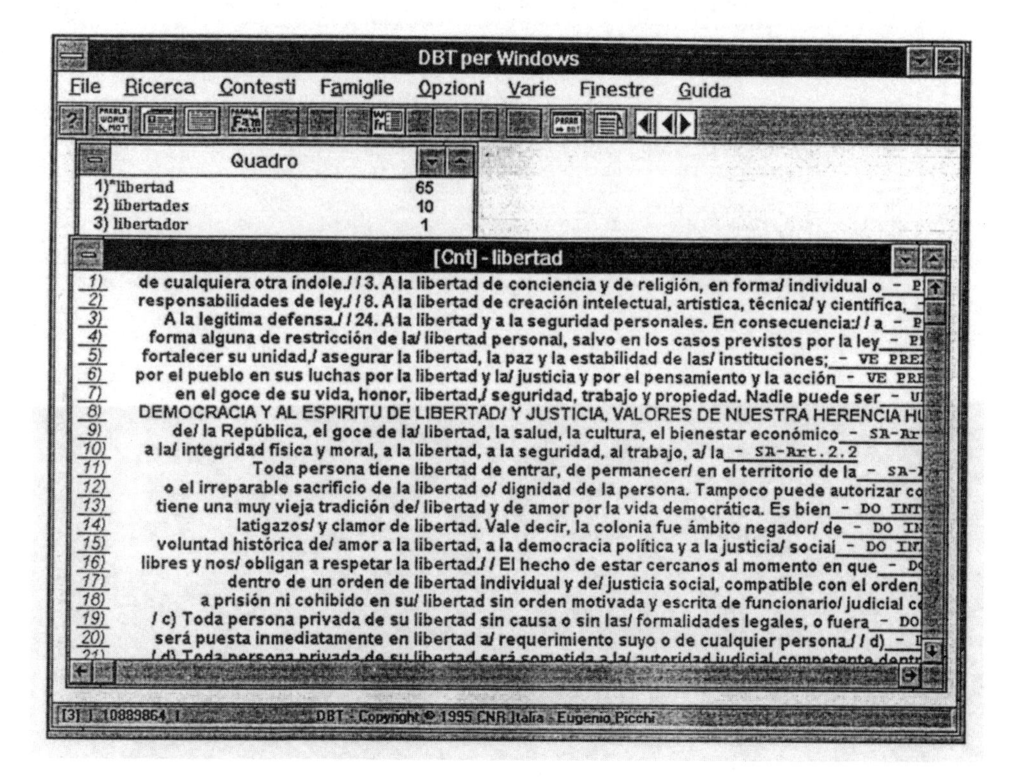

A través de esta misma ventana se pueden obtener las concordancias de las palabras elegidas. En esta pantalla, los contextos se encuentran en el mismo orden en el que aparecen en el texto; pero es posible ordenarlos a partir de otros parámetros como, por ejemplo, el orden alfabético de las palabras que siguen a la voz seleccionada (véase el ejemplo de *libertad*), con lo cual las ocurrencias de la palabra se agrupan según las expresiones en las que aparecen en el texto (en el siguiente ejemplo *libertad de, libertad individual, libertad política, libertad sin*, etc.)

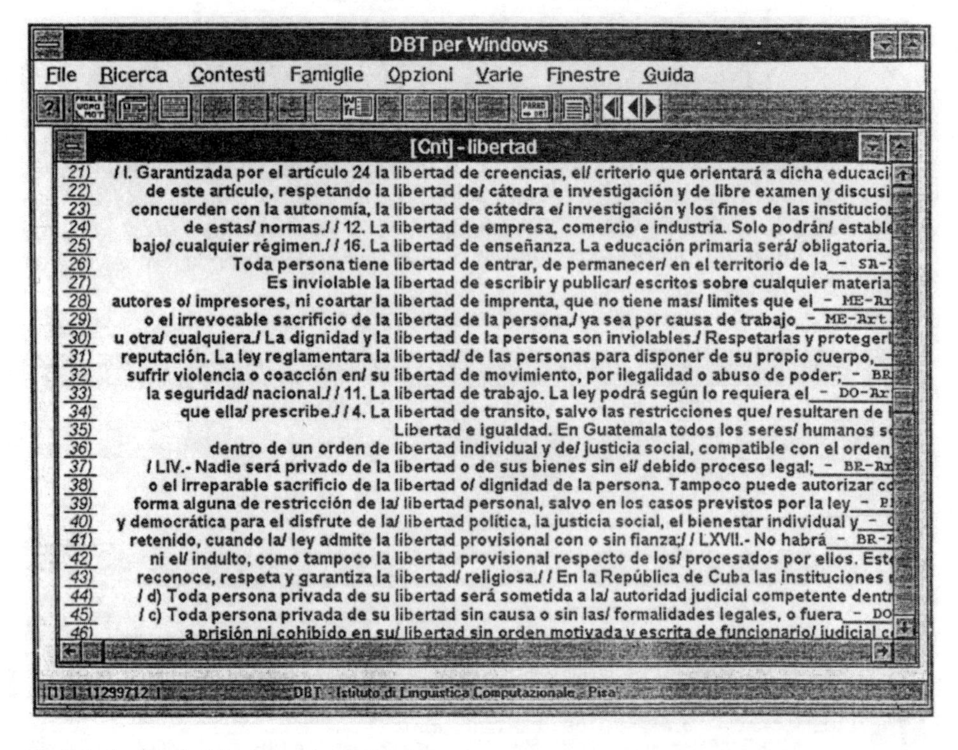

El símbolo "/" significa cambio de línea.

El resultado de cada búsqueda puede grabarse en un fichero de texto que posteriormente se puede guardar y recuperar desde un procesador de textos cualquiera. Esta opción la permiten todas las ventanas que resultan de una búsqueda.

Otra manera de utilizar la primera ventana es haciendo intervenir en la búsqueda más de una palabra, como por ejemplo:

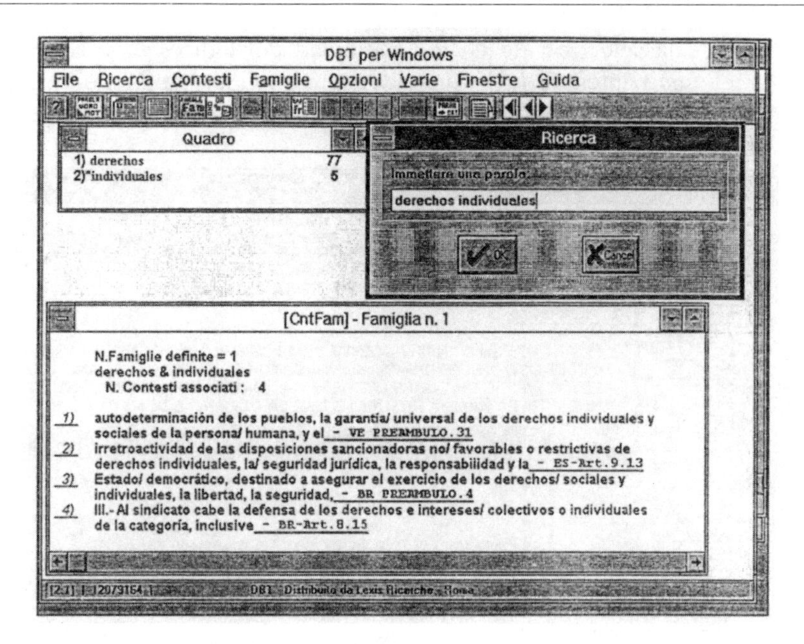

El resultado de esta búsqueda nos da una frecuencia total de aparición de 77 ocurrencias para *derechos* y 5 para *individuales.* Asimismo, para cada palabra se pueden obtener sus respectivas concordancias. En este caso, hemos realizado una búsqueda combinada de dos palabras (coocurrencias) y el resultado es que sólo son 4 los casos en que las voces *derechos* e *individuales* aparecen juntas.

Otra opción posible es ver la estructura del texto a través de la lista de cada unidad textual o unidad mínima de referencia en el texto (que en este ejemplo son los artículos de cada Constitución).

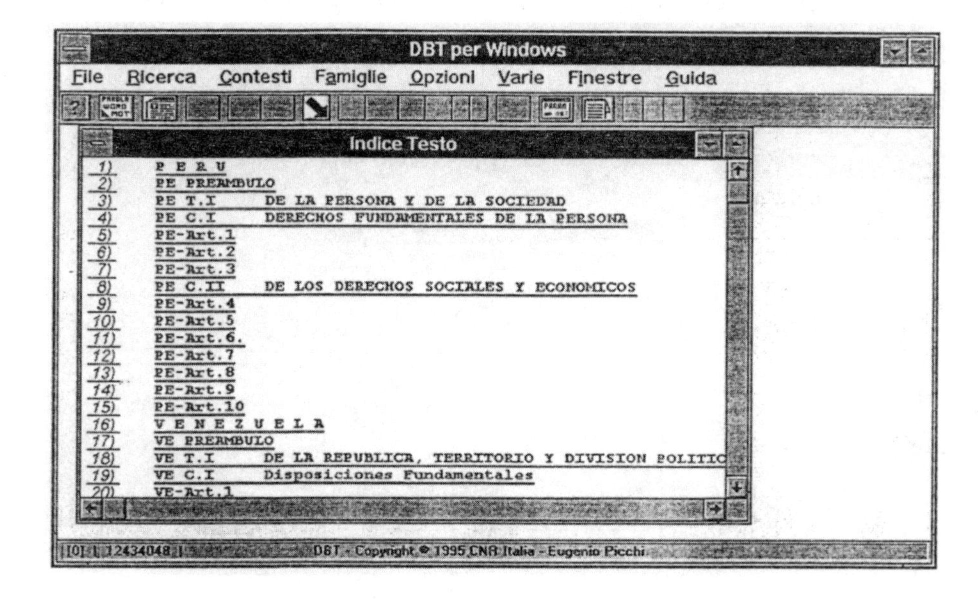

Mediante la selección de cualquier unidad del índice, es posible también visualizar el texto íntegro de la unidad textual elegida. Aquí por ejemplo se pueden visualizar los preámbulos de las Constituciones de Perú y de Venezuela.

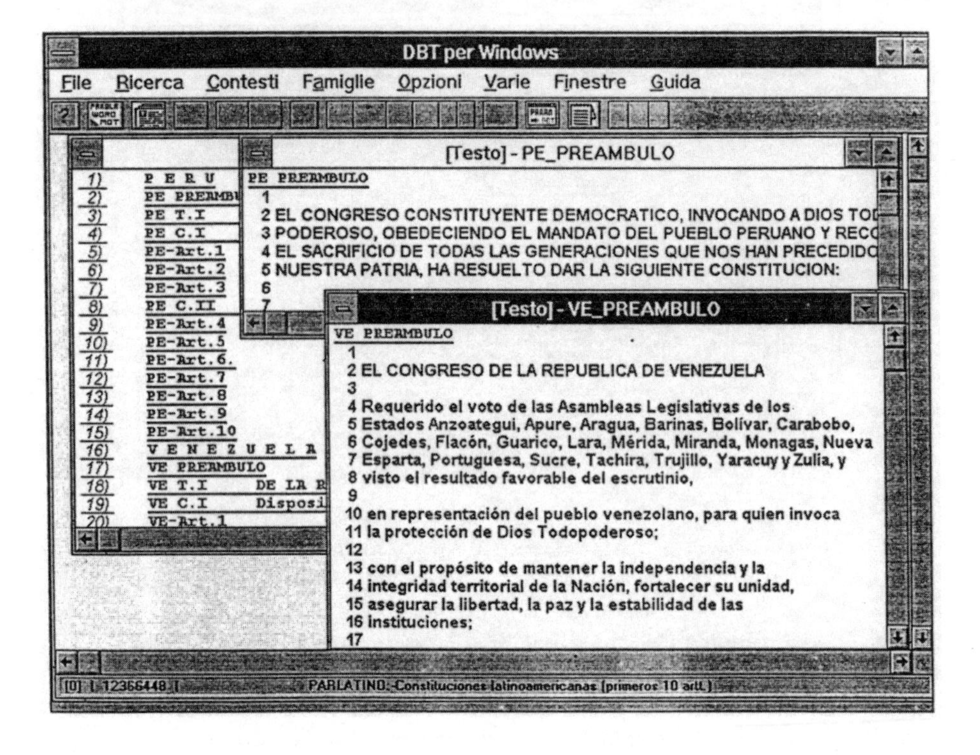

Después de haber elegido por lo menos dos palabras, se pueden definir también familias o grupos de palabras. Esta operación es siempre previa a la búsqueda conjunta de diversas voces (a partir de dos en adelante). Una vez definida una familia, ésta puede ser integrada en la definición de sucesivas familias.

La ventana siguiente permite seleccionar grupos de palabras que se quieran buscar a partir de la lista de palabras ya seleccionadas:

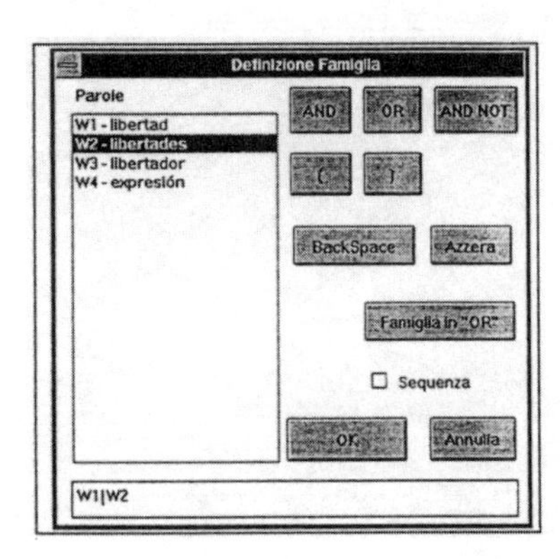

Aquí hemos indicado como grupo en OR las dos formas de libertad. Después será posible definir otro grupo a partir del primero (*libertad* OR *libertades* AND *expresión*) y el resultado de la búsqueda será el siguiente:

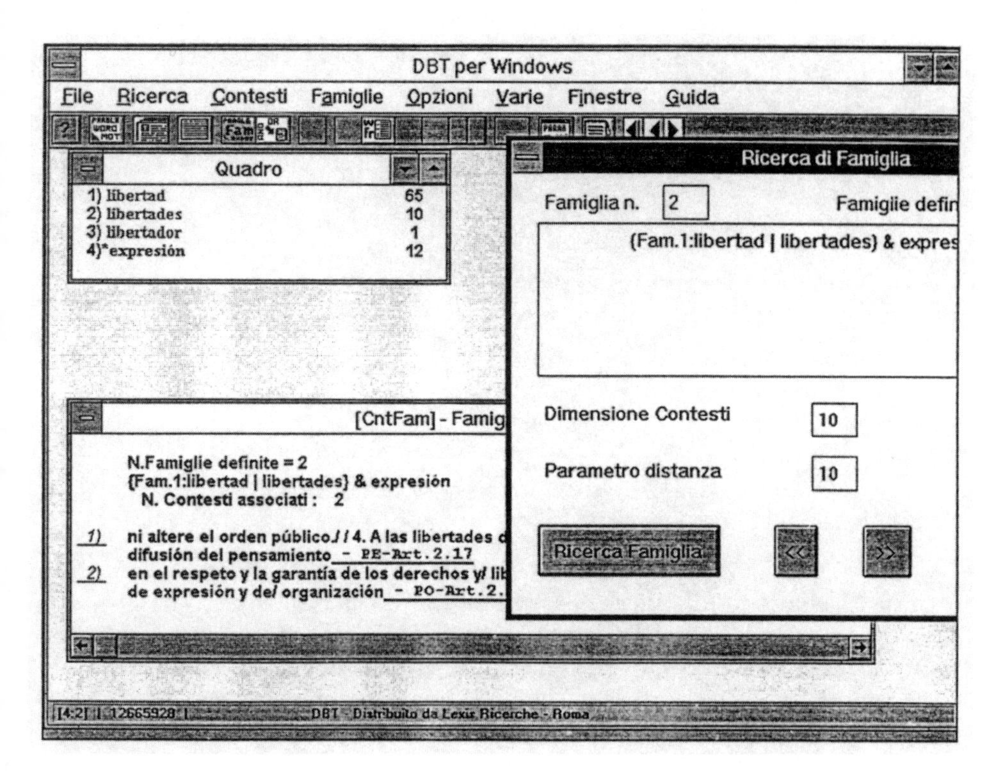

A través de la ventana llamada *Ricerca di Famiglia* se puede realizar una selección entre las familias ya definidas y modificar los parámetros de búsqueda que se dan al principio.

Dimensione Contesti está en 10, lo cual significa que los contextos extraídos tienen 10 palabras del entorno anterior y posterior de cada palabra seleccionada.

Parametro Distanza igual a 10 implica que las palabras conectadas con AND pueden encontrarse dentro de una distancia máxima de 10 palabras. Esto supone que para encontrar solamente los casos en que haya adyacencia entre las dos palabras seleccionadas es preciso señalar 1 como parámetro de distancia, ya que si no seleccionaremos también los casos en que haya otras palabras entre las dos elegidas.

En el menú *Varie* se encuentra la función de *Co-occorrenze Statistiche* que utiliza una fórmula basada en evaluaciones estadísticas para buscar palabras que en un texto aparezcan conectadas a una o más palabras seleccionadas por el usuario. La fórmula de la *Mutual Information* busca parejas de palabras para cada una de las cuales calcula un valor basado o bien en su frecuencia en el conjunto del texto o bien en su frecuencia dentro de una sección definida del mismo.

En este ejemplo hemos activado la función de cálculo de las coocurrencias a partir de la selección de *libertad, libertades* y *libertador*.

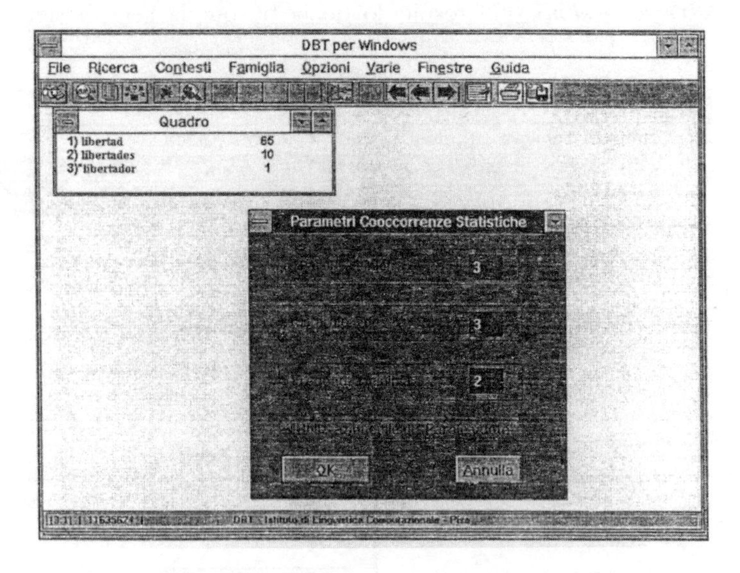

En la ventana titulada *Parametri Co-occorrenze statistiche* se puede especificar el entorno de la búsqueda en función de las palabras clave (*libertad**) —sea a la izquierda, sea a la derecha— y de la frecuencia mínima a partir de la que se selecciona el contexto. Si no nos interesan, se pueden también excluir de la búsqueda todas las palabras vacías. Estas palabras están en un fichero ASCII que el usuario debe definir y gestionar.

El resultado de esta búsqueda es el siguiente:

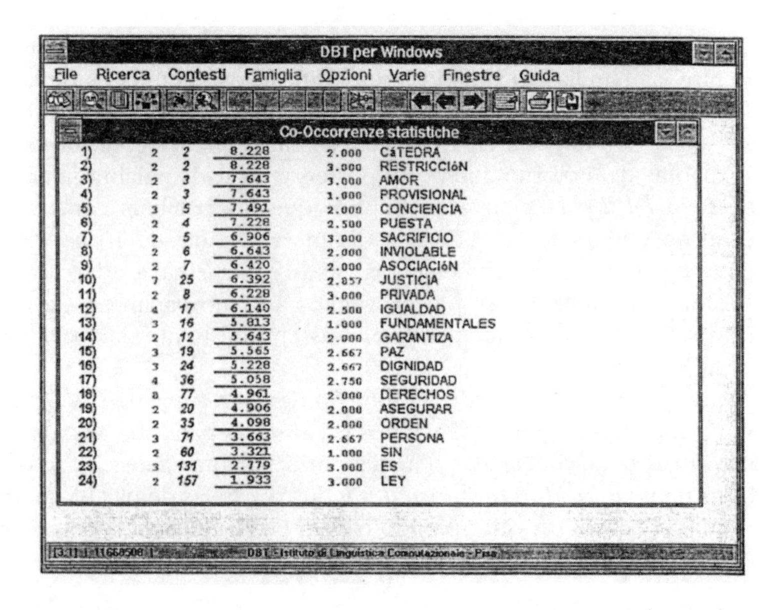

1)	2	2	8.228	2.000	CáTEDRA
2)	2	2	8.228	3.000	RESTRICCIóN
3)	2	3	7.643	3.000	AMOR
4)	2	3	7.643	1.000	PROVISIONAL
5)	3	5	7.491	2.000	CONCIENCIA
6)	2	4	7.228	2.500	PUESTA
7)	2	5	6.906	3.000	SACRIFICIO
8)	2	6	6.643	2.000	INVIOLABLE
9)	2	7	6.420	2.000	ASOCIACIóN
10)	7	25	6.392	2.857	JUSTICIA
11)	2	8	6.228	3.000	PRIVADA
12)	4	17	6.140	2.500	IGUALDAD
13)	3	16	5.813	1.000	FUNDAMENTALES
14)	2	12	5.643	2.000	GARANTIZA
15)	3	19	5.565	2.667	PAZ
16)	3	24	5.228	2.667	DIGNIDAD
17)	4	36	5.058	2.750	SEGURIDAD
18)	8	77	4.961	2.000	DERECHOS
19)	2	20	4.906	2.000	ASEGURAR
20)	2	35	4.098	2.000	ORDEN
21)	3	71	3.663	2.667	PERSONA
22)	2	60	3.321	1.000	SIN
23)	3	131	2.779	3.000	ES
24)	2	157	1.933	3.000	LEY

Con el cálculo estadístico en base a valores de frecuencia absoluta y relativa, obtenemos un elenco de palabras cuyo significado probablemente está muy relacionado con las palabras de este archivo. Los resultados de búsquedas parciales pueden grabarse en ficheros independientes para ser utilizados después.

Hay otras funciones como, por ejemplo, la posibilidad de definir reglas que restringen el campo textual en el que se realizan las búsquedas. Supongamos que quisiéramos distinguir entre las diversas Constituciones en función del código de los primeros dos caracteres de referencia.

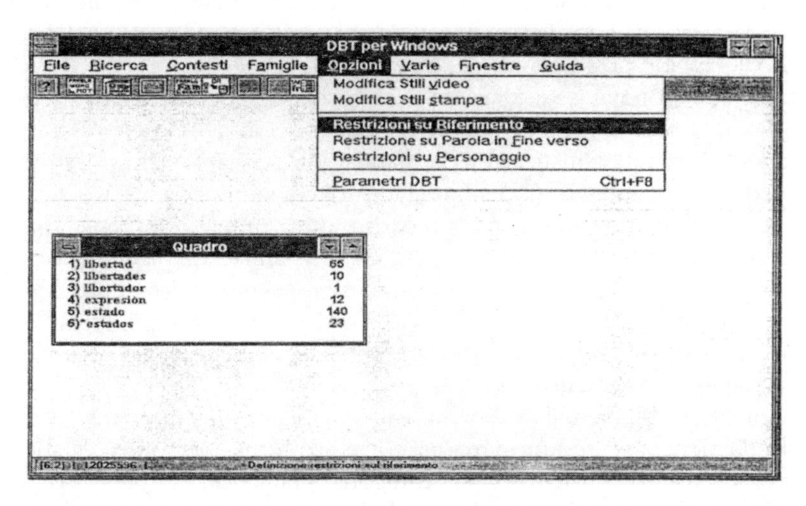

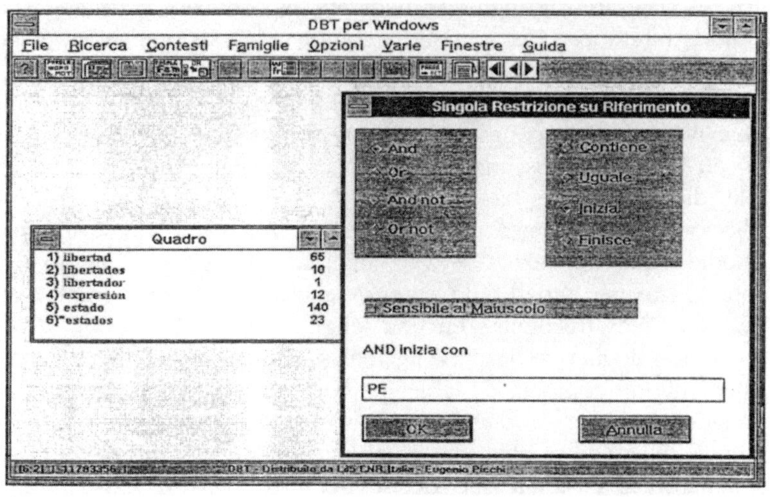

Una vez definida la regla (*que la referencia empiece por PE*), la próxima búsqueda estará limitada solamente a Perú, como se puede observar en esta ventana, donde aparece que la palabra *estado* se encuentra sólo 10 veces en la sección de la Constitución de Perú que tenemos informatizada. Para seguir buscando en todo el archivo es necesario anular dicha regla; con el mismo menú se pueden activar otras selecciones con las funciones OR o AND.

Lematización

Cuanto hemos expuesto hasta ahora y otras funciones que no hemos podido describir con detalle, se aplican a un archivo en el formato elaborado por el sistema DBT. Posteriormente, el usuario puede seguir con el trabajo de análisis mediante una fase denominada *lematización*, que consiste en la asignación de cada palabra a su entrada de diccionario correspondiente.

Esta fase es la más difícil, puesto que es necesario establecer criterios o reglas que recojan todas la particularidades de la lengua y, sobre todo, es necesario que el usuario las conozca bien para poder utilizar el material lematizado lo mejor posible.

Es muy difícil tratar este tema de manera concisa debido a la variedad de cuestiones y de operaciones que supone la lematización de un texto. Existen dos modalidades básicas de lematización: la manual y la semiautomática. En realidad, no se puede hablar todavía de lematización totalmente automática debido a la existencia de ambigüedades (ambigüedades que tampoco el entendimiento humano podría resolver) que sólo pueden aclararse gracias al contexto. Igualmente, es difícil sintetizar en un programa todo el conocimiento necesario para poder resolver las ambigüedades que genera un texto. Lo único que se puede hacer es definir un diccionario y establecer un sistema de reglas que se aplicará a un sector acotado.

La lematización manual se lleva a cabo mediante un programa (el mismo para todas las lenguas) que proporciona todas las formas en orden alfabético y el usuario les asigna su lema y su categoría gramatical. En el caso de los homógrafos, es necesario distinguirlos mediante los contextos y asignarles a cada uno su lema de referencia. Una vez se ha completado esta operación, es posible realizar todas las búsquedas antes descritas a partir de los lemas.

En el caso de la lematización semiautomática, se utiliza un analizador (*tagger*) que normalmente comprende varios componentes y diversas fases de aplicación. En general, estos analizadores constan de cuatro componentes:

— Un diccionario de base que puede ser completo (a partir de los diccionarios existentes en el mercado) y/o sectorial (se enriquece a medida que los textos se van analizando); este diccionario también puede crearse a partir de criterios estadísticos (por ejemplo, con las palabras más frecuentes en una lengua).

— Una morfología que describe las reglas gramaticales de una lengua dada, mediante un conjunto de tablas de conjugaciones, declinaciones, raíces, desinencias, etc. de dicha lengua.

— Un sistema de reglas de combinación de las diversas categorías gramaticales (sistema que puede definirse con una base teórica y/o estadística a partir de corpus textuales de referencia).

— Listas de palabras particulares como nombres propios, locuciones adverbiales, siglas, sintagmas predefinidos, números, etc.

Con el conjunto de estos instrumentos automatizados se puede conseguir una ayuda considerable en el trabajo de análisis de un texto puesto que es posible reconocer y codificar un buen porcentaje de palabras (desde el 75% en textos muy difíciles hasta casi el 98% en textos modernos). La intervención manual se reduce de este modo a la resolución de los casos más ambiguos en los que se debe elegir un lema y una categoría entre las varias propuestas posibles. Prácticamente no se necesita teclear nada, de modo que las posibilidades de error son muy reducidas y, además, las reglas del analizador garantizan unos criterios uniformes a lo largo de todo el trabajo.

Nuestra experiencia en este sector se basa en el análisis del corpus de la obra de Teresa de Ávila, que desde hace 10 años estamos llevando a cabo en colaboración con el *Dipartimento di Filologia Romanza* de la Universidad de Pisa. Este corpus reúne todos los escritos de la autora en la edición de Fray Tomás de la Cruz. La edición que hemos manejado tiene la ortografía modernizada con lo cual se eliminan los problemas debidos a las variantes gráficas y podemos utilizar el diccionario del analizador. Esta experiencia previa nos ayudó mucho en trabajos sucesivos basados en textos del siglo XV en los que se utilizaron manuscritos y se respetaron las características gráfico-fonéticas de los textos originales. En este caso, se utilizó un diccionario adjunto formado por las palabras que aparecían en los textos (con todas sus variantes) a las que se les asignó el lema más moderno atestiguado en el mismo texto. Este trabajo se ha llevado a cabo en colaboración con la UNED de Madrid, la Universidad de Pisa y el ILC.

El procedimiento adoptado para estas tareas se desarrolla en varias fases, unas manuales y otras de tipo automático, que se enumeran a continuación:

— Adquisición del texto en *machine-readable-form* (MRF). Para las obras de Teresa de Ávila se adoptó la transcripción manual porque el escáner todavía no existía; en el caso de los textos del siglo XV, porque se trabajaba con manuscritos.

— Manipulación de los textos e introducción de los códigos necesarios para poder pasar el analizador morfológico (MORFSIN).

— Primera pasada del analizador. Este analizador lleva un diccionario de base formado por 7000 lemas, seleccionados a partir del diccionario de frecuencias de Juilland y Chang Rodríguez, y un diccionario con las palabras específicas de los textos antiguos.

— Creación de un diccionario de autor con las palabras desconocidas que se han encontrado al pasar por primera vez el analizador morfológico.

— Este analizador actúa sobre el texto en varias fases sucesivas para poder llegar al nivel sintáctico a partir del morfológico mediante reglas estadísticas de coocurrencia de las categorías gramaticales.

— El resultado de esta operación de reconocimiento de las palabras y de atribución de las categorías gramaticales a sus lemas es un fichero con el texto puesto en vertical; de manera que aparece una palabra en cada línea, con su lema al lado y las categorías gramaticales del lema y de la forma. Este fichero tiene que ser revisado para resolver todas las ambigüedades que el analizador no puede solucionar y eliminar, así como las propuestas de análisis que no son correctas. En el caso de Teresa de Ávila, a través de aproximaciones sucesivas, logramos un reconocimiento del 80% de las palabras.

— El resultado de la aplicación del analizador y de la posterior revisión se utiliza para la creación de un archivo en formato DBT que, después de la elaboración y de la fase de ordenación alfabética de los lemas, puede utilizarse tal y como ya se ha explicado en la primera parte del artículo (búsquedas en el texto por formas y por lemas, frecuencias y concordancias interactivas por formas y por lemas, etc.).

— El mismo archivo DBT puede ser utilizado para la creación de un fichero en lenguaje RTF (*Rich Text Format*) que permite obtener las concordancias por lemas con características definidas por el usuario: concordancias completas, selectivas o por categorías, amplitud del contexto, características tipográficas, etc.

Como ejemplo de búsqueda en un archivo lematizado, presentamos aquí el resultado de una búsqueda realizada con un programa que se ejecuta desde MS-DOS:

```
 1) mandar  <cat.gr.> verbo
 2) mayor  <cat.gr.> adjetivo
 3) mayormente  <cat.gr.> adverbio
 4) me  <cat.gr.> pronombre
 5) media*entre medias  <cat.gr.> loc.
 6) medicar  <cat.gr.> verbo
 7) medicinado  <cat.gr.> p.p./adj.
 8) medico  <cat.gr.> sustantivo
 9) medida  <cat.gr.> sustantivo
10) medio  <cat.gr.> adjetivo
11) medio  <cat.gr.> adverbio
12) medio*en medio  <cat.gr.> loc.
13) medio*por medio  <cat.gr.> loc.
14) medio*por medio de  <cat.gr.> loc.
15) mediterraneo  <cat.gr.> n.p.
16) megas  <cat.gr.> n.p.
17) mejes  <cat.gr.> n.p.
18) mejor  <cat.gr.> adjetivo
19) mejor  <cat.gr.> adverbio
20) melanto  <cat.gr.> n.p.
21) melifluo  <cat.gr.> adjetivo
22) membrar  <cat.gr.> verbo
23) memorar  <cat.gr.> verbo

<n> Seleziona Numero     <Enter> Continua     <X> Interrompe
```

Las palabras no llevan acento para respetar la edición antigua del manuscrito.

Simplemente seleccionando el número que aparece a la izquierda de cada lema, se puede visualizar la lista de las formas correspondientes encontradas en el texto:

```
***** Lemma = mayor   <cat.gr.> adjetivo

    1) Forma = mayor
    2) Forma = mayores

<n> Seleziona Numero     <Enter> Continua     <X> Interrompe
```

Igualmente, por ejemplo, se pueden obtener las formas del verbo mandar:

```
***** Lemma = mandar   <cat.gr.> verbo

    1) Forma = manda
    2) Forma = mandar
    3) Forma = mandasse
    4) Forma = mando

<n> Seleziona Numero     <Enter> Continua     <X> Interrompe
```

Mediante el número correspondiente, se pueden visualizar también todos los contextos de la forma seleccionada:

Lemma = **mandar** <cat.gr.> verbo Forma = ***mando*** Freq. : 8

1) claro por batalla. ¿ Qual dios fue aquel que **mando** aquestos contender en yra triste? ¿ Qual dios implico I.14.Pag.0047.14

2) . Pero Agamenon negava: no queria aquesto; antes **mando** al viejo Crisis salir de los palacios, en despecho II.21.Pag.0051.4

3) muchos dias lloro los sus perdidos amores; et luego **mando** privar al gran Achiles de Brisida, assi-como Achiles avia V.8.Pag.0059.11

4) seso de la antigua vejez. La habla dexada, **mando** el duque Agamenon ser tomadas las armas et ataviar y VII.37.Pag.0073.2

5) se demostro fuera-de las aguas y del insano emisperio, **mando** incontinenti Agamenon, agro de armas, ser armada toda VII.43.Pag.0073.8

6) el primero. Hetor tomo las armas del padre et **mando** aquexar a todos los mancebos troyanos a las peleas, X.9.Pag.0081.17

7) luego, en contino, pidio Hetor los muros et **mando** llamar a Ecuba, madre suya. E despues de XIX.11.Pag.0127.11

8) ni aun dio a los tales dichos orejas, antes **mando** a Ydeo, orador de la embaxada, que saliesse XXII.15.Pag.0141.10

<n> Contesto ampio <Enter> Continua

Además, se puede consultar —si se quiere— una parte más amplia del texto:

***** Lemma = mandar <cat.gr.> verbo
Forma = mando Freq. : 8

8) falagar los fuegos duros de Menelao. Aqueste plugo a todos. Entonces Ydeo, embiado, llevo este mandado al cruel Atrides o Menelao, el qual ni por esto se animo al recebir de la tal prea, ni aun dio a los tales dichos orejas, antes **mando** a Ydeo, orador de la embaxada, que saliesse luego fuera-de los sus reales; el qual obedeciendo a las sus moniciones, bolviose a los reales de Troya, haziendo saber a los troyanos el menosprecio que hallara en el su duro enemigo. XXII.15.Pag.0141.10

*** Tasto qualsiasi per continuare ***

Como ya se ha mencionado, de este archivo lematizado se pueden extraer listados de frecuencias alfabéticas por lemas y por formas, y listados en orden descendente de frecuencia:

Frecuencias Alfabéticas

349 A preposición
 349 a
1 A bueltas con v. bueltas loc.
1 A bueltas de v. bueltas loc.
1 A bueltas v. bueltas loc.
1 A cabo v. cabo loc.
1 A cerca adv. v. cerca
1 A cerca de v. acerca loc.
1 A cerca v. acerca loc.
1 A fuer de v. fuer loc.
1 A furto v. furto loc.
1 A la fin v. fin loc.
1 A lo menos v. meno loc.
1 A manera de v. manera loc.
1 A manera que v. manera loc.
1 A qüestas v. qüestas loc.
1 Abaten n.p.
 1 abaten
1 Abaxar verbo
 1 abaxose
1 Abeja sustantivo
 1 abejas
1 Abenrruyz n.p.
 1 abenrruyz
4 Abierto p.p./adj.
 3 abiertas
 1 abiertos
1 Abraçado p.p./adj.
 1 abraçados
1 Abraçar verbo
 1 abraço
1 Abrevar verbo
 1 abrevar
1 Abrir verbo
 1 abrio
2 Abuelo sustantivo
 2 abuelos
4 Aca adverbio
 4 aca
3 Acabado p.p./adj.
 1 acabada
 1 acabado
 1 acabados
1 Acabar verbo
 1 acabara
3 Acaescer verbo
 1 acaescer
 1 acaescera
 1 acaescieron
2 Acatamiento sustantivo
 2 acatamiento
10 Acatar verbo
 3 acata
 3 acatando
 1 acatasse
 3 acato

Frecuencias Decrecientes

1.716 El artículo
902 De preposición
543 Y conjunción
450 E conjunción
349 A preposición
276 Por preposición
252 En preposición
231 Su posesivo
200 Con preposición
167 Ser verbo
148 Que conjunción
138 Se pron.pers.
136 Que relativo
124 Del prep.+ art.
121 Qual relativo
103 Grande adjetivo
103 No adverbio
99 Al prep.+ art.
96 Le pron.pers.
85 Griego adjetivo
85 Todo indefinido
82 Aquel demostrativo
80 Hetor n.p.
78 Este demostrativo
75 Troyano adjetivo
69 Achiles n.p.
69 Arma sustantivo
69 Hazer verbo
69 Ni conjunción
68 Haver verbo
66 Otro indefinido
65 Aqueste demostrativo
63 Un indefinido
60 Hijo sustantivo
56 Parte sustantivo
54 Fuerça sustantivo
54 Muy adverbio
53 Contra preposición
51 Batalla sustantivo
51 Despues adverbio
50 Mas adverbio
48 Como conj./adv.
47 Assi adverbio
47 Cuerpo sustantivo
47 Fuerte adjetivo
47 Venir verbo
45 Agamenon n.p.
45 Alli adverbio
44 Dar verbo
40 Dezir verbo
38 Tal indefinido
36 Poder verbo
34 Ver verbo
33 Traer verbo
32 Pero conjunción
31 Ya adverbio
30 Rey sustantivo

Otro de los resultados que puede obtenerse automáticamente son las concordancias por lemas que, además, aparecen en un formato que tiene las características tipográficas necesarias para que se pueda imprimir directamente:

Abaten n.p.
1 Deprimio a Pelidon et **Abaten**, mortalmente feriendolos de fuerte fierro; et mato a XVII.p.113
Abaxar verbo
1 "Dixo Jupiter aquello, y Tetis, deleznada por los ayres ligeros, vino et **abaxose** a la rivera paterna y a las gratas ondas de las sus hermanas. V.p.63
Abeja sustantivo
1 agora por el contrario, ca presento lo que mio no es, bien como las **abejas** roban la sustancia de las melifluas flores de los Prohemio.p.35
Abenrruyz n.p.
1 Como si dixessemos de Seneca el moral, de Lucano, su sobrino, de **Abenrruyz**, de Avicena, y otros no pocos, los quales temor de Prohemio.p.35
Abierto p.p./adj.
1 los mancebos troyanos a las peleas, ordenando sus gentes las puertas **abiertas**. Al qual Hetor el yelmo fulgente por oro cobria de toda X.p.81
2 dichas, el agro Hetor pidio las hazes de los griegos por las puertas **abiertas** y con el de consuno su hermano Paris. XX.p.131
3 de Achiles quisieron concebir las tales plegarias, ni sus manos ser **abiertas** a ningunos dones del rey Agamenon ni quiso ni XXIIII.p.147
1 quando el lobo vee el pecudeo ganado tendido en los campos **abiertos**, al qual ni espanta el pastor de la grey ni la horrible XVII.p.119
Abraçado p.p./adj.
1 cosas, ayuntaron los sus cuerpos, tomando el uno del otro dulces **abraçados**. ### XIII.p.97
Abraçar verbo
1 E despues Hetor descubriose del yelmo dorado et luego **abraço** al infante entre sus braços amos, et alçandolo en sus XX.p.131
Abrevar verbo
1 quedo a quedo por las verdes yervas, et alça la cerviz cobdicioso de **abrevar** la sed en bovina sangre, y dexase yr con iracundo XVIII.p.121
Abrir verbo
1 fizieron el consejo de Nestor Entre aquestas, el claror de la mañana **abrio** las alas de la luz. VII.p.69
Abuelo sustantivo
1 y su linaje, de que estirpe descendia y la su genealogia de quales **abuelos** emanasse. XIX.p.129
2 noble es la nuestra fama y casa y generosa la estirpe de nuestros **abuelos**. "Hetor como oyo el nombre de Ensiona, recordando los XXI.p.139

Referencias bibliográficas

SABA, A., RATTI, D., CATARSI, M. N., CAPPELLI, G. (1983), "Análisis morfosinctáctico y lematización de textos en lengua española", en CATARSI, M. N., RATTI, D., SABA, A., SASSI, M. (Eds.), *Ordenadores y lengua española*, Pisa: Giardini editori, pp. 97-106.

CARPI, E., SABA, A., SASSI, M. (1987), *Concordanze del 'Libro de la Vida' di Teresa de Avila*, Pisa: Servizio Editoriale D.S.U.

— (1992), *Exclamaciones del alma a Dios. Concordanze per lemma e Repertorio delle forme enfatiche nell'opera omnia di Teresa de Avila*, Pisa: Servizio Editoriale D.S.U.

— (1995), *Archivo lematizado informatizado de la Obra completa de Teresa de Avila*, Pisa: ILC-ALN.

JUILLAND, A., CHANG-RODRÍGUEZ, E. (1964), *Frequency Dictionary of Spanish Words*, The Hague: Mouton.

PICCHI, E. (1990), *DBT:* "A textual Database System", en *Computational Lexicology and Lexicography. Special issue dedicated to Bernard Quemada, Linguistica Computazionale*, II, Pisa: Giardini editori, pp. 177-207.

SANTA TERESA DE JESÚS (1986), *Obras completas*, Madrid: Biblioteca de Autores Cristianos.

CHARLES B. FAULHABER
University of California

La enseñanza del catalán antiguo: Educación a distancia y bibliotecas digitales, cara y cruz de una misma moneda[1]

La educación a distancia requiere el apoyo de una biblioteca digital. Este hecho me lo ha demostrado una experiencia reciente. En el otoño de 1995, me encargué de dar, utilizando la televisión interactiva, una introducción al catalán antiguo (lengua y literatura) para estudiantes del doctorado de filología hispánica de la Universidad de California (UC). La clase tenía cuatro estudiantes en la UC Berkeley, dos en la UC Santa Barbara y uno en la UC Irvine. Ésta ha sido la primera vez que desde Berkeley se ha organizado una clase destinada a alumnos diseminados en diversos centros.

Pese a que el catalán antiguo puede ser una materia algo esotérica y exótica en California, y el número de estudiantes era reducido, las clases se dieron como parte de un proyecto piloto que pretendía estudiar cómo resolver un problema grave en esta época de penuria académica: la universidad, ¿puede permitirse el lujo de enseñar lenguas extranjeras cuya demanda es muy reducida? En cada centro suelen ser pocos los estudiantes que las quieren aprender; y precisamente por ser estas lenguas o difíciles o poco comunes hace falta un profesor especializado y por lo tanto costoso. El conocimiento de tales lenguas es, sin embargo, un requisito necesario para estudiantes de todas las áreas de las ciencias humanas (para prepararlos, por ejemplo, para trabajos de campo en países extranjeros). La solución que hemos probado es la de utilizar la educación a distancia para enseñar simultáneamente a estudiantes de distintos centros. De este modo, se reduce el coste por estudiante y es posible compartir los recursos especializados de cada centro.

Para facilitar las comparaciones con las clases tradicionales, mantuve la misma estructura, o sea una reunión semanal de tres horas. Los participantes se daban cita en las salas de educación a distancia de los tres centros. Cada una

---

1. La versión inglesa de esta nota apareció como "Distance Learning and Digital Libraries: Two Sides of a Single Coin", en *Journal of the American Society for Information Studies* (*JASIS*) (noviembre, 1996): 854-856. Aquí está traducida y ligeramente ampliada con permiso de John Wiley & Sons, Inc., con todos los derechos reservados (© John Wiley & Sons, Inc., 1996). Para un estado de la cuestión completo sobre el uso de la tecnología en la enseñanza, véase Steven W. Gilbert, "Making the Most of a Slow Revolution", *Change* (marzo-abril 1996): 10-23; para un análisis de las posibilidades y problemas de la educación a distancia, véase Marcia Linn, "Cognition and Distance Learning", *JASIS* (noviembre, 1996): 826-842.

estaba dotada de un sistema Rembrandt II (*Compression Labs. Inc.*, San Jose, California) de videoconferencia. Teníamos acceso también a un canal para gráficos capturados por medio de un retroproyector electrónico (marca Elmo) o de un ordenador. La señal televisiva se emitía desde la Oficina del Presidente de la Universidad de California en Oakland a los otros centros a través de líneas T1 (1,45 megabits/segundo), aunque el ancho de banda dedicado a la clase equivalía a la cuarta parte de una línea T1, que a su vez era equivalente a 6 líneas ISDN (red integrada de servicios digitales).

Este ancho de banda era adecuado para la representación de vídeo, aunque el sistema no ofrecía la misma calidad que un televisor comercial; pero el canal para las imágenes gráficas sólo ofrecía imágenes estáticas, de modo que era imposible ver una pantalla de ordenador en activo, aunque sí se podía hacer un salto de pantalla. El retroproyector funcionaba muy bien para los materiales preparados de antemano en formato electrónico, pero para la presentación *ad hoc* de ejemplos escritos durante la clase todavía se echaba de menos la presencia de una pizarra, preferentemente electrónica. En Berkeley las imágenes del profesor y de los materiales gráficos se presentaban en dos pantallas grandes (2 por 1,5 metros), de tal forma que se podían ver las dos simultáneamente; en UC Santa Barbara y UC Irvine, en cambio, sólo había una pantalla, y por lo tanto sólo se podía ver o a la persona que hablaba o los materiales que ésta mostraba, pero no a ambos simultáneamente. Esta discontinuidad derivada de las diferencias entre el nivel técnico de Berkeley y el de los otros dos centros (Santa Barbara e Irvine) tuvo repercusiones en la docencia, puesto que limitaba lo que se podía hacer en la clase.

Además de la sala de educación a distancia, el intercambio de información se realizaba mediante otros dos recursos informáticos:

(1) Un programa para redireccionar el correo electrónico, de manera que cualquier mensaje que se enviaba se transmitía automáticamente a todos los estudiantes de la clase. Para ello resultaba imprescindible que todos ellos dispusieran de una cuenta de correo electrónico y tuvieran la posibilidad de utilizarlo tanto desde la facultad como desde su casa.

(2) Una página de la *World Wide Web* (http://www.lib.berkeley.edu/~catalan) que proporcionaba los materiales que normalmente se dan impresos; como, por ejemplo, el propósito de la asignatura, las normas de calificación, el programa en sí, la bibliografía, las lecturas semanales, etc. La innovación principal estribaba en la inclusión no sólo de imágenes digitalizadas de manuscritos catalanes medievales sino también de vínculos hipertextuales que remitían a otras páginas web relevantes —tanto en EE.UU. como en España— de modo que se ofrecía a los estudiantes una riqueza de materiales a los que jamás habrían podido acceder de otra manera. Como en aquel entonces eran poco frecuentes módems de más de 9600 baudios y navegadores tipo *Netscape* que funcionasen bien desde casa, el acceso a estos materiales se limitaba a las aulas de informática de la facultad, tanto para los estudiantes de Berkeley como para los de los otros centros. Las lecturas de textos antiguos que se digitalizaron —con permiso de la autora— pertenecían a la antología *Literatura catalana medieval. Selecció de textos* de Lola Badia (1985).

Si bien la clase cumplió su propósito primordial —ofrecer unas nociones básicas de gramática histórica del catalán antiguo y de la historia de la literatura catalana medieval— hubo varias dificultades tanto administrativas como técnicas. La principal dificultad administrativa radicaba en el hecho de que el curso de la UC Berkeley está dividido en dos semestres, de tal modo que el semestre de otoño empieza la última semana de agosto y termina la primera de diciembre; el curso consta, por tanto, de quince semanas lectivas. En cambio, los otros centros dividen el curso en tres cuatrimestres, y el cuatrimestre de otoño comienza a finales de septiembre y termina la segunda semana de diciembre, con diez semanas lectivas. Los estudiantes de Santa Barbara y de Irvine, o bien tuvieron que comenzar el curso con un mes de antelación respecto a sus compañeros, o bien perdieron las primeras clases y las recuperaron después por vídeo. Este desfase temporal es muy importante y debe resolverse, pero representa un escollo difícil de superar en EE.UU. dada la multiplicidad de calendarios académicos existentes.

Las cuestiones administrativas de todo tipo, desde la reserva de la sala de educación a distancia hasta la aceptación de la clase como parte íntegra del programa de cada estudiante, tuvieron que hacerse fuera de los cauces administrativos normales. Este hecho entorpecía sobremanera el funcionamiento normal de la clase. Con el tiempo es de presumir que se hagan los ajustes necesarios para integrar las clases de educación a distancia dentro de los sistemas administrativos corrientes.

Las dificultades y limitaciones técnicas iban desde lo fundamental hasta lo más trivial. Tuvimos que abandonar casi desde un principio la presentación electrónica (incluso en formato de imágenes digitalizadas) de las lecturas complementarias. Estas lecturas, unas 40 entre artículos y monografías, representaban una carga muy grande para la biblioteca universitaria, no tanto por la capacidad del servidor sino por la de la mano de obra necesaria para el proceso de digitalización y para la tarea de pedir permiso a todos y cada uno de los dueños del *copyright* de las obras digitalizadas. Más complejo resulta todavía el hecho de que los navegadores actuales, como *Netscape*, no responden satisfactoriamente a las necesidades que surgen en trabajos serios en muchas disciplinas, porque el lenguaje de codificación hipertextual (HTML = *Hypertext Markup Language*) no proporciona los caracteres necesarios para la transcripción fonética o la anotación científica salvo en la forma de imágenes digitalizadas de las páginas originales, lo cual imposibilita la búsqueda de palabras clave. Tuvimos que abandonar, por tanto, nuestro intento de proporcionar el texto electrónico de la admirable introducción a la gramática histórica catalana (en inglés) de Joseph Gulsoy. Es de esperar que HTML se acerque rápidamente a SGML (*Standard Generalized Markup Language*), que ha resuelto ya casi todos los problemas relacionados con la representación de caracteres especiales. Si bien el texto elec-trónico es el instrumento ideal para proporcionar materiales para el aprendizaje (por la posibilidad que ofrece de realizar búsquedas en los textos), por de pronto la imagen digitalizada proporciona una alternativa razonable para las disciplinas científicas que necesitan caracteres especiales, imágenes, gráficos, tablas, etc.

Hubo también problemas de equipo. Hasta casi el final del semestre, no pudimos encontrar laboratorios en Irvine y Santa Barbara que ofreciesen el programa *X-Windows* en el entorno UNIX. Este programa era necesario para permitir el acceso por la red al gestor de la base de datos *DynaText* con sus casi mil páginas de imágenes digitalizadas de los manuscritos medievales catalanes de la *Bancroft Library* de Berkeley: MS UCB 160, *De la consolacio de la filosofia* de Boecio (ca. 1470); MS UCB 155, la *Biblia parva*, atribuida erróneamente a San Pedro Pascual (ca. 1375-1425); más unos 300 documentos de origen catalán, la mayor parte en latín. Estas imágenes eran utilizadas por los estudiantes para las prácticas de transcripción, siguiendo unas normas ideadas para este propósito. Estas normas partían de las ofrecidas por el Dr. Joan Torruella en "Resum de criteris d'edició per al projecte dels cançoners", que, gracias a la gentileza de su autor, también pudimos cargar en nuestra página web como elemento de referencia.

Si bien el sistema de *DynaText* es prometedor, la versión actual presenta algunas limitaciones para la representación de manuscritos medievales. Permite la ampliación de la imagen para poder ver los detalles del manuscrito, pero no tiene procedimientos de tratamiento de la imagen para acrecentar el contraste o limpiar manchas oscuras. Más importante aún es el hecho de que su configuración por defecto permite al usuario modificar deliberada o accidentalmente el fichero original. En cuanto al sistema de videoconferencia, la red no era muy estable. En más de una ocasión perdimos la conexión con los otros centros, y durante dos semanas seguidas perdimos la conexión con UC Santa Barbara y tuvimos que mandar vídeos de las clases. Como consecuencia de ello, los estudiantes sólo veían la actuación del profesor y los estudiantes de Berkeley; desde luego, no podían intervenir para hacer preguntas y esclarecer algún punto poco claro de la explicación.

La preparación de esta clase requería una inversión de tiempo y recursos financieros bastante elevada; y tal vez sea ésta la lección más importante que se ha extraído de esta experiencia. No se debe olvidar lo costosa que resultó la creación de la base de datos *DynaText* (subvencionada con una ayuda de $5000 [750.000 ptas.] por el Programa de Estudios Catalanes Gaspar de Portolà, de Berkeley, que a su vez recibe fondos de la *Generalitat de Catalunya*) y el tiempo invertido por el personal de la biblioteca en la digitalización de los materiales, sin lo cual no se hubieran podido dar las clases. El diseño y construcción de la hoja web supuso unas 40 horas de trabajo; una de las bibliotecarias dedicó aproximadamente entre 10 y 15 horas semanales para la preparación de los materiales de clase, digitalizando los textos mediante OCR (reconocedor óptico de caracteres) y codificándolos en HTML (lenguaje de codificación de textos para Internet), mientras otras dos dedicaron un total de 25 horas a leer pruebas de los mismos materiales. Así, sin contar mi propio trabajo (unas 5 ó 6 horas cada semana para transcribir apuntes manuscritos en el formato necesario para su presentación electrónica) y el de los estudiantes (unas 25-50 horas en transcribir y corregir secciones de la obra de Boecio), el personal de la biblioteca invirtió aproximadamente unas 150 horas de trabajo sólo en esta asignatura. Desde luego, estos materiales pueden reutilizarse en el futuro y, como seguimos manteniendo la página web, constituyen además una aportación y ayuda permanente para estudiantes y profesores de catalán no sólo en EE.UU. sino también en otros países (aunque en honor a la verdad, la estadística demuestra que no se ha consultado mucho hasta ahora).

Conclusiones

Esta clase, que se dio para estudiantes de tres centros diferentes, habría sido imposible sin la existencia de recursos electrónicos para repartir desde el programa del curso hasta los textos de clase: la educación a distancia funciona sólo a medias si no se dispone de una biblioteca digital. Falta recorrer mucho trecho hasta que la educación a distancia sea factible para la mayoría del profesorado. En primer lugar, son pocas las instituciones que pueden permitirse el lujo de proporcionar el apoyo que recibí yo por parte del personal de la biblioteca. En vez de hacerlo directamente, las bibliotecas, colaborando con los centros de informática y de tecnología educativa, deberían ofrecer las herramientas que el claustro y los estudiantes necesitan para crear sus propios recursos digitales.

Huelga decir que dependeremos del mercado para crear la mayoría de estas herramientas, porque ninguna biblioteca ni centro informático cuenta con los recursos financieros necesarios para ello, del mismo modo que nosotros tuvimos que depender del mercado comercial para proporcionar programas de tratamiento de palabras y hojas de cálculo de alta calidad. Este proceso, de hecho, ya ha comenzado con la creación, por ejemplo, de instrumentos que existen en las universidades (v.g., para la conversión automatizada de ficheros de programas como *WordPerfect* o *Word* al formato HTML). El personal docente también necesita el acceso a los equipos necesarios (v.g., escáneres de alta resolución) y el permiso para cargar las imágenes resultantes o los textos electrónicos en las páginas del web. Actualmente, la mayoría de los administradores de las redes se ha mostrado reacio a conceder este permiso, lo cual supone una dificultad añadida a la preparación de los materiales docentes. *Estas nuevas tecnología sólo serán utilizadas por una pequeña proporción del personal docente (los más innovadores) hasta que el profesor pueda preparar por la tarde los materiales que quiere enseñar a la mañana siguiente.* Pero por el momento, esto no es más que un sueño imposible.

Todos podemos aprender de esta experiencia piloto. La gestión de los centros no podrá contar con la educación a distancia para reducir los gastos hasta que no se posean los medios más adecuados para la preparación de materiales en los nuevos formatos. Ya que de otro modo, lo que se ahorra en gastos de docencia se perderá en gastos de digitalización. Asimismo, el profesor que quiera aprovecharse de estas tecnologías necesitará o mucha ayuda técnica o mucho tiempo para crear los recursos digitales necesarios.

Pero tal vez la lección más importante es la que tendrá que aprender el bibliotecario cuyo papel tradicional tendrá que modificarse substancialmente. El nuevo bibliotecario ya no puede limitarse a servir como intermediario entre el usuario y la información que éste busca; pero tampoco puede asumir el papel de intermediario digitalizador entre el profesor y la información que éste quiere suministrar a sus estudiantes. Intentar proporcionar tal servicio a todo el claustro, dado el presupuesto exiguo de las bibliotecas, sería un despropósito.

La única alternativa sensata es la de proporcionar los medios *software* —equipos, entrenamiento— para que el profesor pueda desarrollar él mismo los materiales digitales que necesita de una manera eficaz. Así, la tarea del bibliotecario será la de crear o, mejor, adquirir las herramientas precisas y proporcionar al profesorado el entrenamiento necesario para usarlas. Un tanto hiperbólicamente podríamos calificar esta nueva situación como un "sacerdocio de todos los creyentes" digital, que elimina así la función hierática y mediadora del bibliotecario tradicional.

Referencias bibliográficas

BADIA, L. (1985), *Literatura catalana medieval. Selecció de textos*, Barcelona: Empúries.

GILBERT, S. W. (1996), "Making the Most of a Slow Revolution", *Change* (marzo-abril), pp. 10-23.

LINN, M. (1996), "Cognition and Distance Learning", *Journal of the American Society for Information Studies* (noviembre), pp. 826-842.

MARÍA MORRÁS
Universidad Pompeu Fabra

Informática y crítica textual: realidades y deseos

Para Alberto Blecua,
magistro amoenissimo ardua labore

"Because electronic publishing is incunabular, energetic, and exciting, it is sorrounded by hype, exaggeration, ignorance, and skepticism" (Shillinburg [1986] 1996a: 161). Estas palabras, escritas hace ya más de una década, bien pueden servir todavía hoy como pórtico para cualquier estudio sobre informática y crítica textual. En el umbral del siglo XXI, la falta de verdadero interés y de conocimiento de la mayoría de los que se dedican a la crítica textual sobre los avances de la informática aparece ante los ojos del observador —de esta observadora— casi tan asombrosa como el profundo escepticismo y las expectativas exageradas que, por paradójico que parezca, conviven codo con codo entre los editores y críticos que se han asomado a sus posibilidades. Pero quizá lo más sorprendente es la fractura que se aprecia entre dos universos filológicos: uno, que podría bautizarse como el de la filología "artesanal", en el que los editores realizan su trabajo utilizando el ordenador sólo en los estadios últimos de preparación del texto, a modo de máquina de escribir sofisticada; otro, el de la filología "informática", en el que los teóricos del hipertexto proclaman el final de las ediciones críticas e incluso del libro impreso (v. más abajo para las referencias bibliográficas).[1] Pese a tales predicciones, a juzgar por las escasas ediciones críticas en cuya realización se ha empleado la informática de manera efectiva, podría más bien afirmarse que el desarrollo informático o no ha alcanzado a la crítica textual o ha fracasado en sus aplicaciones en ese terreno. Creo, sin embargo, que cualquiera de esas dos conclusiones pecaría de precipitación y de ignorancia de la realidad. De la

1. Prefiero evitar las etiquetas de "filología tradicional" y "nueva filología" a pesar de ser acuñaciones que llevan varios años circulando en las publicaciones especializadas debido a las connotaciones ideológicas que llevan aparejadas y que ha provocado a veces la adhesión entusiasmada o el rechazo virulento, ambos previos a cualquier reflexión, por parte de algunos. En el campo románico, véase el número especial de 1990 de *Speculum* (vol. 65) bajo la advocación de "nueva filología" y la polémica que ha despertado (en especial Picken 1994 y Demwoski 1994). Por el mismo motivo, evitaré aplicar el vocablo "revolucionario" y sus derivados para referirme a la magnitud y calidad de los cambios que supone la aplicación de la informática a los estudios textuales. He de advertir desde aquí, sin embargo, que en el debate sobre la aplicación de la informática a la crítica textual y a los estudios literarios hay un elemento ideológico que a veces ha reemplazado a los verdaderos argumentos, pero que no puede soslayarse del todo.

realidad tanto informática como filológica, así como de las metas que éstas se proponen.[2]

En el plano de la informática, contamos ya con varios programas realmente efectivos para colacionar textos y algunas tentativas serias de filiación con ayuda de programas creados *ad hoc* o procedentes de otras disciplinas, así como de otros que permiten componer el texto listo para ser filmado para la imprenta en ordenadores personales. A pesar de ello, una parte importante de quienes se dedican a la crítica textual sólo tiene una vaga idea sobre su existencia y no los ha utilizado[3]. La negligencia sería relativamente leve si fuera sólo en detrimento

2. Sobre los objetivos y métodos de la crítica textual son suficientes las precisiones de Blecua (1983), Orduna (1990); para una perspectiva no hispánica puede acudirse a Gottesman y Bennet (1970) y a Foulet y Speer (1979). Las líneas maestras de las inquietudes que mueven a la crítica textual hoy pueden encontrarse en Greetham (1994) y (1995) y Tanselle (1996); para las cuestiones de crítica textual en relación con la informática son imprescindibles Dearing (1974, 1984), Faulhaber (1991), Shillinburg (1996) y, a pesar de su alcance más limitado, Perilli (1995). Aunque dan una visión más fragmentaria, complementa las visiones de conjunto una serie de recopilaciones: Cigliozzi (1987), Butler y Stoneman (1988), Eisenberg (1989), Catach (1988), Katzen (1991), Hockey e Ide (1991), Butler (1992), Orlandi (1993), Plasella y Martelli (1994), Deegan y Sutherland (1995) y Finneran (1996); y estudios particulares que se ocupan de las implicaciones metodológicas: Love (1971), Howard-Hill (1973, 1977, 1979), Oakman (1975), Wittig (1978), Hicks (1982), Hay (1986), Orlandi (1986), Dees (1988), O'Donnell (1992), Ott (1982 y 1992), y Small (1993). También útiles son algunos manuales que versan sobre las aplicaciones de la informática en las humanidades, con capítulos específicos sobre el tema que nos ocupa: Aitken et al. (1973), Adamo (1989), Boleter (1990), y en especial Hockey (1980), Oakman (1984), Orlandi (1990) y Marcos Marín (1994, resumido en 1996). Para una relación más completa de la que aquí puedo dar, véanse las bibliografías generales de Lancashire y McCarty (1988), Adamo (1994), Sabourin (1994); más restringidas, pero también a tener en cuenta son Bourlet et al. (1982) para el período medieval y Solomon (1993) para los textos greco-latinos. Iré desglosando la bibliografía más específica a medida que surjan las referencias.

3. Información general sobre los programas para la colación y filiación de los testimonios puede hallarse en Marcos Marín (1991, 1994: 367-77, 1996), Shillinburg (1996a: 132-45) y Greetham (1994-360-61); existe una guía de recursos reciente que no he podido ver (Pebworth y Stringer, 1998). A grandes rasgos, el desarrollo de estos programas puede dividirse en tres etapas (cf. la periodización diferente de Marcos Marín 1991: 104-109). La primera sería de tanteos, con una explosión de experimentos a partir del cotejo automático de textos (Petty y Gibson 1970; Cabaniss 1970; Dearing 1970; Love 1971; Lindstrand 1971; Gilbert 1973; Oakman 1972, 1975; Howard-Hill 1973, 1977; Cannon 1976; Lusignan 1979) acompañada de un proceso similar en la aplicación de métodos estadísticos y algorítmicos para la filiación de los testimonios iniciada desde la vertiente teórica (Froger 1964-65, 1965, 1968; Zarri 1968, 1969, 1973, 1977; Duplacy 1975; Irigoin y Zarri 1979, con ejemplos interesantes como Tombeur 1979). Estos programas no podían ser utilizados en ordenadores personales debido a las limitaciones de memoria y rapidez de éstos. En una segunda etapa se desarrollan unos cuantos programas aptos para su empleo en el ordenador personal que permiten colacionar y filiar testimonios, además de facilitar la *constitutio textus* y componer el texto final para la imprenta. Los más difundidos son URICA (Cannon y Oakman 1989, Hilton 1992), TUSTEP (Ott 1979, 1989, 1992; Müller 1988; reseñado en Perilli 1995: cap. IV, 85-121), COLLATE (Robinson 1989, 1990, 1991, 1994: 77-94), Donne Variorum Collation Programm (Dearing 1984, Stringer y Viberg 1987), CASE (Shillinburg 1978, 1993, 1996: 144-48; *Guide* 1987) y UNITE (Marcos Marín 1986, 1988, 1989, 1991: 119-22, 1994: 376-577; cf. Robinson 1994: 85n.). Una reseña crítica de los programas para PC (CASE, UNITE, Donne Variorum) en Siemens (1994) y un panorama general en Small (1993). Sobre su empleo efectivo para ediciones

de la agilidad y exactitud del trabajo editorial. La gravedad de semejante dejadez reside en que la aplicación de la informática a los estudios filológicos recorre caminos paralelos a ciertos cambios metodológicos y teóricos que están teniendo lugar en la crítica textual. En el plano de la filología, editores y teóricos de la edición han imaginado posibilidades que sólo pueden adquirir realidad mediante el uso de medios electrónicos y, a su vez, la informática ha llevado a cuestionarse de un modo renovado las características de una edición crítica y las maneras de abordar su estudio. El fenómeno afecta a las dos corrientes principales que dominan hoy el pensamiento teórico en la edición filológica.

La crítica surgida del Humanismo renacentista, cuyo fin primordial es depurar la obra de errores textuales y acercarse a las intenciones originales del autor (Orduna, 1983; Orduna, 1990; Tanselle, 1987 y 1995, entre otros) y que, por tanto, se interesa en el texto primordialmente en tanto en cuanto producto, requiere instrumentos que garanticen el máximo rigor en el cotejo de los testimonios, en la comparación de las variantes que resultan, en los procedimientos para la filiación textual y en la construcción de aparatos y textos con el menor número de erratas posible. Tal labor tiene una dimensión mecánica importante que la informática puede realizar con una precisión mucho mayor que el hombre, según han reconocido los maestros más egregios de la crítica textual, pues "per districare in qualche modo tradizioni manuscrite molto complesse e più ricche di varianti che di vere corruttele, i nuovi metodi [los informáticos] possano arrecare e abbiano già arrecato grandi vantaggi. Più che mai credo errate e passatiste le ostilità contro i metodi di automazione basate su retoriche rivendicazioni dell' insostuibilità dello "spirito umano"" (Timpanaro, 1981: 48 n.18). Estos instrumentos deben suministrar los datos básicos al editor y, junto con una serie de herramientas de análisis textual, suplementan y complementan el *iudicium*. En este marco crítico, pues, la informática sirve sobre todo como herramienta auxiliar destinada al establecimiento y elaboración de las ediciones[4].

Pero en la crítica textual hay otras corrientes, de orientación distinta, y cuyo interés en la informática reside, en consecuencia, en otros aspectos (cf. n. 2).

ya publicadas, véase sobre todo Gabler (1980, 1993), Marcos Marín (1987; cf. la reseña de Greenia 1989 y Blecua 1991: 83) y Pebworth (1988). En la actualidad se trata de perfeccionar las técnicas para determinar la filiación mediante análisis cladísticos (Robinson 1993, 1994) y otros (Pierce 1988, Xhardez 1994). También se ha elaborado un programa para editar textos folclóricos de origen oral (Foley 1984).

4. La aplicación informática a la colación y filiación de los testimonios y a la constitución del texto fue la consecuencia natural de los intentos por alcanzar el máximo grado de objetividad en este proceso (Orduna 1991 sobre este fenómeno; Perilli 1995: 22). Su nacimiento ha de situarse en el ámbito de las corrientes que querían convertir la literatura en una ciencia exacta (Praschek 1965) y a la crítica textual poco menos que en una rama aplicada de las matemáticas, con el énfasis en métodos seminuméricos o cuantitativos (Hill 1950, Hruby 1961-1962, Froger, West 1973, Dearing 1974, Weitzman 1985, D'Arco 1987, Utehmann 1988). La mayoría de los críticos coincide, sin embargo, en subrayar la necesidad de que el editor intervenga en el proceso de fijación textual, pues los resultados de la labor mecánica pueden dar lugar a incongruencias (West 1973: 70; Orduna 1991: 100; Marcos Marín 1991: 104, etc.). Aconsejan incluso (Robinson 1989a y 1989b, 1993) confrontar los resultados de la filiación automática con otros procedimientos habituales en la crítica textual de índole manual.

Un examen superficial de las publicaciones de los últimos años deja ver una profunda insatisfacción con el concepto tradicional de edición crítica, entendida como la producción de un texto singular a partir de la selección de las lecciones extraídas de los distintos testimonios o del juicio crítico del editor. Desde posturas teóricas diferentes, incluso contrarias, se han puesto de relieve las carencias de la labor editorial que, salvo casos de imposibilidad por existir dos o más versiones muy alejadas entre sí de una misma obra literaria, lleva a construir un texto, que sin haber existido en ningún momento, representa *el* texto ideal. Las reticencias hacia este tipo de edición crítica se encontraban ya en Bédier. Tras poner al descubierto los fallos del método lachmaniano a principios de siglo, el medievalista francés se planteó la necesidad de elegir entre un ideal que aparecía inalcanzable porque para la constitución del arquetipo no había sistema alguno de probada validez y objetividad y la meta más cercana de editar uno de los textos a disposición del editor. Resolvió el dilema a favor de la segunda opción, inclinándose por la edición de la mejor copia. Pero el estudioso francés no negaba la idoneidad de la edición crítica como constructo teórico, aunque señalara su imposibilidad en la práctica editorial[5]. En realidad, las críticas de Bédier supusieron el motor para la búsqueda de diversos sistemas alternativos al estemático que, como el propio método lachmaniano, intentaban convertir todo el proceso en algo automático, reduciendo la intervención subjetiva del editor lo máximo posible. Como hemos visto, es en el seno de esta orientación donde nacen las aplicaciones informáticas a la *collatio* y a la *constitutio textus*. Sin embargo, ninguna de las metodologías y técnicas desarrolladas, manuales e informáticas, permite descartar por completo el *iudicium* en la selección de las variantes (Bozzi, 1994). Ante lecturas equipolentes o indiferenciadas, ante errores que sólo pueden corregirse mediante enmiendas *ope ingenii*, el editor habrá de tomar una decisión subjetiva, lo que no quiere decir arbitraria, pues ha de proceder basándose en sus conocimientos (de la lengua de la época, del autor y su obra, del género, etc.) y en unos criterios estéticos e históricos explícitos. Esto es lo que convierte cualquier edición crítica en una hipótesis de trabajo, nunca en una solución definitiva (Tanselle, 1987: 30-42). Un cierto grado de subjetividad, por consiguiente, parece algo ineludible en toda edición crítica.

Esta subjetividad, sin embargo, es rechazada por aquellos que niegan que pueda identificarse la obra literaria con el texto de la edición crítica, así como por los que niegan la legitimidad de una edición que contenga un texto que no ha existido en ningún momento de la historia, es decir, que no se identifica con un documento concreto[6]. Desde esta perspectiva, calificada de localista por su atención a la materialidad de la copia en que se inserta el texto (Lavagnino, 1996: 69) y también de conservadora (Duggan, 1996: 79), documentalista o

5. Acerca de Bédier y la práctica editorial a que ha dado lugar en Francia, véanse Foulet y Speer (1979: cap. 1) y Speer (1995: 394-404). Blecua (1991), por su parte, hace una apasionada y sólida defensa del sistema neo-lachmaniano.

6. Sigo las matizaciones establecidas por Shillinburg (1996: 41-51) acerca de estos conceptos.

bibliográfica (Shillinburg, 1996a: *passim*), la construcción de una edición crítica supondría por fuerza una falsedad histórica. La realidad de la obra literaria es, según este punto de vista, proteica y su realización textual inestable: su significado no puede ser fijado en el texto de la edición crítica, abstracción idealista en el sentido platónico, sino que se manifiesta en la serie (no en la suma) de documentos o versiones que han generado las intenciones cambiantes del autor y las sucesivas modificaciones lingüísticas y bibliográficas de la comunidad de recepción (lectores, copistas, impresores), contemplada también como productora de nuevos significados. Tal es, a grandes rasgos, la base común a los sucesores de Bédier, a la bibliografía material y sociológica representada por Gaskell (1978), Mackenzie (1986) y McGann (1983, 1991), a la poética de la *mouvance* de Cerquiglini (1989) y sus seguidores lejanos (Uitti, 1993a;Uitti y Greco, 1994), a la crítica genética en sus vertientes francesa, alemana y americana (Hay, 1985; Gabler, 1983, 1984, 1993; Zeller, 1985; Parker, 1984) y a todas aquellas corrientes de la crítica textual y literaria que niegan en nombre de principios teóricos la legitimidad a la edición crítica, tildada de "ecléctica" (o peor, de "híbrida") y "singular". Se propugnan, en cambio, ediciones que muestren la obra literaria como proceso en lugar de como producto.

Traducido a términos editoriales, el objetivo de la crítica textual deviene en la publicación de cada uno de los documentos y/o de las versiones —en este punto no hay unanimidad total— que integran la historia de la creación y de la transmisión de una obra literaria determinada. No obstante, se ha podido comprobar que las ediciones impresas sinópticas que resultan de estas orientaciones teóricas no tienen futuro debido al coste económico que supone su publicación (Hay, 1986) y a las dificultades que entraña su manejo para el estudio, y no digamos para la lectura[7]. La edición electrónica no ha tardado por ello en aparecer como la respuesta técnica a estas propuestas teóricas que resuelve todos los problemas que conlleva la edición simultánea de múltiples versiones de una misma obra (Shillinburg, 1996a: 23-24, 165; Hoffman et al., 1995)[8]. Cerquiglini (1989: 111-13), por ejemplo, se ha apresurado a elogiar las posibilidades que ofrece la informática en este sentido. La falta de concreción de su propuesta (cf. las ácidas observaciones de Speer, 1991: 16-17 y 22) y la retórica con que la envuelve ("Volver la página" titula el capítulo en el que figura) no nos deben hacer olvidar que la edición electrónica en general y el formato hipertextual en particular permiten, en efecto, el acceso a la multiplicidad textual

7. Speer (1991: 25-43) da una lista de este tipo de ediciones en el medievalismo francés y de las desventajas que se derivan de este modo de presentación editorial. Otros ejemplos comentados se hallarán en Greetham (1995: 316 [Darwin] y 421 [Flaubert]). Pero sin duda la edición sinóptica que más polvareda ha levantado en los últimos años es la edición de *Ulysses* realizada por Gabler y colaboradores (1984), que emplea un complicado sistema gráfico para indicar los diferentes niveles de intervención de Joyce y del impresor. La plémica puede seguirse en la bibliografía citada por Shillinburg (1996: 109-114) y en Greetham (1995: 372-373).

8. Sobre los tipos de edición electrónica, véase Hockey (1980: cap. 1). Dos de los ejemplos más destacados de corpus de textos electrónicos son ADMYTE (Faulhaber y Marcos Marín 1989) y los textos en inglés del renacimiento preparados por Lancashire (1996). Para el hipertexto, v. la nota siguiente.

en un manera que la página impresa, con sus limitaciones, no puede ofrecer (Hay, 1986: 130-31; Uitti 1993; Paden 1994: 70; McGann 1996: 145; Gatrell 1996: 189-91; Robinson 1996: 106-107; Shillinburg 1996a: 165)[9] La informática interesa a estas corrientes de la crítica sobre todo por los nuevos modos de presentación textual que brinda el formato electrónico y por su capacidad de almacenar ingentes cantidades de texto con un coste y un espacio mínimos.

Es lógico que, en un principio, los partidarios de abolir las ediciones críticas vieran en el hipertexto la encarnación informática de sus posturas teóricas.[10] No es de extrañar entonces que con la llegada de los primeros proyectos hipertextuales se proclamara también el fin de la edición crítica (Cerquiglini, 1989: 110-16; Ross, 1996) y del libro impreso (Landow, 1995: 44-45). Es verdad que una vez hallado el medio de presentar múltiples textos de una obra literaria parece que no fuera necesaria la edición crítica. Al menos en teoría, el lector puede acceder fácilmente a cada una de las versiones o copias para decidir por sí mismo acerca de la variabilidad entre ellas. Sin embargo, la realidad que se está imponiendo en los proyectos en marcha es diferente; y ello pese a que sus artífices se confiesan partidarios en teoría de la presentación desnuda de los textos (Duggan, 1996; Gatrell, 1996; O'Donnell y Thrush, 1996; Robinson, 1993). Las explicaciones para esta extraña situación en que la realidad exige un grado de complejidad editorial mayor que el deseo son varias.

Primero, el hecho de que la propia capacidad de almacenamiento y manejo de textos en el ordenador sea casi ilimitada invita a adoptar una actitud integradora, que englobe todas las posibilidades conocidas, en lugar de optar por otra excluyente. Ciertamente, el formato electrónico abre nuevas posibilidades a la edición crítica, que no tiene porqué existir por sí misma, sino que debido a la capacidad de almacenamiento y manejo textual de la informática, puede ir acompañada de numerosos materiales que la complementan, algunos ya existentes en el libro impreso, como una introducción, notas y aparato crítico, pero otras menos habituales, como la reproducción facsimilar y transcripción completa de todos los testimonios de la obra en cuestión, música y/o imágenes relacionadas con el texto, programas que permitan generar concordancias e índices a medida de las necesidades del investigador, etc. (Faulhaber, 1991: 128, 144; Duggan, 1996: 79). El ideal sería integrar todos esos elementos en un conjunto de textos y programas conectados entre sí. Nos hallaríamos entonces no ante una edición electrónica, sino ante un archivo, una auténtica biblioteca portátil (Shillinburg, 1996b: 24-25), formado por una constelación de materiales:

9. Los antecedentes se remontan al menos a 1976, cuando se intentó presentar las variantes de una novela de Conrad en tres ventanas que se abrían simultáneamente (Bender 1976). Acerca del hipertexto se viene escribiendo desde la década de los ochenta. Los primeros proyectos se centraban en el *Walden* de Whitman (Ross 1981) y la *Utopia* de Tomás Moro (Logan et al. 1986). Sobre los proyectos más ambiciosos en marcha hoy, v. más abajo n. 9 y 22. De la teoría del hipertexto hay ya mucho escrito. Me han parecido especialmente claros e interesantes Conklin (1987), McAleese (1989), Barret (1989), Delany y Landow (1991) y Landow (1995). Para más bibliografía, v. la guía de Reneer (1995).

10. Cf. Landow (1995) para la convergencia entre teoría literaria post-estructuralista e hipertexto.

un docuverso textual.[11] Motivos de más peso impiden, pot otro lado, que la mera presentación de transcripciones y facsímiles en un archivo sustituya nunca a la edición crítica singular, hasta el punto que tal objetivo haya sido juzgado como inviable por sus más acérrimos partidarios (McGillivray, 1994a, 1994b; Shillinburg, 1996a: 165; 1996b). Es de sentido común pensar que el primer contacto con la obra literaria debe ser a través de un texto óptimo, limpio de errores y disquisiciones textuales y eruditas, que dé acceso a su carácter esencial (Shillinburg, 1996a: 37, 48). También parece razonable suponer que ni siquiera un investigador sea capaz de leer más allá de una docena de textos de una sola obra (Gatrell, 1996: 187) y mucho menos, por ejemplo, los más de ochenta manuscritos del prólogo a los *Cuentos de Canterbury* (Robinson, 1993a: 282a) o los cincuenta y cuatro de una sola de las tres versiones de *Piers plowman* (Duggan, 1996: 83-86), por no mencionar la incomodidad de la lectura en la pantalla del ordenador (Hockely, 1996: 3; Lancashire, 1996: 127). Es decir: la edición electrónica difícilmente será un medio de lectura. Su futuro está en las posibilidades de análisis textual que brinda al investigador (Lavagnino, 1995; McGann, 1996: 127). Con todo, si exigir la lectura de cada uno de los testimonios es ya una una utopía, delegar en el usuario las labores propias del editor supondría sin duda la condena del archivo electrónico. El editor debe mediar entre la dispersión de los testimonios y los datos que proporciona su examen, y las necesidades del investigador y el crítico literario (Hult, 1985: 85-87). No basta con ofrecer los documentos. Para que el usuario comprenda los datos, es necesario que los vea, sí, pero también bastante más: se le debe proporcionar un análisis detallado de los materiales textuales, una exposición sobre la transmisión de los textos y un juicio crítico razonado (Tanselle, 1987: 30-42; Wenzel, 1990: 14; Faulhaber, 1991: 135; Robinson, 1993: 282; Doss, 1996: 213-17; Duggan, 1996: 86; Shillinburg, 1996a: 88-89; cf. la postura más reticente de Robinson, 1996: 106-107; McGann, 1996: 155 que contradice lo escrito en 145). Por último, ha de recordarse que las diferencias sólo existen en relación a un modelo con el que se puedan confrontar los textos. Para estudiar la recepción de un texto antes hay que separar lo que procede de una copia anterior de las innovaciones del copista o impresor. Sin colación previa y análisis detallado de las variantes a la luz de la historia de las copias (Orduna, 1991) resulta imposible siquiera medir la variación, la dirección de la fluidez textual de la obra (Duggan, 1996: 83).

El archivo electrónico de textos permitirá así superar la dicotomía que enfrenta a editores conservadores o documentalistas e intervencionistas o idealistas (Faulhaber, 1991: 135, 144; Perilli 1995: 41; Greetham 1994: 354-57; Duggan 1996: 79; McGann 1996: 145; Shillinburg 1996a: 75-78, 88-91, 133; para los aspectos teóricos, v. Tanselle 1996) reuniendo en un archivo electrónico la edición crítica, las versiones que pueda haber, las transcripciones de cada uno de los textos y su reproducción facsimilar. En suma, proporcionando a la vez un producto, el texto ideal, y el proceso que ha permitido llegar hasta él (Doss,

11. El concepto ha sido forjado por uno de los padres del hipertexto, Nelson (1987); cf. Fiderio (1988).

1996: 219), de modo que el lector tenga realmente a su disposición todos los elementos que hagan posible un juicio sobre la validez de esa edición crítica y la elaboración por su parte de otras posibles a base de otros criterios. Sería una forma de presentar por extensión, de modo casi narrativo, lo que en el aparato es síntesis y modo analítico. Más aún, la necesidad de jerarquizar la información y facilitar el acceso a la obra literaria convierte al texto crítico (Faulhaber, 1991: 128) —o al aparato (Doss, 1996: 218)— en el nudo de acceso a la historia de su transmisión. La informática no supondrá entonces el fin de la crítica textual tal como se ha concebido hasta ahora. Al contrario, le devolvería la centralidad que le corresponde en la filología: la transparencia y el peso que adquiere la historia de la transmisión textual en un archivo electrónico ideal como el descrito, haría que, por fin, la crítica y la teoría literaria tuviera en cuenta el valor de la edición crítica para sus reflexiones.[12] Sin embargo, aunque esta sería la secuencia verosímil hacia la que apunta la unión de informática y crítica textual, no deja de ser un horizonte imaginario, en el que se confunden las posibilidades con los deseos. Porque el primer obstáculo con que, incomprensiblemente, topa esta desarrollo de los hechos es la propia comunidad filológica, pues buena parte de sus miembros continúa trabajando de espaldas a la informática.

Los datos son claros: son aún contadas —contadísimas si se consideran en términos relativos— las ediciones realizadas con los medios descritos, el eco que han despertado las que hay ha sido mínimo a pesar del esfuerzo de divulgación emprendido por sus autores,[13] no son muchos los editores que han utilizado o conocen todos los recursos a su disposición, y —aún más significativo— los manuales de crítica textual apenas han franqueado la puerta de unas poquísimas páginas a la informática, casi siempre para expresar un profundo escepticismo ante sus posibilidades (West, 1973: 70-72, Cherchi, 1995: 452) y a menudo para dejar constancia sin más de que algo se mueve en las técnicas editoriales (Blecua, 1991; Greetham, 1994: 354-571). Esta otra realidad obliga a detenerse en los factores que explican porqué predominan la confusión y las reticencias en torno a las posibilidades reales y futuras de las herramientas informáticas en la edición de textos.

La unión entre informática y filología no debería ser rechazada por novedosa: los primeros ensayos se remontan al menos a 1949, hace ya casi medio siglo, cuando el P. Roberto Busa, abrumado ante la extensión de la obra de santo Tomás de Aquino, decidió recurrir a un IBM para crear las primeras concordancias por ordenador (Busa, 1992). La falta de conocimiento general tampoco puede achacarse a la escasez ni a la unilateralidad de los ensayos sobre textos, de cuyo número y diversidad dan fe casi todas las literaturas y épocas, y multitud de programas y medios informáticos; así, los que se han mencionado a lo largo de estas páginas constituyen apenas una muestra significativo. Ni a la ausencia de

12. A partir de la lectura de los aparatos, tal y como llevan años reclamando los teóricos de la crítica textual (Zeller 1985, 1987; Paterson 1985) aunque sin demasiado éxito.

13. Para una bibliografía exhaustiva sobre la edición unificada del *Libro de Alexandre* de Marcos Marín (1987) pueden consultarse sus últimos trabajos (1994, 1996). Sin embargo, hasta donde alcanzo no se ha intentado ninguna otra edición con UNITE.

discusiones teóricas sobre las posibilidades que brinda la informática a la filología, con las que se han iniciado estas páginas. Ni mucho menos a que los resultados de unos y otras hayan quedado sin publicar. La extensión de la bibliografía final de este trabajo (v. también n. 2 y 3), que contiene las referencias mínimas imprescindibles para una visión panorámica, da una idea suficiente de la productividad en este campo. Las causas se encuentran en otros lugares.

Primeramente, se ha de señalar un elemento que, en mi opinión, se ha tenido muy poco en cuenta y es fundamental: el factor humano. Cuando se escribe acerca del futuro de la informática en los estudios filológicos se suelen enumerar los condicionantes técnicos (prestaciones y potencia de los ordenadores), científicos (desarrollo del *software*) y económicos que impiden u obstaculizan su desarrollo, pero se ha olvidado con frecuencia que el que maneja los ordenadores y la programación, el filólogo, no es un ser de recursos ilimitados. Mientras la potencia de los ordenadores aumenta sin parar y un grupo reducido de especialistas crea programas cada vez más sofisticados, apenas hay universidades que tengan prevista una formación específica que ayude a los estudiantes de Humanidades a sobrepasar el nivel de simples usuarios, que haga comprender el funcionamiento de la informática o, como mínimo, enseñe a leer la bibliografía sobre el tema.[14] De esta forma, se perpetúa la ya tradicional repugnancia e incapacidad de quienes ejercen las letras hacia los asuntos científicos y técnicos, y cuando llega el momento inevitable para muchos editores de ir más allá del empleo de un procesador de textos, las dificultades se ven tan grandes, la inversión de tiempo tan enorme, que una gran parte desiste antes de intentar enfrentarse a las dificultades prefiriendo seguir la senda lenta, pero segura, de las técnicas manuales.

En segundo lugar, y relacionado con lo anterior, es preciso subrayar también que, como ya ha sido apuntado por otros (Olsen, 1993a, 1993b; Perilli, 1995: 20-21), la mayor parte de las contribuciones de filología informática se publican en revistas muy especializadas, sin apenas influencia en los círculos "artesanales", que sencillamente no las leen o ni siquiera saben de su existencia[15]. Muchos de esos trabajos son, además, de difícil lectura por cuanto tratan de aspectos matemáticos o técnicos, imposibles de desentrañar para el común de los filólogos, que aspira como máximo a utilizar algún programa de eficacia probada y de fácil uso, y que acostumbra a estar más interesado en los criterios textuales, en la metodología y sus implicaciones teóricas o en la evaluación crítica de los resultados obtenidos.[16] Estos puntos, en cambio, apenas se tocan allí.

14. Aunque esta situación está cambiando, sobre todo en las universidades americanas (Ehrlich 1991) y algunas británicas (Davis et al. 1992).

15. Curiosamente existe también una cierta incomunicación entre el mundo anglosajón (en el que se encuentran los hispanistas que cultivan la informática textual) y el mundo europeo continental, así como una cierta miopía nacionalista. Daré una muestra de cada lado: Cherchi (1995: 452) cita como ejemplo del relativo fracaso de la *collatio* automática los trabajos de Gian Piero Zarri, el último de los cuales data de 1969. Perilli (1995) desconoce el manual de Marcos Marín (1994), y Shillinburg (1996) no cita a Perilli ni a ninguno de los títulos italianos que éste incluye en su bibliografía.

16. De los muchos ejemplos que se podrían citar, veáse por clásico el volumen editado por Irigoin y Zarri (1979).

Debido a esta carencia hay quien sostiene incluso que, pese a que existen técnicas automaticas para la *collatio* y la *constitutio textus*, no se puede hablar todavía de una metodología informática (Perilli, 1995: 7; pero cf. McGann, 1995).

Así pues, y en tercer lugar, hay que referirse al carácter de las aplicaciones desarrolladas hasta ahora. En la ya extensa bibliografía sobre el tema, abundan las descripciones de proyectos en marcha, los trabajos que exponen *in futuro* las maravillas de las que será capaz la informática y las trascendentales consecuencias que ello tendrá para el progreso y orientación de la crítica textual. Pasan los años, sin embargo, y no todo, pero una parte considerable, queda en pura quimera. Los proyectos quedan desfasados antes de que se concluyan, los programas que tanto ha costado aprender son reemplazados antes de que se resuelvan los problemas que se han detectado en su empleo; en los trabajos teóricos cada vez se formulan metas más ambiciosas, también más lejanas, sin que parezca que se acabe nunca de llegar a ellos.[17] Este desfase entre el plano del deseo _lo que la informática promete_ y el plano de la realidad ha generado un profundo escepticismo entre los editores 'artesanales' (cf. arriba), al que se suma la frustración de los que mantienen una actitud más abierta, pero que se encuentran desorientados ante la falta de certezas sobre lo que realmente existe y podrá existir efectivamente.

Porque, por último, hay que mencionar que la diversidad de los ensayos acometidos y su naturaleza muchas veces limitada no ayuda excesivamente al filólogo curioso —aunque inexperto en las aplicaciones informáticas— a decidir qué ordenador y qué programa le conviene para realizar y componer esa edición en la que trabaja, cuando no se dispone de medios humanos, técnicos o económicos para desarrollar estos aspectos por su cuenta[18]. Como se ha reconocido no hace mucho, la informática se ha empleado sobre todo para "quick-and-dirt textual solutions" (Duggan, 1996: 77) y para aplicaciones muy concretas y limitadas (Olsen, 1993a: 309); cuando se han puesto en marcha grandes compilaciones de textos, éstos han resultado de valor y utilidad muy desiguales. En suma, la escasez de resultados tangibles, esto es, de ediciones críticas realizadas mediante un proceso informático o presentadas de modo electrónico que hayan obtenido un juicio positivo general, es el mejor argumento para los escépticos.[19]

Con todo, creo que se equivocan tanto los profetas más radicales como los que se aferran a las certezas de las técnicas manuales y de la página impresa. Los logros de los últimos años —de los que se ha dado al comienzo tan sólo una breve reseña— indican que la informática se convertirá en poco tiempo en

17. Tanto es así, que se ha forjado un término *vaporware* para designar los productos informáticos que se anuncian y nunca llegan a hacerse. Las llamadas al sentido común y las advertencias acerca de las expectativas que algunos levantan sin fundamento sobre las posibilidades de las ediciones electrónicas comienzan a aparecer en algunos trabajos (Faulhaber 1991, Delany y Landow 1993: 23-24, Shillinburg 1996a: 161-62, 1996b: 25).

18. Dan algunas orientaciones prácticas sobre las decisiones previas a una edición electrónica Faulhaber (1991), Hockey (1996) y Shillinburg (1996b).

19. V. antes n. 3; para las ediciones hipertextuales en marcha, n. 22; para los antecedentes n. 19.

una de las herramientas de trabajo fundamentales al servicio de la crítica textual, que habría de introducirse en los planes de estudio junto a la paleografía, la historia de la lengua o los estudios bibliográficos; y que a más largo plazo acabará siendo también vehículo de ediciones críticas, aunque probablemente no llegue a desplazar por completo al libro impreso para este y, mucho menos, para otros fines (Hay, 1986: 130-31; Delany y Landow, 1993: 9; Hockey, 1996: 3; Gatrell, 1996: 185; Shillinburg, 1996a: passim, 1996b: 24). Asunto diferente es que semejante proceso vaya a desarrollarse de forma mucho más paulatina de lo que se había previsto en los años ochenta[20]. También el alcance y significado de los cambios que traerá consigo la aplicación de los últimos avances informáticos a la edición de textos son objeto de controversia: aunque profundos e importantes, no es evidente que impliquen la ruptura epistemológica que auguran los profetas de la nueva era hipertextual. En una comunidad académica como la filológica, en la que el conocimiento se edifica sobre los cimientos de lo anterior y la historia de la disciplina es objeto de aprecio (Faulhaber, 1991: 147; Pickens, 1994: 73-74; Demwoski, 1994: 107), el tono visionario y apocalíptico que caracteriza buena parte de las trabajos que versan sobre la aplicación de la informática a los estudios textuales es uno de los motivos que explica que muchos estudiosos vacilen entre la incredulidad y el horror ante las transformaciones que se anuncian.

Unas pequeñas dosis de sentido común y de perspectiva histórica podrían constituir la mejor brújula para que el filólogo encuentre el camino posible que le permita avanzar, entre las realidades presentes y las posibilidades futuras de las aplicaciones informáticas, en la producción de ediciones satisfactorias. Si bien los escarceos de la crítica textual con la informática comenzaron hace ya casi medio siglo, hacia 1961 (Praschek, 1965), lo cierto es que apenas se ha superado una primera fase puramente experimental. Es lógico, por tanto, que se hayan intentado simultáneamente metas diversas y que no todas hayan sido culminadas con éxito. También es natural que las premisas teóricas surjan antes que los instrumentos técnicos que posibilitan su puesta en práctica; en realidad, esta secuencia sería la deseable, pues han de ser los filólogos duchos en la edición de textos quienes determinen qué procedimientos pueden ser objeto de automatización y cómo, en el caso de los programas para colacionar testimonios y construir *stemmata*, y qué tipo de ediciones deben llevarse a cabo en hipertexto. Sin embargo, esto no ha sucedido siempre así. Antes al contrario: se percibe la impresión de que los esfuerzos se han centrado de modo casi exclusivo en resolver cuestiones de orden empírico o tecnológico, sin profundizar en las implicaciones metodológicas que se derivan de la relación entre informática y crítica textual (Orlandi, 1990: 142; Faulhaber, 1991: 139; Perilli, 1995: 7-8) y sin que haya certeza acerca de los contenidos ni de los objetivos de una edición electrónica (Robinson 1993: 285, pero cf. las *desiderata* formuladas por Faulhaber, 1991: 132-33 y Shillinburg, 1996b: 27-30). Por eso, aunque a primera vista parezca

20. Faulhaber (1991: 143), por ejemplo, ha llamado la atención sobre las consecuencias catastróficas que podría tener una incorporación excesivamente rápida de la informática en la filología textual.

una pérdida de tiempo consultar la bibliografía antigua (es decir, de hace una veintena de años o menos) donde se describen experimentos ya obsoletos, tal recorrido puede ser muy aleccionador, porque es la mejor manera —la única que se me ocurre— para no intentar de nuevo vías que se han revelado infructuosas o, al contrario, para insistir en caminos que quizá se abandonaron sólo por razones técnicas y por falta de programas, pero que eran prometedores desde el punto de vista metodológico. Después de ello, sin duda se aplicarán también a lo que podríamos denominar 'informática textual' o "crítica textual informatizada" los principios que rigen el trabajo de todo editor: del mismo modo que no hay una metodología única para todos los tipos de textos, tampoco existen programas informáticos universales para la colación y filiación de testimonios, pues cada tipo de tradición exige el empleo de algoritmos diferentes (Faulhaber, 1991: 138-39); al igual que no existen ediciones críticas definitivas porque la orientación del editor es siempre subjetiva y, por tanto, variará con la persona y el tiempo, y porque siempre pueden aparecer nuevos testimonios y datos externos que alteren la historia textual trazada y el valor relativo de las copias, tampoco existen —y dudo mucho que vayan a existir— tecnología ni programas informáticos definitivos, ni siquiera un formato estable de establecimiento de nexos y de presentación de los textos en la pantalla del ordenador en los archivos hipermedia. Lo importante en ambos casos es que cada nueva edición pueda servirse de los materiales y análisis realizados en las anteriores, tanto en lo que atañe a los materiales en sí, como en lo que se refiere a su manejo electrónico. Para ello es imprescindible, de un lado, que el trabajo se realice con honradez y rigor; del otro, que los textos sean transcritos de acuerdo con un sistema universal, que haga posible la transferencia de un programa a otro, y que los nuevos programas también incluyan procedimientos de adaptación de los ya sobrepasados.[21]

En otro plano, la inexistencia de un archivo electrónico hipertextual que responda a los planteamientos proyectados, siempre excesivamente ambiciosos respecto a la tecnología informática que existe en ese momento y a los materiales disponibles en modo electrónico, no debe impedir que se elaboren archivos factibles con unos costes de tiempo y de dinero razonables. No se puede negar que la larga espera no sólo es causa de escepticismo y desconcierto (Lancashire, 1993: 325; Robinson, 1993: 285), sino que impide comprobar los límites y

21. Prácticamente todos los trabajos sobre crítica textual e informática se detienen en este punto. Como respuesta a la inquietud sobre la perdurabilidad de las transcripciones se ha creado un código (SGML) que se complementa con un sistema de marcado (TEI) que permite leer cualquier texto de modo configurado en cualquier programa. Véanse las guías de Smith (1987), Smith y Stutely (1988), Bryan (1988), van Herwijnen (1994) y sobre todo Sperberg-McQueen et al. (1994), así como los panoramas de DeRose (1993) y Sperberg-McQueen (1996); los problemas que van surgiendo en su aplicación se van resolviendo sobre la marcha: Coombs et al. (1988), Barnard et al. (1989), Covers y Robinson (1995), y McGann (1996). Para una relación completa, v. la bibliografía de Cover et al. (1990) y la recogida en Ide et al. (1995). Una cuestión relacionada con la anterior concierne a la exhaustividad y carácter de la transcripción, pues como recuerda Segre (1979: 64) reducir un texto a una transcripción electrónica es una operación extremadamente arriesgada. Sobre los problemas y opciones se plantean, véanse además Mordenti (1987), Orlandi (1990: 135-43), Perilli (1995: 9-12) y Lavagnino (1996). Para el sistema adoptado para ADMYTE, v. Mackenzie (1984), sintetizado en Marcos Marín (1994: 325-61).

posibilidades del formato del hipertexto para una edición (Faulhaber, 1991).[22] Como la crítica textual se basa en el método del ensayo y error, hasta que los editores no dispongan de un texto crítico y todos los materiales suplementarios en las pantallas de su ordenador tal como describen los proyectos (v. nota *supra)* será difícil decidir cuál es la metodología más pertinente. Los costes en tiempo, esfuerzo y dinero (éste calculado en Faulhaber, 1991: 145) que supone una edición hipertextual son de tal magnitud que nadie con una pizca de sentido parece muy dispuesto a lanzarse a una empresa de estas características sin contar con la certeza de un éxito del que no puede disponer por esa ausencia de modelos. A su vez, esos modelos no existen precisamente por las causas señaladas, por lo que no habrá auténticos progresos hasta que no se rompa ese círculo vicioso. Sin experiencia directa en estos asuntos, se me antoja que un cierto posibilismo y una mayor modestia serían muy beneficiosos.

Antes de lanzarse a explorar las casi infinitas posibilidades que abre el hipertexto, convendría explotar a fondo las zonas de continuidad entre el libro impreso y el formato electrónico. Los aficionados a establecer paralelismos entre lo que supuso la invención de Gutenberg y el empleo de la informática habrían de tener presente que, pese lo que algunos afirman (Landow, 1995: 32), la imprenta no inventó la paginación, los índices y las tablas haciendo así posible la erudición. Estas son técnicas de lectura y consulta desarrollados en las universidades a partir de los siglos XII y XIII en el mundo del manuscrito (Parkes, 1976). La imprenta las aprovechó y perfeccionó. Paralelamente, es igualmente obvio que la edición de múltiples versiones en hipertexto es la consecuencia tecnológicamente posible de las ediciones impresas de versiones múltiples, de cuya metodología es heredera (Pickens, 1994: 69-72). En otras palabras: establecer una relación dialéctica entre teoría y práctica desde una perspectiva histórica, incorporando los logros consolidados a los nuevos medios, redundaría claramente en favor de la informática textual. Por mi parte, creo que este puede ser uno de los caminos que lleve con menos sobresaltos a la deseada, ineludible, unión entre filología textual e informática. Menguarían así los *desiderata* ajenos a la realidad, y la informática textual podría determinar sus necesidades y una metodología propias sin ir a remolque de los avances técnicos.

Por último, me parece imprescindible reconocer que los archivos electrónicos sólo son factibles si se conciben como un trabajo en equipo y se proyectan a largo plazo (Faulhaber, 1991: 146). Ahora bien, ese trabajo en equipo no debería quedar constreñido a los componentes de tal o cual equipo de un proyecto determinado. La colaboración debe involucrar a la comunidad filológica

22. Existe hoy algún ejemplo de ediciones hipertextual, pero de ambiciones muy limitadas (O'Donnell y Thrush 1996), pues se reduce a un poema de Yeats. Otro proyecto también limitado, es el descrito por Gatrell (1996) sobre una novela de Hardy. Ninguna de ellas dispone, por ejemplo, del *software* que realice algunas de las funciones que se presentan como básicas en estos proyectos según reconocen, con total franqueza, los propios artífices. Lo mismo ocurre con los proyectos más ambiciosos que existen hasta el momento: la edición de los *Cuentos de Canterbury* (Blake y Robinson 1993, Robinson 1994), la de *Piers Plowman* (Duggan 1993, 1994) y de los poemas de Rosetti con sus ilustraciones (Mcgann 1994, 1996); la primera es la que más eco ha despertado hasta ahora: cf. Lancashire (1993) y McGillivray (1993, 1994).

entera, tendiendo un puente entre el universo de la filología "artesanal" y el de la informática textual. La comunicación, además, debe darse en ambos sentidos. Por un lado, la edición electrónica pone al alcance de los críticos material bruto sobre el que edificar su trabajo; en el caso de no existir una transcripción previa, los editores podrían comenzar su tarea realizando tal labor y enviando una copia en formato electrónico a esos centros.[23] Por otro, parece juicioso que las ediciones electrónicas se sirvan de los materiales que están a disposición de todos en las ediciones críticas, paleográfica o facsimilares impresas hasta la fecha.[24] De esta manera, la continuidad entre la "vieja" y la "nueva" filología quedaría establecida y la comunidad filológica toda podría participar de la unión entre informática y crítica textual.

Referencias bibliográficas

ADAMO. G. (1989), *Trattamento, edizione e stampa di testi con il calcolatore*, Roma: Bulzoni.

— (1994), *Bibliografia di informatica umanistica*, Roma: Bulzoni.

AITKEN, A. J., BAILEY, R. W., HAMILTON-SMITH, N. (eds.) (1973), *The computer and literary studies*, Edinburgh: University Press.

BARNARD, D. T., FRASER, CH. A., LOGAN, G. M. (1989), "Generalized markup for literary texts", *Literary and Linguistic Computing* 3, pp. 26-31.

BARRET, E. (ed.) (1989), *The society of the text: Hypertext, hypermedia, and the social construction of information*, Cambridge: MIT Press.

BENDER, T. (1976), "Literary texts in electronic storage: The editorial potential", *Computers and the Humanities* 10, pp. 193-99.

BLECUA, A. (1983), *Manual de crítica textual*, Madrid: Castalia.

— (1991), "Los textos medievales castellanos y sus ediciones", *Romance Philology,* 45, pp. 73-88.

BOLTER, J. D. (1990), *Writing space: The computer in the history of literacy*, Hillsdale: Lawrence Erlbaum.

BOURLET, C., DOUTRELEPONT, CH., LUSIGNAN, S. (1982), *Ordinateurs et études médiévales: Bibliographie I*, Montreal: Publications de l'Institut d'études médiévales-Université de Montréal.

BOZZI, A. (1994), "Text editing and text processing: aspetti e problemi di computerizzazione di date testuali editi ed inediti", en PLACELLA, MARTELLI (1994), pp. 479-500.

BRYAN, M. (1988), *SGML. An author's guide to the Standard Generalized Markup*, Wokingham: Addison-Wesley Publishing Company.

23. Existen ya en varios países centros para la edición de los textos clásicos en los que se conservan transcripciones electrónicas de éstos, como por ejemplo el CRAL en la Universidad de Nancy para los textos franceses, el Centro de Edición de Textos Antiguos Canadienses (CEECT), o el *Seminar of Hispanic Studies* de la Universidad de Madison (Wisconsin) para los textos medievales españoles.

24. En esta dirección se sitúan los programas desarrollados para comparar ediciones impresas (Salemans 1994-1995) y las disquisiciones sobre la conversión de las notas críticas y explicativas que suelen acompañar las ediciones críticas en hipertexto (Haas 1994-1995), por citar sólo dos ejemplos.

BUSA, R. (1992,) "Half a century of literary computing: towards a 'new' philology", *Literary and Linguistic Computing* , 7, pp. 69-73.

BUTLER, CH. S., STONEMAN, W. P. (eds.) (1988), *Editing, publishing and computer technology. Papers given at the Twentieth Annual Conference on Editorial Problems (Toronto 1984)*, Nueva York: AMS.

— (1992), *Computers and written text,* Oxford: Blackwell.

CABANISS, M. S. (1970), "Using a computer for text collation", *Computer Studies in the Humanities and Verbal Behaviour,* 3, pp. 1-33.

CANNON, R. L., OAKMAN, R. L. (1989), "Interactive collation on a microcomputer: The URICA! approach", *Computers and the Humanities,* 23, pp. 469-72.

CANNON, R. L. (1976), "OP-COL: An optimal text collation algorithm", *Computers and the humanities,* 10, pp. 33-40.

CATACH, N. (ed.) (1988), *Les éditions critiques. Problèmes techniques et éditoriaux. Actes de la Table ronde Internationale (1984),* París.

CERQUIGLINI, B. (1989), *Éloge de la variante,* París: Seuil.

CIGLIOZZI, G. (ed.) (1987), *Studi di codifica e trattamento automatico di testi,* Roma: Bulzoni.

CONKLIN, E. J. (1987), "Hypertext: An introduction and survey", *I.E.E.E. Computer,* 20, pp. 17-41.

COOMBS, J. H., RENEAR, A. H., DEROSE, S. J. (1988), "Markup systems and the future of the scholarly text processing", *Communications of the ACM* 30, pp. 933-47. Reimpr. en DELANY, LANDOW (1993), pp. 93-118.

COVER, R., DUNCAN, N., LOGAN, D. (1990), *Bibliography on structured text.* Kingston, Ontario: Dept. of Computing and Information Science.

COVER, R., ROBINSON, P., "Encoding textual criticism", en IDE et al. (1995), pp. 123-36.

CHERCHI, P. (1995), "Italian literature", en GREETHAM (1995), pp. 431-456.

D'ARCO, S, A. (1986), "Problemi di calcolo e lemmatizzazione", *Lexicon philosophicum,* 2, pp. 1-16.

DAVIS, C., DAVIES, M., LEE, S. (eds.) (1992), *CTI Centre for Textual Studies: Resources guide 1992,* Oxford: Oxford University Computing Services.

DEARING, V. A. (1970), "Computer aids to the editing the text of Dryden", en GOTTESTMAN, BENNET (1970), pp. 54-78.

— (1974), *Principles and practice of textual analysis,* Berkeley: University of California Press.

— (1984), *Some microcomputer programs for textual criticism and editing.* Machina Analytica: Occasional Papers on Computer-Assisted Scholarship, 1, Los Ángeles: William Andrews Clark Memorial Library.

DEEGAN, M., SUTHERLAND, K. (eds.) (1995), *The electronic text,* Oxford: University Press.

DEES, A. (1988), "Ecdoqtique et informatique", en KREMER, D. (ed.), *Actes du XVIII*[e] *Congrès international de linguistique et philologie romanes. Université de Trèves (Trier) 1986,* Tubinga: Niemeyer, vol. VI, pp. 18-27.

DELANY, P., G. LANDOW (1993), "Making the digital word: The text in an age of electronic reproduction", en LANDOW, DELANY (1993), pp. 3-28.

DELANY, P., G. LANDOW (eds.) (1991), *Hypermedia and literary studies,* Cambridge: MIT.

DEMWOSKI, P. F. (1994), "Is there a new textual philology in Old French? Perennial problems, provisional solutions", en PADEN (1994), pp. 87-112.

DEROSE, S. J. (1993), "Markup systems in the present", en LANDOW - DELANY (1993), pp. 119-37.

DOSS, PH. E. (1996), "Traditional theory and innovative practice: The electonic text as poststructuralist reader", en FINNERAN (1996), pp. 213-23.

DUGGAN, H. (1993), "The electronic *Piers Plowman*: A new diplomatic-critical edition", *Aestel*, 1, pp. 55-75.

— (1994), "Creating an electronic archive of *Piers Plowman*", en http://jefferson.village.virginia.edu/home.html.

— (1996), "Some unrevolutionary aspects of computer editing", en FINNERAN (1996), pp. 77-98.

DUPLACY, J. (1975), "Classification des états d'un texte. Mathématique et informatique", *Revue de Histoire des Textes*, 5, pp. 249-309.

EISENBERG, D. (1989), "Problems of the paperless book", *Scholarly Publishing* (Octubre), pp. 11-26.

FAULHABER, CH. (1991), "Textual criticism in the 21st century", *Romance Philology*, 45, pp. 123-48.

FAULHABER, Ch., MARCOS MARÍN, F. (1989-1990), "ADMYTE: Archivo Digital de Manuscritos y Textos Españoles", *La Corónica*, 18, pp. 131-45.

FIDERIO, J. (1988), "A grand vision", *Byte* 13, pp. 237-244.

FINNERAN, R. J., (ed.) (1996), *The literary text in the digital age*, Michigan: The University Press.

FOLEY, J. M. (1984), "Editing oral texts: Theory and practice", *Text*, 1, pp. 75-96.

FOULET, A., SPEER. M. (1979), *On editing Old French texts*, Lawrence, Kansas: Regents Press.

FROGER, J. (1964-1965), "La collation des manuscrits à la machine électronique", *Bulletin de l'Insitut de Récherche et d' Histoire des Textes*, 13, pp. 135-71.

— (1965), "La machine électronique au service des sciences humaines", *Diogène*, 52, pp. 108-44.

— (1968), *La critique des textes et son automatisation*, París: Dunod.

GABLER, H. W. (1980), "Computer-aided critical edition of *Ulysses*", *Bulletin of the Association for Literary and Linguistic Computing*, 8, pp. 232-48.

— (1993), "On textual criticism and editing: The case of Joyce's *Ulysses*", *Palympsest: Editorial theory in the humanities*, eds. BORNSTEIN, G., WILLIAMS, R. G, Ann Arbor: University of Michigan Press.

GABLER, H. W., STEPPE, W., MELCHIOR, C. (eds.) (1984), *Ulysses: A critical and synoptic edition*, 3 vols., Nueva York: Garland.

GASKELL, PH. (1978), *From writer to reader: Studies in editorial method*, Oxford: Clarendon Press.

GATRELL, SIMON. (1996), "Electronic Hardy", en FINNERAN (1996), pp. 185-92.

GILBERT, P. (1973), "Automatic collation: A technique for medieval texts", *Computers and the Humanities*, 7, pp. 139-47.

GOTTESTMAN, R., BENNET, S. B. (1970), *Art and error: Modern textual editing*, Bloomington: Indiana University Press.

GREENIA, G. D. (1989), "The *Libro de Alixandre* and the computerized editing of texts", *La Corónica*, 17, pp. 55-67.

GREETHAM, D. C. (1994[2]) *Textual scholarship. An introduction*, Nueva York-Londres: Garland.

— (ed.) (1995), *Scholarly editing. A guide to research*, Nueva York: MLA.

GREG, W. W. (1927) *The calculus of variants*, Oxford: Clarendon Press.

Guide to PC-CASE: Computer Assisted Scholarly editing for micro-computers (vers. 2.1.) (1987) Mississippi State University: University Press. [La guía de la versión 1.0 se publicó como *CASE: Computer Assistance to Scholarly Editing. A user's guide*, 1983].

HAAS, S., *(1994-1995)* "Quotations in scholarly text: Converting existing documents to hypertext", *Computers and the Humanities*, 28, pp. 165-75.

HAY, L. (1986), "Genetic editing, past and future: A few reflections by a user", *Poétique*, 62, pp. 147-58.

HERWIJNEN, E. van (1994²), *Practical SGML,* Dordrecht: Kluwer.

HICKS, E. (1982), "Eloge de la machine: Transcription, edition, generation de textes", *Romania* 103, pp. 88-107.

HILTON, M. L. (1992), "The URICA!II Interactive collation system", *Computers and the Humanities,* 26, pp. 139-44.

HILL, A. A. (1950-1951), "Some postulates for the distributional study of texts", *Studies in bibliography,* 3, pp. 63-95.

HOCKEY, S. (1980), *A guide to computer applications in the humanities,* Baltimore-Londres: The John Hopkins University Press.

— (1996), "Creating and using electronic editions", en FINNERAN (1996), pp. 1-21.

HOCKEY, S., IDE, N. (eds.) (1991), *Research in humanities computing. Selected papers form the ALiterary and Linguistic Computing/ACH Conference (June 1990),* Oxford: University Press.

HOWARD-HILL, T. H. (1973), "A practical scheme for editing critical texts with the aid of a computer", *Proof,* 3, pp. 335-56.

— (1977), "Computer and mechanical aids to editing", *Proof,* 5, pp. 217-35.

— (1979), *Literary concordances: A guide to the preparation of manual and computer concordances,* Londres-Nueva York: Pergamon.

HRUBY, A. (1961-62), "Statistical methods in textual criticism", *General Linguistics,* 5, pp. 77-138.

HULT, D. F., "Reading it right: The ideology of text editing", *Romanic Review,* 79, pp. 74-88.

IDE, N. et al. (eds.) (1995) *Textual encoding initiative: Background and context.* Núm. especial de *Computers and the Humanities,* 29.

IRIGOIN, J., ZARRI, G. P. (eds.) (1979), *La pratique des ordinateurs dans la critique des textes. Paris 29-31 mars 1978s,* Colloques interationaux du CNRS, 579, París: Éditions du CNRS.

KATZEN, M., (ed.) (1991), *Scholarship and technology in the humanities,* Londres: British Library Research-Bowker Saur.

LANCASHIRE, I. (ed.) (1993), *Computer-based Chaucer studies.* CCH Working Papers 3, Toronto: University of Toronto Centre for Computing in the Humanities.

— (1996), "Editing English Renaissance electronic texts", en FINNERAN (1996), pp. 117-143.

LANCASHIRE, I.,MCCATY, W. (1988), *The Humanities Yearbook 1988,* Oxford: Clarendon Press.

LANDOW, G. P. (1992/1995), *Hipertexto. La convergencia de la teoría crítica contemporánea y la tecnología,* Barcelona: Paidós.

LANDOW, G. P., DELANY, P. (eds.) (1993), *The digital word: Text-based computing in the humanities,* Cambridge, MA: MIT Press.

LAVAGNINO, J. (1995), "Reading, scholarship and hypertextual editions", *Text,* 8, pp. 109-24.

— (1996), "Completeness and adequacy in text encoding", en FINNERAN (1996), pp. 63-76.

LINDSTRAND, G. (1971), "Mechanized textual collation and recent designs", *Studies in Bibliography,* 24, pp. 204-214.

LOGAN, G., BARNARD, D. T., CRAWFORD, R. G. (1986), "Computer-based publication of critical editions: Some general considerations and a prototype", *Computers and the Humanities. Today's research; tomorrow's teaching (March 1986, University of Toronto),*Toronto: University press, pp. 318-26.

LOVE, H. (1971), "The computer and literary editing", en WISBEY, R. A. (ed.), *The computer in literary and linguistic research,* Cambridge: University Press, pp. 47-56.

LUSIGNAN, S. (1979), "L'édition de textes: de la saisie du texte à la photocomposition", en IRIGOIN, ZARRI (1979), pp. 229-236.

MACKENZIE, D. (1984), *A manual of manuscript transcription for the Dictionary of Old Spanish language*, Madison: Hispanic Seminary of Medieval Studies.

— (1986), *Bibliography and the sociology of texts: The Panizzi Lectures 1985*, Londres: British Library.

MARCOS MARÍN, F. (ed.) (1987), *Libro de Alexandre. Estudio y edición*, Madrid: Alianza Unviersidad.

— (1986), "Metodología informática para la edición de textos", *Incipit*, 6, pp. 185-97.

— (1989), "UNITE, a package for computer assisted philological editing", *Folia Linguistica Historica*, 10, pp. 117-43.

— (1991), "Computers and text editing: A review of tools, an introduction to UNITE and some observations concerning its application to Old Spanish texts", *Romance Philology*, 45, pp. 102-122.

— (1994), *Informática y Humanidades*, Madrid: Gredos.

— (1996), *El comentario filológico con apoyo informático*, Madrid: Síntesis.

MARCOS MARÍN, F., SALAMANCA, P. (1987), "Programas informáticos para la crítica textual", *Telos*, 11, pp. 105-11.

MCALESEE, R. (ed.) (1989), *Hypertext: Theory into practice*, Norwood, Nueva Jersey: Ablex.

MCGANN, J. J. (1983), *A critique of modern textual criticism*, Chicago: The University of Chicago Press.

— (1991), "What difference do the circumstances of publication make to the interpretation of a literary work?", en SELL, R. (ed.) *Literary pragmatics*, Londres-Nueva York: Routledge, pp. 120-207.

— (1991), *The textual condition*, Princeton: University Press.

— (1995), "The complete writings and pictures of Dante Gabriel Rosetti: A hypermedia research archive", *Text*, 7, pp. 175-99.

— (1995), "The rationale of hypertext", en DEEGAN, SUTHERLAND (1995). [Accesible también en http://jefferson.village.virginia.edu/generalpubs.html].

— (1996), "The Rosetti Archive and image-based electronic editing", en FINNERAN (1996), pp. 145-183.

MCGILLIVRAY, M. (1993), "Electronic representations of Chaucer manuscripts: Possibilities and limitations", en LANCASHIRE (1993), pp. 1-15.

— (1994), "Nonlinearity", *Hyper/Text/Theory*, en LANDOW, G., HOPKINS, J. (eds.), University Press, pp. 51-222.

— (1994), "Towards a post-critical edition: Theory, hypertext, and the presentation of Middle English works", *Text*, 7, pp. 175-99.

MORDENTI, R. (1987), "Appunti per una semiotica della trascrizione nella procedura ecdotica computazionale", en COGLIOZZI (1987), pp. 85-124.

MÜLLER, U. (1988), "Personal computer, wissenschaftliche Manuskripte und Edition", *Editio*, 2, pp. 48-72.

NELSON, T. H. (ed.) (1987), *Literary machines: The report on, and of, project Xanadu concerning word processing, electronic publishing, hypertext, thinkertoys, tomorrow's intellectual revolution, and certain other topics including knowledge, education and freedom*, San Antonio, Tejas.

NORMAN, B., ROBINSON, P. (1993), *"The Canterbury Tales" Project*, Oxford: Office for Humanities Communication.

O'DONNELL, J. (1992), "Report on the textual criticism challenge 1991", *Byrn Mawr Classical Review*, 3, pp. 331-37.

O'DONNELL, W. H., THRUSH, E. A. (1996), "Designing a hypertext edition of a modern poem", en FINNERAN (1996), pp. 193-212.

OAKMAN, R. L. (1972), "The present state of computerized collation", *Proof*, 2, pp. 319-345.

— (1975), "Textual editing and the computer", *Costerus* n.s., 4, pp. 79-106.
— (1984), *Computer methods for literary research*, Athens: University of Georgia.
OLSEN, M. (1993), "Critical theory and textual computing: concerns and suggestions", *Computer and the Humanities*, 27, pp. 5-6, 309-14.
— (1993), "Signs, symbols and discourses: A new direction for computer-aided literature studies", *Computer and the Humanities*, 27, pp. 5-6, 309-314.
ORDUNA, G. (1990), "La crítica textual", *Incipit*, X, pp. 17-43.
— (1991), "Ecdótica hispánica y el valor estemático de la historia del texto", *Romance Philology*, 45, pp. 89-101.
ORLANDI, T. (1986), "Problemi di codifica e trattamento informatico in campo filologico", *Lessicografia, filologia e critica. Atti del Convegno (Catania-Siracusa, 1985)*, Florencia, pp. 69-82.
— (1990), *Informatica umanistica*, Florencia.
— (ed.) (1993), *Discipline umanistiche e informatica. Il problema dell' integrazione. (Seminario, Roma 8 Ottobre 1991)*, Roma: Accademia Nazionale dei Lincei.
OTT, W. (1973), "Computer applications in textual criticism", en AITKEN et al. (1973) pp. 199-213.
— (1979), "A text processing system for the preparation of critical editions", *Computers and the Humanities*, 13, pp. 29-35.
— (1982), "Textual editing and publishing in literary and linguistic research", *Literary and Linguistic Computing Bulletin*, 10, pp. 35-39.
— (1989), "Il sistema TUSTEP nell'edizione critica dei testi", en ADAMO (1989), pp. 45-67.
— (1989), "Transcription errors, variant readings, scholarly emendations: Software tools to master them", *Actes du Second Colloque International: Bible et informatique. Methodes, outils, resultats/Proceedings of the Second International Colloquium: Bible and the Computer. Methods, tools, results/Akten des Zweiten Internationale Kolloquiums: Bibel un Informatik. Methoden, Werkzeuge, Ergebnisse (Jerusalem, 9-13 juin 1988)*, París: Champion; Ginebra: Slatkine, pp. 419-34.
— (1992), "Computers and textual editing", en BUTLER (1992), pp. 205-226.
PADEN, W. (ed.) (1994), *The future of the Middle Ages*, Gainesville: The University of Florida Press.
PARKER, H. (1984), *Flawed texts and verbal icons*, Chicago: Northwestern University Press.
PARKES, M.B. (1976), "The influence of the concepts of *ordinatio* and *compilatio* on the development of the book", en ALEXANDER, J. J., GIBSON, M. T. (ed.), *Medieval learning and literature: Essays presented to Robert William Hunt*, Oxford: Clarendon Press, pp. 115-44.
PATERSON, L. (1985), "The logic of textual criticism and the way of genius", en MCGANN, J. (ed.), *Textual criticism and literary interpretation*, Chicago: The University of Chicago Press.
PEBWORTH, T. (1988), *Editing literary texts on the micro-computer. The example of John Donne's poetry*, Lubbock: Texas Tech University Press.
PEBWORTH, T., STRINGER, G. A. (1998), *Scholarly editing in the microcomputer*, Nueva York: MLA.
PERILLI, L. (1995), *Filologia computazionale*, Contributi del Centro Linceo Interdisciplinare "Beniamino Segre", 93, Roma: Accademia Nazionale dei Lincei.
PETTY, G. R., GIBSON, W. M. (1970), *Project OCCULT: The Ordered Computer Collation of Unprepared Literary Text*, Nueva York: Nueva York University Press.
PICKENS, R. T. (1994), "The future of Old French studies in America. The "old" philology and the "crisis" of the new", en PADEN, W. (1994), pp. 73-86.

PIERCE, R. H. (1988), "Multivariate numerical techniques applied to the study of manuscript tradition", en FIDJESTOL, B. - HAUGEN, O. E. - RINDAL, M. (eds.) *Tekstkritisk teori og praksis*, Oslo, pp. 24-45.

PLACELLA, V., MARTELLI, S. (eds.) (1994), *I moderni ausili all' ecdotica*, Pubblicazione dell' Università degli Studi di Salerno, 39, Nápoles: Ed. Scientifiche Italiane.

POTTER, ROSANNE, G. (ed.) (1989), *Literary computing and literary criticism. Theoretical and practical essays on theme and rhetoric*, Phidadelphia. University of Pennsylvania Press.

PRASCHEK, H. (1965), "Die Technifizierung der Edition. Möglichkeiten und Grenzen", en KREUSER, H.,GUNZENHÄUSER, G. (eds.), *Mathematik und Dichtung. Versuche zur Frage einer exakten Literaturwissenschaft*, Munich, pp. 123-142.

ROBINSON, P. W., SOLOPOVA, E. (1993), "Guidelines for transcription of the manuscripts of the *Wife of Bath's prologue*", en BLAKE, ROBINSON (1993), pp. 19-52.

— (1989), "The collation and textual criticism of Icelandic Manuscripts, I: Collation", *Literary and Linguistic Computing*, 4, pp. 98-105.

— (1989), "The collation and textual criticism of Icelandic manuscripts, II: Textual criticism", *Literary and Linguistic Computing*, 4, pp. 174-81.

— (1990), *Guidelines for transcription for COLLATE*, Oxford: Oxford. Univ. Computing Service.

— (1991), "A new program for interactive collation of large manuscript traditions", *Association of Computers in the Humanities/Association of Literary and Linguistic Computing '91 Conference Proceedings (March 17-21 1991)*, Tempe: State University of Arizona, pp. 363-365.

— (1993), "Redefining critical editions", en DELANY, LANDOW (1993), pp. 271-291.

— (1993), *The digitalization of primary textual sources*, Oxford: Office for Humanities Communication Publications.

— (1994), "Collation, textual criticism, publication and the computer", *Text*, 7, pp. 77-94.

— (1996), "Is there a text in these variants?", en FINNERAN (1996), pp. 99-115.

ROSS, Ch. L. (1996), "The electronic text and the death of the critical edition", en FINNERAN (1996), pp. 225-31.

ROSS, D. jr. (1981) "Aids for editing *Walden*", *Computers in the Humanities*, 15, pp. 155-61.

SABOURIN, C. F. (1994), *Computational character processing. (Character encoding, input, output, synthesis, ordering, conversion; text compression, encrypton, displat; hashing; literate programming) A bibliography*. 2 vols, Montreal: Infolingua.

— (1994), *Literary computing. (Style, author identification, text collation, literary criticism) A bibliography*, Montreal: Infolingua.

SALEMANS, B. J. P. (1994-1995), "Comparing text editions with the aid of the computer", *Computers and the Humanities*, 28, pp. 133-39.

SEGRE, C. (1979), "Il testo como trascrizione", *Semiotica filologica*, Turín: Einaudi, pp. 36-79.

SHILLINGSBURG, M. J. (1978), "Computer assistance to scholarly editing", *Literary Research Newsletter*, 5, pp. 31-45.

— (1993), "Polymorphic, polysemic, protean, reliable electronic texts", en BORNSTEIN, G., WILLIAMS, R. G. (eds.), *Palympsest: Editorial theory in the humanities*, Ann Arbor: University of Michigan University Press, pp. 29-43.

— (1996), "Principles for electronic archives, scholarly editions, and tutorials", en FINNERAN (1996), pp. 23-35.

— (1996), *Scholarly editing in the computer age*. Michigan: The University Press Reedición, con bibliografía actualizada del libro del mismo título, publicado en Athens: University of Georgia Press, 1986].

SIEMENS, R. (1994), "Textual collation software for the PC: PC-CASE, UNITE, and the Donne Variorum Collation Programm", *Text and Technology*, 4, pp. 209-213.

SMALL, I. (1993), "Text editing and the computer: Facts and values", en CHERNAIK (1993), pp. 25-30.

SMITH, J. M., STUTELY, R. (1988), *SGML. The user's guide to ISO 8879*, Winchester: Ellis Horwood Ltd.

SMITH, J. M. (1987), "The Standard Generalized Markup Language (SGML) for humanities publishing", *Linguistic and Literary Computing*, 2, pp. 171-75.

SOLOMON, J. (ed.) (1993), *Accesing antiquity. The computerization of classical studies*, Tucson-Londres.

SPEER, M. (1991), "Editing Old french texts in the eighties: Theory and practice", *Romance Philology*, 45, pp. 7-43.

— (1995), "French literature", en GREETHAM (1995), pp. 382-416.

SPERBERG-MCQUEEN, C. M., BURNARD, L. (1996), "Textual criticism and the Textual Encoding Initiative", en FINNERAN (1996), pp. 37-61.

— (eds.) (1994), *Guidelines for the encoding and interchange of machine-readable texts*, Chicago: TEI. [Hay versión española de la versión 1.0 (1991) de V. Zumárraga y M. Tabernera, 2 vols., Madrid, 1994; cit. en Marcos Marín (1994)].

STRINGER, G. A., VILBERG, W. R. (1987), "The Donne Variorum textual collation program". *Computers and the humanities*, 21, pp. 83-89.

TANSELLE, TH. G. (1987), *Textual criticism since Greg: A Chronicle (1950-1985)*, Charlottesville: University of Virginia Press.

— (1995), "Introduction", en GREETHAM (1995), pp. 1-32.

— (1996), "Textual inestability and editorial idealism", *Studies in Bibliography*, 49, pp. 1-60.

TOMBEUR, P. (1979), "La génération automatique de un *stemma codicum*", en IRIOIGN, ZARRI (1979), pp. 163-83.

UITTI, K. D. (1993), "The poetic-literary dimensions and the editing of medieval texts", en CORNILLIAT, F. (ed.), *What is literature? France 110-1600*, Ullrich Langer y Douglas Kelly. Lexington: French Forum, pp. 143-179.

UITTI, K. D., GRECO, D. (1993), "Computerization, canonicity and the Old French scribe: The twelfth and thirteenth centuries", *Text*, 6, pp. 133-52.

UNSWORTH, J. (1996), "Electronic scholarship; or, scholarly publishing and the public", en FINNERAN (1996), pp. 233-243

UTEHMANN, K.-H. (1988) "Ordinateur et stemmatologie. Une constellation contaminée dans une tradition grecque", en VAN REENEN, P., VAN REENEN-STEIN, K. (eds.), *Spatial and temporal distributions, manuscripts constellations. Studies in language variation offered to Anthonij Dees on the occassion of his 60th birthday*, Amsterdam: Benjamins, pp. 265-277.

WEITZMAN, M. (1985), "The analysis of open traditions", *Studies in Bibliography*, 38, pp. 82-120.

WEST, M. L. (1973), *Textual criticism and editorial technique*, Stuttgart: Teubner.

WITTIG, S. (1978), "The computer and the concept of text", *Computers and the humanities*, 11, pp. 211-15.

XHARDEZ, DIDIER (1994), "Computer-assisted study of a textual tradition", en HOCKEY, IDE (1994), pp. 67-88.

ZARRI, G. P. (1968), "Linguistica algoritmica e meccanizzazione della *collatio codicum*", *Lingue e stile*, 2, pp. 21-40.

— (1969), "Il metodo per la *recensio* di Dom Quentin esaminato criticamente mediante la sua traduzione in un algoritmo per elaboratore elettronico", *Lingua e stile*, 4, pp. 162-82.

ZARRI, G. P. (1973), "Algorithms, stemmata codicum, and the theories of Dom Quentin", en AITKEN *et al.* (1973), pp. 225-238.

— (1976), "A computer model for textual criticism?". *Papers from the Third International Symposium on the Use of the Computer in Linguistic Literary Research (Cardiff, April, 1974)*, Cardiff: University of Wales Press, pp. 133-155.

— (1977), "Some experiments on automated textual criticism", *Literary and Linguistic Computing*, 5, pp. 266-90.

ZELLER, H. (1985), "Für eine historische Edition: Zu Textkonstitution und Kommentar", en STÖTZELL, G. (ed.), *Germanistische. Forschungstand und Perspektiven. Vorträge des deutschen Germanistentages,* Berlín: de Gruyter. Vol. II, pp. 305-323.

— (1987), "Textologie und Textanalyse: Zur Abgrenzung zweier Disziplinen und ihrem Verhältnis zueinander", *Editio*, 1, pp. 145-58.

APLICACIONES

LEXICOGRAFÍA

*A*unque los diccionarios pueden ser de distintas clases (monolingües, bilingües, ideológicos, inversos, etimológicos, etc.), todos tienen como fin común el almacenamiento de un importante número de datos lingüísticos sobre las palabras de la lengua. Esta peculiaridad explica que la lexicografía, como técnica de elaboración de diccionarios, se ha beneficiado en los últimos años, y podrá beneficiarse aún más en un futuro próximo de la aplicación de diversas herramientas informáticas, que en última instancia facilitan enormemente la gestión de un elevado número de datos. La aplicación de la informática a la elaboración de diccionarios ayuda al lexicógrafo a superar las naturales limitaciones humanas que inevitablemente surgen cuando se trabaja con una gran cantidad de informaciones; al mismo tiempo, constituye un punto de partida para homogeneizar y perfeccionar el contenido de los diccionarios.

El uso de herramientas informáticas en el campo de la lexicografía es amplio y diverso, de modo que actualmente es posible tener desde un diccionario en soporte tradicional (libro) elaborado con la ayuda de la informática, un diccionario en disco óptico (CD-ROM), hasta productos tan complejos como los diccionarios para sistemas expertos.

La aplicación de la informática a la elaboración de diccionarios lleva, sin ninguna duda, a un perfeccionamiento de su contenido; esta es la labor que se podrá emprender a partir de las versiones en CD-ROM de diccionarios de amplio uso y difusión como el *Diccionario de la lengua española* de la Academia Española, por ejemplo. La actualización necesaria y continua de cualquier obra lexicográfica mejorará sustancialmente, tal como demuestra Manuel Alvar Ezquerra en su artículo; también el uso de estos instrumentos permitirá llevar a cabo múltiples estudios lexicológicos, de los que se halla un excelente ejemplo en el trabajo de M. Paz Battaner. Finalmente, el artículo de Gloria Clavería muestra las posibilidades de estudio e investigación de la historia del léxico del español que proporciona el proyecto de informatización del *Diccionario crítico etimológico castellano e hispánico* de J. Corominas y J. A. Pascual.

MANUEL ALVAR EZQUERRA
Universidad Complutense de Madrid

La redacción lexicográfica asistida por ordenador: dificultades y deseos

Cualquier persona que se haya acercado al mundo de la producción de diccionarios, de la redacción de diccionarios, se habrá encontrado con el problema inicial de dónde hallar la información que necesita y cómo tratarla. De una manera sencilla, puede decirse que la cuestión tiene dos facetas, dependiendo de una decisión inicial que marcará el proceso de redacción: si se va a hacer un diccionario de nuevo cuño o si ve van a aprovechar materiales ya existentes. En las pocas páginas que siguen no voy a ocuparme de la primera de estas posibilidades,[1] sino de la segunda.

Quien haya tratado de actualizar un diccionario, preparar una nueva edición, o efectuar una revisión del tipo que sea, se habrá tropezado con unos problemas similares a los que yo he tenido que ir resolviendo en la actualización de los diccionarios VOX, por lo que hoy no sé si mi experiencia tendrá algún interés, fuera de presentar a los no iniciados las dificultades y los caminos que pueden seguirse, además de formular unos deseos para que nuestro trabajo en el futuro no se encuentre con tantos inconvenientes como hasta ahora, y que podamos disponer de diccionarios cada vez mejores.

Hasta hace bien pocos años, y en algunos casos así sigue siendo hoy, para trabajar en la revisión de diccionarios preexistentes teníamos que hacerlo sobre obras impresas, y cada cual se ingeniaba el proceder, en muchas ocasiones con las limitaciones impuestas por la composición de la obra. Sin embargo, la informatización de las empresas lexicográficas se produjo en una época muy temprana dentro de lo venimos considerando como lingüística automatizada o informatizada, y desde entonces ha exigido recuperar los repertorios sobre los que se deseaba trabajar con el fin de tenerlos en un formato electrónico que habrá de ser manipulado más adelante. Para ello existían, siguen existiendo, dos vías, dependiendo de si las editoriales, las imprentas, se hubiesen automatizado por su lado o no.

La peor condición de todas, para nuestros intereses, parece la de aquellos repertorios que sóloexisten en papel impreso, y cuya tipografía se debe a procedimientos tradicionales, por no hablar de artesanales. En este caso, la única posibilidad que se abre es la de escanear la obra. Sin embargo, las dificultades derivadas son varias:

1. Véase lo que expongo, por ejemplo en Alvar Ezquerra (en prensa).

1.º La forma electrónica obtenida de ese modo no siempre nos permitirá distribuir el diccionario según sus campos o partes. Tendremos únicamente un texto más o menos corrido.

2.º No siempre resulta fácil, ni siquiera factible —dependiendo del tipo de hardware y de software que se utilice— pasar del papel al soporte electrónico mediante el lector óptico, pues

2a. como todos sabemos, hasta los cambios en la composición del papel inciden en la calidad del resultado.

2b. en los diccionarios en varios volúmenes pueden haberse utilizado tipos y familias de letras distintas que dificultan la lectura mecánica.

2c. incluso en los repertorios en un solo tomo puede haber cambios en la tipografía, y en el papel, a lo largo de la obra.

2d. las correcciones, añadidos, modificaciones de una edición a otra hacen que la lectura mecánica resulte muy penosa por las alteraciones de todo tipo que sufre el texto (cambios de tipo de letra, de la distancia de los márgenes, del tamaño de los interlineados, aparecen líneas y bigotes, etc.).

Evidentemente, siempre nos queda el recurso de teclear de nuevo el diccionario, caso al que no nos gusta llegar, pero en ocasiones necesario para alcanzar nuestros fines. Sin yo saberlo, esto es lo que me ocurrió cuando la editorial Biblograf s.a. me encargó la nueva redacción del Diccionario general ilustrado de la lengua española (que vería la luz en Barcelona, en 1987): me prometió bajo formato electrónico la obra que tenía que revisar, y una vez acabada la tarea supe que la editorial entonces no poseía la tal versión y que la había encargado al taller con el que trabajaba habitualmente. La decisión no debió ser muy costosa —de lo contrario se hubiera optado por alguna otra solución, pienso— y puede ser un modelo para las empresas que poseen diccionarios sin informatizar, aunque para nosotros no sea la solución más avanzada técnicamente. De haber sabido que ese repertorio iba a ser tecleado para pasarlo a un formato electrónico es posible que hubiese organizado mi trabajo de otra manera, pero no fue así, y llevé a cabo de la mejor manera que pude, de acuerdo con los medios de que disponía.[2]

Una situación más ventajosa, en principio, para nosotros es la de aquellos diccionarios que ya se encuentran en soporte electrónico para su impresión. La tarea para pasar de esa versión a una que le sirva al lexicógrafo, en la que estén delimitados los distintos campos de un artículo lexicográfico, para luego montarlos sobre una base de datos, puede resultar compleja, pero no difícil, si la obra está bien resuelta tipográficamente.

Haré un inciso que considero necesario aquí. Por su gran implantación, difusión y facilidad de manejo, son muchas las redacciones lexicográficas que emplean editores de textos y tratamientos de textos para hacer diccionarios, pues no es necesaria una especial formación del personal, los requisitos de hardware que exigen no son muy elevados, lo que permite el abaratamiento del coste de

2. Para el tratamiento informatizado del diccionario, véase Alvar Ezquerra 1987a, 1987b y 1991.

los colaboradores externos, de producción, etc. Pero esto no es informatización en sentido estricto, y, desde luego, no sirve mucho para explotar los datos en procesos posteriores. Por ello resulta recomendable la utilización de bases de datos, sobre todo aquellas que puedan tener un gran rendimiento en lexicografía.

Vuelvo al lugar donde estaba. Es un principio necesario que la distribución tipográfica del texto de los diccionarios sea buena para obtener los mejores resultados, pues si no es niconsistente ni sistemática a lo largo de toda la obra, los errores en el trasvase de informaciones serán abundantes y los resultados mediocres. Veamos, como ejemplo, una muestra de un diccionario preparado para la composición automática:

```
[u1]Array Codoc.111.[EPCorrecciones Sonia. 61089[EPCorrecciones Sonia.
151189[EP[cm[j800][PN1,,,R,I0][j12]B[cm[j30][j2]B, b[cm [j4]f.[cm [j1]Be, segun-
da letra del alfabeto espa;atnol que representa gr;aaaficamente a la consonante
oclusiva, bilabial y sonora.[cm[EP[j2]baba[cm [j4]f.[cm [j1]Saliva abundante que
involuntaria~mente fluye de la boca.[cm [j22]2[cm [j1]Humor viscoso que
segregan algunos animales:[cm [j3];sl de caracol.[cm [j22]3[cm [j1]Jugo viscoso
de algunas plantas.[cm[EP[j2]babear[cm [j4]intr.[cm [j1]Echar baba.[cm [j22]2[cm
[j1]fig.[cm [j3]y[cm [j1][cm [j1]fam.[cm [j1]Hacer demostraciones de rendimiento
excesivo ante una persona o cosa.[cm[EP[j2]babel[cm [j4]amb.[cm [j1]fig.[cm
[j1]Lugar en que hay gran con~fusi;aaon.[cm [j22]2[cm [j1]fig.[cm [j1]Desorden,
confusi;aaon.[cm[EP[j2]bab;aaelico, ca[cm [j4]adj.[cm [j1]Enorme, gigantesco.[cm
[j22]2[cm [j1]Ininteligible, confuso.[cm[EP[j2]babero[cm [j4]m.[cm [j1]Prenda de
tela u otra materia que se pone a los ni;atnos en el pecho, sobre el ves~tido,
para que no lo manchen.[cm[EP[j2]babieca[cm [j4]com.adj.[cm [j1]fam.[cm
[j1]Persona floja y boba.[cm[EP[j2]babil;onico, ca[cm [j4]adj.[cm [j1]Relativo a
Babilonia.[cm [j22]2[cm [j1]fig.[cm [j1]Fastuoso.[cm[EP[j2]babilla[cm [j4]f.[cm
[j1]En los cuadr;aaupedos, conjunto de musculatura y tendones que articulan
el f;aaemur con la tibia y la r;aaotula;[cm [j1]**caballo.[cm [j22]2[cm [j1]R;aaotula
de los cuadr;aaupedos.[cm[EP[j2]babintonita[cm [j4]f.[cm [j5]min.[cm [j1]Silicato
de hierro, calcio y magnesio. Pertenece al grupo de los
piro~xenos.[cm[EP[j2]babismo[cm [j4]m.[cm [j1]Sistema religioso fundado en
Persia en el s.[cm [j5]xix[cm [j1] basado en la fraternidad uni~versal y en el
feminismo.[cm[EP[j2]bable[cm [j4]m.[cm [j1]Dialecto de los
asturianos.[cm[EP[j2]babor[cm [j4]m.[cm [j1]Lado izquierdo de la embarcaci;aaon,
mirando de popa a proa;[cm [j1]**barca.[cm[EP[j2]babosa[cm [j4]f.[cm [j1]Molusco
gaster;aaopodo pulmo~nado, sin concha o de concha rudimentaria, de cuerpo
fusiforme, cuya piel segrega abun~dante baba[cm [j3];op[cm[j1]g;aaen.[cm [j3]
Blennius;cp.[cm [j22]2[cm [j1]Pez marino tele;aaosteo perciforme, de peque;atno
tama;atno y rostro agudo, con los ojos en posici;aaon dorsal[cm [j3];opBlennius[cm
[j1]sp.[cm[j3];cp.[cm [j22]3[cm [j3]Am;aaer. Central[cm [j1]y[cm [j3][cm
[j3]M;aaej.[cm [j1]Bobada, tonter;aaia.[cm[EP[j2]babosada[cm [j4]f.[cm
[j3]Am;aaer. Central[cm [j1]y[cm [j3][cm [j3]M;aaej.[cm [j1]Sujeto o cosa
despreciable.[cm[EP[j2]babosear[cm [j4]tr.[cm [j1]Llenar de
babas.[cm[EP[j2]baboso, sa[cm [j4]adj.s.[cm [j1];obpers.;cb Que echa muchas
babas.[cm [j22]2[cm [j1]fig.[cm [j1]Que no tiene edad o con~diciones para lo
que hace, dice o intenta.[cm [j22]3[cm [j1]Excesivamente zalamero.[cm [j22]4[cm
[j1]fig.[cm [j3]y[cm [j1][cm [j1]fam.[cm [j1]Ena~moradizo y rendidamente obse-
```

quioso con las mujeres.[cm [j22]5[cm [j3]Am;aaer.[cm [j1]Bobo, tonto.[cm[EP[j2]babucha[cm [j4]f.[cm [j1]Zapato ligero y sin tac;aaon, usado especialmente por los moros;[cm [j1]**calzado.[cm [j22]2[cm [j3]Am;aaer.[cm [j1]Especie de zapato de pala alta, cerrada con un cord;aaon.[cm[EP[j2]babul[cm [j4]m.[cm [j1]Arbusto leguminal mimos;aaaceo, de origen asi;aaatico, que se cultiva para obtener la goma ar;aaabiga[cm [j3];opAcacia arabica;cp.[cm[EP[j2]I;cp baca[cm [j4]f.[cm [j1]Portaequipajes que se coloca sobre el techo del autom;aaovil.[cm[EP[j2]II;cp baca[cm [j4]f.[cm [j1]Fruto o baya del laurel.[cm[EP[j2]bacaladero, ra[cm [j4]adj.[cm [j1]Relativo al bacalao, y a su pesca y comercio:[cm [j3]flota bacaladera.[cm[EP[j2]bacalao[cm [j4]m.[cm [j1]Pez marino tele;aaosteo gadiforme, de tama;atno variable, con el cuerpo cil;aaindrico y la cabeza muy grande. Es comestible y se con~serva salado y prensado[cm [j3];opGadus morrhua;cp.[cm [j22]2[cm [j4];sl de Escocia,[cm [j1]especie de merluza curada en la misma forma que elbacalao com;aaun.

Con un texto organizado con esas características podemos identificar las marcas de los distintos tipos de letra, signos de puntuación, retornos, etc., que nos muestran el paso de una parte a otra del artículo lexicográfico, aunque un texto así sea poco menos que ilegible para nosotros. La ventaja de que las editoriales, o las imprentas, posean diccionarios de esa manera es incuestionable, pues, una vez definida la gramática interna de la obra, podremos ir trasvasando la información a cada uno de los campos en que hayamos dividido el artículo lexicográfico, de manera que nos resulte algo como:

LEMA = B, b
NÚMERO DE DEFINICIÓN = 1
CATEGORÍA = f.
DEFINICIÓN = Be, segunda letra del alfabeto español que representa gráficamente a la consonante oclusiva, bilabial y sonora.

LEMA = baba
NÚMERO DE DEFINICIÓN = 1
CATEGORÍA = f.
DEFINICIÓN = Saliva abundante que involuntariamente fluye de la boca.
NÚMERO DE DEFINICIÓN = 2
DEFINICIÓN = Humor viscoso que segregan algunos animales:
EJEMPLIFICACIÓN = ~ de caracol.
NÚMERO DE DEFINICIÓN = 3
DEFINICIÓN = Jugo viscoso de algunas plantas.

LEMA = babear
NÚMERO DE DEFINICIÓN = 1
CATEGORÍA = intr.
DEFINICIÓN = Echar baba.
NÚMERO DE DEFINICIÓN = 2

NIVEL DE LENGUA = fig.
EJEMPLIFICACIÓN = y <R><R>fam.
DEFINICIÓN = Hacer demostraciones de rendimiento excesivo ante una persona o cosa.

LEMA = babel
NÚMERO DE DEFINICIÓN = 1
CATEGORÍA = amb.
NIVEL DE LENGUA = fig.
DEFINICIÓN = Lugar en que hay gran confusión.
NÚMERO DE DEFINICIÓN = 2
NIVEL DE LENGUA = fig.
DEFINICIÓN = Desorden, confusión.

LEMA = babélico, ca
NÚMERO DE DEFINICIÓN = 1
CATEGORÍA = adj.
DEFINICIÓN = Enorme, gigantesco.
NÚMERO DE DEFINICIÓN = 2
DEFINICIÓN = Ininteligible, confuso.

LEMA = babero
NÚMERO DE DEFINICIÓN = 1
CATEGORÍA = m.
DEFINICIÓN = Prenda de tela u otra materia que se pone a los niños en el pecho, sobre el vestido, para que no lo manchen.

LEMA = babieca
NÚMERO DE DEFINICIÓN = 1
CATEGORÍA = com.adj.
NIVEL DE LENGUA = fam.
DEFINICIÓN = Persona floja y boba.

LEMA = babilónico, ca
NÚMERO DE DEFINICIÓN = 1
CATEGORÍA = adj.
DEFINICIÓN = Relativo a Babilonia.
NÚMERO DE DEFINICIÓN = 2
NIVEL DE LENGUA = fig.
DEFINICIÓN = Fastuoso.

LEMA = babilla
NÚMERO DE DEFINICIÓN = 1
CATEGORÍA = f.
DEFINICIÓN = En los cuadrúpedos, conjunto de musculatura y tendones que articulan el fémur con la tibia y la rótula;

DEFINICIÓN = **caballo.
NÚMERO DE DEFINICIÓN = 2
DEFINICIÓN = Rótula de los cuadrúpedos.

LEMA = babintonita
NÚMERO DE DEFINICIÓN = 1
CATEGORÍA = f.
ESPECIALIDAD = min.
DEFINICIÓN = Silicato de hierro, calcio y magnesio. Pertenece al grupo de los piroxenos.

LEMA = babismo
NÚMERO DE DEFINICIÓN = 1
CATEGORÍA = m.
DEFINICIÓN = Sistema religioso fundado en Persia en el s. <V>xix <R>basado en la fraternidad universal y en el feminismo.

LEMA = bable
NÚMERO DE DEFINICIÓN = 1
CATEGORÍA = m.
DEFINICIÓN = Dialecto de los asturianos.

LEMA = babor
NÚMERO DE DEFINICIÓN = 1
CATEGORÍA = m.
DEFINICIÓN = Lado izquierdo de la embarcación, mirando de popa a proa;
DEFINICIÓN = **barca.

LEMA = babosa
NÚMERO DE DEFINICIÓN = 1
CATEGORÍA = f.
DEFINICIÓN = Molusco gasterópodo pulmonado, sin concha o de concha rudimentaria, de cuerpo fusiforme, cuya piel segrega abundante baba
NOMBRE CIENTÍFICO = (<R>gén. <C>Blennius).
NÚMERO DE DEFINICIÓN = 2
DEFINICIÓN = Pez marino teleósteo perciforme, de pequeño tamaño y rostro agudo, con los ojos en posición dorsal
NOMBRE CIENTÍFICO = (Blennius <R>sp.).
NÚMERO DE DEFINICIÓN = 3
DISTRIBUCIÓN GEOGRÁFICA = Amér. Central <R>y
DISTRIBUCIÓN GEOGRÁFICA = Méj.
DEFINICIÓN = Bobada, tontería.

LEMA = babosada
NÚMERO DE DEFINICIÓN = 1
CATEGORÍA = f.

DISTRIBUCIÓN GEOGRÁFICA = Amér. Central <R>y
DISTRIBUCIÓN GEOGRÁFICA = Méj.
DEFINICIÓN = Sujeto o cosa despreciable.

LEMA = babosear
NÚMERO DE DEFINICIÓN = 1
CATEGORÍA = tr.
DEFINICIÓN = Llenar de babas.

LEMA = baboso, sa
NÚMERO DE DEFINICIÓN = 1
CATEGORÍA = adj.s.
DEFINICIÓN = [pers.] Que echa muchas babas.
NÚMERO DE DEFINICIÓN = 2
NIVEL DE LENGUA = fig.
DEFINICIÓN = Que no tiene edad o condiciones para lo que hace, dice o intenta.
NÚMERO DE DEFINICIÓN = 3
DEFINICIÓN = Excesivamente zalamero.
NÚMERO DE DEFINICIÓN = 4
NIVEL DE LENGUA = fig.
EJEMPLIFICACIÓN = y <R><R>fam.
DEFINICIÓN = Enamoradizo y rendidamente obsequioso con las mujeres.
NÚMERO DE DEFINICIÓN = 5
DISTRIBUCIÓN GEOGRÁFICA = Amér.
DEFINICIÓN = Bobo, tonto.

LEMA = babucha
NÚMERO DE DEFINICIÓN = 1
CATEGORÍA = f.
DEFINICIÓN = Zapato ligero y sin tacón, usado especialmente por los moros;
DEFINICIÓN = **calzado.
NÚMERO DE DEFINICIÓN = 2
DISTRIBUCIÓN GEOGRÁFICA = Amér.
DEFINICIÓN = Especie de zapato de pala alta, cerrada con un cordón.

LEMA = babuino
NÚMERO DE DEFINICIÓN = 1
CATEGORÍA = m.
DEFINICIÓN = Primate cercopitécido africano de 1 m. de longitud y color gris oliváceo
NOMBRE CIENTÍFICO = Pagio cynocephalus

LEMA = babul
NÚMERO DE DEFINICIÓN = 1

CATEGORÍA = m.
DEFINICIÓN = Arbusto leguminal mimosáceo, de origen asiático, que se cultiva para obtener la goma arábiga
NOMBRE CIENTÍFICO = (Acacia arábica).

LEMA = I) baca
NÚMERO DE DEFINICIÓN = 1
CATEGORÍA = f.
DEFINICIÓN = Portaequipajes que se coloca sobre el techo del automóvil.

LEMA = II) baca
NÚMERO DE DEFINICIÓN = 1
CATEGORÍA = f.
DEFINICIÓN = Fruto o baya del laurel.

LEMA = bacaladero, ra
NÚMERO DE DEFINICIÓN = 1
CATEGORÍA = adj.
DEFINICIÓN = Relativo al bacalao, y a su pesca y comercio:
EJEMPLIFICACIÓN = flota bacaladera.

LEMA = bacalao
NÚMERO DE DEFINICIÓN = 1
CATEGORÍA = m.
DEFINICIÓN = Pez gadiforme, de tamaño variable, con el cuerpo cilíndrico y la cabeza muy grande. Es comestible y se conserva salado y prensado
NOMBRE CIENTÍFICO = (Gadus morrhua).
NÚMERO DE DEFINICIÓN = 2
CONSTRUCCIÓN MULTIVERBAL = ~ de Escocia,
DEFINICIÓN DE LA CONSTRUCCIÓN = especie de merluza curada en la misma forma que el bacalao común.

A partir de una situación similar a la expuesta habrá que decidir cómo se efectúa la redacción del diccionario: aquellos que no deseen hacer más inversiones o que no precisen introducir grandes cambios, o que no quieran dar continuidad a su obra, podrán utilizar un editor de textos, o un tratamiento de textos, lo cual no es recomendable cuando se trabaja con grandes volúmenes de datos lexicográficos. Para diccionarios como los que todos tenemos en nuestra cabeza, sin dudas, hay que emplear bases de datos.

Si el repertorio de partida estaba bien concebido, si los cambios y trasvases de información se han hecho de una manera adecuada, si hemos definido con claridad la estructura interna del artículo y sus diversos cambios, y si el diseño de la base de datos responde a nuestras necesidades, no sólo será fácil darle una nueva forma al diccionario, sino que también se nos agilizará nuestra tarea: numeración de entradas, de acepciones, añadidos, cambios, supresiones, relaciones internas, etc., sin que tengamos que estar pendientes de todas las implicaciones que pueda tener cualquier modificación que introduzcamos en el cuerpo del diccionario: el ordenador está para facilitarnos al máximo la tarea, no para complicar el proceso de redacción. Ésas son algunas de las grandes ventajas de las bases de datos sobre los editores y tratamientos de textos.

Las dificultades con las que nos vamos a encontrar en este proceso se derivan, unas, de la manera en que se codifica el texto del diccionario para la composición editorial, y otras de la finalidad con que se realiza: para imprimirlo, no para servir de base a una nueva redacción.

Aunque existen diversos sistemas de codificación de textos para la fotocomposición, suele emplearse en cada obra, y hasta en cada empresa, uno solo, sin que se mezclen los sistemas. Los problemas surgen porque un mismo elemento puede ser codificado de distintas maneras, de modo que una persona en un instante elige una, y en otro momento otra; pero como, además, el texto de un diccionario es por naturaleza muy largo, suele ser habitual que haya sido codificado por varias personas, con lo que las posibilidades de combinación de códigos aumenta, sin darse cuenta ellos, ni la empresa de fotocomposición o edición, pues el resultado es el mismo. Y así puede ocurrir que cuando proporcionan las listas de los códigos empleados sean incompletas, para desesperación del informático y del lexicógrafo. De los errores y erratas no podemos culpar a nadie, pero también existen, pasan de un formato a otro, y ponen su granito de arena para estropear el engranaje que se desea hacer funcionar de una manera automática.

Todo ello sucede porque los códigos que se utilizan en la fotocomposición mecánica pertenecen a tres grandes grupos:[3]

a) los de la presentación tipográfica del texto (las letras y sus tipos, justificación de las líneas, división de palabras, tabulaciones, etc.), a veces condicionada por la tradición (no más de tres líneas seguidas con división de palabra al final, ni finales de párrafo con sólo dos letras, etc.), que causan inconvenientes suplementarios.
b) los de los símbolos especiales que no están en la primera parte de la tabla de códigos ASCII y que son muy frecuentes (letras acentuadas, signos fonéticos, símbolos necesarios en el interior del diccionario, etc.). Es en este grupo donde las combinaciones aleatorias y momentáneas son más frecuentes, dando el teclista rienda suelta a su creatividad.
c) los de justificación vertical (página, columnas, etc.), posición de ilustraciones, etc.

Así pues, lo que se pueda recuperar depende grandemente de la voluntad tipográfica del editor, aunque, según me dicta la experiencia, siempre es posible por las razones que he expuesto antes: los cambios de tipo de letra, puntuación, retornos, etc., son marcas que señalan muy bien el camino que se debe seguir.

El gran inconveniente para montar bases de datos a partir de este procedimiento estriba enque los datos así recuperados no tienen en cuenta las

3. Me remito a López Guzmán (1994), en especial la p. 48.

informaciones que no aparecen en el diccionario impreso. Esto es, habrá que crear los campos con información Ø para que la estructura de la obra sea homogénea y responda al diseño del artículo tipo, de modo que al pasar las informaciones a la base de datos no nos dé errores. No es tarea fácil llegar a este punto, tanto por la cantidad de informaciones que puede haber en un diccionario extenso, como la manera de presentarlas: piénsese en un instante cómo un diccionario general de nuestra lengua puede mostrar la información etimológica, o los diversos tipos de glosas, y la variedad de sus contenidos, que puede haber en algunos de nuestros repertorios grandes, y que deben estar previstos para que las informaciones sean susceptibles de ser trasvasadas de un soporte a otro sin pérdidas.

Por otra parte, la sistematización a que nos obliga la informática nos hace tener muy presentes los casos especiales que hay en algunos artículos del diccionario, que son los dificultosos justamente por ser excepcionales. Cuando la redacción se hacía manualmente, las transgresiones de la planta de la obra no tenían la menor importancia, y hasta podían ser necesarias (por ejemplo, en la organización de las informaciones en los artículos de los verbos auxiliares, o cuando se querían poner los valores de las preposiciones, etc.). En una redacción informatizada no son posibles las excepciones, y deben estar previstas.

Hay una cuestión a la que no he aludido en mi exposición: el tiempo. ¿Cuánto se tarda en transformar la información contenida en un diccionario? Aunque todos queremos saberlo, no se puede aventurar una contestación totalmente satisfactoria, pues depende de la experiencia previa, medios, etc. Por mi parte, puedo decir que hace trece años, con unos equipos informáticos que hoy nos parecen rudimentarios si no totalmente obsoletos, sin ninguna experiencia anterior, con un solo informático dedicado al proyecto, tardé casi año y medio en conseguir el texto limpio y dispuesto para la revisión estrictamente lexicográfica del *Diccionario general ilustrado de la lengua española*. Pero las cosas han cambiado mucho desde entonces.

Sea cual sea el camino seguido, ya tenemos nuestro diccionario en un formato electrónico adecuado a nuestras necesidades, en el que podremos trabajar según nuestros deseos y las limitaciones que nos imponga el sistema seleccionado y diseñado. Para mandar la obra a la imprenta se habrá de recorrer el camino inverso, lo cual no deberá presentar sorpresas en nuestro trabajo.

Por otro lado, un texto lexicográfico así organizado no sólo nos permite la redacción y corrección de un diccionario, sino que se transforma en un banco de datos léxicos que puede servir tanto como fuente para repertorios con otras características, como para análisis y estudios léxicos de tipo muy variado.

Pero las necesidades del lexicógrafo actual no están todavía totalmente cubiertas. Sí, ya disponemos de un soporte informático, ¿pero eso es todo? Hoy no basta con dejar la corrección del contenido del diccionario a la competencia del redactor, o del equipo de redactores. Necesitamos comprobar fehacientemente las informaciones que hay en el repertorio y las que vamos a introducir. Y entonces se plantea la necesidad del corpus.

No voy a tratar de los corpus, pues sería entrar en un extensísimo campo. Diré no obstante que para la recolección de documentos para un corpus los procedimientos e inconvenientes con los que nos vamos a encontrar son muy parecidos a los que acabo de describir para los diccionarios: lectura óptica, tecleado, recuperación electrónica, con sus fallos y problemas, agravados por la variedad de procedencias que pueden llegar a tener los textos. ¿Nos darán libremente las editoriales sus textos magnéticos? ¿Cómo están codificados? Y si fuera así, ¿tendríamos resueltos los problemas cuando abordáramos los textos de la prensa periódica?

Cuando tengamos el corpus todavía no estarán cubiertas todas nuestras necesidades, pues hayque integrar ese corpus dentro del sistema de redacción del diccionario, pues el redactor no puede estar cambiando constantemente de una tarea a otra sin perder el hilo de su trabajo. Debemos llegar a ese ideal de diccionario informatizado más corpus. Sólo así podremos hablar de redacción, o revisión, asistida por ordenador de los diccionarios.

A modo de conclusiones, recomendaciones, o simplemente de ruegos para facilitar el trabajo del lexicógrafo, a la vista de cuanto he expuesto, habría que pedir:

1º Que las editoriales tengan, como mínimo, el texto de sus diccionarios en un soporte informático. Pasar del papel a esta otra forma es una tarea tal vez costosa pero puede deparar beneficios para todos.

2º Que los textos de los diccionarios sean sistemáticos y coherentes a lo largo de toda la obra, para obtener los mayores beneficios en el paso del soporte informático de la impresión al de la redacción.

3º Que se pueda llegar a una estandarización en los sistemas de fotocomposición mecánica y de transferencia de datos, como se está intentando en otros dominios, incluso muy próximos a la lexicografía.

4º Que en las redacciones de diccionarios se sustituyan los editores de textos por bases de datos.

5º Que las empresas de fotocomposición utilicen para cada diccionario un solo sistema de codificación, con una relación biunívoca entre elemento y código, con el fin de facilitar el trasvase de informaciones.

6º Que las editoriales, agencias de prensa, periódicos, cadenas de radio y televisión, etc., faciliten sus textos a los creadores y necesitados de córpora.

7º Que los organismos competentes creen una especie de depósito paralelo al depósito legal al que se deba entregar una copia en formato electrónico que esté disponible bajo las condiciones que se establezcan, y que pueda pasar a engrosar el futuro corpus nacional español.

8º Que se diseñe un sistema de fácil manejo en que estén integrados una base de datos lexicográfica y las herramientas de manejo del corpus, con el fin de agilizar la tarea del lexicógrafo.

Referencias bibliográficas

ALVAR EZQUERRA, M (1987a), "El primer diccionario automatizado del español", en Lingüística Española Actual, IX-2, pp. 49-56; recogido en ALVAR EZQUERRA (1993), pp. 303-307.

— (1987b), "Un diccionario moderno del español: el DGILE", en ALVAR EZQUERRA (1993), pp. 309-312.

— (1991), "Desarrollos actuales en lexicografía automatizada del español", en J. VIDAL BENEYTO (dir.), *Las industrias de la lengua*, Madrid: Fundación Germán Sánchez Ruipérez.

— (1993), *Lexicografía descriptiva*, Barcelona: Biblograf.

ALVAR EZQUERRA, M., VILLENA. J. A. (1994) (eds.), *Estudios para un corpus del español*, Málaga: Universidad.

ALVAR EZQUERRA, M. (en prensa), "La producción de diccionarios".

LÓPEZ GUZMÁN, J. M. (1994), "Adquisición y reusabilidad de materiales en la creación de corpus", en ALVAR EZQUERRA, VILLENA (1994), pp. 47-62.

M. PAZ BATTANER ARIAS
Universitat Pompeu Fabra

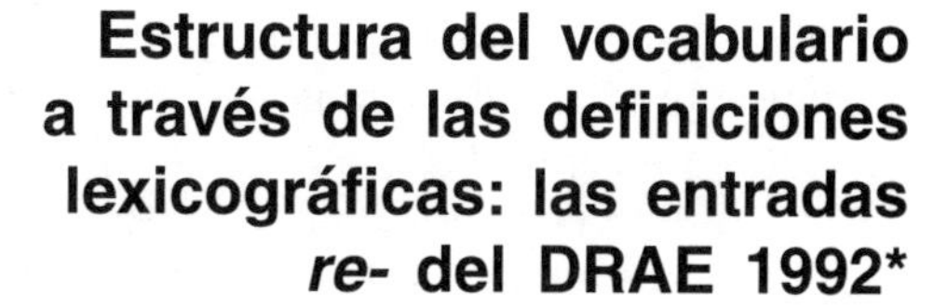

Estructura del vocabulario a través de las definiciones lexicográficas: las entradas *re-* del DRAE 1992*

1. El método de recoger coincidencias entre las definiciones lexicográficas informatizadas

El diccionario puede representar hoy un sistema de almacenamiento de datos léxicos flexible y dinámico, más que un objeto estático de referencia como hasta hace poco ha sido concebido; la unidad léxica puede ser tratada dentro de él como un conjunto de relaciones múltiples, en vez de como una unidad autónoma y autosuficiente que la disposición alfabética había potenciado.

Hace años Ignacio Bosque, al acercarse teóricamente a la definición lexicográfica, escribía:

> "Su complejidad es, en gran parte, resultado de un complejo cruce entre prácticamente todas las disciplinas que de un modo u otro interesan al gramático, desde la morfología derivativa hasta la semántica teórica, pasando por la misma pragmática y sin olvidar siquiera la sintaxis..." (Bosque, 1982: 105).

Esto significa que los diccionarios convencionales son desde siempre un almacén de información que puede no haber sido suficientemente aprovechada todavía.

Muchas de las diversas informaciones contenidas en los diccionarios convencionales pueden ser accesibles a través de varias funciones de búsqueda, con la condición de que el diccionario esté informatizado. Las definiciones tradicionales pueden ser estudiadas para descubrir taxonomías conceptuales, suministrar hiperónimos e hipónimos, caracteres semánticos, bases y derivados, constantes sintácticas y semánticas.

Si un diccionario convencional informatizado se transforma en una base de datos, con capacidad de determinación de frecuencias y de la posición que toman los rasgos definitorios en las acepciones (género próximo o diferencia específica, sintagma preposicional o cláusula subordinada, presencia de determinantes o indeterminación, etc.), el enfoque de estudio que se propugna ofrece la posibilidad de identificar un número grande de regularidades y de características en la estructura del léxico de una lengua. Las relaciones así establecidas tienen aplicaciones en la búsqueda de información, en la lexicografía práctica y en otras disciplinas que van desde la etnografía a la semántica léxica.

* Este trabajo se ha realizado dentro del proyecto DIGES PB 96-0305.

1.1 Para el análisis que permitirá la búsqueda de relaciones léxico-semánticas en un subconjunto de artículos lexicográficos, se parte aquí de los siguientes presupuestos:

a) El léxico de una lengua presenta estructuras que son de estudio posible.

b) La estructura del vocabulario radica principalmente en la estructura morfológica que las unidades presentan, en los papeles temáticos que las palabras predicativas distribuyen, en rasgos de significado y de presuposición que son comunes y en las relaciones múltiples que mantienen entre sí.

c) Las informaciones que pueden extraerse de diccionarios apreciados en una colectividad representan un conocimiento convencional y aceptado del vocabulario de esa comunidad en el que, explícita o implícitamente, subyacen algunas de las relaciones buscadas. Todas las acepciones representan el significado de la voz representada por el lema.

d) Algunas de estas relaciones que subyacen en los diccionarios no se han hecho explícitas debido fundamentalmente a la gran cantidad de información que los diccionarios almacenan y a la presentación convencional alfabética que presentan.

e) Los medios informáticos de que hoy se dispone permiten conjuntar informaciones dispersas en los diccionarios; permiten, por ejemplo, confrontar definiciones que pueden encontrarse alejadas en los diccionarios convencionales.

f) Este tipo de medios técnicos puede aportar datos relevantes de estructuras ocultas o de informaciones "perdidas" y no aprovechadas entre los artículos de los diccionarios.

g) Al mismo tiempo que ciertas estructuras se explicitan, éstas deberían formalizarse en diverso grado y utilizarse después en los nuevos trabajos lexicográficos o en las bases de datos léxicos.

1.2. No es de extrañar pues que los primeros intentos de utilizar estos supuestos y este enfoque se encuentren en estudios antropológicos, de tanta tradición en los EEUU.[1] El método de analizar las definiciones populares de voces se ha aplicado también a estudiar los mecanismos de la comprensión lingüística y la filosofía del lenguaje. Desde estos objetivos interesan tanto las definiciones populares tomadas en estudios antropológicos de campo[2] como las definiciones de los diccionarios representativos de una lengua de cultura.[3]

1. La introducción de M. W. Evens (EVENS, 1988) es una excelente exposición de los modelos utilizados hasta esas fechas para determinar las relaciones léxicas.

2. Un estudio de las relaciones léxico-semánticas que se establecen en las definiciones populares puede remontarse a un estudio dialectal (CASAGRANDE y HALE, 1967) entre dos lenguas amerindias uto-aztecas. Las ochocientas definiciones populares grabadas fueron más tarde estudiadas por los dialectólogos desde el punto de vista de la relaciones semánticas que las definiciones de las voces revelaban.

3. Las definiciones del Merriam Webster Pocket Dictionary (SIMMONS, 1973; AMSLER, 1980; WHITE, 1983) han sido analizadas lo mismo desde el punto de vista etnográfico que semántico. Los métodos etnográficos se han aplicado después a detectar y decidir la ambigüedad de las definiciones lexicográficas (AMSLER y WHITE, 1979) y se han utilizado en un proyecto de traducción automática en la Universidad de Texas (1983), el proyecto Siemens.

En diferentes centros de Europa se tomó esta orientación para el proyecto europeo Acquilex (1989) sobre adquisición de conocimiento léxico. Todo apunta hoy, desde varios proyectos lexicográficos y de procesamiento de lenguaje, a la necesidad de construir un gran *thesaurus* que pueda integrarse en un diccionario. Aunque la meta pueda estar lejana, hay caminos que la acercan. Por ejemplo, se ha adelantado en la determinación de taxonomías léxicas y de sus jerarquías, empezadas a estudiar hace más de treinta años por antropólogos y lingüistas estructurales (Werner y Topper, 1976); o en la descripción de las invariantes de las definiciones que se pueden encontrar en diferentes diccionarios (Chaffin y Herrmann, 1984, 1987, 1988; Chodorow *et al.*, 1985). Los análisis de las relaciones léxicas manifestadas en discursos espontáneos o provocados (Chaffin y Herrmann, 1988), y, particularmente, en las definiciones de los diccionarios, convencionales o no (Evens, Litowitz, Markowtiz, Smith y Werner, 1983; Antelmi y Roventini, 1992; Fontenelle, 1992; Calzolari, 1991), marcan un nuevo modo de investigar la semántica léxica.

El rigor en la recogida de datos es fundamental en esta metodología; de aquí que, en las lenguas de cultura, la observación de las definiciones lexicográficas que ofrecen validez sea un punto de partida idóneo para ser observadas.

Las definiciones lexicográficas convencionales guardan una gran cantidad de información e información muy útil. Su observación puede servir para establecer funciones semánticas o conceptos primitivos y determinar relaciones que, aunque no hayan estado formalizadas, han mostrado ya su eficacia en el aprendizaje de lenguas, y que se acercan a las exigidas por la inteligencia artificial para el procesamiento del lenguaje natural (Smith, 1981, 1984, 1985, Boguraeu y Briscoe, 1989).

Si el diccionario además se pudiera confrontar con los usos reales y datos de frecuencias como, por ejemplo, las formas verbales más usadas dentro de un corpus, se tendrían datos riquísimos para organizar una base de datos léxicos, que tendiera a las características de multiuso, multifuncionalidad y multidimensionalidad que hoy se piden a estos instrumentos.

1.3. El caso del prefijo <re-> puede ser un banco de pruebas de este método. La lista léxica que figura en el *DRAE* 1992 de *re-* a *rezurzir* ocupa 46 páginas y más específicamente 135 columnas, desde la página 1228 a la 1274, lo que representa un 3% del contenido del Diccionario.

Se analizarán las dos partes de la definición parafrástica clásica: a) el género próximo que determinará los supraordenados semánticos más frecuentes en el conjunto analizado; y b) la diferencia específica. El objetivo de estos análisis y de la aplicación de esta metodología será determinar las relaciones léxico-conceptuales de las palabras prefijadas con <re-> en el *DRAE* 1992 y plantear qué rasgos son necesarios en las definiciones lexicográficas de voces que presenten este prefijo.

2. Cuestiones que surgen entre las entradas re- del *DRAE* 92

Prefijo latino, <re-> aparece en voces patrimoniales y cultas, en voces claramente romances sin marca de registro y con marca de registro (expresivas y familiares), en préstamos de otras lenguas, neolatinas, indoeuropeas y no indoeuropeas. Como sílaba inicial de voces del español, sin relación con el prefijo latino, se encuentra en voces de clara ascendencia latina y en voces romances o en préstamos que presentan esta sílaba por asimilación (*renacuajo, rebanada*).

En esta lista hay formalmente otro prefijo incluido, <retro->, que no es lejano a algún matiz regresivo señalado en la literatura tradicional para el prefijo <re->. Se encuentra también otro formante, reconocido por la Academia como <res-> y explicado, al igual que el prefijo <des->, por un fenómeno de coalescencia (Malkiel, 1966).

Es pues una lista, la que se estudiará ahora, poco homogénea, que ofrece serias dificultades en el intento de determinar los valores del prefijo, al figurar éste en un conjunto léxico (en el orden alfabético lexicográfico convencional) de estructura morfológica y de origen muy dispar, que complica el reconocimiento y análisis por parte de los hablantes.[4]

Al analizar cuidadosamente las entradas lexicográficas de las 46 páginas que van de <re-> a *rezurzir*, nos encontramos con muchas voces que no tienen en su composición el sufijo <re-> que ahora estudiamos. Y no lo presentan ni como voces con afijo ni como palabras construidas. Sin ánimo de exhaustividad entre los lemas *re-* y *rezurzir* se encuentran voces del árabe y del araucano, del griego y del celta, del polaco y del inglés, del francés, del italiano y del catalán entre otras procedencias etimológicas.[5] Habría que estudiar en psicolingüística si los hablantes ingenuos analizan varios arabismos de esta lista como prefijados con <re->, como *recamar, rebato, rehala.* A estas voces que vienen en el diccionario

4. La descripción del prefijo <re-> no ha recibido una atención monográfica hasta el trabajo doctoral de J.Martín García (1996), Universidad Autónoma de Madrid. Las descripciones clásicas de *DRAE*, *DGILE* 1987, *DUE* 1966, Alberto Martín (1994), Alvar Ezquerra (1993), Alvarez García (1979), Lang (1990), Urrutia Cárdenas (1976). Para el catalán Cabré (1994), Grossmann (1994).

5. Una lista según las etimologías proporcionadas por el mismo *DRAE* 1992 sería:

ÁRABE: real3, rebato, rebite, recamar, recua, redoma, regaifa, rehala, rehalí, rehén, rejalgar, requive, res, resma, retama.

ARAUCANO: repo.

FRANCÉS: rebenque, reclame, reclutar, redingote, refrán, regalar1, reineta, relé, relente, rendibú, rendón (de), reprochar, reps, requisa, requisición, reservorio, resorte, restorán, resurtir, retor1, retreta, revancha.

ANT. FR.: realme, reame, rechazar.

ITALIANO: regalar1, regata2, reja2, retornelo, revellín.

INGLÉS: récord, redingote, relax, reservorio, resistor, revólver.

GERMÁNICO, rengle.

NÓRDICO: no hay ninguna forma en re-, ANT. NÓRDICO, reno.

CELTA: no hay ninguna palabra en re-, CÉLTICA ("PROBABLEMENTE DE ORIGEN CELTA"), reo1.

GRIEGO: regaliz, remolcar, reóforo, reómetro, reóstato, rétor, retórica, retórico-ca, reuma o reúma.

NEERLANDÉS: relinga.

POLACO: redova

PORTUGUÉS: reis

PROVENZAL: retrete.

CATALÁN: regala, remiche, reo2, retal, retel, retrete.

ORIGEN INCIERTO: restinga.

con su etimología hay que añadir los derivados, en los que la costumbre académica no marca su étimo. Un ejemplo, la serie *reúma, reumatismo, reumático-ca,* etc.

Otra partida de voces que hay que descartar son las que, presentando una sílaba inicial *re-* y etimología latina, no son voces prefijadas.[6] Este bloque precisamente tiene que pesar en la memoria de los hablantes. Ejemplos de su importancia serían la disimilación de la serie sobre *rotundus* o la de *renacuajo,* citada antes. Hay que recordar la fecundidad semántica de la raíz latina *reg-*. Los galicismos de la serie interfieren también con el significado afín del prefijo castellano y permiten un análisis metalingüístico del mismo tipo que las construcciones patrimoniales o los cultismos con <re->.

El análisis morfológico de la serie establecida muestra que el prefijo <re-> es un prefijo eminentemente verbal, como era en latín, aunque modernamente es productivo también para sustantivos que no tienen ninguna relación con verbos: *reoca, repera, rediós*; y en menor medida para adjetivos.

3. Regularidades ofrecidas

Al someter las entradas, seleccionadas ya como prefijadas, a diferentes recuentos y concordancias, van surgiendo las regularidades que merecen ser tenidas en cuenta según su mayor o menor frecuencia. Una primera característica

---

6. En estas tendríamos que considerar series etimológicas muy extendidas en español por su significado:

1 *res, rei*: real1, realeza, realidad, realismo1, realista1, realizable, realización, realizador-ora, realizar, realmente, república, republicanismo, republicano-na, repúblico.

2 *reg-*: real2, realdad, realengo, realera, realete, realeza2, realillo, realismo2, realista2, realito, rectangular, rectángulo, rector, rectificable, rectificación, rectificador, rectificativo-va, rectitud, rector, rectorado, rectoral, retorregalía, regencia, regenta, regentar, regente, regentear, regicida, regicidio, regidor, régimen, regimentar, regimiento, regio-a, región, regional, regionalismo, regionalista, regionario, regir, registrado-a, registrador-ora, registrar, registro, regitivo, regla, regladamente, reglaje, reglamentación, reglamentar, reglamentario, reglamentista, reglamento, reglar, regleta, regletear, reglón, regnícola, régulo, reina, reinamiento, reinar, reinazgo, reino, reja1, rejo, rejón, rejoncillo, rejonear, relengo, renglón, renglonadura, retahila, retartalillas, rey, reyar.

3 *rete*: red, redada, redaño, redar, reciario, redaya, redecilla, redejón, redera, redero, redil, redilar, redilear, redileo, retícula, reticular, retículo, retina, retiniano-na, retuelle.

4 *rotundus*: rebol, rebolondo, redol, redolada, redolar, redolino, redolo, redolón, redonda, redondamente, redondeado-a, redondear, redondel, redondeo, redondilla, redondo-a, redondón, redor, rétulo.

6 *ringi*: rencilla, rencilloso-sa, reñidamente, reñidero, reñido-a, reñidor, reñir.

7 *ren-is*: ren, renal, renga, rengar, renglada, rengo-ga, renguear, reniforme, renil, renquear, renqueo, renquera.

8 remo, remar, remera, remero-ra, remige

Otras voces de etimología latina que no tienen series tan extensas son: *reduvio, regabina, regabinar, reiforme, rejinol, remolacha, renacuajo, rentoy, reo-a, requiem, requiescat, rescacio, reseda, resedáceo-a, respe, resped, resumbruno, rezmila, rezno, rezón.*

También se encuentran el nombre propio *Rengo*, el adjetivo derivado de un nombre propio, *reucliniano-na* y algunos adjetivos gentilicios: *reatino-na, recabita, recio-a, regiomontano-na, reinero-ra, remense, rético-ca, retorromano-na, reusense, requenense, renano-na.*

podría ser la frecuencia relativa de acepciones intransitivas. La media de verbos intransitivos es más elevada en esta serie que en otros recuentos de verbos en el *DRAE*:[7]

413 acepciones transitivas de verbos
151 acepciones intransitivas de verbos
109 acepciones pronominales de verbos

3.1. Los genera o supraordenados de la serie prefijada

Las definiciones de los verbos prefijados en la serie analizada no presentan una regularidad tan alta en los verbos que actúan como género próximo y que representan supraordenados semánticos como puede encontrarse en la del prefijo <des-> (Battaner, 1996).

VOLVER A + INFINITIVO: El género próximo más frecuente es el auxiliar de la perífrasis aspectual *volver a + inf.* La definición perifrástica aspectual 'volver a *infinitivo*' llega a 165 incidencias, de las cuales 135 en primera acepción y 30 en otras acepciones. No es, sin embargo, un auténtico supraordenado, propiamente no hay supraordenado; en estas definiciones el verbo de la base morfológica (o un hiperónimo en este caso sí supraordenado) se presenta en una construcción aspectual glosada con el verbo auxiliar y la preposición:

reabsorber. tr. Volver a absorber. ||
reactivar. tr. Volver a activar.
readmitir. tr. Volver a admitir.

Según el significado más o menos específico del lema, esta definición perifrástica estricta se completa a veces con restricciones semánticas:

recauchutar. tr. Volver a cubrir de caucho una llanta o cubierta desgastada.
reconquistar. tr. Volver a conquistar una plaza, provincia o reino.

VOLVER: Siguen en frecuencia las definiciones con los supraordenados *volver* (35 incidencias), entre las que se pueden incluir las de *devolver* (7 incidencias) y algunas que llevan en la diferencia específica el adverbio *atrás*.

Estamos aquí ante un verdadero supraordenado porque el verbo *volver* no es en estos casos auxiliar de una perífrasis aspectual, sino supraordenado propiamente utilizado con su significado propio y sus complementos. Presentamos algunos ejemplos:

7. En el estudio de una muestra aleatoria del 5% del contenido del *DRAE* 1984, J.M.Blecua (1990) daba un porcentaje de transitivos del 80,87%, de intransitivos del 12,99% y de pronominales 6,15%; en el estudio del prefijo <des-> (Battaner, 1996) se determinó un 90,02% de transitivos, un 4,94 de intransitivos y un 4,94 de verbos pronominales; todo ello en la caracterización inicial del verbo. Para los datos que por el momento se manejan del prefijo <re->, los transitivos son el 61,36%, los intransitivos el 22,43% y las acepciones pronominales el 16,19%. Coincide esta apreciación con la revisión de verbos intransitivos en dos diccionarios de español (Teschner y Flemming, 1996) entre los que figuran 127 verbos intransitivos prefijados con <re->.

redoblar. tr. | | 2. Volver la punta del clavo o cosa semejante en dirección opuesta a la de su entrada. | |
reembolsar. tr. Volver una cantidad a poder del que la había desembolsado. Ú. t. c. prnl.
refluir. (Del lat. refluere) intr. Volver hacia atrás o hacer retroceso un líquido. | |
retornar. tr. | | 4. intr. Volver al lugar o a la situación en que se estuvo. Ú. t. c. prnl. | |
revertir. (Del lat. *reverri*, volverse.) intr. Volver una cosa al estado o condición que tuvo antes. | |

Al analizar estas definiciones encontramos un *volver*, sinónimo de *devolver*:

resucitar. (Del lat. *resuscitare*; de *re* y *suscitare*, despertar.) tr. Volver la vida a un muerto. | |

DEVOLVER:
reconstituir. tr. | |2. *Med.* Dar o devolver a la sangre y al organismo sus condiciones normales. Ú. t. c. prnl.
repatriar. (Del lat. *repatriare.*) tr. Devolver algo o a alguien a su patria. Ú. t. c. intr. y m. c. prnl.
revalorizar. tr. Devolver a una cosa el valor o estimación que había perdido. | |

Quedan muy escasos restos en la redacción de las definiciones del uso de *tornar, retornar*[8] como sinónimo de *volver*:

revenir. (Del lat. *revenire.*) intr. Retornar o volver una cosa a su estado propio. | |

Ahora bien, el adverbio *atrás* coincide en algunas definiciones que presentan los supraordenados anteriores, *volver, tornar*:[9]

ATRÁS:
recalcitrar. (Del lat. *recalcitrare.*) intr. Retroceder, volver atrás los pies. | |
retornar. tr. | | 3. Hacer que una cosa retroceda o vuelva atrás. | |
retreparse. prnl. Echar hacia atrás la parte superior del cuerpo. | |
rezagar. tr. Dejar atrás una cosa. | | 2. Atrasar, suspender por algun tiempo la ejecución de una cosa. | | 3. Separar las reses endebles que no pueden seguir al rebaño. | | 4. prnl. Quedarse atrás.

Las bases morfológicas tienen un significado 'atrás'. Es también el caso del propio verbo *retrasar*:

retrasar. (De *re-* y *tras1.*) tr. Atrasar, diferir o suspender la ejecución de una cosa. RETRASAR la paga, el viaje. Ú. t. c. prnl. | |2. *atrasar*, dar marcha atrás al reloj. | |3. intr. Ir atrás o a menos en alguna cosa. RETRASAR *en la hacienda, en los estudios.* | |

---

8. *retornar.* tr. Devolver, restituir. | | 2. Volver a torcer una cosa. | | 3. Hacer que una cosa retroceda o vuelva atrás. | | 4. intr. Volver al lugar o a la situación en que se estuvo. Ú. t. c. prnl. | | retornar uno en sí. fr. ant. volver en sí.

9. Coincide con este significado la serie del latino <retro-> que está presente en *retroceder* y en derivados patrimoniales con <*redro-*>: *redrar*1. (Del lat. *retro*, atrás) tr. ant. Arredrar, apartar, separar.

OPONER: Mucho menos frecuente entre los verbos supraordenados de las definiciones analizadas es este verbo, *oponer*, que sin embargo aparece en algunos artículos de los lemas más altos semánticamente.

> *reaccionar.* intr. || 6. Oponerse a algo que se cree inadmisible. *El mundo* REACCIONARÁ *ante tal injusticia o error. La opinión* REACCIONÓ *contra tal abuso.* ||
>
> *reclamar*1. (Del lat. *reclamare,* de *re* y *clamare,* gritar, llamar.) intr. Clamar contra una cosa, oponerse a ella de palabra o por escrito. RECLAMAR *contra un fallo, contra un acuerdo.* ||
>
> *resistir.* (Del lat. *resistere.*) intr. Oponerse un cuerpo o una fuerza a la acción o violencia de otra. Ú. t. c. tr. y c. prnl. || || 6. prnl. Oponerse con fuerza alguien a lo que se expresa. SE RESISTIÓ *a ser detenido.* || 7. fig. Oponer algo dificultades para su comprensión, manejo, conocimiento, realización, etc. *Este problema se me* RESISTE.

El supraordenado *oponer* presenta relación semántica con la preposición *contra,* que también se encuentra en algunas definiciones, aunque ya en la restricción específica, como se lee en las definiciones de *reclamar, reparar* anteriormente transcritas y en otras:

> *recurrir.* (Del lat. *recurrere.*) intr. || 4 *Der.* Entablar recurso contra una resolución. ||
>
> *redargüir.* (Del lat. *redarguere.*) tr. Convertir el argumento contra el que lo hace. ||
>
> *regolfar.* (De *golfo,* por la quietud del agua.) intr. Retroceder el agua contra su corriente, haciendo un remanso. Ú. t. c. prnl. ||
>
> *remolcar.* (Del lat. *remulcare,* y este del gr. ῥυμουλκέω; de ῥῦμα, cuerda, y ὁλκός, tracción.) tr. || 3. fig. Traer una persona a otra u otras, contra la inclinación de estas, al intento la obra que quiere acometer o consumar.

Las nociones de 'oponer' y de 'contra' son suficientemente frecuentes como para que haya que considerarlas en la estructura semántica del vocabulario que presenta el sufijo <re->; sin embargo, son las que presentan una incidencia menor.

Conviene retener ahora que los supraordenados más frecuentes y semánticamente más altos en las paráfrasis definitorias de la serie son, por un lado, la perífrasis aspectual *volver a + infinitivo* (que propiamente no es un supraordenado semántico) y, por otro, los infinitivos *volver, devolver, oponer.*

Los valores conceptuales de estos verbos presentan un matiz regresivo (*volver, devolver*) y un matiz progresivo (*volver a + infinitivo*); entre estos dos valores parece generarse el matiz opositivo.

La serie lexicográfica analizada presenta además una variedad de supraordenados que coinciden en ser también ellos prefijados con <re->. Es esta una característica que no se repite de forma tan acusada en la definición de otros prefijos (BATTANER, 1996).

Presentaremos estos supraordenados agrupados bajo cuatro coincidencias semánticas.

1) Primeramente los verbos supraordenados que indican volver a un estado (o posesión) anterior.

RECOBRAR: Diez entradas presentan el verbo *recobrar*[10] como supraordenado, como *reflorecer2, reintregrar4 prnl.,reponer6 pronl., represar2, resurgir3* y

reencontrar. tr. | | 2. prnl. fig. Recobrar una persona cualidades, facultades, hábitos, etc., que había perdido.

Como se observa fácilmente, el sinónimo culto *recuperar* puede alternar sin aportar mucha más información y por lo tanto definiendo por sinonimia:

restaurar. (Del lat. *restaurare*) tr. Recuperar o recobrar. | |

RECUPERAR: La confrontación entre las definiciones de ambos verbos, *recobrar* y *recuperar,* pone de manifiesto que hay coincidencias entre ellos, pero que *recuperar*[11] presenta más acepciones específicas. Sin embargo parece que *recuperar* es más alto semánticamente, pues entra en la definición de la segunda acepción de *recobrar* y no ocurre al contrario:

recobrar. (Del lat. *recuperare.*) tr. | | 2. prnl. Recuperarse de un daño recibido. | |

Recuperar es también menos usado como supraordenado en las definiciones de la serie prefijada; se encuentra en las acepciones *repuntar6, rescatar5, restablecer2* y en otras como:

reconquistar. tr. | | 2. fig. Recuperar la opinión, el afecto, la hacienda, etc.

RESTITUIR: *Restituir*[12] como supraordenado presenta cinco ocurrencias (*reconciliar2, reformar3, rehabilitar, reintegrar*) y se presenta en sinonimia alternativa con *devolver.*

retornar. tr. Devolver, restituir. | |

RESTABLECER: La definición de *restablecer*[13] y el ejemplo que aportamos manifiestan que los verbos definidos con este mismo verbo como supraordenado requieren un estado anterior conocido.

---

10. *recobrar.* (Del lat. *recuperare.*) tr. Volver a tomar o adquirir lo que antes se tenía o poseía. RECOBRAR *las alhajas, la salud, el honor.* | | 2. prnl. Recuperarse de un daño recibido. | | 3. Desquitarse, reintegrarse de lo perdido. | | 4. Volver en sí de la enajenación del ánimo o de los sentidos, o de un accidente o enfermedad.

11. *recuperar.* (Del lat. *recuperare.*) tr. Volver a tomar o adquirir lo que antes se tenía. | | 2. Volver a poner en servicio lo que ya estaba inservible. | | 3. Trabajar un determinado tiempo para compensar lo que no se había hecho por algun motivo. | | 4. Aprobar una materia o parte de ella después de no haberla aprobado en una convocatoria anterior. | | 5. prnl. Volver en sí. | | 6. Volver alguien o algo a un estado de normalidad después de haber pasado por una situación difícil.

12. *restituir.* (Del lat.*restituere*) tr. Volver una cosa a quien la tenía antes. | | 2. Restablecer o poner una cosa en el estado que antes tenía. | | 3. prnl. Volver uno al lugar de donde había salido.

13. *restablecer.* tr. Volver a establecer una cosa o ponerla en el estado que antes tenía. | |

renovar. (Del lat. *renouare.*) tr. | | 2. Restablecer o reanudar una relación u otra cosa que se había interrumpido. Ú. t. c. prnl. | |

Verbos que presentan acepciones definidas con *restablecer* son *reanimar, reducir*12, *regenerar, rehacer*3 y otros.

REANUDAR: Podría tenerse en cuenta en este apartado a *reanudar*[14] que sirve también para definir algunos supraordenados del siguiente grupo. Parece, sin embargo, que puede tener esta visión regresiva que se viene considerando aunque también alterna con las agrupadas en el siguiente grupo y que parecen progresivas. Marca discontinuidad con el estado anterior, como pone de manifiesto la glosa "que se había interrumpido":

renovar. (Del lat. *renovare.*) tr. | | 2. Restablecer o reanudar una relacion u otra cosa que se había interrumpido. Ú. t. c. prnl. | |
retomar. tr. Volver a tomar, reanudar algo que se había interrumpido.

2) El grupo siguiente de supraordenados presenta la característica de no ser parafraseables por la perífrasis *volver a + infinitivo.*

RENOVAR: *Renovar*[15] es el verbo más representativo de la serie por su propio significado y el más frecuente. Nueve entradas con once usos como supraordenado se encuentran en la serie, entre ellos *reanudar, refrescar*2, *refrescar*3, *rehoyar, reverdecer.*

revivir. (Del lat. *revivere.*) intr. | | 3. fig. Renovarse o reproducirse una cosa. REVIVIÓ *la discordia.* | |

REEMPLAZAR: *Reemplazar*[16] sirve también como supraordenado de verbos muy altos en la hiperonimia de la serie:

relevar. (Del lat. *relevare.*) tr. | | 6. Mil. Mudar una centinela o cuerpo de tropa que da una guardia o guarnece un puesto. | | 7. Por ext., reemplazar, sustituir a una persona con otra en cualquier empleo o comisión. | |
remudar. (Del lat. *remutare.*) tr. Reemplazar a una persona o cosa con otra. Ú. t. c. prnl. | |
renovar. (Del lat. *renovare.*) tr. | | 3. Remudar, poner de nuevo o reemplazar una cosa. | |

---

14. *reanudar.* tr. fig. Renovar o continuar el trato, estudio, trabajo, conferencia, etc. Ú. t. c. prnl.

15. *renovar.* (Del lat. *renouare.*) tr. Hacer como de nuevo una cosa, o volverla a su primer estado. Ú. t. c. prnl. | | 2. Restablecer o reanudar una relación u otra cosa que se había interrumpido. Ú. t. c. prnl. | | 3. Remudar, poner de nuevo o reemplazar una cosa. | | 4. Sustituir una cosa vieja, o que ya ha servido, por otra nueva de la misma clase. RENOVAR *la cera, la plata.* | | 5. Dar nueva energía a algo, transformarlo. *Este autor* RENOVÓ *el teatro de la época.* | | 6. Reiterar o publicar de nuevo. | | 7. Consumir el sacerdote las formas antiguas y consagrar otras de nuevo. | | 8. ant. novar.

16. *reemplazar.* tr. Sustituir una cosa por otra, poner en lugar de una cosa otra que haga sus veces. | | 2. Suceder a uno en el empleo, cargo o comisión que tenía o hacer accidentalmente sus veces.

Una lectura cuidadosa de las últimas definiciones recogidas demuestra que estamos ante los verbos más altos en la jerarquía hiperonímica; hay entre ellas definiciones circulares, sinonimia alternativa entre los supraordenados, típicos bucles lexicográficos.

3) Un matiz aspectual iterativo se añade ahora a esta serie, cuyo supraordenado más frecuente es *repetir*.

REPETIR: *Repetir* tiene un total de dieciséis incidencias en el corpus estudiado. El significado del verbo *repetir*[17] es ambiguo en cuanto a las veces que puede indicar la repetición de la acción, dos o muchas, de forma regular o esporádicamente. Esta ambigüedad introduce suavemente la noción de reiteración en las relaciones semánticas del prefijo <re->, pues según el significado de la base se pasa de la iteración a la reiteración.

Usos como supraordenado de la serie pueden ejemplificarse en las definiciones de *redecir, redoblar3, reduplicar2, resumir, resumir2*, como en

recalcar. (Del lat. *recalcare*.) tr. || 5. prnl. fig. y fam. Repetir una cosa muchas veces, poniendo un énfasis especial en la forma de decir las palabras. ||

Las apariciones de la base *repet-* en la diferencia específica de la definición son también abundantes y aquí sí que se advierte un claro significado de reiteración (*reciclar, repicar2, repizcar, retemblar, retocar2*):

rebotar. intr. Botar repetidamente un cuerpo elástico, ya sobre el terreno, ya chocando con otros cuerpos. ||

Definiciones de sustantivos, adjetivos y adverbios presentan también un derivado de la base *repet-* en sus diferencias específicas:

repromisión. (Del lat. *repromissio, -onis*.) f. Promesa repetida.
retoque. m. Pulsación repetida y frecuente. ||

y sirve precisamente para los derivados de *reiterar*:

reiteradamente. adv. m. Con reiteración, repetidamente.
reiterado, da. || 2. adj. Dícese de lo que se hace o sucede repetidamente.

17. *repetidamente*. adv. m. Con repetición, varias veces.

repetir. (Del lat. *repetire*.) tr. Volver a hacer lo que se había hecho, o decir lo que se había dicho. || 2. En una comida, volver a servirse de un mismo guiso. Ú. t. c. intr. || 3. ant. Pedir muchas veces o con instancia. || 4. *Der*. Reclamar contra tercero, a consecuencia de evicción, pago o quebranto que padeció el reclamante. || 5. intr. Hablando de comidas o bebidas, venir a la boca el sabor de lo que se ha comido o bebido. || 6. Efectuar la repetición en las universidades. || 7. prnl. Volver a suceder una cosa regularmente. *Los atascos* SE REPITEN *en esa zona todos los días*. || 8. *Esc*. y *Pint*. Insistir un artista en sus obras, en las mismas actitudes, perspectivas, grupos, etc.

Repetir alterna ya con nociones de intensidad.

recrujir. intr. Crujir mucho o repetidamente.

REINCIDIR: *Reincidir* no es rentable como supraordenado de la serie pues tiene un significado de valoración negativa.

reincidir. intr. Volver a caer o incurrir en un error, falta o delito.
recaer. intr. || 3. Reincidir en los vicios, errores, etc. ||

REITERAR: *Reiterar*, como muchos de estos verbos prefijados, representa con prefijo el mismo valor que tiene sin él: *iterar-reiterar*, según el *DRAE*. Intentamos distinguir entre la iteración y la reiteración; *reiterar* como *repetir* es también ambiguo:

redoblar. tr. || 3. Repetir, reiterar volver a hacer una cosa. ||
renovar. (Del lat. *renouare.*) tr. || 6. Reiterar o publicar de nuevo. ||

Aparece nominalizado o adverbializado en definiciones de sustantivos deverbales:

replicación. (Del lat. *replicatio, -onis.*) f. || 2. ant. Repetición, reiteración.

Y figura en diferencias específicas, al igual que *repetir*, aunque con menor frecuencia:

rebrincar. intr. Brincar con reiteración y alborozo.
recargar. tr. || 7. intr. *Taurom.* Cargar reiteradamente en la misma suerte, especialmente en la de varas. ||

Igual que en *remecer, remorder.*

4) Los supraordenados *resistir*[18] *y rechazar,*[19] son los relacionados con el supraordenado *oponer*, presentan entre ellos unas definiciones circulares.

RESISTIR: Unas cuantas definiciones presentan este supraordenado como son *rebotar, recibir*10, *repropiarse, respingar*3, como se ve en el siguiente ejemplo:

recalcitrar. (Del lat. *recalcitrare.*) intr. || 2. fig. Resistir con tenacidad a quien se debe obedecer.

18. *resistir.* (Del lat. *resistere.*) intr. Oponerse un cuerpo o una fuerza a la acción o violencia de otra. Ú. t. c. tr. y c. prnl. || 2. Pervivir una persona o animal o durar una cosa. *Este coche todavía* RESISTE. || 3. Repugnar contrariar, rechazar, contradecir. || 4. tr. Tolerar, aguantar o sufrir. || 5. Combatir las pasiones, deseos, etc. Ú. t. c. prnl. || 6. prnl. Oponerse con fuerza alguien a lo que se expresa. SE RESISTIÓ *a ser detenido.* || 7. fig. Oponer algo dificultades para su comprensión, manejo, conocimiento, realización, etc. *Este problema se me* RESISTE.

19. *rechazar.* (Del fr. ant. *rechacier*, der. de *chacier*, del m. or. que el esp. *cazar.*) tr. Resistir un cuerpo a otro, forzandole a retroceder en su curso o movimiento. || 2. fig. Resistir al enemigo, obligandolo a ceder. || 3. fig. Contradecir lo que otro expresa o no admitir lo que propone u ofrece. || 4. fig. Denegar algo que se pide. || 5. fig. Mostrar oposición o desprecio a una persona, grupo, comunidad, etc.

RECHAZAR: *Rechazar* es un supraordenado más frecuente en la serie prefijada, lo presentan acepciones como *reaccionar5, refutar2, reherir*, o bien,

> *relanzar.* tr. Repeler, rechazar. | |

Entre las definiciones de todos estos verbos se producen cortocircuitos. La acepción 3 de *resistir* es "Repugnar, contrariar, rechazar, contradecir". También las acepciones de *resistir* están relacionadas a través de *rechazar* con los derivados de *contra-*, y con *oponer.*

Se constata pues que, sin una regularidad fácilmente detectable, las definiciones del *DRAE* utilizan supraordenados prefijados con el mismo formante <re->. Estos supraordenados prefijados, cuyas nociones representadas por palabras derivadas aparecen también en algunas diferencias específicas, se han presentado en cuatro grupos: 1) los que tienen una marca de regresión a un estado anterior: *recobrar, recuperar, restablecer, restituir, reanudar*; 2) supraordenados que insisten en la noción de novedad: *renovar, reemplazar*; 3) los que tienen ya claramente el sentido de iteración y de reiteración: *repetir, reiterar, reincidir*; y 4) los que marcan una oposición, *resistir, rechazar.* Son todos ellos medianamente rentables en las definiciones, no presentan una regularidad evidente pues alternan con otros muchos supraordenados muy variados, cuyo análisis exhaustivo no puede por el momento llevarse a cabo.

Conviene retener la presentación cuatripartita que no se manifestaba en la recogida de supraordenados no prefijados.

3.2. Los rasgos coincidentes en la diferencia específica

Al recorrer los supraordenados *repetir* y *reiterar* de los géneros próximos, se han señalado ya formas en *repet-* y en *reiterat-* en la diferencia específica de las definiciones. Ahora se recogerán estos mismos u otros rasgos frecuentes en la segunda parte de las definiciones de las voces con prefijo <re->.

3.2.1. *La repetición y la iteración*

DE NUEVO, NUEVO-A, NUEVAMENTE: En el recuento efectuado, la fórmula *de nuevo* aparece treinta veces en definiciones de verbos. Se encuentra como paráfrasis simple, sin otros complementos y admite varias lecturas. Si se interpreta como 'otra vez, una vez más' su significado se emparenta con la paráfrasis *volver a + infinitivo* y con el supraordenado *repetir.*

> *reafirmar.* tr. Afirmar de nuevo. Ú. t. c. prnl .
> *remanar.* (Del lat. *remanire*, volver a manar.) intr.Manar de nuevo.

Se encuentra también en paráfrasis más compleja con otros complementos:

> *reargüir.* (Del lat. *redarguire.*) tr. Argüir de nuevo sobre el mismo asunto. | |
> *recrear.* (Del lat. *recreare.*) tr. Crear o producir de nuevo alguna cosa. | |
> *remanecer.* (De *re-* y el b. lat. *manescere*, amanecer.) intr. Aparecer de nuevo e inopinadamente.

Prueba de ello es que a menudo la definición presenta sinonimia múltiple entre la fórmula perifrástica y la definición con la locución adverbial *de nuevo.*

reajustar. tr. Volver a ajustar, ajustar de nuevo. | |
reproducir. tr. Volver a producir o producir de nuevo. Ú. t. c. prnl. | |
resurgir. (Del lat. *resurgere.*) intr. Surgir de nuevo, volver a aparecer. | |
retraducir. tr. Traducir de nuevo, o volver a traducir al idioma primitivo, una obra sirviéndose de una traducción.

O bien sirve para distinguir entre dos acepciones:

repastar. tr. Añadir harina, agua u otro líquido a una pasta para amasarla de nuevo. | | 2. Añadir agua al mortero que se ha resecado para volver a amasarlo.

La diferencia entre las definiciones con *de nuevo, nuevo,a* y las definiciones por perífrasis aspectual queda pues marcada de forma ambigua en *DRAE* 1992. El matiz diferenciador no es fácil de captar. En algunas definiciones *nuevo,a* aparece como adjetivo en un complemento de la diferencia específica. Estos complementos usan el adjetivo *nuevo,a* como 'no ser el primero',[20] y señalan precisamente un complemento *nuevo,* objeto o no; pero no inciden en la repetición de la acción del verbo:

reengendrar. tr. | | 2. fig. Dar nuevo ser espiritual o de gracia.
rehacer. (Del lat. *refacere.*) tr. | | 4. prnl. Reforzarse, fortalecerse o tomar nuevo brío. | |
resucitar. (Del lat. *resuscitare*; de *re* y *suscitare,* despertar.) tr. | | 2. fig. y fam. Restablecer, renovar, dar nuevo ser a una cosa. | |
revalidar. tr. Ratificar, confirmar o dar nuevo valor y firmeza a una cosa. | |
revisar. tr. | | 2. Someter una cosa a nuevo examen para corregirla, enmendarla o repararla.

El supraordenado relacionado con estas fórmulas de la diferencia específica es *renovar* que en su primera acepción también establece esta diferencia, que le aleja conceptualmente del significado de la perífrasis aspectual:

renovar. (Del lat. *renouare.*) tr. Hacer como de nuevo una cosa, o volverla a su primer estado. Ú. t. c. prnl. | |

La noción de 'no ser el primero' aparece en la definición de sustantivos prefijados, sustantivos que están todos relacionados con un verbo; semánticamente están muy lejos de lo iterativo:

rebrote. m. Nuevo brote.
recargo. m. Nueva carga o aumento de carga. | | 2. Nuevo cargo que se hace a uno. | |
reexaminación. f. Nuevo examen.

20. Acepciones 3 y 5 de *nuevo,a* en *DRAE* 1992.

redescuento. m. Com. Nuevo descuento de valores o efectos mercantiles adquiridos por operación análoga.

Se encuentra también el adverbio *nuevamente* con el mismo significado ambiguo de la locución *de nuevo*, 'otra vez, una vez más' y 'no ser primero' en *recaer2, repescar, repintar* tal como se advierte en

rearmar. (Del lat. *redarmare, rearmare.*) tr. Equipar nuevamente con armamento militar o reforzar el que ya existía. Ú. t. c. prnl.

SEGUNDO,-A: Otra concordancia, frecuente en las definiciones de la serie prefijada que se analiza, es la del adjetivo ordinal *segundo,a.* Se encuentra en definiciones de sustantivos sean o no deverbales; su significado es más preciso que el de *nuevo,a*, 'siguiente al primero':

rebotín. (De *re-* y *brotar.*) m. Segunda hoja que echa la morera cuando la primera ha sido cogida.
recizalla. f. Segunda cizalla.

Y también se halla en definiciones de verbos:[21]

recambiar. tr. Hacer segundo cambio o trueque. | |
revolar. (Del lat. *revolare.*) intr. Dar segundo vuelo el ave. Ú. t. c. prnl. | |

Aparece también en voces en las que <re-> no es analizable sincrónicamente, como herencia de su mismo valor latino:

renda. (Del lat. **rendita*, de *reddita*, infl. por *vendita.*) f. Bina, segunda reja a los sembrados o segunda cava a la viña. | |
rendar. tr. Binar, dar segunda reja a la tierra o cava a las viñas.

DOS: No parece la misma relación la representada por el cardinal *dos*, que se encuentra en definiciones de verbos:

reconocer. (Del lat. *recognoscere.*) tr. | | 17. Biol. Interaccionar específicamente dos moléculas o agrupaciones moleculares, dando origen a funciones biológicas determinadas, como la acción hormonal, la transmisión nerviosa, la inmunidad, etc.

Es aún más frecuente esta fórmula en la definición de sustantivos:

reencuentro. m. | | 2. Encuentro de dos cosas que chocan una con otra. | |
referimiento. m. ant. | | 2. Relación o referencia entre dos o más cosas.
regolfo. m. | | 2. Seno o cala en el mar, comprendida entre dos cabos o puntas de tierra.

21. Observamos en el *DRAE* definiciones alternativas y variaciones entre acepciones que resultan ambiguas: *repeinar.* tr. Volver a peinar o peinar por segunda vez. | |

El valor semántico del numeral *dos* parece que tenga relación con la noción de *oponer*, oposición, confrontación. También convendría destacar, entre el grupo de definiciones con este numeral, la alternativa "dos o más", que obliga a atender a las definiciones que presentan este cuantitativo comparativo, como se verá más adelante.

reatar. (Del lat. **reaptare*, atar.) tr. || 3. Atar dos o más caballerías para que vayan las unas detrás de las otras.

VARIOS,AS: *Vario,a* es un indefinido no intensificativo. Aunque no es muy frecuente entre las definiciones de la serie prefijada analizada, sí se encuentra entre las definiciones de verbos y de algunos sustantivos, lo que obliga a tenerlo en cuenta.

recortar. tr. || 2. Cortar con arte el papel u otra cosa en varias figuras. ||
relazar. (De *re-* y *lazo.*) tr. Enlazar o atar con varios lazos o vueltas.
revolver. (Del lat. *revolvere.*) tr. || 6. Discurrir, imaginar o cavilar en varias cosas o circunstancias, reflexionándolas. ||
remanal. (De *remenar.*) m. *Sal.* Lugar de varios manantiales.

No es propiamente reiteración, pero indica una pluralidad que no es ajena a la significación que le otorga el prefijo.

VEZ, VECES: El *DRAE* 1992 consigna el verbo desusado *revezar* dentro de la serie, pero es el sustantivo *vez, veces*, el digno de ser tenido en cuenta en las definiciones por su frecuencia. El seguimiento de *veces* en lo analizado permite seguir la deriva semántica del prefijo, desde *de nuevo, segundo,a, dos o más*, a *varios,as*; es decir, el paso de la *iteración* a la *reiteración*, y de esta, como se verá, a la *intensidad.*

No deja de haber definiciones con sinonimia alternativa:

recoger. (Del lat. *recolligere.*) tr. Volver a coger; tomar por segunda vez una cosa. ||
repeinar. tr. Volver a peinar o peinar por segunda vez. ||
*restañar*1. tr. Volver a estañar; cubrir o bañar con estaño por segunda vez.

Otras sin alternativas disyuntivas son:

a) *dos veces, segunda vez*:

retacar. (De *retaco.*) tr. Herir dos veces la bola con el taco en el juego de trucos y billar. ||
*recatar*2. tr. Catar por segunda vez.
remondar. (Del lat. *remundare.*) tr. Limpiar o quitar por segunda vez lo inútil o perju-dicial de una cosa. Se usa regularmente hablando de los árboles y las vides.
retasar. (Del lat. *retasare.*) tr. Tasar por segunda vez. ||

En un caso el adjetivo *segundo* alterna con un plural inconcreto:

readmisión. f. Admisión por segunda o más veces. ||

El uso de *vez, veces* en las definiciones enlaza con las nociones de los verbos *repetir*, *reiterar* y por lo tanto con *volver a.* En un solo caso se encuentra una definición en alternativa con *de nuevo*:

recruzar. tr. Cruzar de nuevo o cruzar dos veces.

b) Si la acción se efectúa en *varias* o *muchas veces* se pasa a la *reiteración*:

recalcar. (Del lat. *recalcare.*) tr. || 5. prnl. fig. y fam. Repetir una cosa muchas veces, poniendo un énfasis especial en la forma de decir las palabras. ||
relamer. (Del lat. *relambere.*) tr. || 2. prnl. Lamerse los labios una o muchas veces. ||
remandar. (Del lat. *remandare.*) tr. Mandar una cosa muchas veces.
replegar. (Del lat. *replicare*; de *re-* y *plicare*, plegar.) tr. Plegar o doblar muchas veces. ||

c) En algún caso se observa la concurrencia de la *reiteración* con la *intensidad*:

repetir. (Del lat. *repetire.*) tr. || 3. ant. Pedir muchas veces o con instancia. ||

3.2.2. *La intensidad de cantidad y la precisión en la calidad*

Al pasar de prefijar verbos con significado télico a verbos no télicos, el prefijo <re-> confiere un significado de intensidad, como se ve en la acepción anticuada de *repetir* que se acaba de reproducir. Pero conviene marcar dos tipos de intensidad entre las definiciones de la serie, la intensidad en la cantidad y el grado en la calidad. Los rasgos coincidentes en las definiciones permiten ir detectando estas variaciones en la incidencia del mismo prefijo en diferentes verbos.

Una expresión de intensidad que no se decanta entre la cantidad y la calidad es la que gira en torno a la serie etimológica de *fuerte*. Se encuentra en la definición de verbos, adjetivos y sustantivos. Hay que destacar que son las segundas o posteriores acepciones las que presentan el matiz semántico de intensidad con *fuerte, fuertemente, fuerza.*

FUERZA, FUERTE, FUERTEMENTE: Las definiciones que presentan este rasgo semántico son principalmente de verbos como *rebufar2*, *relinchar*, *resollar4*, *restallar*, *restribar*.

rebramar. intr. || 2. Bramar fuertemente. ||

También aparecen entre los sustantivos, *recuelo, resoplido*, así como en

recalentón. m. Calentamiento rápido y fuerte.

Y raramente en adjetivos:

rehecho, cha. (Del lat. *refectus.*) || 2. adj. De estatura mediana y grueso, fuerte y robusto.

Se repasan a continuación los intensificadores de cantidad que tienen una frecuencia notable en las definiciones de la serie:

MUCHO, MUCHO-A, MUY: Como adverbio, *mucho* aparece en las definiciones de verbos, transitivos e intransitivos. Se contabilizan treinta y dos incidencias en lo que se tiene informatizado. En algunas ocasiones alterna con *demasiado* y en otras con *poco*. Es de alta frecuencia.

reamar. (Del lat. *redamare.*) tr. Amar mucho. | |
recocer. (Del lat. *recoquere.*) tr. | | 2. Cocer mucho una cosa. Ú. t. c. prnl. | |
refreír. (Del lat. *refrigere.*) tr. | | 2. Freír mucho o muy bien una cosa. | |

Es también normal el que el adjetivo *mucho,a* acompañe a algunos complementos de la definición:

reclamar[1]. (Del lat. *reclamare*, de *re-* y *clamare*, gritar, llamar.) intr. | | 3. tr. Clamar o llamar con repetición o mucha instancia. | |
regurgitar. (Del lat. **regurgitare*, de *gurgitare.*) intr. | | 2. Salir un liquido, humor, etc., del recipiente o del vaso, por la mucha abundancia.
remirar. tr. | | 2. prnl. Esmerarse o poner mucho cuidado en lo que se hace o resuelve. | |

Mucho,a aparece en las definiciones de adjetivos, *rebultado,a, recortado,a, retrechero,a,* como en:

resalado, da. adj. fig. y fam. Que tiene mucha sal, gracia y donaire.

En relación con las definiciones en que aparece el intensivo *mucho,a*, está el adverbio *muy.*

reclamar[2]. intr. *Mar.* Izar una vela o halar un aparejo hasta que las relingas de aquella o los guarnes de este queden muy tensos. Ú. solo en la loc. adv., *a* RECLAMAR.
repasar. tr. | | 6. Reconocer muy por encima un escrito, pasando por él la vista ligeramente o de corrida. | |

Conviene advertir que el adverbio *muy* no es estrictamente necesario en las definiciones anteriores y que representa un grado de intensidad que puede ser matizado y aun suprimido; como por ejemplo en la acepción de *repeinar.*

repeinar. tr. | | 2. Peinar muy cuidadosamente.

Se encuentra, naturalmente, en definiciones de adjetivos y adverbios, *recalcadamente, recocho,cha, recóndito,ta,* etc:

recocido, da. | | 2. adj. fig. Muy experimentado y práctico en cualquier materia. | |

Y también en ciertos sustantivos, tales como *recebo, recoquín, rechupete.*

recebo. m. Arena o piedra muy menuda que se extiende sobre el firme

La frecuencia de estas definiciones es alta en las páginas analizadas del *DRAE.*

POCO, POCO-A: Paralelo a los usos de *mucho* se encuentra *poco* como intensivo, aunque es menos frecuente. Su aparición parece estar en relación con el significado de la base o el conocimiento del mundo, *reducir*5, *refitolear*, o bien:

revolotear. intr. Volar haciendo tornos o giros en poco espacio. || 7. Volver el jinete al caballo en poco terreno y con rapidez. Ú. t. c. intr. y c. prnl. ||

Es más frecuente la locución *poco a poco*, que enlaza semánticamente con la iteración y no con la intensidad:

recalar. tr. Penetrar poco a poco un líquido por los poros de un cuerpo seco, dejándolo húmedo y mojado. Ú. t.c.prnl. ||
recoger. (Del lat. *recolligere.*) tr. ||8. Ir juntando y guardando poco a poco, especialmente el dinero. ||
revenir. (Del lat. *revenire.*) intr. || 2. prnl. Encogerse, consumirse una cosa poco a poco. ||

DEMASIADO, DEMASIADO-A: En la misma línea de intensificación de cantidad se encuentran las definiciones con *demasiado.* La diferencia de matiz entre *demasiado* y *mucho, poco* es de conocimiento del mundo, de norma o hábito, algo que en la lexicografía juega insidiosamente para reflejar valores culturales. Estos matices exigen unas definiciones que ofrezcan, en alternativa, estas diferencias de grado: lo aceptable y lo no aceptable. Es notable el siguiente artículo:

refreír. (Del lat. *refrigere.*) tr. Volver a freír. || 2. Freír mucho o muy bien una cosa. || 3. Freír demasiado una cosa.

Su forma habitual es:[22]

relamer. (Del lat. *relambere.*) tr. || 3. fig. Afeitarse o componerse demasiadamente el rostro. ||

Así se encuentra también en *rehilar, redundar,* como entre adjetivos tales como *reseco,ca, resuelto,ta:*

relamido, da. || 3. Afectado, demasiado pulcro. ||

MÁS, LO MÁS: El cuantificador *más,* con su capacidad de comparación, indica el estado anterior o habitual sobre el que tiene lugar el significado del verbo prefijado con <re->, por ello no es de extrañar encontrar definiciones con la comparación, *más, lo más.* Es esta una fórmula de diferencia específica que tiene en cuenta el estado anterior, como sucede en otras que después se analizarán..

refinar. tr. Hacer más fina o más pura una cosa, separando las heces y materias heterogéneas o groseras. || [...] || 3. prnl. Hacerse más fino en el hablar, comportamiento social y gustos.

22. Por analogía o interferencia se podría explicar la voz dialectal: *rechizar.* (Por **rachizar,* del lat. *radiare.*) tr. *Sal.* Calentar el sol con demasiada fuerza.

También se encuentra en algunas definiciones de nombres:

realce. m. | | 3. *Pint.* Parte del objeto iluminado, donde más activa y directamente tocan los rayos luminosos. | |

La comparación con *más* es una variable de *demasiado* como se ve en dos acepciones del mismo verbo cuya diferencia fundamental está en la restricción de sujeto que marcan:

recalentar. tr. | | 2. Calentar demasiado. | |... | | 6. Tomar una cosa más calor del que conviene para su uso.

Entre estas definiciones se han recogido rasgos explícitos de la noción de cantidad; el paso siguiente será el volumen, la capacidad:

recalcar. (Del lat. *recalcaire.*) tr. | | 2. Llenar mucho de una cosa un receptáculo, apretándola para que quepa más cantidad de ella. | |

GRANDE, GRAN: El adjetivo *grande* aparece frecuentemente en las definiciones de sustantivos; se observa claramente en el artículo *recontento,* que en su acepción de sustantivo presenta *grande*, y en la acepción de adjetivo va cuantificado con *muy*:

recontento, ta. adj. Muy contento. | | 2. m. Contento grande.

Otros ejemplos son *rebullicio, resonancia, retortijón, reventadero.*

Este matiz es sin embargo de poca relevancia en las definiciones de verbos. El caso de *relevar* es un resto del significado de la base:

relevar. (Del lat. *relevare.*) tr. | | 5. fig. Exaltar o engrandecer una cosa. | |

En otros casos sirve para cuantificar el complemento del verbo supraordenado:

resplandecer. (Del lat. *resplandescere.*) intr. | | 3. fig. Reflejar gran alegría o satisfacción el rostro de alguien.
retumbar. intr. Resonar mucho o hacer gran ruido o estruendo una cosa.

PEQUEÑO,A: Ocurre algo parecido, aunque con menor frecuencia, con la intensidad en el otro polo de la oposición semántica: *pequeño,a.* Se encuentra entre sustantivos como *requinto*4, *reteso*2, *revoltón*2 y en:

repelo. m. | | 2. Parte pequeña de cualquier cosa que se levanta contra lo natural. REPELO *de la pluma, de las uñas.* | |

Y raramente aparece en las definiciones de verbos:

recortar. tr. | | 3. fig. Disminuir o hacer más pequeña una cosa material o inmaterial. | |

Esta misma acepción 3 de *recortar* plantea un nuevo significado del adjetivo *pequeño,a*; al relacionarlo con algo inmaterial, entramos ya en la zona de la precisión en la calidad.

Las expresiones de calidad tienden a tener significados más inestables, están en relación con valoraciones sociales, con usos metafóricos también, como se advierte en las siguientes acepciones, aparentemente antonímicas:

refinado, da. | | 2. adj. fig. Sobresaliente, primoroso en una condición buena. | | 3. fig. Extremado en la maldad. | |

BIEN, BUENO-A: Con el adverbio *bien*, se insiste en la intensificación en calidad. Frecuentemente la intensificación de cantidad pasa a ser también intensificación de calidad, es una de las muchas metáforas entre las que vivimos. Hay muchos verbos, sin embargo, cuyos significados no admiten intensificación de cantidad:

rehumedecer. tr. Humedecer bien. Ú. t. c. prnl.
resaber. tr. Saber muy bien una cosa.

He aquí otros ejemplos: *reconocer*2, *regalar*4. También en algún sustantivo puede verse reflejado este matiz de calidad aunque la definición sea metafórica por el supraordenado empleado, que es discutible lexicográficamente:

recancanilla. f. | | 2. fig. y fam. Fuerza de expresión que se da a las palabras para que las note y comprenda bien el que las escucha. Ú. m. en pl.

El adjetivo *bueno,a* aparece en complementos del verbo supraordenado (*replegar*2, *resultar*5, *revolver*11):

recoger. (Del lat. *recolligere.*) tr. | | 9. Disponer con buen orden y aseo los objetos de una casa una habitación, una oficina, etc. | |

MAL, MALO-A: La calidad puede ser negativa como se ha visto en la definición de *refinado,a*. La presencia del adjetivo *malo,a*, del adverbio *mal* y de otras palabras de la misma serie etimológica, es suficientemente frecuente como para ser tenido en cuenta en la caracterización del prefijo <re->.

rechinar. (De *re-* y *china1.*) intr. Hacer o causar una cosa un sonido, comúnmente desapacible, por rozar con otra. Ú. m. en la fr. RECHINAR *los dientes.* | | 2. fig. Entrar mal o con disgusto en una cosa que se propone o dice, o hacerla con repugnancia.
refunfuñar. (voz onomatopéyica.) intr. Emitir voces confusas o palabras mal articuladas o entre dientes, en señal de enojo o desagrado.

Se encuentra con alguna frecuencia en las definiciones de sustantivos como en *reburujón, regomeyo, reporte*2. Y con un matiz irónico ya lexicalizado en los adjetivos:

resabiado, da. | | 2. adj. Que tiene un vicio o mala costumbre difícil de quitar. Aplícase especialmente a los caballos y a las reses de lidia. | |
reventado, da. | |2. adj. fam. *Argent.* Dícese de la persona de carácter sinuoso, malintencionada e intratable.

La expresión *a la remanguillé* toma este sentido peyorativo de calidad; *ser la repanocha*, se define por una intensificación de calidad en cualquiera de los polos: "Ser algo o alguien extraordinario por bueno, malo, absurdo o fuera de lo normal", definición en donde la *norma* se explicita como punto de referencia necesaria, pues la definición se hace por medio de adjetivos en oposición semántica polar.

CUIDADO, CUIDADOSAMENTE: Un matiz de calidad está encomendado en algunas definiciones a las expresiones con la noción de *cuidado*; aparece en primeras y en posteriores acepciones; su frecuencia es mediana; ejemplos son *reconocer, recorrer3, reparar9, revisar.*

rebuscar. tr. Escudriñar o buscar con cuidado. | |
remirar. tr. Volver a mirar o reconocer con reflexión y cuidado lo que ya se había visto. | | 2. prnl. Esmerarse o poner mucho cuidado en lo que se hace o resuelve. | |

En los sustantivos y adjetivos, la mayoría deverbales, aparece como segunda acepción; así en *reguarda2, responsable2, revisor*, o bien:

revista. f. | | 3. Examinar con cuidado una serie de cosas. | |

LIGERO,A, LIGERAMENTE: El polo semántico inverso de *cuidado, cuidadoso,a, cuidadosamente* y de *fuerte, fuerza, fuertemente* es la expresión *ligero,a, ligeramente.* Es menos frecuente en verbos, pero se encuentra en *repasar6, resquebrajar, resudar*, por ejemplo:

recorrer. (Del lat. *recurrire.*) tr. | | 4. Repasar o leer ligeramente un escrito. | |

Y es más frecuente en sustantivos (*repique2, resudor, reteso2, retoque3*):

repaso. m. | | 2. Estudio ligero que se hace de lo que se tiene visto o estudiado, para mayor comprensión y firmeza en la memoria. | |

3.2.3. *Los rasgos temporales en las diferencias específicas*

La significación regresiva del prefijo <re->, como se ha empezado a detectar en el uso de supraordenados como *restituir, restaurar, restablecer* o la presencia de la comparación con *más*, requiere actuar sobre un estado, una circunstancia o una acción anteriores. Si este estado, circunstancia o acción no se conoce de antemano, la presencia del prefijo permite presuponerla. Es esta una característica de la prefijación verbal que se manifiesta de diversas maneras en las definiciones lexicográficas[23]. En el prefijo que se viene analizando a partir de las definiciones lexicográficas del *DRAE* 1992, el estado, circunstancia o acción anterior viene explicitado muy a menudo por los adverbios de tiempo: *antes, después, ya.*

ANTES: El adverbio *antes* aparece en la diferencia específica en relación con tiempos verbales que más tarde se analizarán. Sólo en dos casos el tiempo de la cláusula específica va redactado sin marca de tiempo:

revejecer. intr. Avejentarse, ponerse viejo antes de tiempo. Ú. t. c. prnl.
remostar. intr. | | 2. prnl. Mostear los racimos de uva antes de llegar al lagar. Se usa también hablando de otras frutas que se maltratan y pudren en contacto de unas con otras. | |

Los tiempos con los que principalmente aparece son: a) pretéritos imperfectos; formas perfectivas, como b) indefinido, c) pluscuamperfecto y d) participio pasado con valor pasivo:

a) *recobrar.* (Del lat. *recuperare.*) tr. Volver a tomar o adquirir lo que antes se tenía o poseía. RECOBRAR *las alhajas, la salud, el honor.* | |
redoblar. tr. Aumentar una cosa otro tanto o el doble de lo que antes era. Ú. t. c. prnl. | |
reducir. (Del lat. *reducere.*) tr. Volver una cosa al lugar donde antes estaba o al estado que tenía. | |
reduplicar. (Del lat. *reduplicare.*) tr. Aumentar una cosa al doble de lo que antes era. | |
b) *reproducir.* tr. | | 2. Volver a hacer presente lo que antes se dijo y alegó. | |
revertir. (Del lat. *reverti,* volverse) intr. Volver una cosa al estado o condición que tuvo antes. | |
c) *reasumir.* tr. Asumir de nuevo lo que antes se había tenido, ejercido o adoptado, especialmente con referencia a cargos, funciones o responsabilidades.
refigurar. (Del lat. *refigurare.*) tr. Representarse uno de nuevo en la imaginación la imagen de lo que antes había visto.
revotarse. prnl. Votar lo contrario de lo que se había votado antes.
d) *rehoyar.* intr. Renovar el hoyo hecho antes para plantar árboles.

DESPUÉS: En oposición semántica relativa a *antes,* el adverbio *después* es mucho más frecuente en la definición de los sustantivos (*redolor, regojo, requesón2, residuo3*) que en la de los verbos:

resaca. (De *resacar.*) f. Movimiento en retroceso de las olas después que han llegado a la orilla. | | 2. Limo o residuos que el mar o los ríos después de la crecida dejan en la orilla. | |

23. Es característico, por ejemplo, de alguna definiciones de los verbos prefijados con <des-> no denominales el presuponer un rasgo obligado, *debido* en la lexicografía académica (BATTANER, 1996).

Con verbos aparece junto a) participios de pasado o b) infinitivos de pasado:

a) *rebuscar.* tr. Escudriñar o buscar con cuidado. | | 2. Recoger el fruto que queda en los campos después de alzadas las cosechas, particularmente el de las viñas. | |

recalar. tr. | | 3. *Mar.* Llegar el buque, después de una navegación, a la vista de un punto de la costa, como fin de viaje o para, después de reconocido, continuar su navegación. | |

b) *recuperar.* (Del lat. *recuperare.*) tr. | | 4. Aprobar una materia o parte de ella después de no haberla aprobado en una convocatoria anterior. | | [...] | | 6. Volver alguien o algo a un estado de normalidad después de haber pasado por una situación difícil.

También aparece el infinitivo perfectivo sin el adverbio, aunque no es frecuente:

resembrar. (Del lat. *reseminare.*) tr. Volver a sembrar un terreno o parte de él por haberse malogrado la primera siembra.

YA: La incidencia del adverbio *ya* en las definiciones verbales es alta. El adverbio marca el aspecto perfectivo sobre el que actúa el verbo prefijado; aparece generalmente en cláusulas con verbo en forma perfectiva: a) participios pasados principalmente (repintar2, *replantear, reponer, retrillar, revacunar*), b) formas finitas siempre perfectivas (*reagrupar, recaer*2, *remirar*).

a) *repasar.* tr. | | 8. Examinar una obra ya terminada, para corregir sus imperfecciones. | |

b) *redescontar.* tr. *Com.* Descontar un efecto que ya ha sufrido un descuento previo.

En dos casos aparece este adverbio con un pretérito imperfecto:

rearmar. (Del lat. *redarmare, rearmare.*) tr. Equipar nuevamente con armamento militar o reforzar el que ya existía. Ú. t. c. prnl.

recuperar. (Del lat. *recuperare.*) tr. Volver a tomar o adquirir lo que antes se tenía.

Si hasta aquí se ha reseñado la aparición de los adverbios temporales en las definiciones a la par que la forma verbal con que aparecen en la cláusula, ahora se atenderá a los diversos tiempos verbales que aparecen sin la matización de ningún adverbio. Se encuentran pocos presentes en la cláusula específica de las definiciones. Muchos son verbos de actividades que tienen otro sujeto sobre cuya actividad incide el verbo prefijado (*reconocer*6, *refutar*), como se advierte en:

recibir. (Del lat. *recipere.*) tr. Tomar uno lo que le dan o le envían. | | 2. Hacerse cargo uno de lo que le dan o le envían. | |

recoger. (Del lat. *recolligere.*) tr. | | 14. Admitir lo que otro envía o entrega, hacerse cargo de ello. | |

FALTAR: Por esta misma razón se explica la aparición del verbo *faltar* en presente, que indica un estado anterior sobre el que se desarrolla el significado del prefijo. Se pueden recoger algunos ejemplos ilustrativos (*remendar*4, *reponer*2, *retejar*):

> *recubrir*. tr. | | 2. Recorrer los tejados cubriendo las tejas que faltan, retejar.

ESTAR: El estado sobre el que actúa el verbo prefijado suele expresarse en las definiciones con el verbo *estar* bien como predicativo, bien como auxiliar de pasiva de estado, bien como atributivo con predicados adjetivos.

Hay casos en que el verbo aparece en presente (*reanimar*3, *recostar*):

> *rematar*. tr. | | 2. Poner fin a la vida de la persona o del animal que está en trance de muerte. | |

Sólo en un caso, y para un lema claramente iterativo, aparece el verbo *estar* en perífrasis durativa:

> *repellar*. tr. Arrojar pelladas de yeso o cal a la pared que se está fabricando o reparando.

También se encuentran formas de pretérito imperfecto con el verbo *estar*. La diferencia no parece ser siempre totalmente pertinente entre el presente y el pretérito imperfecto; el imperfecto puede marcar una ambigüedad en la continuidad del estado anterior hasta el momento de la incidencia del verbo prefijado, puede ser continuo o discontinuo, lo que está en relación con el valor eventivo de la base. Se encuentra en *realzar*, *rebullir*, *reconcentrar*2, *remover*4 *y* 6, así como en:

> *reabrir*. tr. Volver a abrir lo que estaba cerrado. Ú. t. c. prnl. *Se* REABRIÓ *su herida*.

En un solo caso el auxiliar es *parecer*:

> *reaccionar*. intr. | | 2. Empezar a recobrar uno la actividad fisiológica que parecía perdida. *El herido no* REACCIONABA. *Algunos indicios denotaban que* REACCIONABA. | |

PRETÉRITO IMPERFECTO: Otros imperfectos marcan también el estado anterior sobre el que actúa el verbo prefijado con <re->. El pretérito imperfecto, tanto del verbo *estar* como el de los otros verbos que aparecen en las definiciones siguientes, es neutro en cuanto a marcar la continuidad o la discontinuidad entre el estado anterior y la significación del verbo prefijado, que es la parafraseada por el supraordenado.

> *reducir*. (Del lat. *reducere*.) tr. Volver una cosa al lugar donde antes estaba o al estado que tenía. | |
> *reemplazar*. tr. | | 2. Suceder a uno en el empleo, cargo o comisión que tenía o hacer accidentalmente sus veces.
> *revenir*. (Del lat. *revenire*.) intr. | | 6. fig. Ceder en lo que se afirmaba con tesón o porfía. | |

En un caso la continuidad-discontinuidad del estado anterior en la significación de un verbo puede no ser tenida en cuenta:

recaer. intr. || 2. Caer nuevamente enfermo de la misma dolencia el que estaba convaleciendo o había recobrado ya la salud. ||

PRETÉRITO PERFECTO: En muchos verbos prefijados con <re-> la definición incluye en la cláusula específica un pretérito perfecto. Las tres primeras acepciones de *responder* lo ponen de manifiesto; según la acción a la que se *responda*, el verbo de la cláusula específica va en presente o en pretérito perfecto:

responder. (Del lat. *respondere.*) tr. Contestar, satisfacer a lo que se pregunta o propone. || 2. Contestar uno al que le llama o al que toca a la puerta. || 3. Contestar al billete o carta que se ha recibido. ||

No representa pues aquí una exigencia del verbo definido, sino el estado, la circunstancia o el resultado anterior sobre el que actúa el verbo prefijado, la presuposición obligada para aceptar un verbo con el prefijo <re->; por esto es parte fundamental de la diferencia específica de la definición. Es muy frecuente entre las definiciones observadas (*repastar*2, *repoblar*2, *reprender*). Ej.:

repasar. tr. || 5. Recorrer lo que se ha estudiado o recapacitar las ideas que se tienen en la memoria. ||

PRETÉRITO PLUSCUAMPERFECTO: El pretérito pluscuamperfecto marca con nitidez la discontinuidad entre el estado, la circunstancia o el resultado sobre el que incide el verbo prefijado y la acción, el proceso o el estado que este significa. Es muy frecuente en definiciones como *rehenchir, reimportar, reincorporar, reintegrar*4, *repetir*, por ejemplo:

rehacer. (Del lat. *refacere.*) tr. Volver a hacer lo que se había deshecho, o hecho mal. ||

Los verbos como *reabsorber, reaccionar, reasumir, rebrotar*2, *recaer*2, *recoger*10, *reencontrar*2, etc. presentan en la cláusula específica una pasiva refleja en pretérito pluscuamperfecto. Otros verbos como: *reabrir, realzar, rebullir, reconcentrar*2, *reconducir, recorrer*5, *redistribuir, remover*4, *remover*6, etc. presentan en la cláusula específica una pasiva de estado en imperfecto. La variación depende de la construcción de la cláusula específica sustantivada.

PRETÉRITO INDEFINIDO: Los escasos indefinidos que se detectan en las definiciones sirven para marcar la discontinuidad, y naturalmente la condición perfectiva del verbo de la cláusula específica. Aparecen preferentemente en las definiciones de verbos intransitivos:

recordar. (Del lat. *recordare.*) tr. || 2. Excitar y mover a uno a que tenga presente una cosa de que se hizo cargo o que tomó a su cuidado. Ú. t. c. intr. y c. prnl. ||

regresar. (De *regreso.*) intr. Volver al lugar de donde se partió. Ú. en América c. prnl. | |

reflorecer. (Del lat. *reflorescere.*) intr. | | 2. fig. Recobrar una cosa inmaterial el lustre y estimación que tuvo.

retornar. | | 4. intr. Volver al lugar o a la situación en que se estuvo. Ú. t. c. prnl. | |

4. Relaciones léxico-semánticas en las definiciones de las palabras prefijadas con <re->

"Y yo, que no tengo miedo a la palabra reacción, ¿por qué he de creer que vosotros le [sic] tenéis? ¿Pues qué? ¿No puede haber una reacción de libertad contra una tiranía? Y en este caso, ¿renegaríais de la reacción? La sociedad está enferma y perturbada, y para recobrar la salud debe rehacerse. Cuando el médico visita al enfermo no dice al mal:¡Avanza, avanza, avanza!, sino que para consolar al enfermo le dice: Ya vendrá la reacción, ya vendrá la reacción. (Grandes risas, sensación.)" *Cortes Constituyentes*, II, 14-IV-1869, p. 1032a. Monescillo, diputado constituyente y obispo de Jaén.

Un verbo que presente prefijo <re-> en castellano se encuentra en una red de relaciones léxico-semánticas que conviene exponer ahora en orden de frecuencia, de menor a mayor.

La primera, por menos frecuente, es la de valor opositivo, expresada en las definiciones con los supraordenados *oponer, resistir, rechazar*, la preposición *contra* y en algún caso la presencia del numeral *dos.* Es un matiz progresivo en bases morfológicas que lo tienen regresivo. Rizando el rizo, frente a la revolución sandinista se levantó una "contra" y cuando los sandinistas en el poder no podían combatirla con guerrillas, nació un movimiento que fue llamado popularmente "recontra".

La segunda relación es la propia del valor regresivo, expresada por los supraordenados *volver, devolver, reanudar, recobrar, recuperar, restituir, restablecer* y la presencia del adverbio *atrás*, que relaciona el prefijo con el elemento también prepositivo <retro->. Es la relación manifestada en "reacción" como posición política opuesta al "progreso".

La tercera relación tiene ya que ver con un valor progresivo que toma dos valores principales. El primero, el representado por los supraordenados *renovar, reemplazar*, y las expresiones específicas *de nuevo, nuevo,a.* No es aspectual. Es la relación manifestada en el significado positivo de la voz "reacción", la del enfermo que reacciona, que sale a una nueva vida.

El segundo de los valores progresivos es el más frecuente y el propiamente iterativo. Es sin embargo complejo, en él se detecta una relación de matiz regresivo anterior a la dirección progresiva,[24] es un matiz aspectual *volver a* + *infinitivo* y se manifiesta también en las definiciones con supraordenados como *repetir, reincidir, reiterar*, diferencias específicas con adjetivos o adverbios derivados de estos supraordenados, el ordinal *segundo,a*, el indefinido *varios,as* y los complementos con el sustantivo *vez,veces.* Por donde se establece la relación iterativa o reiterativa en función del valor de la base morfológica del verbo.

24. Grossman (1994) la considera "reingresiva" en su análisis locativo de los prefijos.

Y es sobre esta relación reiterativa sobre la que se establece la de intensidad. Relación de intensidad en cantidad con expresiones específicas en las definiciones tales como *mucho, muy, poco, más, demasiado,a, grande, pequeño.* Sobre ella también se establecen las relaciones de precisión o intensidad en la calidad, a partir de las expresiones difícilmente clasificables de *fuerte, fuerza,* para encontrar valores específicos como *bien, bueno,a, mal, malo,a, con cuidado, cuidadosamente, ligero, ligeramente.* Todos estos matices se manifiestan en la diferencia específica.

En todas las relaciones establecidas, salvo en los usos con significado 'no ser el primero' que se han detectado en las expresiones *nuevo,a,* el prefijo <re-> presupone un estado, una circunstancia o una acción anteriores en el tiempo u opuestos en el presente. En las otras relaciones léxico-semánticas las diferencias específicas de las definiciones concretan el estado, la circunstancia o la acción sobre las que el verbo prefijado actualiza su significado. Las fórmulas para expresarlas son varias: con adverbios temporales, *antes, ya*; con cláusulas en presente y sujetos distintos a los que pide el supraordenado de la definición, especialmente en los verbos prefijados de la primera relación de oposición; con el presente *falta*; con diversos tiempos y valores predicativos del verbo *estar*; en general, con cualquier tipo de verbo en tiempos pasados, restos de su carga regresiva. Los imperfectos no marcan la continuidad o discontinuidad del estado, circunstancia o acción anterior con la del verbo prefijado definido. Los tiempos de aspecto perfectivo, pretéritos perfectos, pluscuamperfectos e indefinidos, así como los participios pasados, marcan la discontinuidad entre lo presupuesto y la iteración o reiteración del verbo prefijado. La construcción pasiva refleja, que es la habitual, no parece pedir atención especial.

Es esta última relación en sus matices aspectuales, iterativos o reiterativos, y en sus matices de intensidad la que es altamente productiva en los neologismos del castellano; las otras relaciones también son productivas, pero en menor frecuencia. Las diferencias de significado que el prefijo puede presentar están en relación con la base morfológica a la que se adjunta; se han detectado varios tipos de definiciones en sinonimia alternativa que han podido marcar las confluencias semánticas dentro de una voz; un mismo verbo puede ofrecer en sus diversas acepciones diferentes relaciones de las que se han descrito. Las relaciones semánticas del prefijo <re-> son complejas, pero todos sus matices tienen puntos en común, se actualizan en función del significado de la base morfológica y se matizan en función del conocimiento del mundo dentro de lo que se ha podido acotar en el análisis de las definiciones.

La lectura electrónica ha permitido detectar y agrupar constantes que están desperdigadas entre las páginas informatizadas del *DRAE* 1992 y que representan las relaciones léxico-semánticas básicas de los verbos, y de otras voces, prefijados con <re->. El procesamiento lingüístico de este formante puede (y en algunos casos debe) activar todas estas relaciones para elegir entre ellas.

	Supraordenado		*Diferencia específica*	
	Valor semántico	*Aktionsart*	*Rasgos léxicos posibles*	*Tiempos verbales*
1 *oponer* *rechazar* *resistir*	oposición	no télicos (actividades)	*dos* *contra*	no marcados presentes
2 *volver* *reanudar* *restablecer* *restaurar* *restituir*	regresión	télicos (logros)	*atrás* *antes*	perfectivos pasados
3 *renovar*	progresión	télicos (realizaciones)	*de nuevo* *nuevo,a*	perfectivos pasados
4 *repetir* *reiterar* *volver a*	iteración reiteración	télicos	*repetida-* *reiterada-* *segundo,-a* *varios,-as* *vez, veces* *ya*	perfectivos pasados
base del verbo prefijado	intensidad en cantidad y en calidad	+/- télicos	*mucho, -a, muy* *poco, -a, poco* *más, lo más* *demasiado* *grande, pequeño, -a* *fuerte, con fuerza* *bien, bueno, -a* *mal, malo, -a* *con cuidado, cuidadosamente*	no marcados presentes

Referencias bibliográficas

AHLSWEDE, T., EVENS, M. (1988), "Generating a Relational Lexicon from a Machine-Readable Dictionary", *International Journal of Lexicography*, número extraordinario editado por W. Frawley y R. Smith.

ALBERTO MIRANDA, J. (1994), *La formación de palabras en español*, Salamanca: Ed.Colegio de España.

Alvar Ezquerra, M. (red.) (1987), *Diccionario general ilustrado de la lengua española,* Barcelona: Biblograf.

— (1993), *La formación de palabras en español,* Madrid: Arco/Libros.

Álvarez García, M. (1979), *Léxico-génesis en español: los morfemas facultativos,* Sevilla: Universidad de Sevilla.

Amsler, R. A. (1980), *The Structure of the Merriam-Webster Pocket Dictionary,* PhD Thesis, Austin: University of Texas.

Amsler, R. A.,White, J. (1979), *Development of a Computational Methodology for Deriving Natural Language Semantic Structures via Analysis of Machine-Readable Dictionaries.* NSF Technical Report MCS77-01315.

Antelmi, D., Roventini, A. (1992), "Semantic relationships within a set of verbal entries in the Italian lexical Database", en *Euralex'90 Proceedings,* Barcelona, Biblograf, pp. 247-255.

Battaner, M. P. (1996), "Características léxico-semánticas de los verbos prefijados con >des-> en *DRAE* 1992", *Boletín de la Real Academia Española,* CCLXIX, pp. 309-370.

Blecua Perdices, J. M. (1990a), "Análisis provisional de una muestra aleatoria del *DRAE*" en P. Battaner y G. Pujals (eds.), *El vocabulari i l'escrit,* Barcelona, Universidad de Barcelona, pp.7-14.

Boguraeu, B., Briscoe, E. (eds.) (1989), *Computational Lexicography for Natural Language Processing,* Londres, Longman.

Bosque, I., (1982), "Sobre la teoría de la definición lexicográfica", *Verba,* 9, pp. 105-123.

Cabré, M. T. (1994), *A l'entorn de la paraula. II Lexicologia catalana,* Valencia: Universitat de Valencia.

Calzolari, N. (1984), "Detecting patterns in a lexical Data-Base", *Coling 84,* Standford University.

— (1988), "The dictionary and the thesaurus can be combined" en Evens, M. W. (ed.) (1988), pp. 75-111.

— (1991), "Lexical Databases and Textual Corpora: Perspectives of Integration for a Lexical Knowledge-Base" en Zernik, Ú. (ed.) *Lexical Acquisition: Explointing On-Line Resources to Build a Lexicon,* Hillsdale, N.J., Lawrence Erlbaum Associates, pp. 191-208.

Casagrande, J., Hale, K. (1967), "Semantic Relations in Papago Folk Definitions", en Hymes, D., Bittle, W. E. (eds.), *Studies in Southwestern Ethnolinguistics.* La Haya: Mouton, pp. 165-196.

Chaffin, R.,Herrmann, D. J. (1984), "The Similarity and Diversity of Semantic Relations", *Memory and Cognition,* 12, pp. 134-141.

— (1987), "Relation Element Theory: A New Account of the Representation and Processing of Semantic Relations", en Gorfein, D., Hoffman, R. (eds.), *Learning and Memory: The Ebbinghaus Centennial Conference,* Hillsdale, NJ: Erlbaum.

— (1988a), "Effects of Relation Similarity on Part-Whole Decisions", *Journal of General Psychology,* 115, pp. 131-139.

— (1988b), "The nature of semantic relations: a comparison of two approaches", en Evens, M. W. (ed.), pp. 289-234.

Chodorov, M., Byrd, R., Heidorn, G. (1985), "Extracting Semantic Hierarchies from a Large On-line Dictionary". *Proceedings of the 23rd Annual Meeting of the ACL,* Chicago, pp. 299-304.

CRUSE, D.A. (1979), "Reversives", *Linguistics*, 17, pp. 957-966.

EVENS, M., LITOWITZ, B., MARKOWITZ, J., SMITH, R., WERNER, O. (1980), *Lexical-Semantic Relations: A Comparative Survey*, Edmonton, Alberta: Linguistic Research.

EVENS, M.,VANDERDORPE, J., WANG, Y.-CH. (1985), "Lexical Semantic Relations in Information Retrieval" en WILLIAMS, S. (ed.), *Humans and Machines*, Norwood, NJ: Ablex, pp. 73-100.

EVENS, M., MARKOWITZ, J., AHLSWEDE, T., ROSSI, K. (1987), "Digging in the Dictionary: Building a Relational Lexicon to Support Natural Language Processing Applications", *Issues and Developments in English and Applied Linguistics*, 2, pp. 33-44.

EVENS, M. W. (ed.) (1988), *Relational Models of the Lexicon*, Cambridge: C.Ú.P.

FONTENELLE, T. (1992), "Automatic extraction of lexical-semantic relations from ditionary definitions", *Euralex'90 Proceedings*, Barcelona, Biblograf, pp. 89-104.

GROSSMANN, M. (1994), *Opposizioni direzionali e prefissazione*, Padua: Unipress.

LANG, M. F. (1990), *Spanish Word Formation*, Londres: Routledge; trad.esp. de A.Miranda Poza, Madrid: Cátedra, 1992.

MALKIEL, Y. (1966), "Genetical Analysis of Word formation" en SEBEOK, TH. (ed.), *Current Trends in Linguistic, vol III, Theoretical Foundations*, La Haya: Mouton.

MARTÍN GARCÍA, J. (1996), *Gramática y diccionario: el prefijo re-*, tesis de doctorado, U. A.M. defendida en junio de 1996.

MOLINER, M. (1966), *Diccionario de uso del español*, 2 vols., Madrid: Gredos.

REAL ACADEMIA ESPAÑOLA (1992), *Diccionario de la lengua española*, Madrid:, Espasa-Calpe, 21a ed.

SIMMONS, R. F. (1973), "Semantic Networks: Their Computation and Use for Understanding English Sentences" en SCHANK, R. and COLBY, K. (eds.), *Computer Models of Thought and Language*, San Francisco: W. H. Freeman, pp. 63-113.

SMITH, R. N. (1981), "On Defining Adjectives, Part III", *Dictionaries: Journal of the Dictionary Society of North America*, 3, pp. 28-38.

— (1984) "Collocational Relations", *Workshop on Relational Models, Coling '84*, Stanford University, julio, 1984.

— (1985), "Conceptual Primitives in the English Lexicon" *Papers in Linguistics*, 18, pp. 99-137.

TESCHNER, R. V., FLEMMING, J. (1996), "Special Report: Conflicting Data on Spanish Intransitive Verbs in Two Leading Dictionaries", *Hispania*, 79, 3, pp. 477-490.

THOMAS-FLINDERS, T. G. (1983), *Morfological Structures*. Univ. of California, Los Angeles, University Microfilm International, Ann Arbor, Mi.

URRUTIA CÁRDENAS, H. (1978), *Lengua y discurso en la creación léxica. La lexicogenesia*, Madrid: Cupsa.

WERNER, O., TOPPER, M. (1976), "On the Theoretical Unity of Ethnoscience Lexicography and Ethnoscience Ethnographics" en CLEA RAMEH (ed.) *Semantics, Theory and Applications, Proceedings of the Georgetown Round Table on Language and Linguistics*, pp. 111-143.

WEINREICH, Ú. (1970), "La définition lexicographique dans la sémantique descriptive", *Langages*, 19, pp. 69-86.

WHITE, J. S. (1983), "An Ethnosemantic Approach to a Dictionary Taxonomy". Paper presented at the 1983 Workshop on Maclline Readable Dictionaries, SRI International, April, 1983.

GLORIA CLAVERÍA NADAL
Universidad Autónoma de Barcelona

La documentación en el diccionario etimológico[1]

Introducción

Los diccionarios con información diacrónica son los mejores depositarios de la historia de una lengua. Dentro de estas obras se hallan los *diccionarios históricos* y los *diccionarios etimológicos*, que, aunque con diferentes objetivos e informaciones, sostienen conexiones importantes. Existen, además, otros muchos vocabularios y diccionarios de ámbito mucho más reducido que también recogen algún tipo de información de carácter histórico, ya sea porque estudian el vocabulario de una época determinada, de un componente del léxico, de una obra, de un autor, etc.;[2] en todos estos estudios prevalece de una manera o de otra la información histórica, por ello su desarrollo facilitará en última instancia la elaboración de un gran diccionario histórico-etimológico del español.

Los diccionarios con información histórica extraen sus datos de un corpus de textos más o menos amplio. Justamente la existencia de este corpus textual como base explica que el diccionario histórico tenga como antecedente remoto el dieciochesco *Diccionario de Autoridades*.[3] El corpus proporciona distintas documentaciones de la palabra y, en la medida en que sea representativo,[4] constituye el punto de partida para trazar de manera más o menos detallada la historia de cada una de las voces.

De entre todas las informaciones documentales, la que aparece en el texto más antiguo del corpus constituye la primera documentación. La primera datación de un término coincide con su aparición más antigua en los textos, una información que, tal como señala G. Haensch (1982: 162), "hay que cambiar, a menudo, en la medida en que progresa la investigación etimológica", fundamentalmente a medida que se amplía el corpus. Se trata de un dato lexicográfico

---

1. La investigación necesaria para desarrollar este trabajo ha sido financiada con una ayuda de la DGICYT para el proyecto "Informatización y etiquetado del *DCECH* de J. Corominas y J. A. Pascual" (nº de referencia PB95-0656) y con el apoyo del Comissionat per Universitats i Recerca de la Generalitat de Catalunya (nº de referencia 1997SGR-00125).

2. Los ejemplos son numerosísimos, muchos de los diccionarios o glosarios dedicados a la Edad Media se hallan recogidos en la bibliografía de Billick-Dworkin (1987). Como ejemplo paradigmático se podría citar el vocabulario de la edición de R. Menéndez Pidal (1945) del *Cantar de Mio Cid*.

3. Seco (1980/1987): 67; Seco (1995): 204-205; Casares (1948/1969): § 135; Merkin (1983): 234.

4. Cfr. sobre esta cuestión J. Llisterri y J. Torruella, "Los corpus" en este mismo volumen.

perteneciente a la historia de la palabra que puede trasladarse incluso a los diccionarios sincrónicos, tal como ocurre en la tradición lexicográfica francesa e inglesa, por ejemplo.

La importancia que la lexicografía histórica confiere a esta información se evidencia en la misma estructura de los artículos en los diccionarios con documentación histórica: dentro de los diccionarios etimológicos,[5] el *DCECH* proporciona de manera sistemática la primera documentación al final del primer párrafo de cada lema; junto con la etimología, es el dato que sistemáticamente aparece para cada palabra y únicamente puede faltar en las palabras que figuran en los apartados de derivados y compuestos de este diccionario.[6] En los diccionarios históricos la primera datación de un término es también importante: tanto en sí misma y por lo que representa para la historia de la palabra como por el hecho de que se utiliza como principio ordenador de las distintas acepcio-nes de las palabras. Así aparece en el *DHLE,*[7] en el *DEM*[8] y en el reciente *DETEMA*.

A los diccionarios citados anteriormente, cabría añadir el *DCR* de R. J. Cuervo; concebido en su origen bajo los intereses historicistas decimonónicos, tiene un valor histórico elevado por la documentación que aporta sobre la historia de la voz.[9] Las informaciones que contiene presentan puntos en común con las de los diccionarios de orientación diacrónica: por un lado, la documentación textual que incluye, las *fuentes* en palabras de Cuervo; por otro, el apartado dedicado a la etimología, en el que se incluyen también datos de índole comparativa. Para Cuervo era necesario establecer el significado del étimo con el fin de poder ordenar correctamente las acepciones, por tanto, a diferencia de *DHLE* y el *DEM,* la información textual no se constituye en criterio ordenador; a pesar de ello, en el *DCR* la documentación perteneciente al período medieval (apartado del diccionario encabezado por *Per. antecl.*) está dispuesta cronológicamente.

En el caso del español, gran parte de la investigación sobre las primeras fechas de documentación del léxico ha tenido como punto de partida los diccionarios etimológicos de J. Corominas (1954-1957), (1973) y (1981-1990) —este último con la colaboración de J. A. Pascual—. La razón es bien comprensible: no disponemos de un diccionario histórico completo del español.[10]

Anteriormente a la publicación del *DCELC,* se contaba con el diccionario de V. R. B. Oelschläger, cuyo objetivo fundamental era el establecimiento de

5. A diferencia del *DCECH,* el diccionario etimológico de García de Diego (1954/1989) y el de Gómez de Silva (1985) no recogen ningún tipo de información de carácter documental.

6. Son muchas las palabras que aparecen en estos apartados sin ningún tipo de información: unas 2000 términos del apartado de "compuestos" y unas 14.000 voces del apartado de "derivados".

7. Seco da detalles sobre esta cuestión en su último artículo informativo sobre el *DHLE*: "La estructura de un artículo está por principio sometida a la cronología. Las acepciones se ordenan de más a menos antigua de acuerdo con la fecha de la primera autoridad respectiva", Seco (1995): 210.

8. No rige este tipo de ordenación en el *Diccionario medieval español* de Martín Alonso (1986).

9. Conviene recordar en este sentido la discusión entre M. Seco y L. Bernal Leongómez suscitada por el discurso de ingreso en la Real Academia Española del primero (Seco (1987b): 89-94). cfr., además, sobre este diccionario Porto Dapena (1980), Malkiel (1959), Ahumada (1995).

10. Para un panorama de la lexicografía histórica del español, vid. Dworkin (1994).

primeras documentaciones, tal como indica su mismo título: *A Medieval Spanish Word-List. A Preliminary Dated Vocabulary of First Appearances up to Berceo.* El corpus de Oelschläger recoge documentos desde el año 900 hasta 1220 a los que añade las obras de Berceo y el *Libre dels tres reys d'Orient.* J. Corominas utilizó los datos de Oelschläger en la confección de sus diccionarios etimológicos y así aparecen frecuentes referencias a este diccionario en las primeras documentaciones.[11]

Posteriormente al *DCECH,* D. Messner ha publicado varios trabajos informando sobre la elaboración de diccionarios cronológicos de lenguas europeas entre ellas el español, en ellos la ordenación sigue la primera documentación (Haensch 1982:162 y 1997). Las posibilidades de estudio que entrañan este tipo de diccionarios tanto desde el punto de vista cuantitativo como desde el punto de vista comparativo son importantes[12]. La utilidad de estos estudios rebasa en mucho los fines estrictamente históricos, pero la fiabilidad de los resultados depende del grado de exactitud de la primera documentación de los términos tal como señala el propio autor. F. Marcos Marín (1979:123), por ejemplo, se hace eco de los distintos resultados obtenidos en el estudio estadístico de crecimiento del léxico del español según los estudios llevados a cabo por Patterson y Urrutibéheity (1975) o por Messner (1974a).

Además de la primera documentación, los diccionarios con información histórico-etimológica recogen y aportan al estudioso de la lengua un mayor o menor número de registros de la voz estudiada en textos de época posterior. El conjunto de estos registros se constituye como el único medio para describir la pervivencia y las vicisitudes que ha sufrido cada palabra a lo largo de su historia (GLESSGEN, 1993).

La importancia de las documentaciones de una palabra como parte de su historia explica que sea una de las informaciones que se recogen en el proyecto de informatización del *DCECH* que se está desarrollando en el Seminario de Filología e Informática de la Universidad Autónoma de Barcelona en colaboración con las universidades de León y Girona.[13]

Uno de los primeros resultados que se consigue con el proceso de informatización es la homogeneización completa de los datos cronológicos y textuales, algo indispensable para su explotación de la obra superando las limitadas posibilidades de consulta de un diccionario tradicional.

El *DCECH* no es sistemático al indicar las fechas de los distintos documentos que utiliza. En múltiples ocasiones, proporciona una fecha aproximada o poco precisa del tipo "primer cuarto de siglo", "principios de", "finales de", etc.; puede aparecer incluso la fecha de muerte de un autor o el período en el que vive como forma de documentación de una palabra.

---

11. Cfr. como ejemplos el *DCECH,* s. v. ALCALDE, ALGARICO, DEFENDER, DEHESA, GUARNECER, INFANTE, MANO, etc.

12. Cfr. Messner (1974a), (1974b), (1988).

13. Me voy a referir aquí de manera específica a los problemas de la documentación en la lexicografía histórica y etimológica; para una información global del origen y evolución de este proyecto, puede consultarse Clavería (1993), Clavería-Sánchez Lancis-Torruella (1996), Clavería-Sánchez Lancis (1997).

La informatización de los datos cronológicos se lleva a cabo mediante su sistematización, de manera que si aparecen indicaciones cronológicas como las que se han mencionado anteriormente se trasladan a la base de datos según unas equivalencias numéricas convencionales preestablecidas, tal como se ha expuesto detalladamente en Clavería, Sánchez y Torruella (1997).

El tipo de homogeneización y sistematización al que se someten las menciones cronológicas no hace más que preparar los datos documentales del *DCECH* para su explotación: la más simple de ellas una ordenación automática de los lemas según la fecha de su primera documentación con la posibilidad de atender a distintas condiciones, e. g. según la clase genealógica de la palabra o la esfera temática a la que pertenece.

Con la parte del Diccionario que actualmente ya ha sido informatizada, se puede obtener una idea bastante exacta del corpus documental utilizado en la elaboración del mismo, de los problemas que plantea este tipo de información y de las posibilidades de explotación de los datos. Las reflexiones que siguen a continuación tienen su origen en la explotación y manejo de la base de datos documental resultante de la informatización del *DCECH*. Se trata de una base de datos con una estructura de seis campos en la que se recogen informaciones sobre la palabra estudiada (lema), la fecha de aparición, el autor, la obra, la forma de la palabra en el texto y el tipo de referencia (directa o indirecta); con esas informaciones, se elabora una ficha para cada una de las distintas documentaciones de la palabra que aparecen en el Diccionario:

Lema	*Fecha*	*Autor*	*Obra*	*Ejemplo*	*Referencia*
cicuta		Berceo	S.D., 608	ciguta	D
cicuta	1499	Núñez de Toledo		cicuta	D
cicuta		Nebr.		ceguta I:	DHist.

Problemas en torno al establecimiento de la primera documentación

Con la definición de la *primera documentación* proporcionada anteriormente, resulta relativamente fácil entender en qué consiste. Sin embargo, lo que a primera vista parece muy sencillo, plantea algunos problemas importantes no sólo a la lexicografía histórica, sino también a la misma historia de las lenguas románicas.

En el prólogo de sus dos diccionarios etimológicos, J. Corominas advertía, a modo de *captatio benevolentiae*, los problemas que conlleva este tipo de información y el diferente valor de la primera documentación según la clase genealógica de la palabra:

> "Sabido es que tales indicaciones tienen siempre un carácter provisional y no constituyen más que un *terminus ad quem,* antes del cual (a veces muy poco antes) se empleó ya el vocablo por lo menos en el lenguaje oral. Cuando se trata de palabras latinas y hereditarias, es seguro que la fecha del vocablo es anterior a la de la documentación en muchos siglos..." (*DCECH*, vol I, pp. XVII-XVIII).[14]

14. Cfr. sobre este problema en un plano más general Alinei (1991): 109, 112-118.

Esta misma distinción entre palabras cultas y populares aparecía poco antes en el prólogo de R. Menéndez Pidal al *Diccionario General*:

> "Las palabras primitivas, heredadas por tradición ininterrumpida del latín hablado, no son fechables, bastándonos con saber que su origen remonta al nacimiento mismo del romance. Pero ya los préstamos tomados al latín escrito pertenecen a épocas muy diversas que es preciso ir determinando con precisión" (Menéndez Pidal, 1953/1961: 118-119).

En realidad, el problema es un lugar común dentro de las reflexiones relacionadas con la lexicografía histórica del español, por lo que también tuvo que enfrentarse a él M. Alvar Ezquerra en su *Proyecto de lexicografía española* (1976: 135-136):

> "muchos de los términos, la mayoría, pertenecen al patrimonio de la lengua desde sus orígenes, para los cuales no se puede fijar una fecha de nacimiento, como tampoco es posible datar el año de nacimiento de las lenguas romances, porque nunca se produjo una ruptura con el latín, sino un paso continuo; pero, de todas maneras, podemos ofrecer la primera documentación de cada voz en textos escritos en la lengua vulgar. En tercer lugar es difícil considerar la existencia de las voces, porque, aunque el significante permanezca, el significado varía a través de los tiempos. Por ello, para fijar las fechas de las voces nos ceñiremos únicamente a su soporte material; la evolución particular de los significados de cada palabra no es el objeto específico del estudio de los lexicógrafos".

Si bien es cierto que gran parte del léxico fundamental de la lengua está formado por palabras patrimoniales (especialmente palabras heredadas del latín vulgar), no lo es menos que el léxico ha estado y está en permanente proceso de crecimiento, por lo que en la actualidad es muy amplio el número de palabras que pertenecen a una época posterior a la de los "orígenes".[15]

Las consideraciones de J. Corominas acerca del "carácter provisional" de la primera documentación de sus diccionarios no cayeron en saco roto y contamos en este momento con un importante número de adiciones, publicadas por otros lingüistas y filólogos, que proporcionan fechas de primera documentación anteriores a las que figuraban primero en el *DCELC* y más tarde en el *DCECH*.[16]

15. Los datos cuantitativos que aportan los estudios de W. Patterson y H. Urrutibehéity (1975) son una buena muestra de ello.

16. Cfr. por ejemplo en la bibliografía G. Colón (1981); N. Extremera Tapia y J. A. Sabio Pinilla (1989) y (1993); Mª L. García Macho (1984) y (1985); O. Macrí (1956) y (1962); F. Marcos Marín (1984); J. Martínez Ruiz (1983); H. Meier (1984) y (1987); J. Mondéjar (1985); M. Morreale (1961), (1962), (1970), (1973); O.T. Myers (1966); A. Nougué (1964-1966); B. Pottier (1955-1961), (1958) y (1980-1987); A. Quilis (1989); C.C. Smith, (1959); G. Straka (1988); A. Tovar (1984); J. K. Walsh (1974); W. von Wartburg (1959). Sólo recojo los trabajos que se han publicado como adiciones a los diccionarios de J. Corominas; son muchas las obras de investigación en las que aparecen documentaciones de voces anteriores a la fecha proporcionada por el *DCELC* y el *DCECH*.

Resulta curioso notar que en *DCECH* se toman en consideración algunas de las adiciones al *DCELC* (especialmente las de C. C. Smith) que aún adelantando la fecha de primera documentación aparecen en segundo lugar porque tienen una forma que no coincide con la moderna, (e. g. *producto* (s. v. ADUCIR), AMONÍACO, ANTIMONIO, ATROZ, ASPID).

Desde la perspectiva histórica esta información, sin embargo, no constituye un fin en sí mismo sino un medio para conocer mejor la historia particular de cada palabra, no en vano el mismo colaborador de J. Corominas, J. A. Pascual (1974: 70) señalaba que

> "la exigencia de un diccionario histórico no termina en el hecho de proporcionar la documentación más antigua de una palabra; es necesario también valorarla. La actitud de J. Corominas ante las primeras documentaciones procede de esta convicción y no de un desinterés en datarlas".

Por ello sería necesario en los casos de las adiciones de carácter cronológico a los diccionarios de Corominas no limitarse a dar la nueva documentación, sino establecer su significación, el cambio que provoca en el conocimiento de la historia del término, si es el caso, y una valoración de los textos en los que se han hallado. Por ejemplo, en mis investigaciones sobre los latinismos léxicos (Clavería, 1991) hallé los términos *feminil, feminino, enfeminada, feminidat* documentados en repetidas ocasiones tanto en el *Libro de las cruzes* como en el *Libro conplido en los iudizios de las estrellas*, mientras que en el *DCECH* (s. v. HEMBRA) aparecen documentados por primera vez en el siglo XV: *feminino* tiene según este diccionario su primera datación en el *Corbacho* y A. Palencia (APal.);[17] la variante moderna con alteración vocálica de la forma etimológica *femen-* aparece hacia 1600 (Mariana) y el término es "ajeno al vocabulario del *Quijote*, C. de las Casas no registra más que *mujeril*, y Góngora y Ruiz de Alarcón sólo emplean éste y *femenil*"; el resto de elementos léxicos de esta familia también se documenta, según el *DCECH*, a partir del siglo XV: *femenil* en Santillana, *feminil* en APal., *feminal* hacia 1530 en Guevara, *femíneo* en los ss. XV-XVIII, etc. Si bien es verdad que estos términos ya se han documentado en el siglo XIII, tan importante es adelantar la fecha de primera documentación como poder responder a la pregunta de qué ocurrió entre el siglo XIII y el XV. ¿Se trata de una reintroducción de los términos o de una expansión en el uso de una familia que sólo se empleaba en el vocabulario técnico y especializado? Podría tratarse de una utilización totalmente aislada de estos vocablos y, en tal caso, sería poco importante su documentación en el siglo XIII, aunque evidentemente interese como dato histórico. En realidad, esta familia léxica se emplea desde el siglo XIII de manera recurrente en textos cultos, especialmente en textos adscritos a la lengua científica y técnica. Veamos algunos ejemplos:

a) Aparece en diferentes obras elaboradas en el taller alfonsí[18] con una diferencia importante en su uso entre las obras astrológicas y las obras historiográficas. En las primeras (*Libro conplido, libro de las cruzes, Picatrix, Ymagenes*), se presentan los términos *feminidat, feminil, feminino, -a, enfeminado* en repetidas ocasiones y, por ejemplo, en el caso del adjetivo *femenino* aparece

17. Mantengo, al citar datos documentales procedentes del *DCECH*, las mismas abreviaturas que se emplean en este Diccionario.

18. Los datos proceden de Lloyd Kasten, John Nitti y Wilhelmina Jonxis-Henkemans, *The Electronic Texts and Concordances of the Prose of Alfonso X, El Sabio*, The Hispanic Seminary of Medieval Studies, Madison, 1997, en formato CD-ROM.

normalmente referido a sustantivos como *signo, grado* o *planeta,* o en la expresión *ser femenino*; las obras historiográficas (*Estoria de España I* y *General Estoria I*) contienen un solo ejemplo de los términos *femenina, femina, feminia, feminalia* (2 veces) con un uso fundamentalmente metalingüístico o como términos latinos (p. ej., "en una tierra que llaman feminia" (*EE1,* 137v46), "feminalia de femina q<ue> es por mugier" (*GE1* 206v67)). El paralelo romance *mugeril* aparece en 10 ocasiones en contextos parecidos al *femenino* de las obras científico-técnicas, pero siempre en obras de carácter histórico (*General Estoria IV,* 5 veces; *General Estoria II* (*G2K,* ms. s. XIV), 2 veces; *General Estoria V* (*G5R,* ms. s. XV), 3 veces).

b) También *femenina* se ha documentado en el *Alexandre* en un uso muy cercano a las obras historiográficas alfonsíes:

"Señora de la tierra quel dizien femenina" (*Alex,* 1863b, O: feminina).[19]

c) Varios términos de esta familia léxica (*femenia-feminea, femenino-feminina, femenivol-feminivol*) se registran en la obra del aragonés J. Fernández de Heredia. El más frecuente de ellos es el adjetivo *femenino* que aparece con todo tipo de sustantivos (*coraçon, furor, temor, fuerça, ploros,* etc.).[20]

d) Como tecnicismo gramatical aparece en las *Etimologías romanceadas* de San Isidoro, una traducción que pervive en un manuscrito de la segunda mitad del siglo XV.[21]

e) Como tecnicismos astrológicos, *femenino* y *feminidat* figuran en el *Tratado de astrología* atribuido a D. Enrique de Villena.[22]

f) En el *Corbacho,* una de las primeras documentaciones del término según el *DCECH,* aparece siempre referido a los signos del zodíaco (Gorog y Gorog, 1978; Herrero, 1994: 308).

g) En el *Universal Vocabulario* de Alfonso de Palencia *feminino* (177d) se refiere al género gramatical y *feminil* (157b), al sexo (Hill, 1957 y Palencia, 1490/1967).

A todos estos datos, podemos añadir los que sobre esta familia proporciona el magnífico estudio sobre los cultismos renacentistas de J. L. Herrero (1994-1995: 25, 307-308), quien clasifica *femenino* entre los cultismos de documentación medieval que mantienen aún en el Renacimiento un "valor neológico".

Sólo el análisis pormenorizado de los distintos usos de la familia léxica, de la aparición en unos tipos de textos y en otros, permite la recta interpretación de las documentaciones del término.[23] No sería adecuado situar la primera

19. J. J. de Bustos Tovar (1974) y Louis F. Sas (1976), s. v.

20. Los datos proceden de John Nitti y Lloyd Kasten, *The Electronic Texts and Concordances of Medieval Navarro-Aragonese Manuscripts of Juan Fernández de Heredia,* The Hispanic Seminary of Medieval Studies, Madison, 1997, en formato CD-ROM. Únicamente en una ocasión aparece *mugeril* (RAM 203r7) en un contexto con significado peyorativo y junto a un "hombre fembrero": "porque dellos carnal delitacion et mugeril et flaca leugera et perezosa occiosidat riende el hombre fembrero".

21. J. González Cuenca (1983), vol. I: p. 110.

22. Villena, E. de (1980), *Tratado de astrología,* edición y notas de P. M. Cátedra, Introducción de J. Samsó, Barcelona: Río Tinto Minera.

23. A todo ello se debería añadir la presencia del adjetivo *femenil* en el español de América (Lara, 1996).

documentación en las obras historiográficas alfonsíes o en el *Libro de Alexandre* por más que aparezcan ejemplos de la familia estudiada en estas obras. La primera documentación del término se halla en obras técnicas y, por tanto, aparece formando parte del léxico especializado; a partir del siglo XV se inicia un proceso de generalización de su uso.

El ejemplo expuesto anteriormente proporciona algunas enseñanzas para la investigación en lexicografía histórica: a menudo, en las pesquisas de carácter cronológico, se olvida que al manejar textos de muy variado tipo se yuxtaponen de una manera quizá inadecuada documentaciones que pertenecen a tipos de textos distintos (literarios, científicos y técnicos), con lo que se comparan distintos tipos de lengua y significaciones de la palabras también diferentes; de ahí la necesidad de valorar cada documentación, y en especial la primera datación, en el propio marco de la historia de la palabra.

Primera documentación en textos anteriores al siglo XIII

El problema de la primera documentación plantea también otra cuestión de mayor alcance que ya ha aparecido en las palabras de R. Menéndez Pidal, de J. Corominas y de M. Alvar a las que antes se ha hecho referencia. La primera documentación de las voces patrimoniales no refleja su aparición en la lengua hablada puesto que para ellas se supone una pervivencia continuada desde el proceso de romanización, conviene en este punto ser consciente de que la primera documentación en estos casos se refiere en muchas ocasiones a la primera vez en que la palabra fue escrita en norma ortográfica romance, por ello R. Menéndez Pidal (1953/1961:118) señalaba que este tipo de palabras no era "fechable". Resulta imprescindible, por tanto, que los diccionarios diacrónicos, especialmente aquellos que tratan los períodos más antiguos de la historia de la lengua española, sean muy escrupulosos en este sentido y adviertan la verdadera significación de "primera documentación" especialmente para las palabras patrimoniales.

Existe en el *DCECH* un modo de proceder heterogéneo, al menos en la forma, con respecto a esta clase de palabras; por ejemplo, en el caso de la preposición *a* no se facilita ninguna documentación concreta y bajo la primera documentación aparece "orígenes del idioma". Muy frecuentemente el *Cid* es la única primera documentación aportada para palabras patrimoniales:

amar	*Cid*
ante	*Cid*
barça	*Cid*
deber	orígenes del idioma (*Cid*)
mar	orígenes del idioma (*Cid*)
haber	orígenes del idioma (*Cid,* docs. del s. XII, etc.)

Bajo la indicación de *orígenes* aparecen así mismo las *Glosas Emilianenses y Silenses*:

de	orígenes del idioma (Glosas Emilianenses)

decir	orígenes del idioma (Glosas Emilianenses, etc.)
delante	*denante,* h. 950, Glosas Emilianenses, *delant,* 1100, *BHisp.* LVIII, 1124, Oelschl.; *delante, Cid.*
luengo	orígenes del idioma (Glosas Silenses; doc. de 994, Oelschl.; etc.)
más	h. 950, Glosas Emilianenses
matar	2ª mitad del s. x, Glosas de Silos

También dentro del período de los orígenes se encuentran citados documentos jurídicos anteriores al siglo xiii:

brazo	orígenes, doc. de 1044 (Oelschl.), *Cid*, etc.
dedo	orígenes del idioma (Fuero de Avilés, 1155, etc.)
mantel	doc. de 908 (Oelschl.)
manto	doc. de 923 (Oelschl.), *Cid*

O, incluso, pueden aparecer menciones a otras obras:

acordar I	orígenes del idioma (*Cid, Reyes Magos*)
bajar	orígenes del idioma (s. xii, Oelschl., s. v. *baxado*; Berceo; J. Ruiz)

Los ejemplos citados anteriormente muestran varias características de la obra lexicográfica analizada. La heterogeneidad formal es evidente,[24] pero ello no es reprochable si consideramos las condiciones en las que se elaboró el *Diccionario.* Sin embargo, existe una equiparación entre documentos de desigual valor: entre las glosas y los documentos jurídicos, por un lado, y las obras literarias (*Cid* y Berceo), por otro, existen diferencias sustanciales.

Antes del siglo xiii no existe aún una norma de escritura para el romance, los documentos anteriores a esta fecha están escritos en norma tradicional. La documentación que aporta el *DCECH* de fechas anteriores a 1200 es muy valiosa pero difícilmente equiparable a la documentación de época posterior.

R. Wright (1982/89), al que sigo en los conceptos de "norma tradicional" y "norma ortográfica para el romance", al suponer que la distinción conceptual entre latín y romance no existe hasta época relativamente tardía y al defender la existencia de una sola lengua (hablada y escrita) hasta principios del siglo xiii, llega a importantes conclusiones para la lexicografía histórica; así sostiene que:

1. "It is inappropiate that Corominas and Pascual should adduce the first attestation of a Spanish word (in their etymological dictionary) as of necessity of being one that is spelt incorrectly in cases where the same word 'correctly' spelt is attested earlier. *Camisa,* for example, is given by Corominas and Pascual (1980: 787) a first documentation date of 899, despite being attested as *camisiam* in Isidore's *Etymologiae* XIX.21.1"

2 "The computerized dictionaries should therefore extend their corpus further back in time also. Not to do so is misleading. For example: the fact that *rege* appears in the late tenth-century *Nodicia de kesos* and also in countless documents and histories, etc., should not be hidden from the enquiring philologist who might otherwise think that the thirteenth-century

24. A ella deberíamos sumar los múltiples casos de palabras patrimoniales documentadas en textos notariales u obras literarias como las citadas (*Cid,* Berceo, etc.) que no llevan la especificación de 'orígenes del idioma'.

invented the lexical word itself rather that merely the orthographic form *rey* (and *rei*)" (Wright, 1991: 204-205).

El *DCECH* utiliza un criterio fundamentalmente selectivo con la documentación más antigua, de tal manera que toma en consideración la lengua de la época de los documentos más "primitivos" sólo cuando contiene un dato muy relacionado con el uso romance (no latino) del término; así por ejemplo, el *camisa* del año 899 (procedente de Oelschläger) es la primera documentación del término porque está escrito en "romance", a diferencia del *camisiam* isidoriano que no aparece citado en el *DCECH.* En otras ocasiones, sin embargo, sí se hace referencia a datos de las *Etimologías,* tal es el caso de *cabaña, cabeza, cable, calar, calle, cama I, gato,* etc.; ejemplos en los que se suele mencionar la aparición de la palabra en S. Isidoro o bien por ser considerada específicamente como forma latina:
"CAMA I, 'lecho' [... ...] Como latino aparece solamente en San Isidoro",
o bien por contener ya algún rasgo característico de la palabra romance:
"CALLE, [... ...] La acepción 'calle' aparece ya en San Isidoro y en glosas latinas".

Evidentemente, según la concepción tradicional (teoría de las dos normas según R. Wright), aunque este tipo de datos formen parte de la historia etimológica de la palabra, no aparecen como primera documentación. En realidad, se trata de un ejemplo del concepto tradicional de primera documentación que, si bien puede ser discutible según las opiniones de Wright, no es incoherente.

En general, cuando la primera documentación procede de un texto antiguo (a partir del siglo VIII) es porque tiene algún rasgo que se puede considerar como ineludiblemente 'romance', un rasgo distinto del latín (en la forma o en el significado). Así, por ejemplo, en el *DCECH* no figura como primera documentación el *rege* de la *Nodicia de Kesos,* mencionado por R. Wright, pero sí se utiliza este mismo texto para documentar por primera vez el derivado *bacillar* (s. v. BACILLO), aparecido como *bacelare* en un "doc. de León, de h. 980, M.P., *Oríg.,* p. 27" que no es más que la *Nodicia de Kesos.* Del mismo modo se proporcionan como primera documentación de COTO I ('mandamiento, precepto', 'multa', 'término, límite, mojón', 'terreno acotado', 'tasa, límite fijado a los precios') las formas *cautum* ('mojón', 'terreno acotado') y *kautum* ('multa') de documentos de los años 897 y 938, respectivamente; son formas escritas en norma tradicional, pero se seleccionan como primeras documentaciones porque tienen los significados propios de la palabra romance. En otras voces, sin embargo, se desechan algunas documentaciones por ser consideradas latinas, así ocurre en algunas ocasiones con la documentación proporcionada por Oelschläger.[25]

A partir de la observación de los ejemplos anteriores, no extraña encontrar préstamos o "palabras de etimología no latina" documentados en época muy temprana: así *becerro* tiene como primera documentación un texto de procedencia no especificada de 964, etimológicamente es una palabra "de origen ibérico, probablemente derivado del hispanolatino IBEX, -ICIS, 'rebeco'"; el adjetivo

25. En CALUMNIA se da una primera documentación de 1155 y se señala a continuación que "Oelschl. cita dos ejs. del S. XI, pero ahí sin duda se trata de palabras latinas". Cfr. ALACENA.

bellido inicia su historia documental en el *DCECH* en el año 683, usado como nombre de persona, en este caso estamos ante un "derivado del lat. BELLUS 'bonito', quizá debido a un cruce con MELLITUS"; lo mismo ocurre con *braña*, de posible procedencia prerromana, que está documentada en el año 780. También en algunos préstamos de procedencia germánica o árabe la documentación puede ser muy temprana, así *anúteba* (804) o *marfil* (892) procedentes del árabe, *ganar* (987) de origen germano.

Se hace necesario, por tanto, para el estudio de la documentación de las palabras patrimoniales y las no patrimoniales más antiguas un análisis pormenorizado de los textos que han pervivido de aquella época. El *DCECH* ha aprovechado en gran medida los datos proporcionados por Oelschläger por lo que ha tenido en cuenta esta época, pero en atención a las investigaciones de R. Wright quizá habría que aumentar el empleo de estos textos, y englobarlos bajo el grupo de documentación anterior a 1200 tal como han señalado Mª J. Martínez Alcalde y M. Quilis (1996: 885) al enfrentarse a la propuesta de periodización de R. Eberenz (1991) quien sitúa el primer estadio de ésta entre 1200-1450. De esta forma se ampliarían las posibilidades de documentación de las palabras patrimoniales y, a la vez, se evitarían los riesgos de mezclar datos de épocas sustancialmente distintas por lo que se refiere a la norma escrita empleada.

Primera documentación y transmisión textual

Muchas obras literarias se conservan en manuscritos muy posteriores a lo que se cree que es su fecha de composición, tal es lo que sucede con el *Cid*, las obras de Berceo y otras muchas. La transmisión textual de las obras manuscritas ha propiciado la mezcla, fatal para la lexicografía histórica, de formas de documentación que pertenecen a la fecha de composición con otras que podrían ser debidas a la copia.

El problema de las vicisitudes de la pervivencia de los textos y su incidencia respecto a la documentación cronológica está apareciendo de manera bien palpable como cuestión metodológica tanto en la fonología y como en la lexicografía históricas (Torreblanca, 1988).[26]

La única forma de aproximación al problema debe pasar por la distinción sistemática, en la medida de lo posible, entre fecha de composición y fecha del manuscrito (*monumento* y *documento* según D'A. S. Avalle,1979).[27]

Primera documentación y obras lexicográficas

La distinción entre datos de distinta categoría sobre la que se ha reflexionado en las líneas precedentes parecía apuntar ya en las palabras de R. Menéndez Pidal al referirse al "diccionario ideal":

> "Es preciso, en suma, que el Diccionario español nos informe de cuándo se halla por primera vez cada palabra y cada acepción, ora en los textos literarios, ora en los documentos iliterarios o en los léxicos" (1953/1961:119).

26. Cfr. cuestiones paralelas en el terreno fonológico en Pascual (1988), (1991).
27. Esta cuestión aparece desarrollada en Clavería (1996).

Cita este erudito tres tipos de textos diferentes con características y valor potencialmente distintos para la datación del léxico español. La mención a los léxicos nos lleva a un tercer tipo de fuentes válidas también para el establecimiento de la pervivencia de las palabras del idioma. Las obras lexicográficas pueden usarse como información documental; en el *DCECH* se recurre muy a menudo a las principales obras de la lexicografía española con el fin de documentar tal o cual palabra: A. de Palencia, Nebrija, Palmireno, Oudin, Covarrubias, el *Diccionario de Autoridades,* Terreros y las distintas ediciones del Diccionario de la Academia se constituyen en referencias que aparecen aquí y allá como primera documentación o como documentación adicional de la historia de la voz. El recurso a los datos lexicográficos es mucho más importante de lo que parece a primera vista: por ejemplo en la letra *b,* con 749 lemas, se hace mención a *Universal Vocabulario* de A. de Palencia en más de 50 ocasiones; al *Diccionario de Autoridades,* en más de 100 ocasiones; y a Nebrija, en más de 140 ocasiones. Existen voces cuya historia está formada casi únicamente por datos lexicográficos: *daguerrotipo, dalia, daltonismo, damasonio, dársena, íbice,* etc.; se percibe, además, que es especialmente importante el uso de las fuentes lexicográficas para el período posterior a finales de la Edad Media (e. g. *dardo, imbécil*).

Resulta obvio que la documentación de los diccionarios aporta datos complementarios a la historia de las voces en los textos, pero no debe constituirse en la única fuente documental porque podría no representar la verdadera historia de la voz: ya sea porque se incluya tardíamente a los diccionarios, ya por el proceso contrario, por su incorporación *avant la lettre*.[28] La información extraída de obras lexicográficas antiguas es, en realidad, una información complementaria de la historia de una palabra que no puede suplantar la documentación de la misma en textos, de ahí el interés de una obra como el *Tesoro lexicográfico* (Gili Gaya, 1947 y Nieto Jiménez, 1992) como complemento del diccionario histórico-etimológico.

La documentación negativa

En ocasiones en el *DCECH* la información documental es de carácter negativo, i. e. no se informa de la aparición de la voz en un texto sino justo lo contrario: su ausencia en determinada fuente documental; el caso de *femenino* presentado anteriormente es un buen ejemplo de ello. En estos casos la información negativa es complementaria a la primera documentación y, al ser el *DCECH* un diccionario con un corpus no bien definido,[29] los datos negativos son importantes puesto que certifican la comprobación de la ausencia de una palabra en una obra determinada, así aparece en *caja,* por ejemplo:

> "Es ajeno al vocabulario del *Cid*, Berceo, *Alex., F. Juzgo, Apol., Conde Luc.,* J. Ruiz, y no figura en los demás glosarios medievales incluyendo el del *Canc.* de Baena por W. Schmid" (*DCECH,* s. v. CAJA).

28. Vid. sobre esta cuestión, G. Clavería (1993): 598-599.

29. La situación sería distinta si el corpus fuese cerrado y con un vaciado exhaustivo de las obras que lo integran.

En ocasiones se contrapone la documentación positiva a la documentación negativa con lo que se matiza el valor y significación que puedan tener las primeras apariciones de la palabra:

"Verdad es que *carroña* «carne infecta y corrompida» está ya en Covarr., pero era italianismo raro entonces, pues no sólo falta en *Aut.*, sino también en C. de las Casas, Percivale, Oudin, Franciosini y Minsheu; y es ajeno al léxico del *Quijote*, Góngora, Moratín, etc." (*DCECH*, s. v. CARROÑA).

"*1ª doc.*: 2º cuarto s. XV, Pz de Guzmán C. C. Smith, *BHisp.* LXI); APal.; pero no fué de uso corriente hasta fin del s. XVIII [... ...]Falta en los dicc. clásicos y en *Aut.*, pero ya lo registra Terr., y lo emplea L. Fz. de Moratín" (*DCECH*, s. v. REPTIL).

En el epígrafe anterior se ha reflexionado sobre el valor de la documentación de origen lexicográfico, son frecuentes los ejemplos en los que se documenta la voz contraponiendo el dato positivo y el negativo en dos ediciones distintas del Diccionario de la Academia, ello ocurre especialmente en neologismos del siglo XIX:

gachumbo	Acad. 1843, no 1817
galena	Acad. 1843, no 1817
gaznápiro	Acad. 1843, no 1832
raglán	Acad. 1925, no 1884
reinal	Acad. ya 1925, no 1884
robinia	Acad. 1884, no 1843
rocho	Acad. 1884, 1843

La fórmula de documentación que contrapone dos ediciones del diccionario académico es muy frecuente (cfr. s. v. GALVANISMO, GALÓN II, GAZA; REITRE, RIBESIÁCEO, ROCAMBOLA, ROLDÓN, etc.).[30]

En alguna ocasión sólo se aporta documentación de carácter negativo; no se proporciona, por tanto, ninguna primera datación de manera directa, aunque según explica el mismo diccionario, se hallaría en una de las siguientes ediciones:

casida	"falta aún Acad. 1884"
casitéridos	"falta aún Acad. 1884"

La información negativa puede aparecer también dentro de las documentaciones de la historia de la pervivencia de la voz en los casos en que la palabra ha dejado de usarse:

glera	"No figura ya Nebr., APal., Covarr., *Aut.*"

30. En el mismo *DCECH* en la parte de las "Indicaciones bibliográficas" se señala cómo hay que interpretar estos datos: "Las ediciones se distinguen agregando su fecha. Cito las siguientes: 2.ª, 1783; 5.ª, 1817; 9.ª, 1843; 11.ª, 1869; 12.ª, 1884; 13.ª 1899; 14.ª 1914; 15.ª 1925; 16.ª, 1936. Para indicar abreviadamente en qué edición empieza a aparecer una palabra o acepción determinada, lo hago en la forma siguiente: «Acad. ya 1817» (o cualquier otra fecha) significa que no está en *Aut.*, pero sí en esta edición y en las posteriores, y que las anteriores no se han consultado; «Acad. 1843, no 1817» significa que ya está en aquella fecha y en las posteriores, no en ésta ni en las anteriores, pero las intermedias no se han consultado; «Acad. aún no 1914», que está en 1936, pero no en 1914 ni en las anteriores. Las ediciones de 1817, 1843, 1884, 1936 y una de las tres intermedias entre estas dos últimas (variando según los casos) se han consultado siempre o casi siempre; las demás, sólo en los casos más importantes. La de 1947 ya no pudo se utilizada en el *DCEC*" (*DCECH*, p. XXXVIII).

La cronología de documentación y la pervivencia de los textos

Además de la primera documentación, el *DCECH* incluye también la mención a otros textos que muestran la pervivencia de la voz a lo largo de la historia de la lengua. No es constante la cita del fragmento en la que se encuentra la voz, con lo que aparece una de las diferencias metodológicas más importantes del Diccionario que estamos informatizando con respecto a los comúnmente denominados "diccionarios históricos", como ejemplos de esta forma de proceder se pueden citar el *DHLE*, el *DEM* y el *DETEMA*.

La inclusión del fragmento en el que se halla la palabra hace que el diccionario se configure como una fuente de investigación útil, pero para que ello sea así los fragmentos deben ser el producto de una selección muy cuidadosa. Lo lógico es que sean representativos de la lengua de la época y de todos los ejemplos que se han manejado en la redacción del artículo en cuestión. En la medida en que esta pequeña muestra que es el artículo lexicográfico sea representativa, las investigaciones y estudios basados en estos materiales podrán ser acertados.

La inclusión de documentación textual en los diccionarios diacrónicos ilustra de forma muy clara la relación entre la lingüística histórica, en este caso la lexicografía histórica, y la filología en su vertiente ecdótica. Dentro de esta relación se plantean algunos problemas importantes para la lexicografía histórica. Entre ellos, sólo citaré algunos:

(a) Problemas de edición. Un diccionario histórico-etimológico debe basarse en fuentes documentales que estén lo más próximas posible al texto original. Este es un aspecto que ha prevalecido en el proceso de elaboración del *DOSL*.[31]

(b) Problemas de datación, procedencia, autoría y transmisión textual de los textos antiguos. Los diccionarios históricos y etimológicos suelen incluir casi siempre junto a la mención de los textos la fecha de elaboración de la obra, pero ésta en múltiples ocasiones es sólo una fecha aproximada bajo la que se encierran algunos problemas de datación importantes, como ejemplos se podrían citar obras como el *Cancionero de Baena* o el *Amadís*; o transmisiones textuales tan complejas como las del *Conde Lucanor*, el *Libro de Alexandre, Libro de buen amor*; o simples diferencias entre fecha de composición y fecha de la copia, por lo que se puede poner "en cuestión la validez cronológica de las formas recogidas", tal como ha advertido M. Torreblanca (1988:143).

(c) Problemas interpretativos que plantean los textos y que trascienden también a los diccionarios diacrónicos en forma de hápax; estas palabras, en ocasiones, se deben a simples errores de copia o edición; en otras ocasiones, se trata de "testimonios aislados", según G. Colón, a la espera de una confirmación de su verdadera existencia (cfr. Colón, 1969, 1979, 1987). El hecho de que estas voces estén en un diccionario puede facilitar su futura comparación con el descubrimiento de un texto en el que haya una palabra parecida o que pueda aclarar la identidad de ésta.

31. Sobre esta cuestión vid. Kasten (1978), Mackenzie (1981), Burrus (1986), Mackenzie (1986), Nitti (1993).

Un ejemplo de este tipo se halla en *maciento (?)* del que se señala que es un "adjetivo de existencia incierta" y del que sólo se conoce una documentación (1566, Arbolanche). En el caso de *paseana,* introducido en el *DCECH* como lema (*PASEANA), se señala que es "errata de la Acad., por PASCANA 'etapa o parada en un viaje', 'posada, tambo, mesón'".

La primera documentación como argumento etimológico

La importancia de la exactitud de la primera documentación de un término toma relevancia en muchos casos a la hora de establecer una hipótesis etimológica (cfr. Pottier, 1958; Colón, 1989: 135-7). Ya R. Menéndez Pidal (1953/1961: 118) establecía este vínculo al señalar que:

> "Va esencialmente unido el estudio de la etimología a la fecha en que aparece la palabra en el idioma; y por no atender a la fijación de esa fecha se cometen frecuentes errores en las investigaciones etimológicas".

Por ejemplo, una hipótesis etimológica de préstamo para una palabra se puede basar en la comparación de la primera documentación en la lengua de la que se toma el préstamo y la lengua que adopta el préstamo. Eso es lo que ocurre con algunos de los primeros italianismos que penetran según Corominas y Pascual por vía del catalán como *lustre* y *corso*:[32]

> "*Lustrar* aparece una vez en Góngora, y lo menciona rápidamente y sin ejs. Covarr., aunque al hacerlo junto a *ilustrar* no nos convence de que para él fuese palabra usual; falta en los lexicógrafos de la época y todavía *Aut.* se limita a citar a Covarr. agregando que era palabra «de poco uso»; luego en castellano hemos de considerarlo derivado de *lustre,* o a lo sumo latinismo o italianismo de introducción posterior [... ...] En los romances vecinos, portugués, catalán, francés, *lustre* y *lustrar* con sus variantes fonéticas son también voces de escaso arraigo o de introducción tardía. Sólo en italiano son ya muy antiguas: *lustrare* ya se halla en Boccaccio y en el Vasari (1.ª mitad del s. XVI), *lustro* se registra desde Dante. Característico del origen italiano es el hecho de que Nebr. lo considere término de pintura [... ...]; si no, hubo de pasar a través del fr. *lustre,* que es también italianismo tardío [1489]" (*DCECH,* s. v. LUSTRE).
>
> "*Corso* [... ...] del it. *corso* o del b. lat. *cursus* íd., quizá por conducto del cat. *cors* (donde ya se halla en el s. XIII, Consulado de Mar, cap. 231)" (*DCECH,* s. v. CORRER).

Del mismo modo se encuentra este tipo de argumentación en otros préstamos:

> "Esta fecha de introducción tan tardía, y la acentuación bárbara *reptil* que ha predominado, revelan que debió de tomarse del francés, donde ya era usual a princ. s. XVII" (*DCECH,* s. v. REPTIL).

32. Cfr. L. del Barrio y M. Prat (1995).

Hacia una explotación de la base de datos documental del *DCECH*

El mismo Zamboni (1976/1988: 257) se ha referido a la necesidad de actualización de los diccionarios etimológicos en dos sentidos distintos: por un lado, la inclusión de nuevas etimologías; por otro lado,

> "El perfeccionamiento de un diccionario etimológico, además de la aportación cuantitativa que de hecho existe todavía, no consiste, por tanto, en la simple adición al *corpus* ya conocido de alguna propuesta nueva, sino en la estrecha conexión entre los resultados que se quieren conseguir y las técnicas que se utilizan para ello: en otras palabras, se trata de un problema de método, y la diferencia entre los viejos diccionarios (y más aún entre estos últimos y algunos que están en proyecto) es metodológica".

Este tipo de revisión es la que se quiere conseguir con nuestro proyecto. Dentro de la esfera documental, una vez obtenido el trasvase de la información a las bases de datos será muy fácil iniciar un proceso de revisión y ampliación de este tipo de información.

La revisión podrá ser de dos tipos:

— Una homogeneización completa de la documentación contenida en el Diccionario de manera que de forma casi automática se podrán unificar las formas de citar una misma obra o un mismo autor (e. g. JRuiz, *LBA*, *Libro de Buen Amor*). Este será un proceso semiautomático porque la misma estructura de la base de datos permitirá llevar a cabo fácilmente este tipo de verificación.

— Una revisión de distintos aspectos de la documentación utilizada como base del Diccionario actual, por ejemplo:

a) Se podría introducir una separación constante para cada fuente citada entre la fecha de copia y fecha de composición.

b) Se podría cambiar la fecha que acompaña a un texto. Ello puede resultar adecuado para algunas obras literarias, aunque no tiene porque ser exclusivo de ellas.

c) Se podría introducir una división de la información documental existente de manera que, por ejemplo, se pueda separar por períodos de acuerdo con cuestiones como las discutidas en el epígrafe "Primera documentación y textos anteriores al siglo XIII".

Las búsquedas en la base de datos documental dan una idea muy detallada del corpus de textos utilizado en la elaboración del *DCECH*. A partir de ahí podremos iniciar una etapa de ampliación de estos datos. Estamos pensando en dos tipos diferentes de ampliación:

— Actualización de los datos, en este caso, con la integración de las adiciones de carácter cronológico publicadas con posterioridad al *DCECH*.[33]

— Ampliación de los datos documentales con la inclusión de nuevas obras que llenen períodos en los que la documentación manejada deje vacíos.

Uno de nuestros objetivos futuros es la creación de un corpus documental complementario al *DCECH* actual que intentará ser representativo desde dos ejes distintos: el cronológico y el temático, con obras de todas las épocas y de todos

33. Una propuesta semejante se encuentra ya en Colón (1994): 603.

los temas (literarios, no literarios). Este corpus documental complementario será desarrollado íntegramente con herramientas informáticas, por tanto será un corpus informatizado elaborado a partir de una biblioteca de textos informatizados que por medio de una base de datos léxica se conectará a las bases de datos del proyecto de informatización del *DCECH*. Con todos estos instrumentos la base documental del *DCECH* se verá ampliada y completada, algo especialmente importante si pensamos en la notable cantidad de palabras de las que no se facilita ninguna información de este tipo; la gestión de los datos, por el mismo medio en el que se encuentran, será muy sencilla; los medios de explotación de estos datos serán muy amplios y la posibilidad de reestructuración, reutilización y revisión será constante.

Todo ello en última instancia revertirá en la misma historia de la palabra, por cuanto la información documental se constituye en el esqueleto de esta historia.

Referencias bibliográficas

ACADEMIA ESPAÑOLA (1960-), *Diccionario histórico de la lengua española,* Madrid.

AHUMADA, I. (1995), "En los orígenes del *Diccionario de construcción y régimen* de R. J. Cuervo", *International Journal of Lexicography,* 8, 3, pp. 220-232.

ALINEI, M. (1991), "The Problem of Dating in Historical Linguistics", *Folia Linguistica Historica,* XII, 1-2, pp. 107-125.

ALONSO, M. (1986), *Diccionario medieval español. Desde las Glosas Emilianenses y Silenses (s. x) hasta el siglo xv,* 2 vols., Salamanca: Universidad Pontificia de Salamanca.

ALVAR EZQUERRA, M. (1976), *Proyecto de lexicografía española,* Barcelona: Planeta; especialmente "El tesoro de la lengua española", pp. 27-151.

AVALLE, D'A. S. (1979), *Al servizio del vocabulario della lingua italiana,* Firenze: Accademia della Crusca.

BARRIO, L. DEL, PRAT, M. (1995), "Problemas en la informatización del *DCECH*", *Atti del XXI Congresso Internazionale di Linguistica e Filologia Romanza,* Tübingen: Max Niemeyer Verlag, 1998, vol. III: pp. 43-56.

BILLICK, F. J., DWORKIN, S. N. (1987), *Lexical Studies of Medieval Spanish Texts. A Bibliography of Concordances, Glossaries, Vocabularies and Selected Word Studies,* Madison: The Hispanic Seminary of Medieval Studies.

BURRUS, V. A. (1986), *A Procedural Manual for Entry Establishment in the "Dictionary of Medieval Spanish",* Madison: The Hispanic Seminary of Medieval Studies.

BUSTOS TOVAR, J. J. DE (1974) *Contribución al estudio del cultismo léxico medieval,* Madrid: Anejo XXVIII del BRAE.

CASARES, J. (1948/1969), "Ante el proyecto de un diccionario histórico", *BRAE* XXVIII, 1948, pp. 7-25, 177-224. Extracto de un informe presentado a la Academia, en la Junta del 15 de enero de 1948. Repr. en *Introducción a la lexicografía moderna,* prólogo de W. von Wartburg, Madrid: CSIC (RFE, Anejo LII), 1969, pp. 245-310.

CLAVERÍA, G. (1991), *El latinismo en español,* Bellaterra: Universitat Autònoma de Barcelona.

CLAVERÍA, G. (1993), "La información lexicográfica en el *Diccionario crítico etimológico castellano e hispánico (DCECH)* de J. Corominas y J. A. Pascual", *Actes du XXe Congrès International de Linguistique et Philologie Romanes,* editadas por G. Hilty; Tübingen und Basel: A. Francke Verlag, 1993, tome IV: pp. 591-604.

CLAVERÍA, G. (1995), "El cambio de *o* a *u* en *abundar* y derivados", *Moenia,* I, pp. 367-382.

CLAVERÍA, G., SÁNCHEZ LANCIS, C. (1997), "La aplicación de las bases de datos al estudio histórico del español", *Hispania*, 80, pp. 142-152.

CLAVERÍA, G., SÁNCHEZ LANCIS, C., TORRUELLA, J. (1996), "Sobre la informatización del *DCECH*", *Actas del III Congreso Internacional de Historia de la Lengua Española,* editadas por A. Alonso González, L. Castro Ramos, B. Gutiérrez Rodilla y J. A. Pascual, Madrid: Arco Libros, vol. II, pp. 1631-1643.

CLAVERÍA, G., SÁNCHEZ LANCIS, C., TORRUELLA, J. (1997), "La conversión del *DCECH* a un sistema hipertextual", *La Corónica,* 26.1, pp. 25-44.

COLÓN, G. (1969), "Valor del testimonio aislado en lexicología", *Travaux de Linguistique et Littérature,* VII, 1, pp. 161-168.

COLÓN, G. (1979), "Les perspectives d'un hàpax: els "murtats" de Muntaner", *Miscel.lània Aramon i Serra (Estudis Universitaris Catalans,* vol. XXIII), Barcelona, vol. I, pp. 151-159 [reeditado en *Problemes de la llengua a València i als seus voltants,* València: Universitat de València, pp. 25-36].

COLÓN, G. (1981), "Elogio y glosa del Diccionario etimológico hispánico", *Revue de Linguistique Romane,* 45, pp. 131-145.

COLÓN, G. (1987), "Els "murtats", encara", *Problemes de la llengua a València i als seus voltants,* València: Universitat de València, pp. 37-42.

COLÓN, G. (1989), "*Jamón* y *Pernil*", en *El español y el catalán juntos y en contraste,* Barcelona: Ariel, pp. 135-349.

COLÓN, G. (1994), "Sobre los estudios de etimología española", *Actas del Congreso de la lengua española (Sevilla 7-10 de octubre de 1992),* Madrid: Instituto Cervantes, pp. 597-610.

COROMINAS, J. (1973), *Breve diccionario etimológico de la lengua castellana,* Madrid: Gredos.

COROMINAS, J. (1954-1957), *Diccionario crítico etimológico de la lengua castellana,* 4 vols., Madrid-Francke: Gredos.

COROMINAS, J., PASCUAL, J. A. (1980-1991), *Diccionario crítico-etimológico castellano e hispánico,* 6 vols., Madrid: Gredos.

CUERVO, R. J. (1886-1994), *Diccionario de construcción y régimen de la lengua castellana,* 2 vols., París: A. Roger et Chernoviz; tomo primero: *A-B,* 1886; tomo segundo: *C-D,* 1893. Nueva edición por el Instituto Caro y Cuervo, Bogotá. 1953. Tomo tercero: *E,* Instituto Caro y Cuervo, Bogotá, 1987. Continuado y editado por el Instituto Caro y Cuervo, 8 vols., Bogotá, 1994.

DCECH: vid. Corominas y Pascual.

DCELC: vid. Corominas.

DCR: vid. Cuervo.

DEM: vid. Muller.

DETEMA: Diccionario español de textos médicos antiguos (1996), bajo la dirección de Mª T. Herrera, 2 vols., Madrid: Arco/Libros.

DHLE: vid. Academia Española.

DWORKIN, S. (1994), "Progress in Medieval Spanish Lexicography", *Romance Philology,* XLVII, 4, pp. 406-425.

EBERENZ, R. (1991), "Castellano antiguo y español moderno: reflexiones sobre la periodización en la historia de la lengua", *Revista de Filología Española,* LXXI, pp. 79-106.

EXTREMERA, N., SABIO, J. A. (1989), "Algunos cultismos léxicos documentados por primera vez en lengua española en las traducciones de *Os Lusíadas* del siglo XVI", *Actas del VI Simposio de la Sociedad Española de Literatura General y Comparada,* Granada, pp. 309-312.

EXTREMERA, N., SABIO, J. A. (1993), "Algunas apostillas al *DCECH* a partir de las tres traducciones a l español de *Os Lusíadas* en el siglo XVI", *Antiqua et nova Romania.*

Estudios lingüísticos y filológicos en honor de José Mondejar en su sexagésimoquinto aniversario, 2 vols., Granada: Univ. de Granada, vol. I, pp. 267-272.

GARCÍA DE DIEGO, V. (1954/1985), *Diccionario etimológico español e hispánico,* considerablemente aumentado con materiales inéditos del autor a cargo de C. García de Diego, Madrid: Espasa-Calpe; citado por la segunda edición (1985).

GARCÍA MACHO, Mª L. (1984), "Anotaciones a *DCECH* de J. Corominas", *Anuario de Estudios Filológicos,* VII, pp. 129-153.

— (1985), "Anotaciones a *DCECH* de J. Corominas", *Anuario de Estudios Filológicos,* VII, pp. 75-112.

— (1986), *Aportaciones al diccionario crítico etimológico castellano e hispánico de Joan Corominas-José A. Pascual,* Louvain-La-Neuve: Consejo Europeo de Publicaciones Lingüísticas

GILI GAYA, S. (1947), *Tesoro lexicográfico, 1492-1726,* 4 fascículos: *A-E,* Madrid: CSIC.

GLESSGEN, M. (1993), "Qu'est ce qu'une attestation charnière? Quelques considérations sur le traitement du vocabulaire scientifique médiéval dans les dictionnaires étymologiques italiens", *Actes du XXe Congrès International de Linguistique et Philologie Romanes,* editadas por G. Hilty, Tübingen und Basel: A. Francke Verlag, tome IV, pp. 419-431.

GONZÁLEZ CUENCA, J. (1983), *Las etimologías de San Isidoro romanceadas,* 2 vols., Salamanca: Univ. de Salamanca.

GOROG, R. DE, GOROG, L. S. DE (1978), *Concordancias del "Arcipreste de Talavera",* Madrid: Gredos.

HAENSCH, G., WOLF, L., ETTINGER, S., WERNER, R. (1982), *La lexicografía. De la lingüística teórica a la lexicografía práctica,* Madrid: Gredos, 1982; especialmente capítulo 3: Günter Haensch, "Tipología de las obras lexicográficas", pp. 95-187.

HAENSCH, G. (1997), *Los diccionarios del español en el umbral del siglo XXI,* Salamanca: Ediciones de la Universidad de Salamanca.

HERRERO INGELMO, J. L. (1994-1995), "Cultismos renacentistas (cultismos léxicos y semánticos en la poesía del siglo XVI)", *Boletín de la Real Academia Española,* LXXIV, pp. 13-192, 237-402, 523-610; LXXV, 173-223, 293-393.

HILL, J. M. (1957), *"Universal vocabulario" de Alfonso de Palencia. Registro de voces españolas internas,* Madrid: RAE.

KASTEN, Ll. (1978), "Dictionaries of Old Spanish. Status and Plans", *La Corónica* VI, pp. 71-78.

KASTEN, Ll., NITTI, J., JONXIS-HENKEMANS, W. (1997), *The Electronic Texts and Concordances of the Prose of Alfonso X, El Sabio,* en formato CD-ROM, Madison: The Hispanic Seminary of Medieval Studies.

— (1997), *Concordances and Texts of the fourteenth-century aragonese manuscripts of Juan Fernández de Heredia,* en formato CD-ROM, Madison: The Hispanic Seminary of Medieval Studies.

LARA, L. F. (1996), *Diccionario del español usual en México,* México: El Colegio de México.

LORENZO, R. (1988), *Coloquio de lexicografía 27 e 28 de febreiro e 1º de marzo de 1986,* Santiago de Compostela: Universidade de Santiago de Compostela-Consellería de Cultura.

MACKENZIE, D. (1981), "El Diccionario del Español Antiguo de Madison", en CATTARSI, M. N., TATTI, D., SABA, A., SASSI, M. (eds.), *Ordenadores y lengua española,* Pisa: Giardini Editori e Stampatori, pp. 63-68. Versión portuguesa en R. LORENZO (1988), *Coloquio de lexicografía,* pp. 229-234.

— (1986) *A Manual of Manuscript Transcription for the Dictionary of the Old Spanish Language,* 4[rth] edition revised by V. A. Burrus, Madison: Hispanic Seminary of Medieval Studies.

MACRÍ, O. (1956), "Alcune aggiunte al Dizionario di Joan Corominas", *Romanische Forschungen*, XL, pp. 127-170.

MACRÍ, O. (1962), "Nuevas adiciones al diccionario de J. Corominas con apéndice sobre neologismos en Juan Ramón", *Boletín de la Biblioteca Menéndez y Pelayo*, XXXVIII, pp. 231-384.

MALKIEL, Y. (1959), "Distinctive Features in Lexicography: A Typological Approach to Dictionaries Exemplified with Spanish", *Romance Philology*, 12, 3, pp. 266-299; 13, 2, pp. 111-155.

MARCOS MARÍN, F. (1979), *Reforma y modernización del español*, Madrid: Cátedra.

— (1984), "Etimología y crítica. Observaciones al DECH", *Revista del Instituto Egipcio de Estudios Islámicos en Madrid*, 22, pp. 43-59.

MARTÍNEZ ALCALDE, Mª J., QUILIS MERÍN, M. (1996), "Nuevas observaciones sobre periodización en la historia de la lengua española", *Actas del III Congreso Internacional de Historia de la Lengua Española*, Madrid: Arco/Libros, vol. I: pp. 873-886.

MARTÍNEZ RUIZ, J. (1983), "Adiciones al DCELC de J. Corominas", en *Scritti linguistici in onore di Giovan Battista Pellegrini*, ed. Paola Benincà et al., 2 vols., Pisa: Pacini, vol. 2: pp. 769-809.

MEIER, H. (1984), *Notas críticas al DECH de Corominas/Pascual*, Santiago de Compostela: Universidad de Santiago de Compostela.

— (1987), "Nuevas anotaciones al Diccionario Etimológico de Corominas/Pascual", *Verba*, 14, pp. 5-74.

MENÉNDEZ PIDAL, R. (1944-1946), *Cantar de Mio Çid. Texto, gramática y vocabulario*, 3 vols., Madrid: Espasa-Calpe.

— (1953/1961), "El diccionario ideal", en *Estudios de lingüística*, Madrid: Espasa-Calpe (Austral 1312), pp. 95-147 [publicado como prólogo al *Diccionario general* de S. Gili Gaya (1953)].

MERKIN, R. (1983), "The historical/academic dictionary", en R.R.K. Hartmann (ed.), *Lexicography: Principles and Practice*, London: Academic Press, pp. 123-133.

MESSNER, D. (1974a), "L'évolution du lexique castillan", *Revista Española de Lingüística*, 4, 2, pp. 481-488.

— (1974b) *Chronologische und etymologische Studien zu den iberoromanischen Sprachen und zum Französischen*, Tübingen: Tübinger Beiträge zur Linguistik.

— (1988) "El tipo del *Diccionario cronológico*", en R. LORENZO, *Coloquio de lexicografía*, pp. 235-243.

MONDÉJAR, J. (1985), "Sobre unas *notas críticas* al diccionario crítico etimológico castellano e hispánico", *Romanische Forschungen*, 97, pp. 412-417.

MORREALE, M. (1961), "Algunas adiciones al *Diccionario crítico* de J. Corominas derivadas de las antiguas biblias", *Revista Portuguesa de Filología*, XI, pp. 119-122.

— (1962) ,"Algunas adiciones al *DCELC* derivadas de la versión bíblica del MS escurialense I-J-6", *BRAE*, XLII, pp. 245-253.

— (1970), "Más apostillas en los márgenes del *DCELC* de J. Corominas", *Revista Filología Española*, LIII, pp. 137-154.

— (1973), "Otra serie de apostillas en los márgenes del *DCELC* de J. Corominas sacadas del ms. esc. 1.1.6.", *Revista Filología Española*, LVI, pp. 103-108.

MÜLLER, B. (1987), *Diccionario del español medieval*, Heidelberg: Carl Winter Universitätsverlag-Heidelberger Akademie der Wissenschaften.

MYERS, O.T. (1966), "Lexical Notes on Encina: Some Revisions for Recent Additions to the *DCELC*", *Romance Notes*, 8, pp. 143-146.

NIETO JIMÉNEZ, L. (1992), "El *Nuevo tesoro lexicográfico español (1490-1726)*", *Actas del II Congreso Internacional de Historia de la lengua española*, editadas por M. Ariza,

J. Mª Mendoza, A. Narbona, 2 vols., Madrid: Pabellón de España, vol. I: pp. 1267-1275.

NITTI, J. (1993), *El taller lexicográfico de Wisconsin,* con una addenda de N. Sánchez, *Diccionario de los textos médicos antiguos españoles,* Bellaterra: UAB (Cuadernos de Filología, nº 2, Seminario de Filología e Informática).

NOUGUÉ, A. (1964, 1965, 1966), "Contribution aux recherches sur le vocabulaire hispanique I, II, III", *Bulletin Hispanique,* 66, pp. 125-161; 67, 135-151; 68, 118-136.

OELSCHLÄGER, V. R. B. (1940), *A Medieval Spanish Word-List. A Preliminary Dated Vocabulary of First Appearances up to Berceo,* Madison: The University of Wisconsin Press.

PALENCIA, A. DE (1490/1967), *Universal Vocabulario en latín y en romance, Reproducción facsimilar de la edición de Sevilla, 1490,* 2 vols., Madrid: Comisión Permanente de la Asociación de Academias de la Lengua Española, 1967.

PASCUAL, J. A. (1974), *La traducción de la "Divina Commedia" atribuida a D. Enrique de Aragón. Estudio y edición de "Infierno",* Salamanca: Universidad de Salamanca, 1974.

— (1988), "Notas sobre las confusiones medievales de sibilantes", *Lingüística Española Actual, X,* pp. 125-131.

— (1991), "*Çufrir* por *sufrir*", *Voces,* II, pp. 103-108.

PATTERSON, W., URRUTIBÉHEITY, H. (1975), *The Lexical Structure of Spanish,* La Haya-París: Mouton.

PICOCHE, J. (1970), "Problèmes des dictionnaires étymologiques", *Cahiers de lexicologie,* 16, 1, pp. 53-62.

PORTO DAPENA, J.-A. (1980), *Elementos de lexicografía: el "Diccionario de construcción y régimen" de R. J. Cuervo,* Bogotá: Publicaciones del Instituto Caro y Cuervo.

POTTIER, B. (1955-1961) "Recherches sur le vocabulaire hispanique I-IV", *Bulletin Hispanique* LVII-LXIII.

— (1980-1987), "Lexique médiéval hispanique", *Cahiers de Linguistique Hispanique Médiévale,* 5-12.

— (1958/1968), "La valeur de la datation des mots dans la recherche étymologique", en *Etymologica, W. v. Wartburg zum siebzigsten Geburtstag,* Tubingen; citado por "Valor de la datación de palabras en la investigación etimológica", *Lingüística moderna y filología hispánica,* Madrid: Gredos, 1968, pp. 232-238.

QUILIS, A. (1989), "Datación de palabras en español", *Philologica I. Homenaje a D. A. Llorente,* Salamanca: Universidad de Salamanca, pp. 337-344.

ROUDIL, J. (1981), "Du traitement automatique des textes espagnoles du Moyen Age à l'analyse sémantique: une voie plantée d'importants jalons", *Logos Semantikos. Studia linguistica in honorem E. Coseriu, 1921-1981,* Madrid,-Berlín-Nueva York: Gredos-De Gruyter, vol. III, pp. 247-263.

SAS, L. F. (1976), *Vocabulario del Libro de Alexandre,* Madrid: Anejo XXXIV del BRAE.

SECO, M. (1987a), "Los diccionarios históricos", en *Estudios de lexicografía española,* Madrid: Paraninfo, pp. 49-89. [Reprod. de "las palabras en el tiempo: los diccionarios históricos", Discurso de ingreso en la Real Academia Española, 23 de noviembre de 1980].

— (1987b), "Cuervo y la lexicografía histórica", *Estudios de lexicografía española,* Madrid: Paraninfo, pp. 90-94. [Reprod. de *Thesaurus, Boletín del Instituto Caro y Cuervo,* 37, 1982: 647-652].

— (1995), "El diccionario histórico de la lengua española", *International Journal of Lexicography,* 8, 3, pp. 203-219.

SMITH, C. C. (1959), "Los cultismos literarios del Renacimiento: pequeña adición al *Diccionario crítico etimológico* de J. Corominas", *Bulletin Hispanique,* 61, pp. 236-272.

STRAKA, G. (1988), "En consultant le *Diccionario Crítico Etimológico Castellano e Hispánico*", *Homenaje a A. Zamora Vicente,* Madrid: Castalia, vol. I, pp. 277-287.

TORREBLANCA, M. (1988), "La fonología histórica española, los documentos y los diccionarios medievales", *Journal of Hispanic Philology,* 12, pp. 139-149.

TOVAR, A. (1984), "Notas al margen del diccionario etimológico de Corominas", *Boletín de la Real Academia Española,* 64, pp. 129-133.

WALSH, J. K. (1974), "Notes on the Arabisms in Corominas *DCELC", Hispanic Review,* 42, pp. 323-331.

WARTBURG, W. VON (1959), "Remarques sur les mots français dans le Dictionnaire de M. Corominas*", Revue de Linguistique Romane,* XXIII, pp. 207-260.

WRIGHT, R. (1982/1989), *Late latin and Early Romance in Spain and Carolingian France,* Liverpool, 1982; citado por la versión española *Latín tardío y romance temprano en España y la Francia Carolingia,* Madrid: Gredos, 1989.

— (1991), "On Editing 'Latin' Texts Written by Romance Speakers", en R. Harris-Northall y T. D. Cravens, *Linguistic Studies in Medieval Spanish,* Madison, pp. 191-208.

ZAMBONI, A. (1976/1988), *L'etimologia,* Zanichelli, Bologna; citado por la versión española: *La etimología,* Madrid: Gredos, 1988, capítulo 7: "Aplicaciones: los diccionarios etimológicos", pp. 256-273.

TERMINOLOGÍA Y TRADUCCIÓN

Si el estudio de una lengua en particular conlleva la interrelación de elementos lingüísticos de diversa naturaleza (morfosintácticos, léxicos y semánticos), la traducción, al poner en juego dos lenguas distintas, implica por parte del traductor el conocimiento muy preciso de sistemas lingüísticos que pueden llegar a ser muy diferentes desde el punto de vista no sólo gramatical sino también pragmático. La informática proporciona en la actualidad una serie de herramientas que pueden facilitar esta labor e incluso, aunque por el momento no sea del todo posible, llegar a sustituir su función dentro de la denominada traducción automática.

En los artículos de este apartado, M. Teresa Cabré Castellví presenta la relación establecida entre la informática y la terminología, mediante la incorporación de aquélla a la confección y manejo de macrobancos "inteligentes" de datos terminológicos, cuyo proceso de automatización facilita enormemente el trabajo de los terminólogos en la búsqueda de palabras o expresiones equivalentes.

El trabajo de Juan C. Sager plantea los problemas que conlleva la interpretación de variantes terminológicas, en las que el análisis automático puede ser de gran valor a la hora de tratar adecuadamente los denominados equivalentes terminológicos de traducción.

Finalmente, el estudio de Ignacio Moreno-Torres explica pormenorizadamente las diferentes aportaciones que realiza la informática a la difícil tarea de la traducción, como un simple instrumento complementario para el traductor o como un sistema de traducción automática que es capaz de emular al traductor y producir textos correctos.

M. TERESA CABRÉ CASTELLVÍ
Universitat Pompeu Fabra

Informática y terminología

Es un hecho ampliamente reconocido que las relaciones entre la lingüística y la informática han progresado espectacularmente a lo largo de los últimos años, y que estas relaciones han dado lugar a aplicaciones cada vez más complejas y diversificadas. En ese despliegue pueden distinguirse diversas etapas teniendo en cuenta el grado de complejidad de las aplicaciones que se han llevado a cabo:

1. En un primer nivel se situan las aplicaciones que se limitan a utilizar los datos lingüísticos como meras formas, sin someterlos a manipulación alguna. En este nivel tenemos los procesadores de textos, los sistemas de autoedición, el correo electrónico, los programas de impresión, etc.
2. En un segundo nivel, encontramos los sistemas automatizados aplicados a la información y a las lenguas: sistemas de gestión de bases de datos, diccionarios automatizados, programas de redacción, traducción, corrección o enseñanza asistida.
3. En un tercer nivel se situarían los sistemas automáticos que manipulan los datos lingüísticos, ya sea con la finalidad de analizarlos, ya sea para reconvertirlos en datos de características distintas: analizadores, verificadores, lematizadores, clasificadores, programas de tratamiento estadístico, etc.
4. Finalmente, en un último nivel estarían los llamados sistemas expertos, también denominados "inteligentes", que se proponen suplantar la intervención humana: sistemas de reconocimiento y extracción de unidades lingüísticas, programas de traducción automática, sistemas de autoaprendizaje, indizadores automáticos, generadores de texto, etc.

1. Lingüística computacional, ingeniería lingüística e industrias de la lengua

El complejo conjunto de actividades de investigación y desarrollo descrito en el punto anterior, que incluye desde los fundamentos hasta las aplicaciones, ha configurado un nuevo campo científico-técnico de intersección entre la informática y la lingüística que ha recibido por parte de los expertos denominaciones diversas sobre la base de la perspectiva desde la que se ha contemplado: para unos (básicamente, lingüistas) es el campo de la llamada lingüística computacional; para los lingüistas más aplicados es ingeniería lingüística; y aun los hay que utilizan la expresión industrias de la lengua. Las diferencias entre las diferentes denominaciones parecen claras.

En efecto, para los primeros, la lingüística computacional es en el fondo una alternativa a la lingüística clásica. Así, partiendo del supuesto que la lingüística se propone dar cuenta de la descripción del lenguaje y para ello se sirve de modelos teóricos presumiblemente adecuados al razonamiento humano, la lingüística computacional, basándose en la idea que el sistema informático debe poder simular el razonamiento humano, selecciona (o propone) modelos aptos para ser tratados por los sistemas informáticos, de forma que al final el ordenador posea los conocimientos lingüísticos suficientes que le permitan funcionar como si fuera una persona humana. Pero los resultados de la investigación lingüística a partir de los modelos que las ciencias del lenguaje proporcionaban no podían ser directamente utilizables por parte de los ordenadores. Y por ello, la lingüística computacional ha debido cambiar de modelos y producir formalismos más adecuados al ordenador, con lo que ha creado una separación entre los modelos formales que sigue la teoría lingüística actual (por una parte los paradigmas transformacionales; por otra los modelos de base sociofuncional) y los que sigue la lingüística computacional (fundamentalmente modelos secuenciales). Así, la lingüística computacional intenta ser una vía paralela completa a la lingüística clásica, seleccionando unos modelos teóricos aptos para ser tratados computacionalmente, y aplicando dicha investigación fundamental a la creación de prototipos que, a la larga, realicen las mismas actividades lingüísticas que los seres humanos.

Paralelamente al enfoque teórico que acabamos de describir, y de la misma manera que dentro de una concepción global de la lingüística se distingue entre la teoría lingüística (los modelos a partir de los que se trata el lenguaje), y su vertiente aplicada (el conjunto de investigaciones que, partiendo de los modelos descritos, permiten la resolución de cuestiones lingüísticas relacionadas con la información y la comunicación), la lingüística computacional ha desarrollado una vertiente aplicada, de carácter básicamente técnico, denominada por una gran mayoría de especialistas, aunque no exenta de polémica, ingeniería lingüística.

Finalmente, las investigaciones aplicadas de la ingeniería lingüística vistas desde la perspectiva de su posible desarrollo industrial constituyen el campo de lo que hoy en día se conoce como las industrias de la lengua.

La expresión relativamente reciente de industrias de la lengua[1] es una denominación político-comercial que sirve para designar un vasto campo de actividad industrial que trata informáticamente los datos lingüísticos como elemento constitutivo de un producto cuya finalidad no es lingüística. En este campo de actividad de límites todavía imprecisos, se conciben, fabrican y

1. El término "industrias de la lengua" nace en 1986 una reunión de tipo político: la primera cumbre de jefes de estado de países francófonos; y con una finalidad precisa: "asegurar que en el campo de la cultura y de la comunicación, los países de lengua francesa puedan beneficiarse de las tecnologías de punta actualmente en acelerado proceso de desarrollo, con vistas a ofrecer a las jóvenes generaciones un lugar de primera fila en el mundo moderno" (Documento preparatorio de la cumbre de París de 1985: 1985: 2). La noción de industrias de la lengua se va delimitando, ampliando, perfilando y materializando en las siguientes cumbre de países de la llamada francofonía (París: febrero de 1986; Tours: febrero 1987; Quebec: setiembre 1987; Dakar: mayo 1989).

comercializan ingenios y programas informáticos capaces de manipular, interpretar, generar, comprender y tratar el lenguaje humano, tanto en su forma oral como escrita, fundamentándose en los trabajos de investigación de las ciencias relacionadas con la información y las lenguas (la informática, la lingüística, las ciencias cognitivas, la documentación).

En un sentido amplio, consideramos que forman parte de las industrias del lenguaje todos los productos, técnicas, servicios o actividades que requieren un tratamiento automático del lenguaje natural. En este sentido, comprenden sistemas capaces de llevar a cabo alguna de las funciones siguientes:

—recibir, almacenar y tratar información para facilitar su selección y consulta

—proporcionar una descripción de la lengua escrita o hablada en forma de señales digitales, inteligibles para un ordenador, de manera que éste pueda reconocer e interpretar enunciados en lenguaje natural o generar mensajes de síntesis

—perfeccionar, estandarizar y automatizar los procesos cognitivos y lingüísticos del tratamiento de la información, desde el punto de vista del sentido y de la significación.

La aparición y desarrollo de las llamadas industrias de la lengua tiene como objetivo primordial el de superar un reto múltiple: a) un reto económico (concurrencia en el mercado de la edición, de la traducción, de los bancos de datos, de los programas de diálogo persona-máquina, etc.); b) un reto cultural (supervivencia de las lenguas como lenguas vehiculares aptas para todo tipo de comunicación y tratamiento); c) y, finalmente, un reto político (adaptación por parte de los diferentes países a la modernidad, inserción en el multilingüismo, articulación en proyectos internacionales).

Que estos retos son los objetivos que se pretende conseguir queda explícito en el texto del informe de síntesis de la Segunda Cumbre de Jefes de Estado y de Gobierno de los países francófonos celebrada en Quebec (1987):

> "Le programme des industries de la langue est surtout orienté vers la défense et le développement de la langue française. La langue française doit s'inscrire rapidement dans le mouvement actuel d'industrialisation des langues; autrement, elle deviendra de moins en mois apte au développement de la recherche et de la production dans les secteurs de pointe et, à long terme, se marginalisera par rapport aux autres grandes langues de communication internationale dans ces champs d'activité essenciels à l'avenir de la francophonie". (Rapport de syntèse, 1987: 173)

2. Terminología e informática: los bancos de datos

En el ámbito complejo de relaciones entre la lingüística y la informática se sitúa la interrelación de la ciencia de la computación con la terminología. Y, en los trabajos propios de este campo específico, que algunos denominan terminótica, cabe distinguir tres grandes etapas, las dos últimas no necesariamente consecutivas, que siguen al pie de la letra las etapas sucesivas de desarrollo de la informática aplicada a las lenguas.

La primera etapa está inexorablemente marcada por la presencia de los macrobancos de datos terminológicos, constituidos por los organismos administrativos de países determinados, por instituciones internacionales o por grandes empresas de carácter transnacional. En la segunda etapa aparecen las primeras incursiones en el ámbito de la automatización de actividades propias del trabajo terminográfico, favorecidas tanto por el desarrollo y difusión de la microinformática, como por el avance de las investigaciones en terminología descriptiva. En la tercera, se produce la entrada de la terminología en el campo propiamente dicho de la representación del conocimiento especializado, de base más abstracta que los trabajos de la etapa anterior.

> "Pas de terminologie sans informatique. L'outil informatique est devenu un levier indispensable de l'activité terminologique. Cette affirmation résonne comme un truisme éculé aux oreilles des uns, comme un mission prioritaire, un objectif à atteindre à court terme pour les autres" (Otman, 1989).

Pero un enfoque global de las relaciones entre informática y terminología sería parcial si no abarcara estas conexiones en una dirección doble. Por un lado, analizando las aportaciones de la informática a la terminología, fundamentalmente a sus actividades aplicadas. Por otro, subrayando la asistencia de la terminología al desarrollo de la informática lingüística, por cuanto los términos constituyen una de las piezas esenciales de modelización del conocimiento especializado.

En la relación entre ambas disciplinas enfocada desde las aportaciones que la informática ha hecho a la terminología, cabe todavía establecer dos períodos consecutivos en los que se desarrollan útiles informáticos que tratan de simplificar el trabajo propio del profesional de la terminología: en el primero, se trabaja básicamente en la simplificación con la finalidad de facilitar un acceso rápido y diversificado a los datos necesarios para el trabajo de recopilación, tratamiento y edición de los términos de especialidad; en el segundo, entramos ya en investigaciones que simplifican la labor del terminólogo sobre la base de ser asistido en su trabajo, y progresivamente suplantado, por el ordenador. Esta segunda etapa abre el difícil y arduo camino hacia la inteligencia artificial con la construcción de sistemas expertos.

Dos parecen ser los elementos que mejor describen la llamada sociedad contemporánea: la información y el desarrollo. En este supuesto, parece lógico deducir que la materialización de ambos conceptos ha conducido de manera inexorable a la necesidad de disponer de grandes masas de información sobre todos los campos del saber científico-técnico y de la actividad especializada y de mantener esa información permanentemente actualizada en un mundo en evolución constante.

Paralelamente, la globalización cultural y comercial ha favorecido el desarrollo de recursos técnicos que facilitan la comunicación interlingüística a una masa cada vez mayor de profesionales relacionados con la información y la comunicación: los llamados mediadores comunicativos (traductores, redactores técnicos, especialistas en comunicación; profesores de lenguajes de especialidad, terminólogos, lexicógrafos, intérpretes, documentalistas, gestores de información, periodistas técnicos, etc.). Ha sido pues el valor que la sociedad ha concedido a la información juntamente con la presencia de colectivos profesionales que requieren acceder a ella, los factores que explican el gran desarrollo de los bancos de datos de todo tipo, lingüísticos, visuales, documentales, factuales.

Sin embargo, la concepción de los bancos de datos lingüísticos ha ido cambiando con el tiempo, ya sea por la profunda evolución que ha seguido la tecnología informática (macro y microinformática), como por los avances que se han producido en la concepción de sistemas y programas, como por la evolución de la propia sociedad hacia una democratización del uso de los ordenadores y una especialización espectacular en todos los campos.

El conjunto de todos esos factores ha hecho variar las posibilidades y la concepción de los primeros bancos de datos que se crearon.

En su primera etapa, los bancos terminológicos se concibieron como grandes depósitos de información consultable. El factor prioritario de evaluación era la cantidad de términos que contenían, el número de ámbitos temáticos que cubrían y la cantidad de información que incluían sobre cada término.

De esta primera etapa ya obsoleta, se pasó a una segunda etapa, ya en vías de superación, en la que se priorizó la calidad de los datos, la selección de la información sobre los términos en función de los usuarios potenciales, la especialización de los datos y el nivel de actualidad y novedad de los mismos.

Actualmente, los bancos de datos terminológicos parecen reducidos a necesidades muy específicas. Hemos pasado en pocos años de una concepción inicial de instrumentos para ser consultados, de carácter obviamente pasivo, a bancos "inteligentes" que puedan descifrar adecuada y selectivamente las necesidades de información, tanto en lo que se refiere a la selección de datos, como a la de las informaciones que les acompañen, de una clientela cada vez más diversificada, informada y exigente.

Paralelamente a los aspectos de la información, la estructura organizativa de los bancos de datos también sufre cambios. Ciertamente, de una concepción de banco aislado, único en su categoría, se va pasando progresivamente a una organización múltiple en red de bancos integrados de acceso simultáneo, con posibilidades de acceder a ellos desde un puesto de trabajo automatizado.

En el panorama de la relación entre la terminología y los bancos de datos, presentaremos dos apartados de índole distinta teniendo en cuenta la especificidad de esa relación: en primer lugar, los bancos de datos terminológicos, de importancia capital para el desarrollo de la terminología destinada a la normalización y a la traducción; en segundo lugar, los bancos de datos de interés terminológico, que han sido el motor que ha hecho progresar la terminología como disciplina y como actividad.

2.1. Bancos de datos terminológicos

Los bancos de términos, que fueron concebidos inicialmente como meros instrumentos al servicio de la traducción, han pasado a ser uno de los pilares de la normalización de las lenguas de especialidad, actuando como elementos de referencia tanto para la estandarización como para la normativización de las lenguas de especialidad.

La posibilidad de almacenar grandes cantidades de términos con sus respectivas informaciones, de mantener la información actualizada de forma más sencilla y con menor coste que a través de las publicaciones tradicionales, y la posibilidad de difundir la información a gran escala utilizando sistemas más actuales, han convertido a los bancos terminológicos en herramientas imprescindibles para los profesionales del lenguaje en general y para los especialistas de las áreas en particular.

La noción misma de banco terminológico, su organización y utilidad han ido cambiando gradualmente con el paso de los años. Los primeros bancos de datos terminológicos sistemáticos de comienzos de la década de los setenta se crearon cuando la evolución de la informática sólo permitía concebir un sistema de almacenamiento estructurado de la información. De la cuestión inicialmente más problemática, que se centraba en la capacidad de los ordenadores para contener información, se pasa en una segunda etapa a otra cuestión central: la recuperación de la información, tanto en el sentido del tiempo que requiere una consulta, como de los modos de consulta. Y en esa fase se produce otro cambio también importante: de los sistemas de gestión de los datos documentales, adaptados para tratar la terminología, se pasa a la concepción de sistemas específicos para los términos, más adecuados a las necesidades y a los objetivos de esa nueva materia y de sus usuarios, cada vez más diversificados. Finalmente, de la creación de grandes bancos de términos centralizados y solo implementados en grandes ordenadores, se pasa a la proliferación de bancos pequeños, muy especializados en cuanto a su temática y a menudo ubicados en ordenadores personales. En veinte años, por tanto, el panorama de los bancos de términos ha cambiado notablemente.[2]

La mayoría de los bancos de la primera generación fueron desarrollados con sistemas creados *ad hoc* y sus datos se organizaron léxicamente, más que conceptualmente. Son bancos de acceso restringido a causa de su dificultad de interrogación, que normalmente precisa de un intermediario. Desde 1980, sin embargo, los especialistas en lingüística computacional e informática han trabajado eficazmente en la mejora de esos bancos en dos aspectos: en la calidad y actualidad de los datos que contienen y en la facilidad de acceso a la información. La posibilidad de consultar una base directamente, en línea, representa ciertamente un avance importante. La inserción de bancos de datos en redes de distribución de información facilita la difusión de datos al gran público, y la edición de bancos de datos completos en CD-ROM los pone al alcance de usuarios y unidades de trabajo que, por falta de medios económicos o de los recursos técnicos adecuados, no podían acceder a la información.

La segunda generación de bancos de términos, desde el punto de vista de su *software*, mejoró mucho el diseño de la etapa anterior. Por un lado se desarrollaron muchos bancos de pequeñas dimensiones y de temática más especializada, al margen de los grandes centros oficiales. Sus creadores no

2. *Un double dérapage vers le gigantisme a longtemps caractérise la réalisation de banques et bases de données terminologiques. Le gigantisme fut d'abord le syndrome d'une lutte d'influence ou d'une course à la plus grande banque de données terminologique. Reconnaissons qu'il fut aussi l'expression du souci légitime de rentabiliser des systèmes informatiques relativement complexes et, donc, coûteux* (GOUADEC, 1987).

tuvieron el lastre de tener que transformar un sistema establecido anteriormente, como había sucedido con los primeros grandes bancos. Por esa razón se concibieron bancos más innovadores en lo que respecta a la lógica y la estructura de los datos, que resultan ser más flexibles y eficaces para servir a las necesidades de sus usuarios.

Actualmente, sin embargo, la noción de banco de datos terminológicos ha empezado a entrar en crisis en favor de una línea ascendente de bancos textuales aptos para extraer de ellos una gama múltiple de información "a medida", entre la que se cuenta la terminología.

Pero es un hecho cierto que existen bancos de términos, más o menos eficientes, más o menos actuales, más o menos fiables, en distintos lugares del planeta, y que algunos de ellos (incluso un subconjunto de ellos) se difunden en CD-ROM y prestan un servicio indudablemente útil a la comunidad profesional de los mediadores lingüísticos.[3] En este panorama, los bancos de datos pueden clasificarse sobre la base de diferentes parámetros:

1) Por sus objetivos, podemos hablar de bancos de tres tipos: informativos, que se proponen difundir la terminología de uno o varios ámbitos; traduccionales, que facilitan las unidades equivalentes en otras lenguas; y prescriptivos, que ilustran sobre el nivel de corrección de los términos.

2) Por su orientación de base, distinguimos los bancos tipo diccionario, es decir, basados en el término; de los bancos basados en el concepto. Los dos tipos de bancos sirven a finalidades diferentes. Las aproximaciones basadas en el término suelen cubrir consultas de tipo lexicográfico, y son las más adecuadas para los bancos de carácter descriptivo y normativo lingüístico. En contraste, los bancos basados en el concepto centran su atención en la caracterización de la noción, en relación con la estructura nocional del campo en cuestión. Por eso contienen muchos datos sobre las características del concepto (a través sobre todo de definiciones y descriptores) y describen las relaciones lógicas y ontológicas que mantienen los conceptos entre sí. En estos bancos, el concepto es el punto de partida de cada registro. Normalmente se utiliza el término para identificar el registro, pero el término representa en este caso el concepto, y no su forma. Este tipo de bancos sirve con mayor eficacia a los especialistas y a los trabajos de ingeniería del conocimiento e inteligencia artificial, y responde más de cerca a los principios de la teoría de la terminología.

3) Por su temática, diferenciamos los bancos especializados en general, que contienen información sobre distintas áreas, de los bancos de términos de un solo dominio especializado. Los grandes bancos de datos tradicionales, ubicados normalmente en organismos de carácter administrativo, suelen incluir una gran

3. Los usuarios más comunes de los bancos de términos pueden sintetizarse en la lista siguiente:

— mediadores comunicativos (traductores, redactores, intérpretes, periodistas, etc.)
— especialistas en lexicografía y terminología
— científicos y técnicos
— documentalistas
— asesores y planificadores lingüísticos
— profesores de lenguas e investigadores en lingüística

cantidad de términos de campos diversos, aunque no suelen tratar todos los campos con la misma profundidad. La causa de esa amplitud es que deben servir a muchas necesidades. Por ello, desarrollan más las áreas consideradas de tronco común, y dejan para organismos más especializados la constitución de bancos sobre temas más específicos, que pueden actualizarlos con mayor facilidad y menor coste en razón de su proximidad temática. Así han surgido, en centros de trabajo específicos, bancos muy especializados, en general de dimensiones más reducidas que los anteriores. La gran difusión de la microinformática ha permitido superar el coste que comportaba la creación de un banco, y ha facilitado la puesta en marcha —en algunos centros de investigación— de minibancos sobre temas muy concretos.

4) Por sus dimensiones, debemos distinguir los grandes bancos o macrobancos, que corresponden normalmente a organismos de carácter administrativo, y los minibancos, desarrollados por un profesional o por un centro especializado en una temática, que suelen contener información de carácter más innovador.

5) Por las lenguas de las informaciones que contienen, diferenciamos los bancos monolingües, los plurilingües propiamente dichos, y los monolingües con equivalencias en otras lenguas. Los bancos propiamente plurilingües se diferencian de los monolingües con equivalencias en otras lenguas por el hecho que, en el primer caso un concepto posee un registro completo de informaciones sobre el término en cada una de las lenguas, mientras que, en el segundo, la información completa del término se presenta solo en una lengua, y se consignan las equivalencias denominativas en las demás lenguas.

6) Por el modo de organización de los datos, distinguimos los bancos organizados a partir de documentos, que suelen contener diversos contextos y fraseología en discurso, y los organizados a partir de términos, usualmente descontextualizados o con un sólo contexto que los documenta.

Estos parámetros no pretenden ser exhaustivos y por tanto cabría distinguir muchos otros tipos de bancos en función de factores como los tipos de información que contienen, el software con el que se han desarrollado, las formas de acceso a la información, etc.

El hecho es que actualmente el mundo dispone de un conjunto relativamente importante de bancos de datos, normalmente incompatibles entre sí, y de una gran cantidad de pequeñas bases de datos, cada vez más numerosas, que suelen utilizar sistemas estandarizados, lo que les permite intercambiar información.

El comité 37 de ISO intenta consensuar desde la década de los ochenta una norma internacional destinada a facilitar los intercambios de terminología entre los distintos bancos. Esta norma debería especificar los mínimos de un formato generalizado y sus formas de representación estándar. En este sentido, se difundió en 1987 la norma MATER (*Magnetic Tape Exchange format for terminological/lexicographical records)*, que no tuvo eco alguno, y actualmente se difunde la norma TEI/LISA/ISO-TIF (*Terminology Interchange Format*) que sigue los estándares de otros bancos de carácter lingüístico y documental. Otras normas van también por el mismo camino: La Norma ISO/TR 12618: *Computational aids in terminology. Creation and use of terminological databases and text corpora*, y la ISO/DIS 12200: *Computational aids in terminology. Terminology Internationa Format.*[4]

2.2. Bancos de datos de interés terminológico

La terminología, concebida como materia interdisciplinar de base lingüística, no limita su interés a la constitución o consulta de los bancos de términos, sino que se sirve de todas las recopilaciones automatizadas que constituyen parte de sus fundamentos (la información y el conocimiento, los datos lingüísticos sobre la estructura y la constitución del texto, etc.) o forman parte de su proceso de trabajo (la documentación, la clasificación, etc.)

Así, como materia científica y como método de trabajo, recurre a la documentación científico-técnica, que le sirve de fuente de información conceptual y de base de detección de los términos. A partir de la documentación especializada, se propone establecer la estructura nocional de un campo de especialidad, y de la documentación extrae las denominaciones utilizadas realmente por los especialistas.

Para ello, el trabajo terminológico, fundamentado y situado en el marco de la comunicación especializada, se sirve de distintas bases de información científico-técnica que son básicamente de tres tipos: bases bibliográficas y documentales, bases textuales y bases de conocimientos.

En efecto, por lo que se refiere al interés por la documentación, no cabe duda de que la terminología está estrechamente vinculada a ella en una doble orientación: por un lado, la documentación especializada constituye la base de trabajo y de información de la terminología y la fuente de los términos; por otro, la terminología es el recurso de que se vale la documentación para describir el contenido de los textos. A partir de la terminología se recupera la información sobre los documentos, sobre la base de la temática de que tratan.

Una base de datos textuales es una recopilación automatizada de textos organizados por algún criterio específico. En este conjunto, cada texto constituye una unidad de tratamiento, susceptible de ser descrita tanto formal como semántica y pragmáticamente. Los bancos de textos son hoy por hoy una de las herramientas más utilizadas para el trabajo terminológico práctico, y uno de los elementos más prometedores para el trabajo en terminótica, ya que los terminólogos utilizan cada vez más este tipo de bancos para localizar los términos de una determinada área de especialidad, para establecer la estructura conceptual de una área temática, y, finalmente, para establecer la lista definitiva de los términos de una obra.

Las bases de conocimientos especializados son conjuntos de información automatizada, organizada y sistemática, que representan el compendio de conocimientos que posee un especialista sobre una determinada materia. Esas

4. Dentro del programa MLAP (Multilingual Action Plan) promovido y financiado por la Unión Europea se han aprobado dos acciones sobre la terminología. El Programa POINTER (1995), centrado en la detección de recursos terminológicos en Europa, y el programa INTERVAL (1996), destinado a evaluar estos recursos para hacerlos accesibles a través de una organización europea de difusión de la información lingüística (ELRA).

informaciones proceden, por un lado, de los propios especialistas, que explicitan su conocimiento sobre el campo en cuestión; y por otro lado, del vaciado de la documentación sobre el tema que contiene una base de datos de textos especializados. Con la información procedente de ambas fuentes se construye un modelo abstracto que, en teoría, posee los mismos conocimientos que un especialista en el tema y que es capaz de actuar en su lugar.

La terminología se halla en la base de la representación de los conocimientos, ya que los términos representan conceptos, y estos representan clases de objetos de la realidad. La terminología y las bases de datos de conocimientos están pues en estrecha relación: las bases de conocimientos sirven para resolver aspectos de la actividad terminológica, y los términos son el fundamento de la información que contienen esas bases.

2.3. El futuro de los bancos de datos terminológicos

La experiencia de los últimos veinte años demuestra que un concepto único de base de datos no es viable a causa de la diversidad lingüística y cultural existente. Las personas que deben utilizar un banco de términos tienen necesidades muy diferenciadas según el contexto en que se mueven.

Es cierto que hoy en día la informatización general de la sociedad actual y la gran difusión de la microinformática han contribuido a democratizar el acceso a los bancos de datos, y a minimizar la dificultad de comunicación entre personas y máquinas. Pero la utilización real de los bancos de datos en general y de los bancos terminológicos en particular ha sido hasta ahora muy restringida.

En efecto, los bancos de datos más importantes se han limitado a cumplir su papel pasivo de grandes almacenes de información y de puntos de referencia para las consultas. Pero hubieran podido servir (y lo han hecho escasamente) a muchas otras finalidades en campos de investigación de mayor actualidad, como la inteligencia artificial. El hecho de que tanto la inteligencia artificial como la ingeniería del conocimiento precisen de los términos para desarrollar su trabajo reafirma el papel que debe desempeñar la terminología en esa segunda etapa de la informática. Las bases de conocimientos que necesitan esos sistemas se apoyan fundamentalmente en las unidades terminológicas que son los nudos más sintéticos del conocimiento especializado.

La investigación actual en informática aplicada a la terminología se centra en tres campos concretos, cuyos avances permitirán superar los puntos más débiles de la primera etapa de los ordenadores. En primer lugar, en las relaciones entre las personas y los ordenadores, buscando sistemas de entrada de datos más racionales y de alta calidad (lectura óptica y reconocimiento de la voz) y facilitando la relación mediante interfaces en lenguaje natural. En segundo lugar, en el procesamineto completo de los textos sobre la base de un análisis minucioso de todos sus niveles de representación y de un etiquetado adecuado a las investigaciones que quieran desarrollarse ulteriormante. Y, en tercer lugar, en la creación de sistemas expertos de reconocimiento que realicen automáticamente (sistemas automáticos) o semiautomáticamente (sistemas asistidos) determinados trabajos terminológicos: vaciado y selección de términos, elaboración de definiciones, construcción de sistemas conceptuales, etc.

"Le choix stratégique que nous avons à faire aujourd'hui consiste à déterminer si nous voulons sortir du complexe du "stockage-consultation" avec son courtage de limites pour nous orienter vers la constitution de systèmes d'information termino-linguistique performants et intégrés dans leurs différents phases, depuis la recherche de base jusqu'à la diffusion adaptée selon les segments d'usagers. Ce choix exige toutefois une révision de la stratégie du développement des banques de terminologie à long terme et l'affectation de ressources importantes à la recherche théorique pour toutes les activités reliées à l'intelligence artificielle, au traitement automatique des langues naturelles et à la recherche fondamentale en terminologie" (FORTIN, 1988).

La ventaja que suponía la centralización de la información en la década de los ochenta no era tan positiva como podía parecer. En la etapa de creación de los grandes bancos, los sistemas informáticos no eran lo bastante potentes para tratar cantidades tan importantes de datos en períodos breves de tiempo, aunque sí que lo eran para almacenarlos clasificados. Pero la rápida y constante evolución de la ciencia y de la técnica ha dejado obsoleta la información estática de los bancos terminológicos, y actualizar permanentemente una masa tan considerable de datos que cambian de forma permanente supera cualquier programa de trabajo, y requiere unos recursos a menudo inalcanzables. La falta de especialistas de cada temática en contacto directo con los datos terminológicos agrava todavía más los problemas de actualización. Y muy a menudo la detección de lagunas y su resolución se llevan a cabo cuando las necesidades ya han sido resueltas por usuarios no profesionales en terminología.

Finalmente, las grandes dimensiones de los bancos de datos requerían una atención en trabajo y recursos que iba en detrimento de la atención a los usuarios. Así, las consultas a los bancos a menudo se resolvían de manera uniforme, sin tener en cuenta ni la especialización del consultor ni su nivel de información previa.

Hay que decir, sin embargo, que los sistemas de acceso a los bancos de datos han evolucionado muy rápidamente en los últimos años. Poco a poco los lenguajes de interrogación se han acercado más al lenguaje natural, y los sistemas de interrogación son progresivamente más fáciles de utilizar, con la ayuda de menús que guían las consultas y permiten ajustar mejor la selección de la información. Y por último, la falta de equipamiento adecuado por parte de los usuarios potenciales, que reduce la amplia difusión de datos que los sistemas informáticos aseguran proporcionar, se ha paliado con la edición de bancos terminológicos en CD-ROM, de acceso individual mucho más fácil y de menor coste.

3. Terminografía e informática

La utilización de recursos informáticos en casi todas las etapas de un trabajo terminológico ha facilitado sin lugar a dudas la realización de los trabajos más repetitivos que debe hacer el terminólogo, y ha agilizado el proceso de búsqueda de datos. Gracias a la gran cantidad de información disponible, el profesional de la terminología puede actuar hoy con mayor seguridad en la toma de decisiones sobre los términos, acrecentando la calidad y fiabilidad de los resultados. La posibilidad de acceder a grandes masas de información contenida en bancos de datos remotos también facilita enormemente el trabajo en terminología, a la par que le confiere una mayor complejidad. En palabras de Sager, el trabajo terminológico pasa de ser un arte a convertirse en una técnica.

Así, la informática interviene en diferentes fases del proceso terminográfico:

1) En la fase de documentación previa al trabajo y adquisición de conocimientos sobre el tema, la informática facilita el acceso a distintos bancos de datos: factográficos (directorios de centros de trabajo, bancos de datos existentes, trabajos ya publicados o en curso de elaboración, directorios de especialistas disponibles, etc.), documentales (publicaciones y diccionarios del tema), textuales (corpus automatizados disponibles) y terminológicos (listas de términos sobre el tema e informaciones lingüísticas e interlingüísticas sobre cada término).

2) En la fase de constitución del corpus y de extracción de los datos, el terminólogo puede seleccionar automáticamente los textos especializados que considere más representativos. Los programas de indexación automática o semiautomática de textos permiten detectar la presencia en el texto de descriptores y llevar a cabo un primer análisis del contenido de cada texto. Si esos textos están en soporte magnético, la informática facilita su incorporación automática a la base textual; si se hallan en soporte impreso, puede automatizarlos a través de la lectura óptica. El texto, una vez introducido en máquina, puede ser analizado por un programa de reconocimiento semiautomático o automático de términos para extraer aquellas unidades que presumiblemente tienen carácter terminológico. Los sistemas de vaciado automatizado de textos facilitan una primera lista de unidades (de estructura simple o compleja) que son candidatos a términos. A partir de esa primera lista, el propio sistema afina la selección inicial en dos fases sucesivas: en primer lugar, separa el léxico no especializado del general (para hacerlo, suele tomar como referencia un diccionario general); en segundo lugar, detecta las estructuras complejas que podrían ser términos (a partir del análisis que permite una gramática del sintagma terminológico, y con la ayuda de un programa de análisis estadístico que muestra las repeticiones de grupos de palabras). Con todo, el terminólogo siempre debe revisar los resultados que le ofrece el sistema para decidir en último lugar la pertinencia definitiva de cada término.

3) En la fase de confección del fichero de términos, el terminólogo puede aprovechar la informática para elaborar las fichas terminológicas (o registros) traspasando automáticamente algunas informaciones desde el texto hasta el fichero (la forma terminológica, el contexto, la fuente). Un programa de lematización automática reducirá cada forma terminológica a su lema correspondiente. El programa utilizado en la etapa anterior para indexar automáticamente los textos puede ser de gran ayuda para la redacción de las definiciones, así como otros programas de redacción de definiciones organizadas en campos controlados. Una vez constituido el fichero, puede editarlo por completo, efectuar cualquier selección o fusionarlo con ficheros complementarios procedentes de otras fuentes. También puede controlar automáticamente la información sobre las remisiones y las equivalencias.

4) En la etapa de verificación y compleción de informaciones, el terminólogo accede de nuevo a bases de datos (ahora de forma muy selectiva) e incorpora, automáticamente si es posible, la nueva información a su fichero.

5) Finalmente, en la última etapa de edición de una terminología, la informática permite ofrecer la información en soportes variados (en papel, en disquet, en cinta, en fichero, en disco óptico, etc.), con la selección de datos más conveniente para cada caso (con contexto, con equivalencias en una o más lenguas, etc.), y con formatos diferentes (tipografía diversa, ordenación diferente de las informaciones, etc.). También el soporte de edición de la terminología puede verse modificado: los programas de edición automática ofrecen la posibilidad de obtener un texto definitivo para la publicación.

Pese a que la informática aplicada a la terminología, como hemos analizado, ha avanzado enormemente en los últimos tiempos, no podemos olvidar que todavía debe enfrentarse a problemas de carácter general y específico, derivados tanto del estadio en que se halla la propia informática, como de las limitaciones que todavía presenta el trabajo terminológico.

Una de las metas que se ha trazado la informática aplicada a la terminología es la de lograr una automatización completa del puesto de trabajo de un terminólogo. Esta automatización requiere la instalación de un conjunto de recursos que permitan resolver el proceso de trabajo sistemático y de difusión de la información de la forma más sencilla posible. En la totalidad del proceso, si este fuera óptimo, la intervención humana debería reducirse a la toma de decisiones definitivas que una máquina no puede llevar a cabo.

4. Sistemas expertos en terminología

Si bien es cierto que el trabajo terminológico ha avanzado muy notablemente gracias a los adelantos de la informática, que ha puesto a disposición de los terminólogos una cantidad de datos impensable hace poco tiempo, no podremos hablar propiamente de informática terminológica hasta que no se hayan superado las fronteras de la simple automatización de la información, y se hayan incorporado al proceso de trabajo sistemas inteligentes capaces de sustituir en algún grado la intervención humana.

Sería ligero de nuestra parte hablar de manera contundente por ahora de sistemas totalmente automáticos aplicados a datos lingüísticos, excepto en casos puntuales o restringidos a dominios concretos. La mayoría de los sistemas que funcionan en terminología (y también en lingüística) son semiautomáticos y requieren todavía una fuerte intervención por parte de los usuarios.

A pesar de esas limitaciones, se trabaja de forma muy activa en herramientas capaces de actuar y de razonar en el proceso de trabajo, que sustituyan de forma progresiva al terminólogo en aquellas tareas de carácter repetitivo que exigen hoy por hoy una considerable inversión de tiempo. Entre los ámbitos de trabajo más vivos actualmente, cabe mencionar los siguientes:

—la selección automática de documentación a partir de un análisis detallado del contenido de los textos para evaluar su calidad y su pertinencia

—el reconocimiento de términos a partir del análisis estructural y cuantitativo de un corpus textual

—la atribución de área temática a los términos sobre la base de su aparición frecuente en tipos de textos del mismo ámbito
—la elaboración de definiciones a partir del contenido de los contextos en que un término aparece y utilizando parrillas de control que den garantía de sistematicidad
—la elaboración de la estructura conceptual de un ámbito, a partir de la representación del conocimiento que transmiten los diferentes textos sobre el mismo (en este campo, los recursos *multi* e *hipermedia* son de un gran valor)
—la propuesta de términos nuevos generados a partir de una gramática general de los términos y de las reglas específicas propias y esperables en cada ámbito de especialidad
—la representación del conocimiento especializado y de la terminología utilizando las nuevas tecnologías multimedia y los sistemas hipertextuales.

Es evidente que un sistema experto que sea capaz de realizar cualquiera de estas funciones requiere una capacidad importante de "inteligencia", sintetizada en forma de conocimientos complejos. Por ello, dentro de la esfera de la inteligencia artificial, uno de los campos que mayor desarrollo está experimentando actualmente es la ingeniería del conocimiento, fruto de la intersección de la teoría del conocimiento y de la informática. En este terreno, la terminología (y también la documentación) desempeñan un papel de primer orden por cuanto los conocimientos especializados se extraen de los textos a través de las unidades terminológicas.

La construcción de sistemas informáticos "inteligentes" se basa en la posibilidad de que los ordenadores posean una cierta capacidad de razonamiento basada en el conocimiento y la experiencia. Los especialistas en teoría del conocimiento, en psicología y en lingüística teórica se han planteado el reto de describir teóricamente de qué forma los seres humanos adquieren, estructuran y procesan el conocimiento, y cómo reaprenden con la experiencia, para construir un modelo suficientemente elaborado que dé cuenta de la actuación humana. En la modelización del conocimiento a partir de bases textuales, suelen utilizarse dos vías distintas de aproximación: la deductiva, que parte del conocimiento general y de la explotación de grupos de nociones; y la inductiva, en la cual un sistema compila la información y extrae las reglas y variaciones a partir de ejemplos. Con la colaboración de especialistas en informática y en inteligencia artificial, los expertos se proponen implementar ese modelo en un ordenador que actúe de forma inteligente, que sea capaz de reproducir lo que se observa en la realidad, de interpretar esa realidad, de comunicar el pensamiento, de razonar sobre las situaciones con la intervención de otros interlocutores (personas o máquinas) y de tomar decisiones en función de las múltiples variables que cada situación pueda plantear. Para llegar a este punto, es necesario que los especialistas dispongan previamente de una descripción precisa de la organización de la realidad, y de un modelo adecuado que dé cuenta de la adquisición del conocimiento, de su representación y de qué modo la mente procesa todos estos datos a través del pensamiento.

Así pues, la terminología y la teoría del conocimiento se hallan estrechamente vinculadas, como se ha visto, por la noción de concepto, que es el eje fundamental de la teoría de los términos, y constituye la base de partida del trabajo terminológico. El conjunto de los términos de una área especializada es en realidad una estructura de conceptos que refleja la organización del conocimiento sobre el área en cuestión. Los términos se convierten así en piezas clave de la representación del conocimiento especializado. Un sistema experto inteligente, que necesita conocer estas estructuras conceptuales para poder procesar la información y actuar de acuerdo con lo que se le solicita, interioriza los conocimientos estructurados a través de los términos. Cada término es una pieza del pensamiento especializado, y las relaciones entre los términos de la misma área de especialidad reflejan su organización conceptual.

La inteligencia artificial aprovecha de la teoría de la terminología una serie de subteorías clave para la representación del conocimiento: la teoría de los conceptos (entendidos como unidades de pensamiento y como unidades de comunicación), la teoría de la representación de los conceptos, la teoría de la designación de conceptos (que incluye también la simbolización no lingüística, cada vez más importante en la representación del concepto), la teoría de los objetos (entendidos como unidades ontológicas), y la teoría de la estructuración u ordenación de los conceptos (de la que aprovecha algunas herramientas, como los tesauros).

De este modo, los trabajos de investigación sobre el conocimiento y la implementación de modelos cognitivos en los ordenadores pretenden obtener productos que funcionen como seres inteligentes, con objeto de conseguir que la intervención humana sea innecesaria en algunos terrenos.

Hasta nuestros días, sin embargo, no se han logrado todavía sistemas expertos que posean todos esos conocimientos, y los progresos en terminótica no permiten considerarla más que como una herramienta auxiliar de la terminografía.

> "Dans un scénario futuriste le terminologue a accès à des gigantesques bases de données (ou de connaissances) textuelles, il extrait par télé-chargement les éléments de son corpus de ces bases de données, les fait dépouiller automatiquement sans avoir eu à saisir le texte manuellement au préalable, établit automatiquement sa nomenclature de travail, fait découper les termes-entrée par descripteurs sémantiques qui serviront ultérieurement à rédiger des définitions en mode assisté, classe, trie, fusionne les bases de données et les édite avec un minimum d'intervention de sa part. Son poste de travail (...), doté de fonctions bureautiques avancées "intelligentes", lui permet de contrôler lui-même et en tout temps l'élaboration de son produit et de le mener à terme dans les meilleures conditions" (Auger, 1989a).

Referencias bibliográficas

ABBOU, A. et al. (1987), *Les industries de la langue. Les applications industrielles du traitement de la langue par les machines,* París: Daicadif.

Actes du colloque "Terminologie et technologies nouvelles" (1985), Quebec: 1988.

AHMAD, K. et al. (1987), "Term Banks: A Case Study in Knowledge Representation and Deployment", en CZAP, H., GALINSKI, C. (ed.) (1987).

AUGER, P. (1989a), "La terminotique et les industries de la langue", *Meta,* 34, 3, 1989, pp. 450-456.

AUGER, P. (1989b) ,"Informatique et terminologie: revue des techniques nouvelles", *Meta,* 34, 3, pp. 485-492.

— (1991), "Terminographie et lexicographie assistées par ordinateur: état de la situation et prospectives", en OLF-STQ (1991).

AUGER, P., DROUIN, P., L'HOMME, M. C. (1991), "Automatisation des procédures de travail en terminographie", *Meta,* 36, 1.

AUGER, P., PARADIS, C. (1987), "La terminotique ou la terminologie à l'ère de l'informatique", *Meta,* 32, 2, pp. 102-110.

BOURRET, C., L'HOMME, M. C. (ed.) (1988), *Les industries de la langue au confluent de la linguistique et de l'informatique,* Quebec: CIRB.

BUDIN, G. (1990a), "Terminological knowledge engineering in practice: development of a pocket knowledge data bank", en CABRÉ, M. T. (coord.) (1990).

CABRÉ, M. T. (coord.) (1990), *La lingüística aplicada. Noves perspectives/noves professions/ noves orientacions.* Barcelona: Universitat de Barcelona.

— (1992), *La terminologia. La teoria, els mètodes, les aplicacions.* Barcelona: Empúries.

CORBEIL, J.-C. (1991), "Terminologie et banques de données d'information scientifique et technique", *Meta,* 36, 1.

CORBEIL, J.- C. et al. (1990), *Les industries de la langue: un domaine à la recherche de lui-même,* Quebec: Conseil de la Langue Française.

CZAP, H., GALINSKI, CH. (ed.) (1988), *Terminology and Knowledge Engineering. Supplement. Proceedings. International Congress on Terminology and Knowledge Engineering, 29 Sept.-1 Oct.1987, University of Trier, FRG.* Francfort: Indeks Verlag.

CZAP, H., NEDOBITY, W. (ed.). (1990), *TKE'90. Terminology and Knowledge Engineering. Proceedings Second International Congress on Terminology and Knowledge Engineering. Applications. 2-4 Oct. 1990,* 2 vols., Francfort: Indeks Verlag.

FORTIN, J. M. (1988), "La conception des banques de terminologie et les besoins des utilisateurs", *Actes du colloque "Terminologie et technologies nouvelles".*

GALINSKI, C. (1990), "Recent developments of terminology. From the theory of terminology via knowledge theory to terminological knowledge engineering", en CABRÉ, M.T. (coord.), pp. 87-91.

GALINSKI, C., BUIDN, G. (1989), "Terminology, Knowledge Theory and Language Industries", *L'actualité terminologique,* 22, 3, pp. 3-4.

GOUADEC, D. (ed.) (1993), *Terminologie et terminotique: outils, modèles et méthodes.* París: La Maison du Dictionnaire.

Industries de la langue. Rapport de syntèse de la Conférence des chefs d'État et de Gouvernement des pays ayant en commun l'usage du français sur les industries de la langue (1986) París: La Documentation Française.

L'HOMME, M.-C. (1988), *Origine et développement des industries de la langue,* Quebec: CIRB.

MCNAUGHT, J. (1988), "Computers and Terminology", *Parallèles,* 10.

MELBY, A. (1989a), "Terminology, an indispensable tool for information management", *TermNet News,* 26, pp. 3-9.

OTMAN, G. (1989), "Terminologie et intelligence artificielle", *La banque des mots,* numéro spécial.

— (1991), "Des ambitions et des performances d'un système de dépouillement terminologique assisté par ordinateur", *La Banque des mots,* numéro spécial.

PARENT, R. (1989), "Recherche d'une synérgie entre dévelopement linguistique informatisé et systèmes experts: importance de la terminologie", *Meta,* 34, pp. 611-614.

PAVEL, S. (1987), "La terminologie de l'avenir: un dialogue 'homo sentiens-machina sapiens'", *Meta*, 32, 2, pp. 124-129.

SAGER, J. C., MCNAUGHT, J. (1980a), *Selective Survey of Existing Linguistic Data Banks in Europe*, Manchester: UMIST. [Informe presentado al Departamento de Investigación y desarrollo de la Biblioteca Británica en 1980, inédito.]

— (1980b), *Specifications of a Linguistic Data Bank for the U.K.* [Informe presentado en el Departamento de Investigación y desarrollo de la Biblioteca Británica en 1980, inédito.]

VIDAL BENEYTO, J. (dir.) (1991), *Las industrias de la lengua*, Madrid: Fundación Germán Sánchez Ruipérez.

J. C. SAGER
UMIST, Manchester

Reflexiones sobre los equivalentes terminológicos en traducción*

Introducción

Los equivalentes de traducción y otras aproximaciones a equivalentes por medio de perífrasis, paráfrasis, explicaciones —a veces con el soporte de notas del traductor—, rectificaciones, etc., son la solución práctica a los problemas que plantea la intraducibilidad de textos o segmentos de texto. La definición convencional de "equivalente de traducción" es la de un término o expresión en la lengua meta (LM) sustitutivo de una unidad léxica en la lengua origen (LO) para la cual no puede establecerse ningún concepto —y, por lo tanto, ninguna unidad léxica— correspondiente en la cultura meta. Reconocemos el dudoso status teórico del término "equivalente" para designar la unidad de la lengua meta "más cercana" a una unidad de la lengua origen, y dicho término ha sido puesto en cuestión recientemente por muchos autores (p.ej. Reiss/Vermeer, 1984; Turk, 1990). Aquí lo conservamos «faute de mieux», ya que lo utilizamos únicamente en el sentido restringido de unidad lexicalizada o terminologizada, y por otra parte no afecta a las presentes reflexiones sobre la cuestión de las variantes de términos en traducción. Reconocemos también la necesidad de una ayuda de este tipo en textos de marcada dependencia cultural, así como el peligro de que unos traductores negligentes o irresponsables se refugien detrás de unos "equivalentes de traducción", etc., cuando no han encontrado una expresión correspondiente. En un sentido, por lo tanto, los "equivalentes de traducción" son elementos no satisfactorios en cualquier discusión sobre traducción. Sin embargo, existen en muchos tipos de texto, responden a distintas dificultades de traducción y pueden ser analizados en un intento de controlar su uso abusivo y a la vez orientar su aplicación adecuada.

En terminología encontramos escasas o nulas referencias a la naturaleza de los equivalentes de traducción, puesto que la teoría tradicional de la relación monosémica entre términos y conceptos no admite fácilmente los problemas asociados a la equivalencia.

La especial dimensión terminológica de esta cuestión ha sido reconocida por Wilss (1982), quien critica un punto de vista bastante ingenuo expresado en los términos siguientes por Halliday/McIntosh & Strevens (1965):

> [...] technical terminology has the highest probability of one-to-one equivalence in translation... once terminological equivalents are established, they cause relatively little trouble (1965:129).

---

* Una versión más breve de este artículo fue publicada en inglés con el título "Terminological variants in translation", *Lebende Sprachen* (1994), 2, pp. 55-57. La traducción ha sido realizada por Joan Sellent.

["... la terminología técnica es la que presenta una mayor probabilidad de equivalencias biunívocas en traducción... una vez se han establecido los equivalentes terminológicos, éstos plantean relativamente pocos problemas"].

Wilss comenta:

[...] the degree of uniformity in conceptional thinking of the various language communities must not be overestimated. ... LSP translation cannot be reduced to the dimension of simple terminological substitutions (Wilss, 1982:131).

["... el grado de uniformidad en el pensamiento conceptual de las diversas comunidades lingüísticas no debe sobrevalorarse. ... La traducción de lenguaje especializado no puede reducirse a la dimensión de simples sustituciones terminológicas"].

Sólo un análisis detallado de las estructuras de conocimiento en las dos culturas y sus representaciones lingüísticas permitirá determinar el grado de coincidencia entre dos sistemas terminológicos. La estructura lingüística de los conceptos impide a veces reconocer la estructura conceptual de un campo temático que por sí solo es la base para encontrar equivalentes satisfactorios. Es la estructura lingüística de las variantes, en particular, lo que plantea problemas al traductor y al terminólogo que preparan diccionarios para sistemas automatizados de identificación y traducción de términos.

El problema

En la práctica diaria de la escritura técnica, de la confección de índices y resúmenes y de la traducción, el fenómeno de las variantes más extensas y más breves de un mismo término se considera, desde hace tiempo, un factor tan inevitable como irritante. La variación puede oscilar entre una abreviatura o acrónimo en texto continuo y una forma plena de elementos múltiples, identificada además por un número de catálogo en una lista de componentes o repuestos. Por ejemplo, "Bell103/212A" es el nombre abreviado del estándar norteamericano para operaciones a través de modem, equivalente al "estándar CCITT" (*Consultative Committee International Telegraph and Telephone*). La alternativa de las abreviaturas a base de siglas, o del tipo que sean, no plantea ningún problema grave de traducción en los casos en que existe la convención de traducir una abreviatura de la LO con una abreviatura de la LM, cuando existe, y con la forma plena cuando aquélla no existe. Por ejemplo, el inglés "r" (radius) siempre se traduce en alemán como "r" o "R" (Radius, Halbmesser).

Mientras los acrónimos, símbolos y abreviaturas han merecido un lugar en la teoría terminológica, se ha prestado poca atención a la coexistencia de variantes contextuales de formas más breves y más extensas para un mismo concepto, como pueden ilustrar los ejemplos siguientes, obtenidos de un manual de mantenimiento (Hope, 1984):

non-return ball valve assembly	gearbox end cover plate
non-return valve assembly	end cover
ball valve assembly	cover
assembly	
	timing gear outrigger plate
dynamo strap clamp bolt	outrigger plate
dynamo clamp bolt	plate
clamp bolt	

Hope ha demostrado que, en los textos tipo "manual", la mayoría de conceptos se representan con diversas variantes de un término, todas igualmente válidas en sus respectivas situaciones de uso. Ciertas formas pueden ser utilizadas con más frecuencia que otras, pero la frecuencia es una medida relativa, ya que depende del modo de expresión (oral o escrito, etc.) y no ofrece ninguna guía que nos permita preferir una forma a otra.

Los problemas de la interpretación de variantes surgen en una diversidad de situaciones:

(1) Para los autores y usuarios de textos especializados monolingües, esta diversidad plantea relativamente pocos problemas, porque el contexto clarifica lo que es una variante de otro término y lo que es un término independiente.

(2) La producción manual de un glosario del texto o de un índice tampoco plantea ningún problema a los autores de textos técnicos, porque pueden hacer un número suficiente de referencias cruzadas y adoptar arbitrariamente la forma más extensa como encabezamiento de la entrada.

(3) La producción de glosarios independientes sobre la base de textos de este tipo nos plantea el primer problema para la interpretación de variantes. Dado que es habitual referir las variantes a una palabra bajo la cual aparece la entrada de diccionario, es preciso seleccionar una variante como encabezamiento de la entrada, con lo cual este encabezamiento adquiere automáticamente la condición de forma preferente o "estándar". Sin embargo, son escasos los diccionarios que enumeran variantes como referencias cruzadas, y aún más escasos los que consideran las variantes como sinónimos dignos de ser enumerados.

El encabezamiento de una entrada de diccionario seleccionado por este proceso puede así ser considerado como el término "no marcado" respecto al cual todas las demás variantes son marcadas, pero esto sería una interpretación errónea de lo que no es más que una necesidad lexicográfica tradicional. En un diccionario de acceso automático, todas las variantes reconocidas podrían remitirnos a la misma entrada, y sólo cambiaría la lista de posibles variantes.

(4) Para la indexación automática, el problema se plantea en una forma distinta. El sistema debe ser capaz de identificar "sinónimos" que remiten al mismo concepto de indexación. En el caso de las variantes, un sistema debe ser capaz de reducir todas las variantes de un término al término de indexación elegido. En este caso, el sistema tropezará con varios tipos de ambigüedad que

no podrá resolver. Utilizando uno de los ejemplos citados más arriba, un sistema es incapaz de decidir:

Si "cover" se refiere a un concepto genérico de COVER;

— se refiere a un concepto genérico de END COVER;

— se refiere al concepto concreto de GEARBOX ENDCOVER PLATE.

Si "end cover" se refiere a un concepto genérico de END COVER;

— se refiere a un concepto concreto de GEARBOX ENDCOVER PLATE.

En la práctica, esto significa que, para lograr una indexación eficaz, (a) todas las variantes ambiguas deben ser recogidas en un diccionario junto a su referencia conceptual, y (b) un sistema puede ser programado para que ignore los términos simples por su ambigüedad múltiple.

(5) Para un traductor no experto en el campo temático y para una búsqueda automática de diccionario, p.ej. para la traducción automática, la presencia de variantes terminológicas plantea dificultades de interpretación adicionales. En traducción, no basta con poder remitir una variante terminológica a su concepto relevante. Esto cubre únicamente la primera mitad del proceso, es decir, la comprensión o análisis del texto. En la segunda mitad —el proceso de producción del texto— es necesario poder emparejar variantes entre sí, y esto requiere el cumplimiento de dos requisitos:

(a) Deberá ser posible identificar la situación conceptual en la lengua de origen que requiere un tipo concreto de variante. Este requisito es básico para la comprensión total de un texto, y consiguientemente en toda traducción entre lenguas naturales.

(b) Deberán existir requerimientos retóricos o estilísticos correspondientes para dichas variantes en la lengua meta en situaciones correspondientes. Este requisito debe ser satisfecho para poder utilizar apropiadamente las variantes terminológicas en la lengua meta.

Soluciones

Para poder identificar las situaciones contextuales en las que aparecen las variantes, debemos observar (a) las regularidades en la reducción de términos complejos y (b) las colocaciones adyacentes de variantes más breves y más extensas.

Puede demostrarse que la mayoría de formas más largas construidas a partir del patrón "Determinante+Núcleo" conservan el elemento nuclear en todas las versiones abreviadas. El ejemplo de la reducción de "cover plate" a "cover", citado más arriba, no es muy frecuente, y puede tener una explicación léxica. La estructura interna de los términos complejos puede permitir también establecer unas reglas fiables de reducción interna.

En frases introducidas por expresiones como "...xxx defined as" ["...xxx definido como"], "...named xxx" ["...denominado xxx"] o "...called xxx" ["...llamado xxx"], podemos asumir con seguridad que estamos ante la forma más común de un término, que podemos denominar su forma regular de expresión. En frases introducidas por "...so-called xxx" ["...el llamado xxx"], debemos reconocer que "xxx" no es más que una designación provisional. Al principio de un párrafo o de una sección de un texto, la introducción de un término extenso no mencionado previamente con un artículo indefinido, p.ej. "...a xx yy zz..." ["...un xx yy zz..."] es un claro indicador de una forma plena. La mención subsiguiente, en el mismo segmento de texto, de parte de esta secuencia después de un artículo definido, p.ej. "...the xx zz..." ["...el xx zz..."], hace altamente probable que estemos en presencia de una variante abreviada. Un uso subsiguiente de una variante aún más breve, introducida por un demostrativo, p.ej. "...this zz..." ["...este zz..."], es a la vez una confirmación de la forma reducida previa y de la identidad de la referencia conceptual de esta variante terminológica de un elemento determinado.

Mediante este tipo de pistas textuales es como un lector o traductor consigue separar las variantes abreviadas de términos nuevos y posiblemente genéricos. El análisis automático deberá permitir detectar algunas variantes con un alto grado de fiabilidad, porque las predicciones de abreviaturas potenciales pueden ser confirmadas por las colocaciones.

A efectos de traducción, podemos pensar en soluciones en términos de análisis automático y generación de variantes correspondientes. Esto se indica en la figura 1, donde las variantes de la lengua origen remiten al concepto, actuando como interlingua, y de aquí a las variantes de la lengua meta.

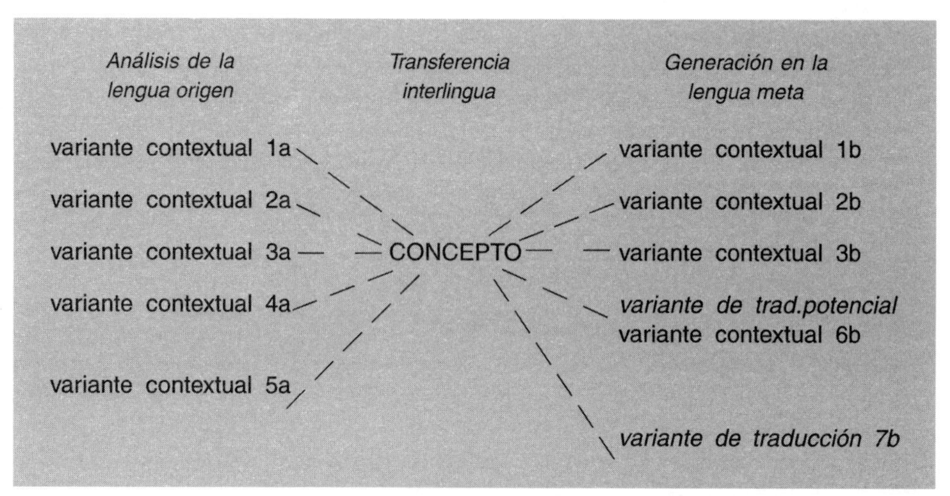

Figura 1.

Tales atribuciones, sin embargo, no resuelven todos los problemas de traducción. La cuestión más importante es qué hay que hacer cuando no existe una indicación clara de los requerimientos en la lengua meta. Esto ocurre en los casos en que la lengua meta posee variantes terminológicas para un mismo concepto pero no tiene una variante concreta para la situación concreta que produjo una variante en la LO. En la figura 1, éste es el caso de la variante 6b, que no tiene un equivalente 6a. Otro ejemplo es el caso de un concepto que puede tener una forma plena y una abreviatura en la LM pero no una forma intermedia para ser utilizada en textos continuos, a fin de evitar la repetición de la forma plena. En estos casos, el traductor no tiene ninguna guía para la elección de una forma en la LM.

En ausencia de un modelo o de un precedente, podemos elegir entre estas dos soluciones posibles:

(a) recurrir a una forma existente y declararla "equivalente de traducción", esperando que la cultura de la lengua meta cree finalmente su propia variante. Por ejemplo, la variante LM 6b podría usarse como equivalente de 4a, de 5a o de ambas.

(b) crear una variante y confiar ante todo que sea entendida, y luego que resulte aceptable en la lengua meta y funcione tal como se pretende, a la espera de que sea adoptada como parte integral de la LM, como ejemplifica en la figura 1 la variante 7b de la LM.

Para la traducción automática existe otra solución, que puede ser utilizada para resolver los problemas de variantes correspondientes en las situaciones que el análisis de la traducción automática no puede reconocer. El diccionario de la lengua origen remite todas las variantes terminológicas al sistema conceptual que funciona como interlingua terminológica. El diccionario que genera de la lengua meta contiene un conjunto restringido de términos "preferentes" o "estándares", normalmente un término por concepto (excluyendo las abreviaturas), y homologa todas las variantes a dicho término. La traducción resultante será precisa, pero posiblemente altamente repetitiva. La figura 2 muestra dicho método.

La forma plena también puede ser considerada como una designación por defecto; sin embargo, no debe interpretarse como término preferente porque sólo es un equivalente de traducción, lo cual introduce una noción nueva: que pueden *utilizarse* términos genuinos de la LM como equivalentes de traducción.

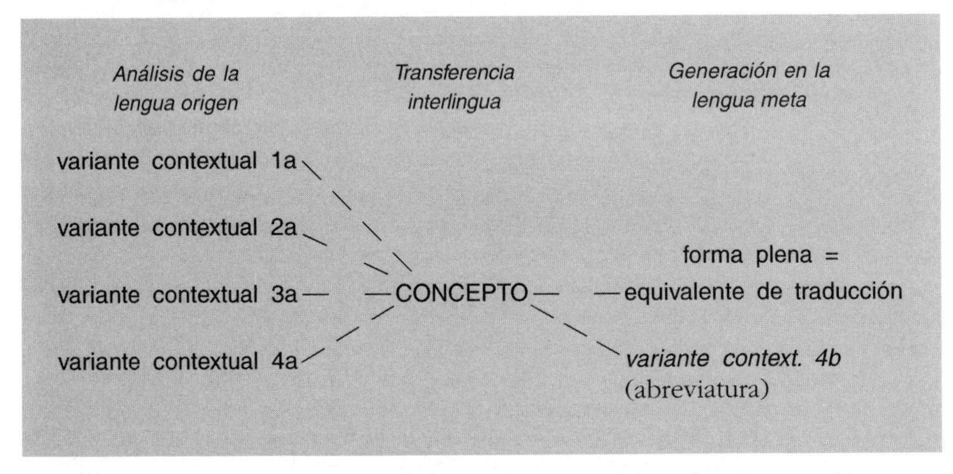

Figura 2. Representación terminológica en los sistemas de traducción automática.

En un sistema de traducción automática, una de las funciones de un módulo de análisis es identificar un término y relacionarlo con el contexto adecuado. Esto plantea el problema de reconocer variantes contextuales que no aparecen en el diccionario o bien son homónimos de otros términos, normalmente genéricos.

El traductor, como terminólogo, deberá por lo tanto ser consciente del fenómeno de las variantes y contribuir a la resolución de los problemas asociados. En un módulo de transferencia, un sistema conceptual común a las dos culturas prácticamente adopta el papel de una interlingua perfecta. Allí donde, dentro de la misma estructura general, una cultura posee un sistema más evolucionado que otra, la transferencia vía estructuras conceptuales identifica netamente las diferencias y proporciona la base para las soluciones. En el módulo de generación puede reconstruirse el patrón de las variantes de la LO, siempre que las condiciones de uso de las variantes originales puedan clasificarse de modo fiable y en la LM exista la misma gama de variación de uso. Esta plena coincidencia puede existir entre lenguas cuya cultura sea comparable científica y tecnológicamente. En todos los demás casos, los traductores o terminólogos deberán encontrar soluciones prácticas a base de acuñar "equivalentes de traducción" en forma de términos neutros o no marcados variacionalmente, o creando una variante "previsible" de acuerdo con las pautas de variación prevalentes en la LM.

Conclusiones

(1) A fin de tratar adecuadamente los equivalentes terminológicos en traducción, debemos ampliar el concepto de "equivalente de traducción" tal como se define en la introducción y permitir que abarque dos tipos de variantes terminológicas para conceptos conocidos en la lengua meta, es decir:

(a) el uso de un término establecido en una situación en la que finalmente pueda aparecer una variante, que podría definirse de la forma siguiente: un equivalente terminológico de traducción es una forma lingüística "neutra" existente para un concepto conocido en la cultura de la LM, declarada equivalente a fin de conseguir una traducción para una forma terminológica de la LO marcada para un uso concreto.

(b) la creación de una variante para ser utilizada en una situación para la cual la lengua meta no posee todavía una forma autóctona.

(2) Debemos idear un sistema para etiquetar el uso contextual de las variantes, de tal modo que pueda servir para establecer correspondencias entre las distintas variantes terminológicas de un mismo concepto.

(3) Pueden encontrarse aplicaciones especiales de equivalentes terminológicos de traducción en el campo de la legislación multilingüe supranacional de la CE. Para la creación de documentos paralelos puede ser que se requiera una forma neutra, p.ej. EURO, que luego se introduce en las lenguas meta.

En teoría de la traducción, esto nos ofrece dos definiciones de equivalente de traducción:

(a) Una paráfrasis u otra combinación de elementos no existentes previamente en la LM y utilizados porque la cultura de la LM no posee el concepto (en la práctica a menudo lo posee, pero el traductor humano no puede encontrarlo, ya sea por negligencia, por ignorancia o por documentación insuficiente).

(b) Una forma lingüística "neutra" para un concepto conocido en la cultura de la LM, declarada equivalente a fin de conseguir una traducción para un término de la LO con una marca de uso concreta.

Obsérvese que la forma lingüística supuestamente "neutra" sólo existe en el modo de la LM. En la LO, la misma forma lingüística siempre corresponde a un contexto, y por lo tanto es una forma genuina de dicha lengua con su plena asignación pragmática.

Referencias bibliográficas

HALLIDAY, M. A. K., MCINTOSH, A., STREVENS, P. (1965), *The Linguistic Sciences and Language Teaching*, Londres: Longmans.

HOPE, C. F. W. (1984), *Synonymy and Abbreviation in Special Language Compound Terms*, Tesis Msc, Universidad de Manchester.

REISS, K., VERMEER, H. J. (1984), *Grundlegung einer allgemeinen Translationstheorie*, Tübingen: Niemeyer.

TURK, H. (1989), "Probleme der Übersetzungsanalyse und der Übersetsungstheorie", *Jahrbuch für Internationale Germanistik*, XXI (2), pp. 9-81.

WILSS, W. (1982), *The Science of Translation*, Tübingen: Narr.

IGNACIO MORENO-TORRES
Universidad de Málaga

Técnicas informáticas para la traducción

La informática está presente en la traducción de múltiples formas. Lo está, en primer lugar, en los textos que manipulan los traductores; éstos textos son ahora objetos informáticos y, al informatizarse, han adquirido propiedades antes desconocidas (tanto en su organización como por la presencia de nuevos elementos visuales o sonoros). La informática también está presente como instrumento de ayuda tanto para el profesional como para el teórico de la traducción. Por último, la informática intenta adentrarse en la propia tarea de la traducción mediante los sistemas de traducción automática.

Sin embargo, dado que existen numerosos tipos de situaciones de traducción, a menudo poco relacionadas entre sí, no podemos meter en un saco a todas las posibilidades que ofrece la informática y aplicarlas en cualquier situación. En la práctica, la informática sólo puede estar presente en algunas situaciones y en cada caso de forma diferente.

Para aclarar esta importante idea podemos mencionar varias situaciones de traducción clasificadas según la aportación de la informática a su traducción.

a) Aportación muy limitada: anuncios publicitarios impresos, poemas impresos.
b) Aportación media: textos técnicos en soporte electrónico.
c) Aportación alta: textos escritos en una lengua controlada y en soporte electrónico.

Para la traducción de los primeros la informática nos puede ayudar como instrumento, proporcionándonos acceso rápido a fuentes de información como diccionarios, enciclopedias o corpus textuales en soporte informático.

Para los segundos podríamos emplear instrumentos más complejos como un programa de procesamiento de corpus para detectar la presencia de colocaciones y otros recursos léxicos, sintácticos o estilísticos característicos del texto. Una vez traducido podríamos usar el mismo programa para revisar nuestra traducción y comprobar si hemos utilizado unos recursos equivalentes. También podríamos emplear, tanto en la traducción como en la revisión, corpus paralelos construidos a partir de otros textos o con nuestra traducción.

Para el tercer tipo de texto podríamos diseñar un sistema de traducción automática que realizara, él mismo, la traducción.

En este artículo describimos algunas técnicas creadas desde el ámbito de la informática y aplicables en algunas situaciones de traducción. Antes de pasar a describirlas, haremos una breve presentación de algunos conceptos básicos de teoría de la traducción. Estos conceptos nos permitirán más adelante hacer valoraciones adecuadas de las diferentes técnicas.

En los siguientes apartados estudiaremos, y por este orden, la informatización del texto, la informatización de los instrumentos y la informatización del proceso de traducción. Por último comentamos brevemente otras facetas de la presencia de la informática en la traducción.

1. Introducción. ¿Qué es traducir?

La traducción es una tarea que se desarrolla sobre textos, no sobre palabras o frases. Esto es, la unidad de traducción es el texto. Podemos definir la traducción como el proceso por el cual se obtiene en una lengua L2 un texto T2 que tiene propiedades similares a las de otro texto T1 escrito en la lengua L1.

La idea de que la traducción opera sobre textos completos, y no sobre unidades menores como frases o palabras, es aceptada hoy día por la mayoría de los teóricos de la traducción. Podemos mencionar, por ejemplo, a Beaugrande y Dressler (1981), Neubert y Shreve (1992) y Hatim y Mason (1990). Es un concepto básico y tiene implicaciones en todas las áreas de desarrollo de herramientas y sistemas informáticos para la traducción.

Podemos definir un texto como una secuencia organizada de unidades lingüísticas (como frases, sintagmas, etc.). Para procesar textos será necesario conocer tanto las propiedades de los textos como su organización. Y, evidentemente, también deberemos conocer las propiedades de los elementos de los textos (de las frases y unidades léxicas).

Dado que las propiedades de los elementos que forman los textos son más conocidas, nos limitaremos a presentar las propiedades de los textos.

1.1. Propiedades de los textos

El desarrollo del lenguaje en las diferentes sociedades y culturas lleva a la aparición, por encima de las unidades lingüísticas básicas como los sintagmas o frases, de los textos, elementos con unas propiedades vinculadas a una determinada situación comunicativa. Un buen ejemplo de lo que hablamos son los diferentes tipos de textos usados en el ámbito del derecho, como las partidas de nacimiento, los testamentos o los contratos comerciales. Normalmente sabemos identificar un texto como perteneciente a un tipo independientemente de ciertas variaciones en su estructura, léxico o estilo. Por ello, si traducimos un texto de este tipo a nuestra lengua, inevitablemente tendremos que comprobar cómo son estos textos en nuestra lengua (debemos estudiar las propiedades generales, no sólo las propiedades de un texto en particular).

Beaugrande y Dressler (1981) destacan siete propiedades de los textos. Nosotros las agrupamos en 4 conjuntos de propiedades:

a) Propiedades del contenido del texto: coherencia.

Se trata de la capacidad de un texto para manifestar una cierta lógica en la descripción de hechos o en la organización de una argumentación.

b) Propiedades de la superficie del texto: cohesión.

En los textos suele haber una continuidad de ocurrencias de elementos léxicos o fenómenos sintácticos que otorgan al texto una cierta unidad o cohesión. Es una propiedad que en la práctica se ha visto que tiene gran importancia para explicar determinadas decisiones de traducción. Por ejemplo, el presente apartado b) empieza exactamente igual que apartado a). De esta forma mi objetivo es dar mayor cohesión a los dos apartados y facilitar la lectura (que elementos intermedios como ejemplos o notas al pie pueden dificultar).

c) Propiedades de un texto frente a otros textos: intertextualidad.

Para la comunicación en general y la traducción en particular es importante identificar un texto como miembro de una determinada clase o tipo. Ello nos ayuda tanto a escribirlo como a interpretarlo debido a que tienen propiedades características (como el tipo de instrumentos de cohesión o de coherencia). Así, si escribimos un currículum vitae empleamos un estilo y una estructura que rápidamente identifican los que leen nuestro texto. Al traducir un curriculum vitae de otra lengua a la nuestra deberemos lograr que el texto obtenido tenga esas mismas propiedades (con independencia de que las tenga o no en el original).[1]

d) Propiedades pragmáticas del texto: intencionalidad, aceptabilidad, informatividad y situacionalidad.

Conjunto de aspectos pragmáticos como la función de un texto o el correcto seguimiento de los principio de Grice (1975).

1.2. Fases del proceso de traducción

En un sentido simplificador, en un proceso de traducción interviene un traductor que crea un texto con unas determinadas propiedades a partir de otro texto empleando para ello algunos instrumentos (como diccionarios, enciclopedias etc.). Junto a estos elementos básicos hay otros de gran importancia: los condicionantes externos que motivan la realización de una traducción. Los condicionantes externos determinan numerosas decisiones de traducción. Por ejemplo, si nos interesa conocer de forma aproximada el contenido de un texto, nos puede valer una traducción literal (y puede que entonces la traducción automática sea viable). Por el contrario, si queremos leer un texto literario extranjero en nuestra lengua la literalidad puede privarnos del sentido de la obra y del placer de leerla.

En un sentido más amplío, en el proceso de traducción pueden incluirse otros elementos o factores. Además del traductor, puede considerarse parte del proceso a un revisor que corrige el texto ya traducido. El trabajo de revisión es especialmente importante cuando en la traducción intervienen varias personas. Por otro lado, la traducción puede dividirse al menos en dos fases: una de comprensión del texto original y otra del reelaboración del texto en otra lengua. Por último, puede incluirse en el proceso al escritor. De hecho, el texto objeto de traducción es su obra y el proceso de traducción se verá afectado por cómo lo haya escrito, el léxico que haya empleado, la sintaxis elegida o la coherencia de su argumentación.

1. Esta operación de crear el texto siguiendo según un tipo de texto de la lengua destino no tiene por qué ser nuestro objetivo en todos los casos.

Nos parece importante insistir sobre la importancia de la fase de producción del texto original ya que la mayoría de los sistemas informáticos de ayuda a la traducción o de traducción automática la obvian. Para verlo más claro pondremos el ejemplo de los textos técnicos y su traducción. Los traductores técnicos siempre confían en recibir textos bien escritos que faciliten su trabajo. Saben perfectamente que si el texto está bien escrito su trabajo se limitará a transponer a otra lengua un sencillo texto fácil de comprender. En ese caso su mayor problema es dominar la terminología y recursos lingüísticos de la lengua destino. Pero si el texto está mal escrito la fase de comprensión puede ser mucho más complejo, pasándose de una fácil lectura de un texto "simple" a un complejo proceso de indagación sobre las intenciones del texto.[2]

Por tanto, como la producción puede afectar a la fase de comprensión, consideramos de gran importancia estudiar cómo se puede informatizar la producción del texto original.

A continuación describimos con más detalle cuales son los componentes del proceso de traducción que queremos informatizar o que debemos tener en cuenta para informatizar los demás.

1.2.1. *La producción del texto*

En la fase de producción de un texto se crea este texto con unas propiedades particulares:

a) Propiedades lingüísticas y textuales: lengua/sublengua a la que pertenece, tipo de texto en particular etc.

b) Medio o soporte: impreso o informático.

c) Información metatextual: ¿incluye información sobre sí mismo?

Como ya apuntábamos antes, las variantes sobre estos tres parámetros producen gran variedad de tipos de textos. La posibilidad de avanzar en la informatización de la traducción de un texto depende en gran medida de estas propiedades.

La informática puede ayudarnos a crear textos con unas determinadas propiedades lingüísticas y textuales. Por ejemplo, podemos emplear la informática para controlar el uso del léxico o la existencia de determinadas formas de cohesión.

Por información metatextual nos referimos al hecho de que un texto incluya información sobre sí mismo, tal como su estructura o la naturaleza de cada uno de sus componentes. Esa información puede ser de gran valor para procesar textos. Por ejemplo, si mientras procesamos una parte de un texto sabemos que se trata de un título de un capítulo, las decisiones de traducción pueden variar respecto de si intentamos traducir el cuerpo del documento. Aunque normalmente un traductor humano tiene esa información, un sistema de traducción automática no tiene por qué tenerla.

---

2. Neubert y Shreve (1992, p.17) mencionan este problema que también hemos comprobado personalmente. Se trata de un problema especialmente llamativo si se tiene en cuenta que los textos técnicos (los "mal escritos") suelen ser considerados los candidatos ideales para la traducción automática.

En el apartado 2 veremos algunas técnicas que permiten controlar la producción de textos y codificar en ellos información metatextual.

1.2.2. *Los instrumentos para traducir el texto*

Un paso previo a la traducción es la preparación de instrumentos que luego nos ayuden a comprender, traducir y revisar los textos. Entre estos instrumentos destacan los glosarios y los corpus textuales.

Aunque es generalmente aceptada la importancia de estos instrumentos, resulta sorprendente la falta de implantación de los mismos en algunos contextos de traducción profesional. Especialmente poco usados son corpus textuales y además no está claro cómo deben usarse.

En el apartado 3 estudiaremos cómo podemos integrar estos instrumentos adecuadamente en el proceso de traducción.

1.2.3. *El acto de traducción en sí*

El proceso final por el que traducimos un texto puede presentar numerosas variantes. De acuerdo con tales variantes existen diversas formas de informatización del mismo. Podemos tener una informatización total (traducción automática), parcial o nula.

Cada opción presenta un área de aplicación y unas ventajas y desventajas. El objetivo debe ser, por tanto, buscar para cada situación de traducción, el grado de informatización más adecuado.

En el apartado "La informatización del acto de traducción en sí" examinaremos diferentes formas de informatizar el acto de traducción en sí.

2. La informatización de la producción

En este apartado veremos de qué forma la informática puede intervenir en la producción de textos.

Al producir un texto se establecen las propiedades que determinarán el grado de informatización a que se podrá llegar durante su traducción. Cuanto más informatizado esté un texto, mayor será el número de procesos informáticos a los que podremos someterlo.

Hemos distinguido antes estos tres aspectos de los textos:

a) El soporte o medio.

b) El código o texto en sí.

c) El metacódigo o la información sobre el texto en sí.

La importancia para nuestros fines del soporte o medio es obvia. Si el soporte de un texto es el papel, será imposible someterlo a diversos procesos informáticos. A continuación estudiamos los otros dos aspectos.

2.1. La informatización del código

Cuando hablamos de informatizar la producción de textos no referimos fundamentalmente a la posibilidad de controlar diversas características de los textos que hacemos. Para ello es necesario ser consciente de lo que escribimos y planificar la producción de textos. Por ejemplo podemos controlar el léxico que usamos, la sintaxis o determinadas propiedades textuales.

Desde el punto de vista práctico, este control nos permitirá crear textos computables. Las ventajas del uso de lenguas controladas o restringidas para la traducción automática son bien conocidas y generalmente aceptadas. Prueba de ello es que continuamente se sigue citando el éxito que supuso el sistema de traducción automática TAUM. Este sistema traduce mensajes como los siguientes escritos en una lengua artificial.

FORCASTS FOR YUKON AND NORTHWESTERN BC
ISSUED BY ENVIRONMENT CANADA AT 5:30 AM PDT
FRIDAY JULY 11 1980 FOR TODAY AND SATURDAY
KLONDIKE
BEAVER CREEK
STEWART RIVER
RAIN OCCASIONALLY MIXED WITH SLEET TODAY
CHANGING TO SNOW THIS EVENING. HIGHS 2 TO 4.
WINDS INCREASING TO STRONG NORTHWESTERLY THIS
AFTERNOON. CLOUDY WITH A FEW SHOWERS
SATURDAY. HIGHS NEAR 6.

Este sistema se ha convertido en la prueba de que si la producción de textos sigue unas normas muy restringidas, entonces podremos obtener mejores resultados al traducir automáticamente. TAUM ha influido en la aparición de numerosos trabajos sobre las sublenguas, tanto aplicados[3] como teóricos.[4] El objetivo general de estos trabajos es lograr delimitar sublenguas que a la vez sean restringidas y naturales, o sea que proporcionen suficiente libertad al escritor para expresarse con naturalidad y puedan ser procesadas por sistemas informáticos.

Veamos algunas formas de controlar las propiedades lingüísticas y textuales de los textos.

2.1.1. *Delimitación lingüística*

Delimitación del léxico

La delimitación del léxico de una sublengua es una tarea relativamente asequible, especialmente si disponemos de suficiente número de textos en formato electrónico. Existen ya medios informáticos y técnicas bien conocidas que permiten realizar esta tarea. La delimitación léxica requiere tratar, al menos, las siguientes fases:

a) Identificación de unidades léxicas básicas (palabras)

En su versión más sencilla una lista de unidades léxicas no es más que una lista de palabras, aunque más útil es una lista de lemas o raíces.

Esta fase puede realizarse de forma semiautomática:

1. Preparando un corpus de textos

3. Newton, J. (1992)
4. Schreurs, D. et al. (1992)

2. Etiquetando el corpus mediante un etiquetador[5] o tagger. El etiquetador deberá marcar cada palabra con su categoría gramatical y raíz. Una vez marcada, es sencillo hacer una lista ordenada de palabras con sus respectivas etiquetas. De esta forma tenemos un primer diccionario básico.

Supongamos que nos interesa crear un diccionario para una sublengua formada por esta frase:

Juan se comió una manzana un día de abril

Un etiquetador nos podría proporcionar la siguiente lista:

Juan:Nombre propio:Juan
se:pronombre:se
comió:verbo, pret.indefinido,3ª pers. Sing.:comer
una:determinante,sing.masc.:un
manzana:nombre,fem.,sing.:manzana
un:determinante,masc.,sing.,:un
día:nombre, masc.,sing.,:día
abril:nombre propio:abril

Esto es, nos podría indicar para cada palabra cual es su categoría gramatical y su lema o raíz. A partir de esta lista podemos generar automáticamente un diccionario de unidades léxicas básicas:

abril:nombre
comió:verbo
día:nombre
Juan:Nombre propio
manzana:nombre
se:pronombre
un:determinante

Una vez que contamos esta lista, para saber si un texto emplea un determinado léxico no tendríamos más comprobar si las raíces que asigna el etiquetador a las nuevas palabras están incluidas en nuestro diccionario.

b) Identificación de unidades léxicas complejas (palabras)

Esta tarea más compleja debe servir para identificar otros elementos léxicos como los formados por más de una palabra, desde expresiones fijas (como "hacer una fotografía" o "hincar los codos") hasta nombres propios compuestos (como "Banco de Santander"). También en esta fase debe recogerse las colocaciones más importantes. Para estas tareas se pueden emplear programas como TACT[6] y WordCruncher. Estos programas permiten detectar de forma automática colocaciones. Para saber si dos palabras forman un colocación se basan en la frecuencia de aparición de las palabras por separado y su frecuencia juntas. Su funcionamiento correcto depende en gran medida de cual sea la colección de textos seleccionada.

5. Sobre etiquetadores puede consultarse Moreno-Torres (1994).
6. Véase el epígrafe "Acceso a la información".

c) Identificación de valores semánticos

Esta última tarea es mucho más compleja. Consiste en discriminar cuales de los significados posibles de una palabra se emplean efectivamente en una sublengua. Para esta tarea se pueden emplear las técnicas de desambiguación semántica.

Delimitación de la sintaxis

El objetivo de la descripción sintáctica es delimitar las construcciones sintácticas que efectivamente se emplean en una sublengua.

Desde un punto de vista práctico el problema se centra a menudo en la detección de áreas problemáticas para el tratamiento computacional. Entre estas áreas se pueden mencionar las posibles formas de elipsis, la coordinación y el uso de sintagmas preposicionales u oraciones subordinadas anidadas. Además de estos puntos concretos un criterio general buscado por las gramáticas específicas es el uso de estructuras poco complejas.

Los instrumentos que más se acercan a estos fines son los correctores de estilo.

2.1.2. *Las propiedades textuales*

Idealmente el control de la producción de textos debería tener en cuenta también las propiedades textuales mencionadas más arriba. A pesar de su dificultad, pensamos que es una de las vías que más debe ser estudiada y que más resultados debe proporcionarnos en el futuro.

En este sentido, la coherencia, la cohesión y la intertextualidad se nos presentan como propiedades más accesibles de los textos. De hecho ya hay tecnología que podemos utilizar para estudiar estas propiedades.

Coherencia

Los trabajos sobre representación del conocimiento desarrollados en el ámbito de la inteligencia artificial constituyen en principio una base para poder analizar la coherencia de un texto.

Veamos un ejemplo de las tareas en las que la informática podría ayudar al escritor y al traductor. Un típico error en los textos técnicos en el área de la informática es la descripción de objetos inexistentes. Así, el siguiente texto sería incoherente:

Para ver el documento pulse el botón Ver

si no existe ese botón Ver.[7] Para que un programa de ordenador pudiera controlar esta incoherencia sería necesario que tuviera incorporada una base de conocimientos con este tipo de información.

7. Este tipo de error es común porque a menudo los redactores hacen descripciones de programas no terminados y a menudo los últimos cambios no se reflejan en su descripción.

El mayor problema para aplicar esta idea es el enorme coste que supondría crear una base de conocimientos para cada texto que queramos traducir.

Cohesión

Diversos autores (Lafflind, 1991; Kozima et al, 1994) han propuesto en los últimos años formas de cuantificar la cohesión de un texto. Lafflind (1991) se basa en la idea de que en todo texto hay una serie de palabras relacionadas de diversas formas que constituyen una "red de palabras". Lafflind distingue estas formas de relación:

a) Paradigmática: hiperónimos, hipónimos. sinónimos, merónimos, relaciones indexadas, cohipónimos y antónimos, sinónimos parciales.

b) Sintagmática: colocaciones nominales, combinaciones adjetivo y nombre, colocaciones verbales y expresiones fraseológicas.

Cuantas más relaciones de estos tipos se den entre las palabras y expresiones de un texto, mayor cohesión tendrá el texto en conjunto. Desde el punto de vista informático, una pieza clave de esta técnica es la necesidad de disponer de bases de datos que reflejen toda esta información. Una vez que las tenemos es teóricamente posible cuantificar el grado de cohesión de un texto en particular. En el trabajo de Kozima et al. (1994) se describen las fórmulas empleadas por los autores para cuantificar la cohesión.

Intertextualidad[8]

La última propiedad del texto a la que se puede someter a un análisis con resultados prácticos para la traducción automática y la traducción asistida es el de la identificación de tipos de textos.

El problema es, evidentemente, que no existen categorías disjuntas de textos. No obstante, parece más fácil asignar un texto a un tipo durante su producción que analizar a qué tipo de texto puede pertenecer un determinado texto.

En esta línea nos interesan los trabajos que han diseñado desde cero nuevos tipos de textos. Un interesante ejemplo son los manuales minimalistas de Carroll (1990). Pensamos que es interesante como indicación de en qué puede consistir la "normalización" de la estructura del discurso.

Los textos que ha estudiado este autor son los manuales técnicos. Carroll parte del hecho de que los manuales técnicos se emplean para realizar tareas específicas, no para aprender conceptos. Considera que cada manual debe ser un recetario de tareas posibles. Podemos llamar unidad textual a cada una de esas recetas. Como en cada unidad textual se describe una acción, Carroll organiza las unidades textuales de forma que reflejen la estructura de una acción. Distingue estas partes (en las acciones y en las unidades textuales que las describen):

1) Propósito de la acción

2) Pasos que deben seguirse para ejecutar la acción

---

8. Además del trabajo de Carroll, en este apartado podríamos incluir las propuestas que apuntan hacia el estudio de textos tipo entendidos como plantillas.

3) Forma de reconocer que la acción está completa
4) Qué hacer en caso de error
5) Otros elementos

Diversos experimentos hechos por el autor, sus colegas y seguidores[9] han mostrado que el aprendizaje con los manuales minimalistas es más rápido que con otros manuales.[10]

Este tipo de trabajos acercan el camino a la informatización de la traducción explicando cómo crear textos correctos.

Una tarea pendiente es recoger más formas de organizar el discurso de forma sistemática y justificada.

2.2. La codificación de la información

La normalización de los textos tiene un fin claro: facilitar la comunicación (ya sea con intervención de hombres o con la mediación de máquinas). Para que tales fines puedan alcanzarse la normalización debe quedar plasmada en los textos. Esto es, no basta con producir textos de acuerdo con unas normas, es necesario además que tales normas queden reflejadas en el texto (si no perderíamos una información valiosa para el posterior procesamiento del texto). De ahí, la necesidad de la codificación, cuyo objetivo es hacer explícita información importante para el procesamiento de textos. De la codificación nos interesan dos puntos: decidir qué información codificar y estudiar cómo codificarla.

En la actualidad disponemos de un estándar de codificación textual: el lenguaje de marcación SGML junto con la extensión TEI.

A pesar de su interés evidente, la norma TEI así como SGML no han tenido la difusión que se esperaba. Especialmente en lo que se refiere a las herramientas de consulta de bases de datos textuales. Así, sistemas de procesamiento de bases de datos textuales como TACT o Wordcrunch no los emplean. Por ello, además de indicar estos códigos, queremos llamar la atención sobre el uso de otros medios más difundidos para codificar información en textos. Nos referimos a los estilos.

Un estilo no es más que un conjunto de datos ligados a una etiqueta (el nombre del estilo) que se asigna a un párrafo de un documento. Normalmente los estilos se emplean para asignar propiedades tipográficas de forma coherente a lo largo de documentos grandes. Sin embargo, es posible emplearlos también para identificar partes de documentos.

La siguiente ilustración muestra un texto en el cual cada parte (en el sentido discursivo) tiene un estilo diferente. Los estilos se corresponden además a las partes del texto distinguidas por Carroll.

---

9. Draper W. Y K.Oatley (1992) describen algunos de estos experimentos.

10. Esta organización es aplicable también a los sistemas de ayuda en línea que suelen incluir la mayoría de los programas. Animamos al lector a comprobar que algunos sistemas empiezan a seguir un esquema parecido mientras que otros resultan desorganizados y casi caóticos. No cabe duda que los manuales que cuidan la organización del discurso resultan más fácilmente comprensibles. Evidentemente también resultarán más fácilmente procesables.

Para revisar la ortografía

1. Despliegue el menú Herramientas
2. Seleccione el comando Ortografía
3. Cada vez que el programa encuentre una palabra errónea, la mostrará junto con las alternativas disponibles. Elija la alternativa correcta o bien escriba una palabra nueva.

Sabrá que la revisión ha acabado cuando aparezca un mensaje que así lo indica.

Si las alternativas propuestas son de una lengua distinta a la del documento cambie la lengua del documento.

Si un mensaje indica que no tiene el diccionario, debe volver a instalar el diccionario.

Figura 1: Texto con estilos.

Los estilos empleados son:

Propósito de la acción: con tamaño de letra mayor y negrita.
Pasos de la acción: Numerados
Final de la acción: Negrita
Errores: cursiva.

Lo más importante de esta codificación no son las propiedades específicas escogidas, sino el hecho de haber identificado la estructura del texto. El uso de estilos como instrumento de codificación tiene ventajas añadidas ya que nos permite aumentar la cohesión de un texto y lo convierte en un objeto más fácilmente procesable.

Ciertamente los estilos sólo permiten asignar una parte pequeña de la información de un documento. Pero presentan la ventaja de la comodidad de aplicación frente a otras formas de codificación mucho más ricas como SGML. Además, es una técnica básica que ya está disponible en el mercado.

3. La informatización de los instrumentos

Son instrumentos para el trabajo del traductor tanto los medios técnicos de ayuda a la escritura como los sistemas de acceso a las fuentes de información. En este apartado nos ocuparemos exclusivamente de las fuentes de información del traductor.

Según Shreve (1993), los traductores necesitan manejar las siguientes fuentes de información:

— información terminológica
— información sobre el dominio
— información sobre estrategias de traducción
— información textual

El primer tipo de información aparece en la forma de bases de datos terminológicas. Están muy extendidas y las hay para diversas lenguas y áreas de conocimiento (TERMCAT, EURODICATOM etc.). Su desarrollo por un particular para sus propios fines es relativamente sencillo.

El segundo tipo se refiere al conocimiento enciclopédico. Estas fuentes de información existen cada vez más en soporte electrónico y es de suponer que progresivamente irán apareciendo más y mejores enciclopedias electrónicas. La creación de una enciclopedia es una tarea sumamente laboriosa, por lo que no suele tener sentido que un traductor se la cree para su uso personal.

El tercer tipo se refiere, entre otras, a las guías de estilo.

El último tipo se refiere a la recopilación de textos con sus traducciones como referencia para la realización de nuevas traducciones. Están menos extendidos que los glosarios y las enciclopedias electrónicas, aunque pueden desempeñar un papel muy importante en la tarea de traducción. La creación de un corpus textual es más compleja que la creación de un glosario, pero mucho más sencilla que la creación de una enciclopedia. Debido a que este tipo de fuente de información es la menos extendida, a pesar de su enorme interés, analizaremos algunas de sus características así como las dificultades que plantea su uso en la práctica.

3.1. Información textual para traducción

En su forma más sencilla una fuente de información textual es un conjunto de pares de textos de dos lenguas. Hay diversas técnicas para establecer la correspondencia entre los elementos de un corpus textual de este tipo. Posiblemente la forma más sencilla consiste simplemente en colocar en una columna el texto de cada lengua. La siguiente figura muestra un ejemplo de corpus:

CONTROLADOR De INTERFAZ *nomb.*[11]	*nomb.* INTERFACE CONTROLLER High Performance, **Cost Effective**
Rendimiento y **precio inmejorables**	
Adaptable, reducido, fácil de instalar y verdaderamente asequible. Esta es la mejor definición del controlador de interfaz *nomb.* de *empresa*	Scanning Communications Flexible, compact, easy to install and truly affordable. That's the *nomb.* Interface Controller from *empresa*
Technologies, el líder mundial en sistemas de transacción de datos representados en códigos de barras	Technologies, the world leader in bar code driven data transaction systems

Figura 2: Corpus paralelo.

11. Las palabras en cursiva "nomb." y "empresa" aparecen en lugar del nombre del producto y la empresa propietaria del mismo.

Como se ve, en este caso hemos situado a un lado un texto en castellano y a su derecha su correspondiente traducción inglesa.

Frente a los glosarios terminológicos, los corpus textuales tienen la ventaja de presentar la información en contexto, siempre nos muestran usos de las palabras, no definiciones o traducciones descontextualizadas. Los traductores pueden emplear los corpus textuales:

a) Como fuentes de información para tomar decisiones de traducción sobre aspectos tan variados como la terminología, el estilo, el uso de los signos de puntuación o la tipografía.

b) Como instrumento de ayuda a la corrección y revisión de traducciones.

El procedimiento normal de búsqueda en un corpus consistirá en localizar aquello que nos interesa en la lengua de origen y, como a su derecha aparecerá su traducción, comprobar cómo se tradujo el elemento en cuestión. Más adelante veremos cómo podemos hacer búsquedas en un corpus textual.

Aunque el concepto de corpus textual alineado o paralelo no es en absoluto complejo, estos instrumentos no están integrados en la práctica de la traducción profesional. Pensamos que las causas de esta no implantación de los corpus son las siguientes:

— Los corpus textuales generales[12] no sirven al traductor.
Estos corpus pueden ser útiles al teórico sobre la traducción, pero no al profesional que debe manipular textos concretos y necesita tener a su disposición ejemplos vinculados a su situación de traducción. No existen, y tal vez nunca existirán, corpus textuales adecuados para todas las situaciones posibles. Esta es una limitación compartida por los glosarios y es la causa de que a menudo los traductores profesionales se creen sus propios glosarios (aunque también empleen glosarios generales).

— No están extendidos los medios para crear corpus personales.
Evidentemente, dado que los traductores no pueden emplear los corpus generales, podrían emplear corpus más específicos creados por ellos mismos (de la misma forma que se crean los glosarios). Sin embargo, para ello necesitarían disponer de herramientas para crear de forma automática o semiautomática corpus textuales y estas herramientas, a pesar de ser técnicamente simples, no están extendidas aún.

A continuación veremos cuáles son los pasos que deben seguirse para la creación y uso de corpus textuales para la traducción:

a) La selección de un conjunto de textos
b) La alineación de los mismos
c) La consulta de información

3.1.1. *Selección de textos*

Una base de datos textual podría recoger estos tipos de textos:[13]

12. O sea, los corpus formados por recopilaciones de textos de diversa naturaleza y área de conocimiento. Estos corpus sí pueden ser muy útiles para otros trabajos filológicos.

13. Esta clasificación es una simplificación de la de Shreve (1993).

1. Textos paralelos L1 → L2
2. Textos monolingües de L1
3. Textos monolingües de L2

Los textos paralelos guían al traductor al intentar acercar un texto a las convenciones textuales de otro texto. En efecto, un corpus paralelo ayuda a evitar la natural tendencia a la literalidad. Al mostrar un gran número de ejemplos de traducción el traductor puede ser consciente antes de la necesidad de hacer modificaciones en un texto.

Los textos monolingües son conjuntos de textos creados directamente en la lengua destino u origen. En ambos casos suponen una ayuda adicional para comprender el significado de algún término o para aprender su uso. Los textos monolingües son una referencia importante debido a que, como nota Baker (1993), hay algunas diferencias de estilo entre los textos traducidos a una lengua y los textos escritos directamente en esa lengua.

3.1.2. *Alineación*

Un paso fundamental para poder consultar un corpus paralelo consiste en alinear los pares de textos original-traducción. Si nuestro objetivo es crear corpus genéricos y no estamos sometidos a limitaciones de tiempo, la alineación puede realizarse de forma manual. Sin embargo, si queremos introducir los corpus textuales en la metodología del traductor profesional, es importante que este proceso esté automatizado.

Evidentemente, sólo es posible automatizar la alineación cuando tratamos textos en soporte informático. En este caso, la dificultad de la tarea depende del tipo de texto y de las relaciones estructurales entre el original y su traducción. Pondremos dos ejemplos límite.

En traducciones jurídicas o literarias en las que es normal modificar la estructura de los textos, la alineación es una tarea casi necesariamente manual. Por el contrario, en la traducción técnica normalmente hay una correspondencia entre los originales y sus traducciones por los párrafos. Esta correspondencia hace posible alinear párrafos con gran facilidad.[14]

3.1.3. *Acceso a la información*

La alineación de los textos seleccionados con sus traducciones nos permite disponer de una fuente de información básica. Ahora necesitamos un sistema para consultar nuestra fuente de información. Para tales fines se pueden emplear diversas aplicaciones informáticas, desde un simple visor de texto hasta un sistema de gestión documental que permita buscar texto.

---

14. No es escesivamente complicado crear una macro en cualquier procesador de textos para alinear textos de este tipo. Una forma de hacerlo consiste en tomar los estilos como referencia para detectar discrepancias entre los párrafos alineados. También puede emplearse un sistema como el programa *Translation manager* de IBM y emplear sus memorias de traducción desde fuera del programa.

A continuación mostramos cómo podemos acceder a la información de un corpus textual mediante un sistemas de gestión de bases de datos textuales.

Sistemas de gestión de bases de datos textuales (SGBDT)

Los SGBDT son unas herramientas desarrolladas expresamente como instrumentos de consulta de corpus textuales. Permiten incorporar información estructural y hacer búsquedas complejas mediante expresiones regulares. Además, los SGBT pueden emplearse para detectar de forma automática las colocaciones de un texto o conjunto de textos. Esta función puede emplearse para detectar formas de cohesión en un documento y mantenerlas en la traducción.

Las posibles aplicaciones de TACT son múltiples. Por ejemplo, podemos emplear TACT para comprobar:

a) ¿Cuántas veces aparece una determinada palabra en un documento? Si nuestro corpus es paralelo, podríamos ver cómo se ha traducido en cada caso.[15]

b) ¿Cómo se ha usado una determinada palabra o par de palabras? Por ejemplo ¿qué expresiones con "hacer" se han empleado"?

Este tipo de consultas pueden emplearse tanto antes de hacer una traducción, para conocer el texto de partida, como una vez terminada, para examinar nuestras propias decisiones de traducción.

A modo de ejemplo, hemos buscado en un corpus de textos informáticos las colocaciones de la palabra "cuadro". Los resultados han sido los siguientes:

	Freq1	*Freq2*	*Z-score*
diálogo	203	214	158,992
de	208	2121	49,009
di	2	2	16,179
dialogo	1	1	11,440
Estado	2	10	7,016
incluir	1	15	2,641
para	1	385	1,119

Figura 3: Resultados de búsqueda con TACT.

Freq1 indica el número de veces que aparece la colocación junto con la palabra "cuadro". Freq2 indica la frecuencia total de la colocación. Z-score, que se obtiene a partir de esos valores, viene a ser una medida de la relación entre las dos palabras.

Al examinar estos datos inmediatamente descubrimos que:

a) La palabra *cuadro* se emplea con una enorme frecuencia junto con *diálogo*. Efectivamente, se trata de la expresión "cuadro de diálogo". Si

15. TACT no nos indica las traducciones explícitamente, sólo nos lleva al texto original. Cuando el texto está bien alineado, eso nos permite ver su traducción en poco tiempo.

nuestro objetivo fuera traducir este texto al inglés deberíamos tener en cuenta este hecho (del cual sin TACT también nos enteraríamos, aunque sólo conforme fuéramos traduciendo) y buscar una traducción adecuada para el término.

b) En dos ocasiones no se ha acentuado la palabra "diálogo". Aparentemente se trata de un error. Si estamos examinando el texto ya traducido deberíamos corregirlo.

c) Aparentemente por error en dos ocasiones se ha escrito "di" en lugar de "de". Si estamos examinando un texto ya traducido deberíamos corregirlo.

Una interesante ventaja de TACT es que nos permite pasar directamente de una posible colocación o error cuantificada de esta forma al texto en sí. Así, podemos comprobar de forma inmediata si efectivamente se trata de un error o de una colocación. En este caso hemos pedido a TACT que nos muestre el texto en el que aparece la palabra "diálogo" sin acento y nos ha mostrado el siguiente texto:

... para mostrar en pantalla el cuadro de dialogo Ver

Lo que hemos mostrado no es más un ejemplo. Pero el número de consultas posibles es enorme.

4. La informatización del acto de traducción en sí

Dentro de las relaciones entre informática y traducción, el área más controvertida es la traducción automática (TA). Es controvertida porque pretende automatizar una tarea intrínsecamente humana y de gran complejidad.

A pesar de su complejidad, desde hace 50 años se ha investigado con el fin de desarrollar sistemas de traducción automática. El proceso de investigación ha sido duro, casi tortuoso, obligando a los investigadores a reconocer una y otra vez las limitaciones de sus modelos de TA.

No obstante, disponemos ya de un corpus de conocimientos considerable que incluye:

— Un modelo de traducción automática generalmente aceptado. Siguiendo ese modelo de TA, el modelo estratificado (Sommers, 1992), podemos diseñar en relativamente poco tiempo prototipos de TA válidos para sublenguas muy restringidas.

— Lo que es más importante, también conocemos algunas de las causas de las limitaciones de ese modelo.

A continuación describiremos de forma breve los rasgos generales del modelo de traducción estratificada. Seguidamente examinaremos las limitaciones del modelo y sus dificultades para avanzar y acercarse hacia un modelo de traducción general.

4.1. El modelo estratificado de traducción automática

La mayoría de los sistemas de traducción automática actuales dividen el proceso de traducción en una serie de fases (3 normalmente) que siguen el orden ANÁLISIS-TRANSFERENCIA-GENERACIÓN. Tales sistemas se diferencian según la importancia que concedan a cada fase. Algunos sistemas hacen análisis solo morfológico, mientras que otros avanzan hasta el análisis sintáctico y otros crean representaciones semánticas de sus textos. La siguiente ilustración muestra todas estas variantes:

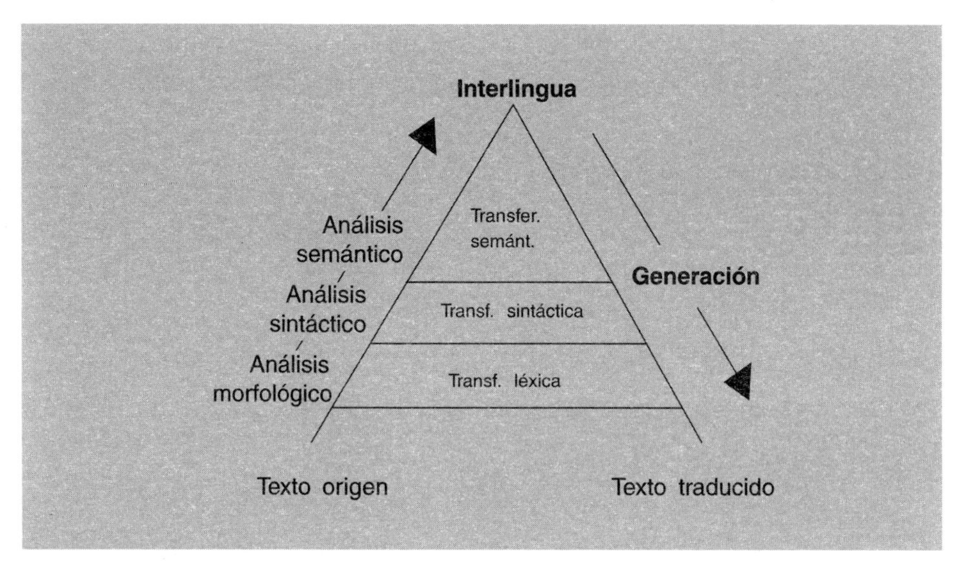

Figura 4. Tipos de sistemas de traducción automática.

Veamos brevemente algunas de las características, problemas y limitaciones de los sistemas de traducción léxicos, sintácticos y semánticos.

4.1.1. *Traducción léxica*

Los sistemas de traducción léxica asumen que es posible hacer una traducción de una lengua a otra simplemente reconociendo las unidades léxicas de la lengua de partida, obteniendo la traducción de cada unidad léxica y modificando, si fuera necesario, el orden de las palabras. Los sistemas comerciales de TA suelen basarse en esta técnica.

Al tomar esta estrategia asumimos que entre dos lenguas existen simetrías muy fuertes tanto por lo que se refiere al léxico como al orden de los elementos de una frase.

Componentes del sistema

Componentes básicos de los sistemas de TA léxicos son un analizador y un generador morfológico, un diccionario de transferencia y un conjunto de reglas de cambio de orden. El analizador morfológico debe permitirle reconocer las unidades léxicas antes de traducirlas. Las reglas de cambio de orden deben permitirle, por ejemplo, cambiar la posición del adjetivo al traducir del inglés a las lenguas románicas.

Como su fuente de información más importante son los diccionarios, la efectividad de estos sistemas depende en gran medida de las características de éstos. Por ejemplo, si se incluyen en los diccionarios frases hechas e incluso se le añaden algoritmos de reconocimiento de formas léxicas complejas que presentan variación de flexión (hincar los codos, hincó los codos...), puede mejorar la efectividad del sistema.

Área de aplicación

Estos sistemas son aplicables, a priori, en dos tipos de situaciones
a) Cuando nuestro objetivo es simplemente tener una idea del contenido o la temática del un determinado texto.
b) Cuando hemos detectado un conjunto de textos que admiten una traducción palabra por palabra. En principio este objetivo sería viable especialmente si diseñamos un complejo diccionario.

Limitaciones

Estos sistemas son aplicables solo a pares de sublenguas cuyos léxicos y ordenación sintáctica sean casi simétricos. En la práctica apenas hay pares de sublenguas con esta propiedad.

Centrándonos en aspectos más concretos, cabe destacar su carácter específico, que hace que sus diccionarios sean difícilmente transportables. Además, al no hacer siquiera análisis sintáctico, la cantidad de información con la que se juega para traducir es limitadísima.

4.1.2. *Traducción sintáctica*

Los sistemas de traducción sintáctica presuponen que es posible hacer una traducción de una lengua a otra reconociendo las unidades sintácticas de la lengua de partida y generando una frase a partir de una representación sintáctica. Esto es, asumen que la unidad de traducción es la frase y que las gramáticas de las dos lenguas tratadas presentan una estructura básicamente simétrica.

Componentes del sistema

Además de los diccionarios para decidir la identificación y traducción de las palabras, incluyen una gramática de ambas lenguas y un analizador y un generador sintáctico. Una parte fundamental de los estos sistemas es su capacidad para hacer representaciones suficientemente generales de la información sintáctica. Para ello se emplean actualmente complejos formalismos de representación gramatical como Lexical Functional Grammar (LFG), Generalized Phrase Structure Grammar (GPSG) o Head-driven Phrase Structure Grammar (HPSG).

Una pieza clave de esta técnica es la identificación de las formas de combinación de las unidades sintácticas. Por ejemplo, la delimitación de los posibles argumentos de un verbo. Este tipo de delimitación tiene la ventaja de que permite identificar con precisión la relación entre un verbo y sus posibles argumentos.

Área de aplicación

Estos sistemas son aplicables cuando dos lenguas cumplen las siguientes restricciones:

a) Ambas lenguas presentan poca variación sintáctica.
b) Las gramáticas de las dos lenguas son simétricas.

Limitaciones

Entre las dificultades de estos sistemas cabe destacar la dificultar para hacer una descripción de todas las estructuras sintácticas posibles. En general la ampliación de una gramática, tarea de por sí sumamente laboriosa, conlleva un aumento de la ambigüedad que dificulta la obtención de resultados.

Entre los trabajos en esta línea puede consultarse Danlos (1987).

4.1.3. *Traducción semántica*

Los sistemas de TA semántica presuponen que es posible traducir de una lengua a otra si obtenemos una representación semántica de cada frase original y a partir de esa representación generamos una frase en otra lengua. Nótese que ahora no se presupone simetría léxica ni sintáctica, se presupone que la estructura conceptual de dos lenguas debe ser simétrica y gracias a ello es posible traducir entre ambas lenguas. Normalmente se emplea como unidad de traducción la frase.

Componentes del sistema

Además, de los componentes de los sistemas anteriores, la traducción semántica requiere complejos mecanismos para tratar la información semántica.

Área de aplicación

Estos sistemas son aplicables a subconjuntos de textos que tratan de áreas de conocimientos suficientemente específicas. No están tan limitados por su sintaxis como por su variación de contenido.

Limitaciones

Entre las limitaciones de estos sistemas cabe destacar la dificultad que supone desarrollar una base de conocimientos y ampliarla suficientemente. Aunque es viable representar un conjunto pequeño de situaciones o propiedades de objetos, no ha sido posible diseñar sistemas suficientemente amplios.

Nos encontramos con un problema parecido al que antes analizábamos para la sintaxis. Estos sistemas tienden a recoger el significado en la forma de patrones, como los conocidos "script",[16] y por ello son aplicables a situaciones

16. Un *script* es una secuencia de acciones prototípticas. Un *script* debe aportar la información necesaria para comprender determinados textos. Por ejemplo, una secuencia típica es la que se hace al ir a un restaurante: pedir la carta, pedir la comida, comer, pedir la cuenta, pagar y marcharse. Si yo oigo la frase: "Paco se tomó el café, se fue sin pasar por caja y después fue a la cárcel", la comprendo porque conozco este *script*.

muy restringidas. Al intentar aumentar el ámbito de aplicación, estas técnicas resultan insuficientes ya que no prevén por sí solas la enorme variabilidad del conocimiento humano (o la enorme variedad de patrones posibles).

Respecto a las traducciones logradas con esta técnica se han criticado por ser más bien paráfrasis que no traducciones.

Entre los trabajos en esta línea puede consultarse Carbonell y Tomita (1987).

4.2. Limitaciones generales de los sistemas de TA y propuestas para el futuro

Veamos algunas limitaciones generales de los sistemas de TA así como las líneas de trabajo para superar tales limitaciones.

Problemas

En diversas ocasiones (Hutchins, 1986; Sommers, 1992) se han notado las deficiencias de los planteamientos teóricos de los sistemas de TA que hemos estudiado hasta ahora. Hutchins nota que las tecnologías para el procesamiento del lenguaje natural han estado muy ligadas a la gramática generativa de Chomsky cuyo objetivo es el estudio de la competencia, mientras que la traducción es un proceso relacionado con la actuación.

Otro problema es la dificultad para procesar unidades mayores que la frase y para incorporar la información pragmática. Así, aunque los sistemas de TA insisten en tomar como unidad de traducción la frase (si no la palabra), los teóricos de la traducción (De Beaugrande, 1981; Hatim y Mason, 1990; Neubert y Shreve) coinciden en que la unidad de traducción debe ser el texto. Desde el punto de vista computacional esta observación plantea enormes problemas y pone en duda los las posibilidades de avanzar en la TA. En primer lugar porque las teorías sobre el discurso están aún más atrasadas que las teorías sintácticas o semántica, pero también porque no es fácil encontrar regularidades en los textos que los conviertan en objetos computables.

Líneas de trabajo

— Creación de más completas fuentes de información.

Para dar el salto del prototipo a los sistemas menos limitados es necesario disponer de grandes bases de datos léxicas y bases de conocimiento cuyo desarrollo es en sí enormemente complejo. En los últimos años la comunidad investigadora se ha centrado en el desarrollo de más y mejores fuentes de información que en el futuro puedan emplearse para hacer TA.[17]

— Delimitación de objetivos razonables

Puede que algunos problemas de las lenguas naturales no sean tratables computacionalmente, esto es, que sólo tenga sentido crear sistemas de TA para ciertos casos. Es esta una reflexión muy repetida en los últimos quince

17. Prueba de esta afrimación es el hecho de que prácticamente todos los artículos de la revista *Machine Translation* de 1993 a 1995 están dedicados exclusivamente al problema de la recopilación de información.

años. El problema es ¿en qué casos? La comunidad investigadora sobre TA está prestando cada vez más atención a los lenguajes con fines específicos. El objetivo es llegar a conocer qué propiedades deben tener las variantes lingüísticas para poder ser al mismo tiempo objeto de un sistema de TA e instrumento útil para la comunicación humana. En nuestra opinión esta polémica está cercana a la polémica sobre la existencia de tipos de textos por parte de los teóricos de la traducción. Y tal vez en la combinación de ambas líneas se encuentren algunas claves para avanzar.

— Nuevas técnicas de análisis

Por último, en los últimos años, también ha habido propuestas renovadoras sobre el problema del *parsing* o reconocimiento y análisis de unidades lingüísticas. Especialmente interesante en esta línea nos parece el trabajo de Sato (1995) de traducción basada en ejemplos.

5. Otras facetas de la presencia de la informática en la traducción

Para terminar este artículo, querríamos llamar la atención sobre otros efectos que la presencia de la informática sobre la traducción. En concreto sobre la aparición de nuevos tipos de textos y las aplicaciones de las telecomunicaciones para el trabajo en equipo.

Respecto a los nuevos tipos de textos, es importante saber cómo son, qué propiedades tienen frente a otros tipos de textos y qué retos plantean al traductor.

Del segundo punto queremos llamar la atención sobre el efecto que las tecnologías de la información tienen sobre la tarea del traductor, especialmente debido a las posibilidades que plantean de trabajo en equipo.

5.1. Nuevos textos: documentos electrónicos

La aparición de la informática ha hecho posible la creación de documentos electrónicos. Aparentemente son textos de propiedades similares a los documentos impresos (o a algunos de ellos). Sin embargo, si analizamos algunas de sus propiedades podemos ver que son bien diferentes a los documentos impresos.

a) El orden de lectura no lineal. Es una característica típica de los textos llamados *hipertextos*. La no existencia de un orden lineal de lectura hace que la fase de comprensión del texto en conjunto sea mucho más compleja de lo habitual en textos con contenidos técnicos.

b) Desde el punto de vista técnico son objetos compilables (al igual que el código fuente de un programa informático). Esto es, el traductor, cuando traduce, no ve lo mismo que el lector. Ello plantea algunos problemas técnicos que es necesario resolver para permitir al traductor realizar su trabajo.

Es necesario analizar las características de estos nuevos tipos de textos y ver de qué forma determinan el proceso de traducción. Especialmente importante es la identificación de una estructura u organización. Una propuesta concreta sobre la organización de los hipertextos desde el punto de vista de la traducción la hemos apuntado en Moreno-Torres (en prensa) y otra puede encontrarse en Thüring (1995).

5.2. La implantación de las telecomunicaciones

Numerosas tareas de traducción son trabajos de equipo. No se trata de una novedad de los últimos años, es algo que existe de siempre. El trabajo en equipo plantea al traductor enormes dificultades. Si ya para un solo traductor es difícil ser estable en su trabajo cuando elabora un documento extenso, la estabilidad en las decisiones de traducción es casi imposible si el trabajo se divide en varios traductores (de ahí la importancia de la revisión).

Para garantizar la coherencia entre varios textos, los traductores suelen emplear glosarios, guías de estilo o traducciones tipo. Las telecomunicaciones proporcionan a los traductores los medios para realizar estas tareas en equipo de forma más rápida y, posiblemente, con mejores resultados. Pondremos como ejemplo la creación de un glosario. La elaboración de un glosario podría llevar las siguientes fases:

1. Elaboración de un glosario inicial.
2. Introducción, validación o corrección de términos.

La segunda fase no tiene un final en particular, sino que sigue abierta mientras se realiza un proyecto de traducción.

Si las modificaciones, inserciones y validaciones de términos tuvieran que hacerse sobre papel, no sería viable gestionar ese proyecto de traducción. Si por el contrario todos los traductores emplean una *sola* base de datos que pueda crecer y ser modificada sin límite sí sería posible mantener toda esta información. Las telecomunicaciones, con la existencia de redes a las que pueden estar conectados todos los miembros de un equipo de traducción (traductores, revisores e incluso el cliente que encarga el proyecto) permiten organizar toda la gestión terminológica (además, sin gastar papel).

Referencias bibliográficas

Baker, M. (1993), "Corpus Linguistics and Translation Studies - Implications and Applications", en Baker, M. et al. (eds.) *Text and Technology. In Honour of John Sinclair.* Filadelphia/Amsterdam: John Benjamins, pp. 233-250.

de Beaugrande, R., Dressler, W. (1981), *Introduction to Text Linguistics.* Londres: Longman.

Carbonell, J., Tomita, M. (1987), "Knowledge-based Machine Translation: the CMU Approach", en Niremburg, S. (ed.), *Machine Translation.* Cambridge: CUP, pp.121-34.

Carroll, J. (1990), *The Nurnberg Funnel: Designing Minimalist Manuals for Practical Computer Skills.* Cambridge, Mass: MITPress.

Danlos, L. (1987), *The Linguistic Basis of text Generation* Cambridge: CUP.

Draper, S. W., Oatley, K. (1992), "Action centred Manuals or Minimalist Instruction? Alternative Theories for Carroll's Minimal Manuals", en O'Brian Holt, P. - Williams, N. (eds.) *Computers and Writing,* Oxford: Intellect, pp. 222-243.

Grice, H. (1975), "Logic and Conversation", en Cole, P. - Morgan, J. L. (eds.) *Syntax and Semantics III: Speech Acts.* New York: Academic Press.

Hatim, B., Mason, I. (1990), *Discourse and the Translator.* New York: Longman.

Hutchins, W. J. (1986), *Machine Translation. Past, Present and Future,* Chichester: Ellis Horwood Ltd.

Hutchins, W.J., Sommers, H. (1992), *An Introduction to Machine Translation.* London: Academic Press.

KOZIMA, H., FUROGORI, T. (1994), "Segmenting Narrative Text into Coherent Scenes", *Literary and Linguistic Computing*, 9, 1, pp. 13-19.

LAFFLING, J. (1991), *Toward High Precission Machine Translation,* Berlín: Foris.

MORENO-TORRES, I. (1994), "Desambiguación morfológica: una aproximación híbrida", en MARTÍN, C. (ed.), *Lenguajes Formales y Lenguajes Naturales X.* Barcelona: PPU.

MORENO-TORRES, I. (en prensa), "Diseño y traducción de hipertextos". *Actas del III Congreso Internacional de Traducción.* Barcelona: UAB.

NEUBERT, A., SHREVE, G. (1992), *Translation as Text.* Kent State Univ. Press.

NEWTON, J. (1992), "The Perkins Experience", en NEWTON, J. (ed.) *Computers in Translation: A Practical Appraisal.* Routledge: London, pp. 46-57.

SATO, S. (1995), "MBT2: a method for combining fragments of examples in example-based translation", *Artificial Intelligence,* 75, pp. 31-49.

SCHREURS, D., ADRIAENS, G. (1992), "Controlled English (CE): From COGRAM to ALCOGRAM", en O'BRIAN HOLT, P., WILLIAMS, N. (eds.), *Computers and Writing,* Oxford: Intellect, pp. 206-221.

SHREVE, G. M. (1993), "The SGML and heuristic textual resources in translation-oriented databases", en WRIGHT, S. E. - WRIGHT, L. D. (eds.) *Scientific and Technical Translation.* Amsterdam./Phil.:John Benjamins, pp. 185-205.

SOMMERS, H. (1992), "Current Resarch in Machine Translation". Machine Translation, 7, pp. 231-47.

THÜRING, M. *et al.* (1995), "Hypermedia and congnition: Designing for comprehension". *Communications of the ACM,* 38, 4, pp. 57-65.

DIALECTOLOGÍA

Con el nacimiento de la geografía lingüística a finales del siglo XIX, empezó a desarrollarse la cartografía lingüística y la elaboración de los atlas. De forma semejante a los diccionarios, los mapas de los atlas son depositarios de gran cantidad de datos cuya explotación comporta un importante avance en los estudios sobre la variedad lingüística.

El estudio de la variación, sincrónica o diacrónica, se basa siempre en la acumulación de un importante número de datos que el lingüista debe interpretar. Por ello resulta muy útil la aplicación de herramientas informáticas tanto para el tratamiento cuantitativo como para su gestión; existe, además, actualmente la posibilidad de realizar el cartografiado de manera automática.

Se presentan a continuación dos ejemplos distintos de este tipo de explotación e interpretación de las variaciones dialectales: el artículo de Pilar García Mouton expone las principales características de esta disciplina; mientras que el de F. Moreno Fernández es un estudio del léxico, basado en las informaciones de los atlas y elaborado aplicando herramientas informáticas.

PILAR GARCÍA MOUTON
Instituto de Filología CSIC

Dialectometría

A lo largo de este siglo se han hecho muchos atlas lingüísticos y de sus mapas se han derivado avances llamativos en el estudio de las variedades y, también, en los desarrollos teóricos de la lingüística. Es sabido que los atlas recogen masas de datos dialectales ordenadas de distintas formas, normalmente en mapas cuyo contenido se ofrece en bruto para facilitar una elaboración posterior de acuerdo con el interés de sus "usuarios". Y, sin embargo, a pesar de esa riqueza, suelen ser casi exclusivamente los propios geolingüistas, los mismos que han recogido y cartografiado los datos, quienes dedican su tiempo a estudiarlos y a hacerlos rentables. De ellos surge la queja de que los atlas se utilizan poco, se desaprovechan, y ésta no es una queja reciente. Pues bien, en los veinte años últimos, la dialectometría se presenta como una posibilidad nueva de acercamiento a los atlas.

La dialectometría es una disciplina clasificatoria, de carácter instrumental, que se apoya en la geografía lingüística y recurre a procedimientos objetivos —estadísticos y taxométricos—, para establecer relaciones de semejanza o diferenciación dialectales, en un intento de sintetizar los contenidos de un atlas lingüístico. Una definición escueta, pero efectiva, es la de Goebl: dialectometría = geografía lingüística + taxonomía numérica (GOEBL, 1981: 349).

En 1973, Jean Séguy, autor del *Atlas Lingüístico de Gascuña*, publicó el volumen VI del ALG y un anejo titulado *Atlas Linguistique de la Gascogne. Complément du volume VI: Notice explicative et matrice dialectométriques.* Publicó también un artículo sobre la dialectometría en el ALG, en el que hablaba de su interés por los frutos que la disciplina podía dar y, al tiempo, justificaba la acuñación del neologismo *dialectométrie* para referirse a ella, al tratarse de una actividad nueva: "C'est sans le moindre scrupule que nous écrivons le néologisme *dialectométrie*. Aux choses nouvelles, des mots nouveaux" (SÉGUY, 1973b: 1).[1] El neologismo, aceptable para cualquier lengua románica —fácil de trasvasar a las demás—, es transparente en sus componentes, en el resultado final, y sirve para designar la metodología que pretende medir las distancias (o las "cercanías") dialectales. Antes de esa fecha se habían hecho otros trabajos que perseguían objetivos similares, y que también aplicaban métodos de taxonomía cuantitativa,

1. ["Escribimos el neologismo *dialectometría* sin el más mínimo escrúpulo. A las cosas nuevas, palabras nuevas"].

pero nunca reclamaron para sí el nombre de *dialectometría* —aunque existían *sociometría, econometría*, y otros parecidos para las disciplinas medidoras en antropología, psicología o demografía, por ejemplo. A partir de Séguy, el neologismo hizo fortuna y hoy es la denominación incuestionada.

Séguy trataba de conseguir unos mapas que sintetizaran la variación dialectal, a través de un procedimiento numérico que permitiera su reflejo global. En este intento no partía de cero, arrancaba de un punto al que habían llegado ya otros dialectólogos, y reconocía como precursores a Terracher y, antes, a Lalanne, que no consiguió su propósito de encontrar los "burletes" interdialectales en los que debían agolparse haces o hilos de isoglosas. Pero Séguy sí logró unos mapas finales —los del tomo VI del ALG—, que condensaran, gracias a técnicas de medición numérica, la información de los volúmenes anteriores. A partir de ahí, E. Guiter y los integrantes de la escuela de Tolosa —Philps, Fossat— desarrollaron el método y lo aplicaron en el ámbito románico, como se puede ver en los trabajos que fueron apareciendo en la *Revue de Linguistique Romane.*

La dialectometría se basa en materiales geolingüísticos. Desde el siglo pasado se hicieron trabajos cuantitativos sobre datos dialectales, pero los primeros acercamientos logrados en el sentido dialectométrico presuponen una red lingüística en el espacio, una base diatópica con puntos de referencia. La geografía lingüística tiene en los planteamientos dialectométricos un instrumento de elaboración de gran utilidad para la síntesis. Este enfoque parte de una relación interdisciplinar que incorpora al estudio de los mapas los avances de la estadística y de la cuantificación. De esta manera, no sólo los atlas de nueva planta pueden tener un aprovechamiento dialectométrico; el hecho de que los atlas presenten, en general, sus materiales en bruto, permite elaborarlos dialectométricamente muchos años después de su publicación. Así es como se ha podido trabajar últimamente sobre el ALF o el AIS.

Antes de seguir adelante, conviene no mezclar dialectometría, informática o cartografía automática, por más que la primera necesite de la última para visualizar sus resultados. Es evidente que, en los últimos años, la generalización de la informática ha impuesto su uso en todos los ámbitos necesitados de cálculos numéricos, de manejo de grandes masas de números, en este caso, resultado de la cuantificación de los datos dialectales. Estos procesos se agilizan enormemente con el apoyo informático y, en una segunda etapa, la de su volcado cartográfico, la informática proporciona de nuevo unas posibilidades desconocidas hasta hace relativamente poco tiempo por la geolingüística. Sin embargo, merece la pena insistir en que se pueden utilizar ordenadores para cuestiones relacionadas con la dialectología sin hacer dialectometría, y, al contrario, se puede hacer dialectometría —aunque no sea lo habitual, ni lo deseable— sin recurrir a la informática, haciendo los recuentos por procedimientos manuales. Así lo hicieron Lalanne, Séguy y otros dialectólogos que abrieron este camino. Lo ideal es construir programas que se encarguen de la comparación y del recuento de formas, basados en las necesidades de los dialectólogos.

La dialectometría propiamente dicha se reduce a la obtención de unas cifras que tratan de objetivar, de hacer manejables, a través de cálculos numéricos, los hechos dialectales. Tal como la conocemos hoy, la dialectometría tiene, además, una vertiente gráfica del mayor interés, ya que, en un segundo momento, busca la visualización de esos resultados y los vuelca de nuevo en mapas elaborados de forma especial. El cartografiado de los resultados del trabajo dialectométrico es definitivo a la hora de hacer comprensibles sus objetivos y de divulgarlos más allá de las tablas, los histogramas o los dendrogramas casi crípticos de los dialectómetras.

Tenía razón Séguy cuando se negaba a admitir para sus mapas dialectométricos la calificación de *interpretativos*, porque la interpretación es posterior y responsabilidad del dialectólogo. Después de afirmar que "En matière de cartographie linguistique, on en fait un étrange abus: est qualifiée d'interprétative toute carte qui n'est pas un simple report de données point par point, à la manière de Gilliéron", concluía: "Compter, traduire en chiffres et en graphismes n'est pas interpréter".[2] No interpretativos entonces, pero sí *elaborados*, en el sentido de que son mapas sintéticos, distintos, pero no muy alejados de los que los geolingüistas tradicionales han elaborado siempre para sus trabajos, por ejemplo, de onomasiología. También ellos elegían unos criterios para establecer tipos que reuniesen y clasificasen mapas con gran variación. El propio Jaberg —como recuerda Goebl— justificaba en 1947 la necesidad que el geolingüista tiene de "tipificar" los contenidos de un mapa: "Il crée ainsi des mots-types, dont il symbolise les aires par des couleurs ou par des hachures... Le mot-type peut-être une base étymologique, un mot littéraire, un mot régional, voire un mot inexistant qu'on a forgé arbitrairement —ce qui importe, c'est qu'il résume les caractères essentiels d'un faisceau de formes similaires" (Goebl, 1947: 6).[3]

Los procedimientos de cartografiado, aunque no son lo más importante, constituyen la parte más vistosa, podríamos decir, del método: mapas bidimensionales, de isoglosas, que se transforman en mapas cuya red de fondo parece una especie de panal, por sus puntos unidos en forma de polígono; mapas con red de puntos sobre triángulos; mapas coropletos[4]; mapas con relieve; árboles, etc., todos aprovechan las posibilidades de la cartografía automática, jugando con tramas, segmentos de distinto grosor y distintos colores. El lenguaje cartográfico, como veremos, está en función de hacer fáciles ópticamente los resultados de la elaboración cuantitativa de los datos dialectales.

Desde hace tiempo se ha buscado cómo medir cercanías o distancias lingüísticas. Para clasificar espacios mal conocidos desde el punto de vista lingüístico, por ejemplo en el África negra o en las islas Filipinas, se utilizaron procedimientos basados en la lexicoestadística y en la inteligibilidad, y así se

---

2. *Ibidem*, p. 2. ["En cartografía lingüística, se abusa curiosamente del término: se califica de interpretativo cualquier mapa que no sea una simple suma de datos punto por punto, al estilo de Gilliéron"]... ["Contar, traducir a cifras y a grafismos no es interpretar"].

3. ["Crea así palabras tipo, cuyas áreas simboliza con colores o con trazos... La palabra tipo puede ser una base etimológica, una palabra literaria, una palabra regional, incluso una palabra inexistente que se haya formado arbitrariamente —lo que importa es que resume los caracteres esenciales de un conjunto de formas semejantes"].

4. Neologismo creado por Goebl, que los llama en alemán *Choropletenkarten*, a partir del griego *chóra* "localización" y *plêthos* "cantidad", neologismo que se le ha reprochado por ser difícil y oscuro.

deslindaron lenguas, o bien lenguas de dialectos (Weinreich, 1963: 2). Para las zonas de transición, siempre difíciles de filiar, tradicionalmente también se han considerado más objetivos los índices numéricos que las apreciaciones cualitativas de los lingüistas, de ahí que M. Alvar los utilizara ya hace años sobre materiales del *Atlas Lingüistic de Catalunya* para valorar el peso de las interferencias en la frontera catalanoaragonesa (ALVAR, 1955).

Como hemos visto, la dialectometría nació francesa —por más que se pueda, desde luego, encontrarle precedentes que no lo son (GOEBL, 1983: 356-357)— y en Francia (y en Bélgica) tuvo pronto gran desarrollo, con presencia en la dialectología europea y en la americana, pero, a partir de los años ochenta, ha encontrado un apasionado cultivador en Hans Goebl, de la Universidad de Salzburgo, quien ha difundido y popularizado el método (vid. bibliografía). Como romanista que es, Goebl ha trabajado principalmente sobre atlas románicos (ALF, AIS, etc.). En una ocasión cercana, pasó revista a los trabajos de metodología dialectométrica hechos hasta 1992 por ámbitos lingüísticos: el románico era el más cultivado.[5] Hoy, después de unos años, ha podido afirmar que no existe ya esa ventaja cuantitativa de los dialectómetras románicos, porque los alemanes y los ingleses han adelantado mucho en esa dirección. En este trabajo sólo nos referiremos a los planteamientos dialectométricos europeos más conocidos hasta 1995.

Séguy hizo sus primeros intentos dialectométricos con materiales léxicos. Le sirvieron de base 170 mapas del ALG, que eligió al azar para no privilegiar ningún campo léxico, con la etimología como criterio básico de clasificación. Filtrando esos materiales a través de los criterios preestablecidos, construyó una matriz en la que las líneas horizontales corresponden a las 154 localidades encuestadas y las columnas, a los mapas elegidos. Para medir la distancia entre dos localidades, sólo hay que comparar las dos líneas que las reflejan y las columnas correspondientes: cada vez que coinciden, no se marca nada; si son diferentes, se marca un punto de distancia. El total, al terminar la comparación de las columnas, indica la distancia dialectal entre los puntos.

Explica Séguy que su método es aplicación del de la distancia de Hamming, y destaca sus ventajas: si se incluyen criterios no sólo léxicos, sino también fonológicos, fonéticos y morfosintácticos, puede considerarse integral; es objetivo, rápido, y tiene una ventaja fundamental: *a posteriori* permite, yendo hacia atrás en el recorrido hasta las fuentes primeras, verificar las decisiones tomadas en los distintos niveles. Señala que tiene el inconveniente de que necesita trabajar sobre muchos mapas. Además de su papel pionero, el trabajo de Séguy destaca por la seriedad de la reflexión teórica que lo arropa.[6]

En 1988 F. Moreno y yo utilizamos un método dialectométrico cercano —que tiene puntos en común con el desarrollado por Philps— que medía las

5. Dentro de él, el español destacaba con cuatro trabajos: uno para la zona catalanovalenciana, de L. Polanco; dos para el aragonés, de P. García Mouton y de F. Moreno Fernández respectivamente, y otro, no propiamente románico, para el vasco, de G. Aurrekoetxea, discípulo de Fossat (GOEBL, 1992: 433-444).

6. Este es el método lineal interpuntual que siguieron y ampliaron Beauchemin y Fossat.

diferencias en la morfología verbal y en el léxico, respectivamente, en los mapas de Huesca del ALEANR (*Atlas Lingüístico y Etnográfico de Aragón, Navarra y Rioja*). Para ejemplificar, utilizaré mi trabajo (GARCÍA MOUTON, 1991).

Corpus

100 mapas léxicos del ALEANR tomados al azar. Además de la experiencia de Guiter —que veremos después y que da esta cifra como la más recomendable—, el número 100 facilitaba los cálculos. Los mapas no pueden elegirse, porque se falsearían los resultados si un campo léxico tuviera más peso que otro. No son útiles los mapas etnográficos, ni los mixtos, ni tampoco los mapas con lagunas o con demasiados casos en los que el informante "no sabe" / "no contesta" [Ø] o en los que "no existe la realidad por la que se pregunta" [Ø]. Los mapas que no valían, se sustituyeron por el siguiente. Sí mantuve algún mapa mononímico, o casi, como el de *Pesebre*, porque intentaba neutralizar el hecho de que, al redactar un atlas, para ahorrar tiempo, dinero y esfuerzos se tienda en general a suprimir los mapas que corresponderían a preguntas que no "dan" diferencias, de manera que habitualmente se penaliza la semejanza y se favorece la diferencia en los materiales de partida.

Recuento

Los 100 mapas se comparan punto por punto. Hu 100, por ejemplo, se va comparando con Hu 101, 102, etc... hasta llegar a Hu 603. La tabla refleja las diferencias léxicas de cada uno de los puntos con los demás. Donde no se dan semejanzas —no se buscan identidades totales—, se marcan diferencias. Las casillas de la tabla muestran esas diferencias, que, al ir calculadas sobre 100, son reversibles, de modo que, si un punto tiene 62 diferencias con otro, comparte con él (100 - 62 =) 38 semejanzas.

No se cuentan diferencias sólo cuando hay distinta etimología; también cuando la fonética deforma la palabra o cuando un sufijo diminutivo aparece lexicalizado. Es decisión que corresponde al investigador el marcar los criterios (o *taxats*, en la terminología primera) los mismos que definirán el programa informático que quiera aplicar. Como razonaba Séguy, la verdadera diferencia estará allí donde dificulte la comprensión de la palabra, y así el dialectómetra, para marcar —que es una forma de juzgar, de decidir—, se verá obligado a adoptar el papel de "hablante ideal", con el consiguiente riesgo de no ser absolutamente objetivo. De hecho, lo que se busca es saber cuándo el léxico está desempeñando un papel comunicador o separador entre comunidades de habla. La etimología es un criterio válido para el lingüista; no para el hablante, que busca entenderse. Y una etimología común no tiene por qué asegurar la intercomprensión entre dos puntos.

¿Qué hacer cuando no hay respuesta en un punto o no se conoce un objeto? En ese caso, si sólo falta en uno de los dos puntos, se cuenta la no respuesta como diferencia. ¿Y cuando hay polimorfismo? Si una localidad tiene varias respuestas y una de ellas se asemeja a la del punto comparado, no se marca diferencia, porque esta respuesta facilita la comprensión entre las dos. De este modo, el polimorfismo de un punto puede estar suavizando las distancias léxicas y garantizando la comunicación entre puntos. En nuestro caso, los recuentos fueron manuales.

TABLA DE CONTINGENCIAS (DIFERENCIAS LÉXICAS)

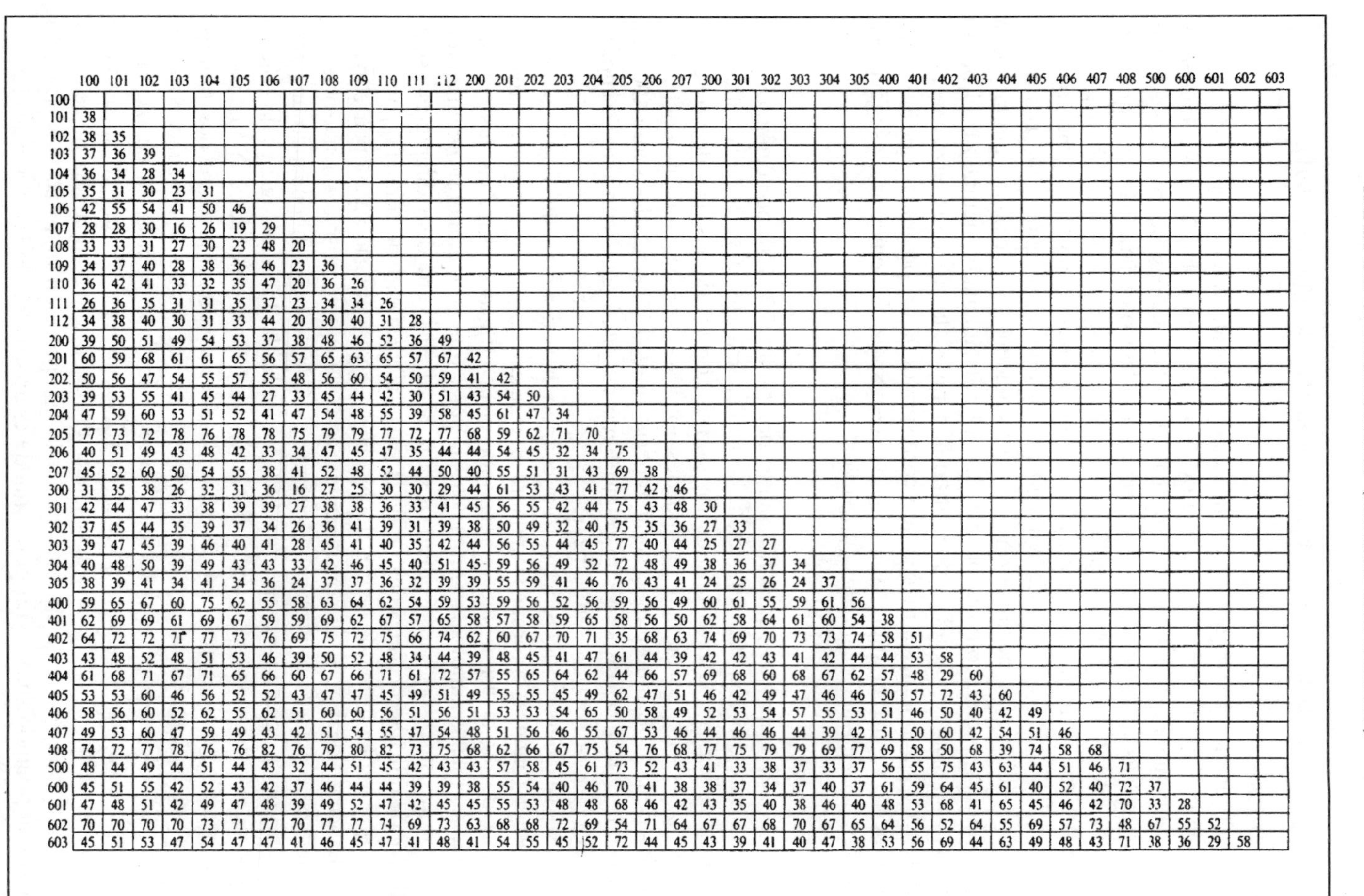

	100	101	102	103	104	105	106	107	108	109	110	111	112	200	201	202	203	204	205	206	207	300	301	302	303	304	305	400	401	402	403	404	405	406	407	408	500	600	601	602	603
100																																									
101	38																																								
102	38	35																																							
103	37	36	39																																						
104	36	34	28	34																																					
105	35	31	30	23	31																																				
106	42	55	54	41	50	46																																			
107	28	28	30	16	26	19	29																																		
108	33	33	31	27	30	23	48	20																																	
109	34	37	40	28	38	36	46	23	36																																
110	36	42	41	33	32	35	47	20	36	26																															
111	26	36	35	31	31	35	37	23	34	34	26																														
112	34	38	40	30	31	33	44	20	30	40	31	28																													
200	39	50	51	49	54	53	37	38	48	46	52	36	49																												
201	60	59	68	61	61	65	56	57	65	63	65	57	67	42																											
202	50	56	47	54	55	57	55	48	56	60	54	50	59	41	42																										
203	39	53	55	41	45	44	27	33	45	44	42	30	51	43	54	50																									
204	47	59	60	53	51	52	41	47	54	48	55	39	58	45	61	47	34																								
205	77	73	72	78	76	78	78	75	79	79	77	72	77	68	59	62	71	70																							
206	40	51	49	43	48	42	33	34	47	45	47	35	44	44	54	45	32	34	75																						
207	45	52	60	50	54	55	38	41	52	48	52	44	50	40	55	51	31	43	69	38																					
300	31	35	38	26	32	31	36	16	27	25	30	30	29	44	61	53	43	41	77	42	46																				
301	42	44	47	33	38	39	39	27	38	38	36	33	41	45	56	55	42	44	75	43	48	30																			
302	37	45	44	35	39	37	34	26	36	41	39	31	39	38	50	49	32	40	75	35	36	27	33																		
303	39	47	45	39	46	40	41	28	45	41	40	35	42	44	56	55	44	45	77	40	44	25	27	27																	
304	40	48	50	39	49	43	43	33	42	46	45	40	51	45	59	56	49	52	72	48	49	38	36	37	34																
305	38	39	41	34	41	34	36	24	37	37	36	32	39	39	55	59	41	46	76	43	41	24	25	26	24	37															
400	59	65	67	60	75	62	55	58	63	64	62	54	59	53	59	56	52	56	59	56	49	60	61	55	59	61	56														
401	62	69	69	61	69	67	59	59	69	62	67	57	65	58	57	58	59	65	58	56	50	62	58	64	61	60	54	38													
402	64	72	72	71	77	73	76	69	75	72	75	66	74	62	60	67	70	71	35	68	63	74	69	70	73	73	74	58	51												
403	43	48	52	48	51	53	46	39	50	52	48	34	44	39	48	45	41	47	61	44	39	42	42	43	41	42	44	44	53	58											
404	61	68	71	67	71	65	66	60	67	66	71	61	72	57	55	65	64	62	44	66	57	69	68	60	68	67	62	57	48	29	60										
405	53	53	60	46	56	52	52	43	47	47	45	49	51	49	55	55	45	49	62	47	51	46	42	49	47	46	46	50	57	72	43	60									
406	58	56	60	52	62	55	62	51	60	60	56	51	56	51	53	53	54	65	50	58	49	52	53	54	57	55	53	51	46	50	40	42	49								
407	49	53	60	47	59	49	43	42	51	54	55	47	54	48	51	56	46	55	67	53	46	44	46	46	44	39	42	51	50	60	42	54	51	46							
408	74	72	77	78	76	76	82	76	79	80	82	73	75	68	62	66	67	75	54	76	68	77	75	79	79	69	77	69	58	50	68	39	74	58	68						
500	48	44	49	44	51	44	43	32	44	51	45	42	43	43	57	58	45	61	73	52	43	41	33	38	37	33	37	56	55	75	43	63	44	51	46	71					
600	45	51	55	42	52	43	42	37	46	44	44	39	39	38	55	54	40	46	70	41	38	38	37	34	37	40	37	61	59	64	45	61	40	52	40	72	37				
601	47	48	51	42	49	47	48	39	49	52	47	42	45	45	55	53	48	48	68	46	42	43	35	40	38	46	40	48	53	68	41	65	45	46	42	70	33	28			
602	70	70	70	70	73	71	77	70	77	77	74	69	73	63	68	68	72	69	54	71	64	67	67	68	70	67	65	64	56	52	64	55	69	57	73	48	67	55	52		
603	45	51	53	47	54	47	47	41	46	45	47	41	48	41	54	55	45	52	72	44	45	43	39	41	40	47	38	53	56	69	44	63	49	48	43	71	38	36	29	58	

Figura 1.

ELABORACIÓN E INTERPRETACIÓN

Puntos	Suma	Media	Desviación	Índice	
100	1820	45,5	12,28	0,455	Sallent de Gállego
101	1975	49,37	12,30	0,493	Ansó
102	2034	50,85	13,23	0,508	Echo
103	1785	44,62	14,66	0,446	Canfranc
104	1965	49,12	14,92	0,491	Aragüés del Puerto
105	1851	46,27	14,88	0,462	Berdún
106	1936	48,4	13,05	0,484	Broto
107	1525	38,12	16,43	0,381	Jaca
108	1875	46,87	15,52	0,468	Bailo
109	1905	47,62	14,32	0,476	Yebra de Basa
110	1893	47,32	14,91	0,473	Lasieso
111	1665	41,62	12,98	0,416	Laguarta
112	1893	47,32	14,47	0,473	Agüero
200	1895	47,37	8,15	0,473	Bielsa
201	2297	57,42	5,85	0,574	Benasque
202	2175	54,37	6,19	0,543	Gistaín
203	1863	46,57	11,09	0,465	Fanlo
204	2087	52,17	9,93	0,521	Laspuña
205	2744	68,6	10,19	0,686	Noales
206	1909	47,72	10,95	0,477	Aínsa
207	1936	48,4	8,47	0,484	Campo
300	1695	42,37	15,43	0,423	Bolea
301	1779	44,47	12,83	0,444	Huesca
302	1729	43,22	13,11	0,432	Angüés
303	1821	45,52	13,54	0,455	Almudévar
304	1926	48,15	10,70	0,481	Alberuela de Tubo
305	1729	43,22	13,45	0,432	Robres
400	2295	57,37	6,65	0,573	Santaliestra
401	2335	58,37	6,63	0,583	Puebla de Roda
402	2621	65,52	10,66	0,655	Arén
403	1871	46,77	7,24	0,467	Puebla de Castro
404	2426	60,65	8,18	0,606	Tolva
405	2048	51,2	7,69	0,512	Pozán de Vero
406	2132	53,3	5,31	0,533	Azanuy
407	2017	50,42	7,57	0,504	Pueyo
408	2808	70,2	9,49	0,702	Albelda
500	1910	47,75	10,93	0,477	Pallaruelo de Monegros
600	1834	45,85	10,10	0,458	Santalecina
601	1873	46,82	8,19	0,468	Chalamera
602	2644	66,1	7,36	0,661	Fraga
603	1925	48,12	8,08	0,481	Candasnos

Figura 2.

Elaboración

Después de hacer el recuento que presenta la tabla, se pasa a la fase de elaboración de los datos, que produce el listado siguiente, de cuyas cinco columnas, la primera indica la localidad; la segunda, el total de las diferencias de ese punto y la tercera, la media de esas diferencias.[7] Al trabajar con 100 mapas, la media es igual, dividida entre 100, al índice de la última columna, y la cuarta corresponde a la desviación típica, que matiza considerablemente los datos y resulta muy útil para saber hasta qué punto una localidad se diferencia de las demás o se parece a las restantes.

En la parte posterior a la elaboración, el cartografiado fue muy elemental: a base de tramas diferentes, fuimos marcando, a partir del índice, la distancia en tramos, desde 0.3 hasta 0.7. Los mismos resultados hubieran sido mucho más productivos ópticamente de haber sido elaborados con procedimientos cartográficos un poco más sofisticados, que trazaran perfiles de unión entre puntos con índices similares o curvas según los valores numéricos.

Lo rústico de nuestro mapa deja ver, sin embargo, lo principal: los índices más altos de diferenciación corresponden, como saben bien los dialectólogos, a la frontera catalanoaragonesa. Confrontando la tabla, se explica la situación de un punto bisagra como Jaca (Hu 107) que, aunque en conjunto dé el índice de diferenciación más bajo de todos, tiene la desviación típica más alta de todas, lo que está advirtiendo de la desproporción que existe, por una parte, entre su ágil comunicación con Canfranc (Hu 103), traducida en 16 diferencias nada más frente a 84 semejanzas; con Berdún (Hu 105), 19 diferencias frente a 81 semejanzas; con Bolea (Hu 300), 16 diferencias frente a 84 semejanzas, y, por otra, de su alejamiento de Noales (Hu 205), que se refleja en 75 diferencias frente a 25 semejanzas; de Arén (Hu 402), 69 diferencias frente a 31 semejanzas; de Albelda (Hu 408), 76 diferencias frente a 24 semejanzas o de Fraga (Hu 602), 70 diferencias y 30 semejanzas.

En conjunto, los resultados de estos cálculos dialectométricos nos llevan a conclusiones muy cercanas a las de los trabajos tradicionales: la personalidad del norte de Huesca, muy caracterizada en el léxico de la ganadería; la unidad relativa de las variedades más orientales del catalán y la castellanización del sur de la provincia.

El propio Séguy (1973b: 13-14) insistió en la importancia del método dialectométrico global propuesto por Guiter, muy semejante al suyo, pero con un trazado interpuntual de fondo triangular que supera la dimensión lineal de su método, haciéndolo aplicable a un área entera. Une los puntos de la red de dos en dos, de forma que el dominio se cubre con una red de triángulos cuyos vértices son los puntos.[8]

Seguimos la explicación de Guiter (1973: 64-67): en cada punto de la red confluyen seis segmentos, pero cada segmento se cuenta dos veces, una vez por cada uno de los dos puntos que une. Por lo tanto y, el número de segmentos, es el triple que x, el número de puntos. Al ser limitado el número de puntos, los que queden en los bordes de la red no tendrán segmentos de unión hacia fuera, de modo que el número de segmentos, y, será igual a $3x$ multiplicado por

7. Para cada punto, el índice es igual al total de sus diferencias con los demás, dividido por el número de puntos menos uno multiplicado por el número de atributos estudiados.

8. Como ha señalado Goebl, fue el dialectólogo alemán Haag, en 1898, el primero en plantear la necesidad de tratar geométricamente el espacio dialectal que se quiere estudiar.

INDICE DE DIFERENCIACIÓN LÉXICA

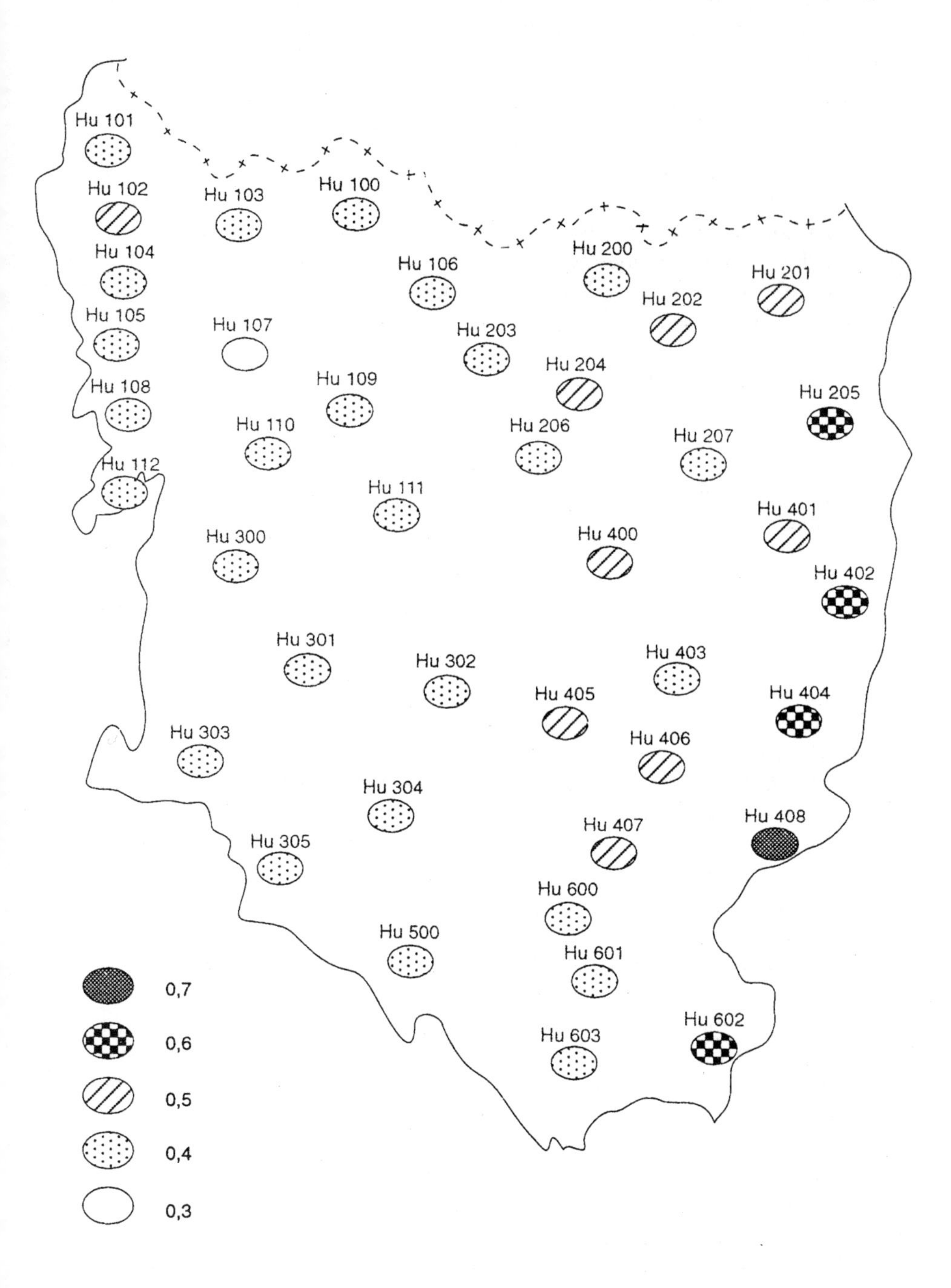

Figura 3. "Dialectrometría y léxico en Huesca", *I Curso de Geografía Lingüística de Aragón.*

un factor menor que 1. Guiter explica que éste tenderá a 1 cuando x se convierte en infinito. Así pues, el factor corrector es una relación en la que x aparece en el numerador y en el denominador con la misma potencia y el mismo coeficiente.

Cuando $x = 1$, $y = 0$; por tanto y debe tener el factor $(x - 1)$ para poderse anular cuando x sea igual a 1. Luego

$$y = 3x \frac{x - 1}{x + b}$$

El valor de b se consigue haciendo que x sea igual a 2. Entonces $y = 1$, porque dos puntos se unen sólo con un segmento. Si $x = 2$ y $y = 1$, $b = 4$. Tenemos, entonces, que si los puntos fueran de un trazado geométricamente regular, la ecuación sería

$$y = 3x \frac{(x - 1)}{(x + 4)}$$

Y, para adaptar las constantes a la distribución geográfica real de los puntos de un atlas:

$$y = \frac{ax\,(x - 1)}{(x + b)}$$

Conociendo el número de puntos del mapa de fondo de un atlas concreto, se puede saber cuántas veces habrá que comparar entre sí los puntos cercanos. Aplicando estos procedimientos, Guiter presenta la red de triangulación del ALPO, del Atlas vasco "Sacaze", del ALF, del ALC y del ALPI.

Al revisar los cálculos hechos sobre los 20 primeros mapas, sobre los 50, sobre los 100 y sobre los 200 primeros mapas, Guiter llega a conclusiones interesantes. Las desviaciones presentan un índice elevado en los 20 y aún hasta los 50 primeros mapas, y, de alguna manera, siguen pesando hasta los 100; a partir de los 100/107 mapas, la fiabilidad de los resultados se estabiliza y, en adelante, no se gana nada. Los 100 mapas suponen la seguridad.

Hecha la red de triangulación, Guiter investiga cuántas veces una isoglosa corta cada segmento, y retoma el concepto de *interpunto* (LALANNE, 1953). En lugar de contar separadamente —como hacía Séguy— distancias léxicas, morfológicas y fonéticas, las cuenta todas al tiempo. Curiosamente los resultados vienen casi a coincidir con los que obtiene Séguy y el método es mucho más rápido y abarcador, pero, según se va avanzando en el recuento, se pierde la posibilidad de volver atrás y de saber dónde se contó una diferencia y de qué tipo. El resultado hace aparecer en los mapas los "burletes" que tanto había buscado Lalanne, y según los tantos por ciento de diferencias, se marcan límites entre lenguas, dialectos, subdialectos, hablas, etc. De esta forma, Guiter establece sobre 100 la siguiente jerarquía de distancias: a partir de 20 diferencias, hablas distintas;

a partir de 30, subdialectos distintos; a partir de 50, dialectos distintos; a partir de 80, lenguas distintas: entre 80 y 98, lenguas de la misma familia; entre 98 y 100, lenguas de distinta familia.[9]

Precisamente en un homenaje a Guiter, Goebl aplica el método al AIS (Goebl, 1981) y explica cómo, tomando como base la matriz bidimensional formada por puntos y mapas, se puede llegar a generar otra matriz que considere interpuntos y mapas. Para hacerlo, se unen los puntos por medio de una red triangular y se insertan, en medio de cada lado de los triángulos, "puestos de sondeo" en los que, a modo de isoglosa, se puede jugar con 1/0, buscando un efecto discriminatorio. El 1 indica una diferencia; el 0, una semejanza. En el primer caso, Goebl habla de impermeabilidad lingüística; en el segundo, de permeabilidad. De forma binaria se pueden reescribir los mapas y construir otra matriz en la que se añade el número de diferencias o situaciones de impermeabilidad.[10]

En sus trabajos posteriores, Goebl avanzó hacia planteamientos más proclives a explotar la semejanza con el *Índice general de Identidad* (IGI), luego *Índice relativo de Identidad*, considerando que la distancia era mucho menos rentable desde el punto de vista dialectométrico (Goebl, 1983). En su reflexión primera, ya Séguy había señalado que Lalanne se perdió en las diferencias, cuando, de haber dado la vuelta al problema y haber operado con las semejanzas, habría encontrado soluciones. Goebl se interesa, a partir de entonces, más por los interpuntos en función *comunicativa*, que por los que están en función *discriminatoria*. Toma un punto y lo compara con todos los demás. Esa metodología interpuntual venía a ser, según Guiter, una adaptación de su método global.

Desde la matriz de datos se trata de generar una matriz de semejanzas o de distancias, matriz que se logra tamizando los datos a través de un índice taxométrico, que el dialectómetra debe elegir —de entre los muchos que existen (Sneath y Sokal, 1973)— en función de sus intereses. La estructura de la matriz de datos es similar a la de sus primeros trabajos, con los datos en bruto (volúmenes I, II y IV del AIS); los puntos del atlas (247 puntos del AIS + 4 puntos artificiales = 251 puntos); el criterio para aislar las unidades "taxatorias": diferencias léxicas y morfosintácticas. Para construirla se toma el número de objetos (= puntos, 251 puntos); el número de atributos (= 696 mapas analizados); el número de unidades "taxatorias" de la matriz de datos (4836) y el número de *taxats* / mapa analizado (6,9483).

9. El planteamiento teórico de su enfoque rastrea también qué mecanismos pueden suplir las diferencias de densidad de las redes de los distintos atlas, porque, como es lógico, las mediciones hechas sobre redes de menos puntos son más arriesgadas, menos de fiar (*ibidem*, 85-96).

10. Partiendo de los mapas del AIS, hace una criba cualitativa que permite clasificar los datos, en una operación muy común a las prácticas de la taxonomía numérica. A través del cálculo del IGIMP (*Índice General de Impermeabilidad*) consigue reducir los datos a un número mucho menor de valores, cuya distribución estadística clasifica, consiguiendo un gráfico escalonado. Jugando con varios algoritmos de clasificación, distribuye los valores, de forma que supera el carácter bidimensional de los trabajos anteriores y traduce los resultados en un tabicado dialectal que causa a la vista una expresiva sensación orográfica.

Luego hay que seleccionar, de entre los existentes, el índice de semejanza (o de distancia) más adecuado para generar la matriz de semejanza. El elegido por Goebl es el que llamó primero *Índice general de Identidad*, y luego *Índice relativo de Identidad* (IRIjk).

Así define el IRI, que usa para medir la semejanza entre dos vectores de atributos de dos puntos de atlas (j y k):

$$IRI_{jk} = 100 \cdot \frac{\sum_{i=1}^{\tilde{p}} (COI_{jk})i}{\sum_{i=1}^{\tilde{p}} (COI_{jk})i + \sum_{i=1}^{\tilde{p}} (COD_{jk})i}$$

Fig. 4.

$\tilde{p}$	es el número de atributos presentes en el vector del punto j y en el vector del punto k,
(COIjk)i	es una coidentidad entre j y k en el lugar del atributo I,
(CODjk)i	es una codiferencia entre j y k en el lugar del atributo I,
j	indica el punto de referencia,
k	indica el punto comparado,
i	indica un atributo.

Goebl advierte que maneja un índice isocrático, basado en un principio taxométrico adansoniano y que, por tanto, no prevé ninguna ponderación numérica (Goebl, 1992: 438; Sneath y Sokal, 1973: 116-133).

$$s = 100. \frac{\text{n.º de coidentidades de atributos por cada par de objetos}}{\text{n.º de copresencias de atributos por cada par de objetos}}$$

Este índice se sitúa entre 0 y 100, y sus propiedades algebraicas lo acercan mucho al conocido "simple matching coefficient" de la taxonomía numérica (Sneath y Sokal, 1973: 132). Aplicándolo, se obtiene la matriz de semejanza al cuadrado (N^2). Como en otros casos, semejanza + diferencia es igual a 100. Si, en vez de medir la semejanza, se miden los caracteres no comunes, se está recurriendo al *Índice relativo de Distancia*.

Hecha la matriz de semejanza, hay que definir cómo se orientará en adelante la explotación taxométrica de los resultados y, después, cuál será finalmente el tipo de presentación de los mismos.

Para hacer un análisis dialectométrico apoyado en interpuntos que separan, hay que rodear los puntos de un área poligonal definida, en cuyos lados se reflejarán los resultados del análisis taxométrico a base de "tabiques" o "cierres" de grosor diferente con apariencia de segmentos de isoglosa. Se sigue para hacerlo el método de los polígonos de Thiessen (Brassel y Reif, 1979), también conocidos como de Dirichlet o de Vorono·, basado en una triangulación previa (triangulación de Delaunay),[11] suficiente cuando los interpuntos están en función comunicativa. En el caso de este trabajo base, los 251 puntos del AIS generan 670 interpuntos, que se reflejan en los correspondientes 670 lados de polígono.

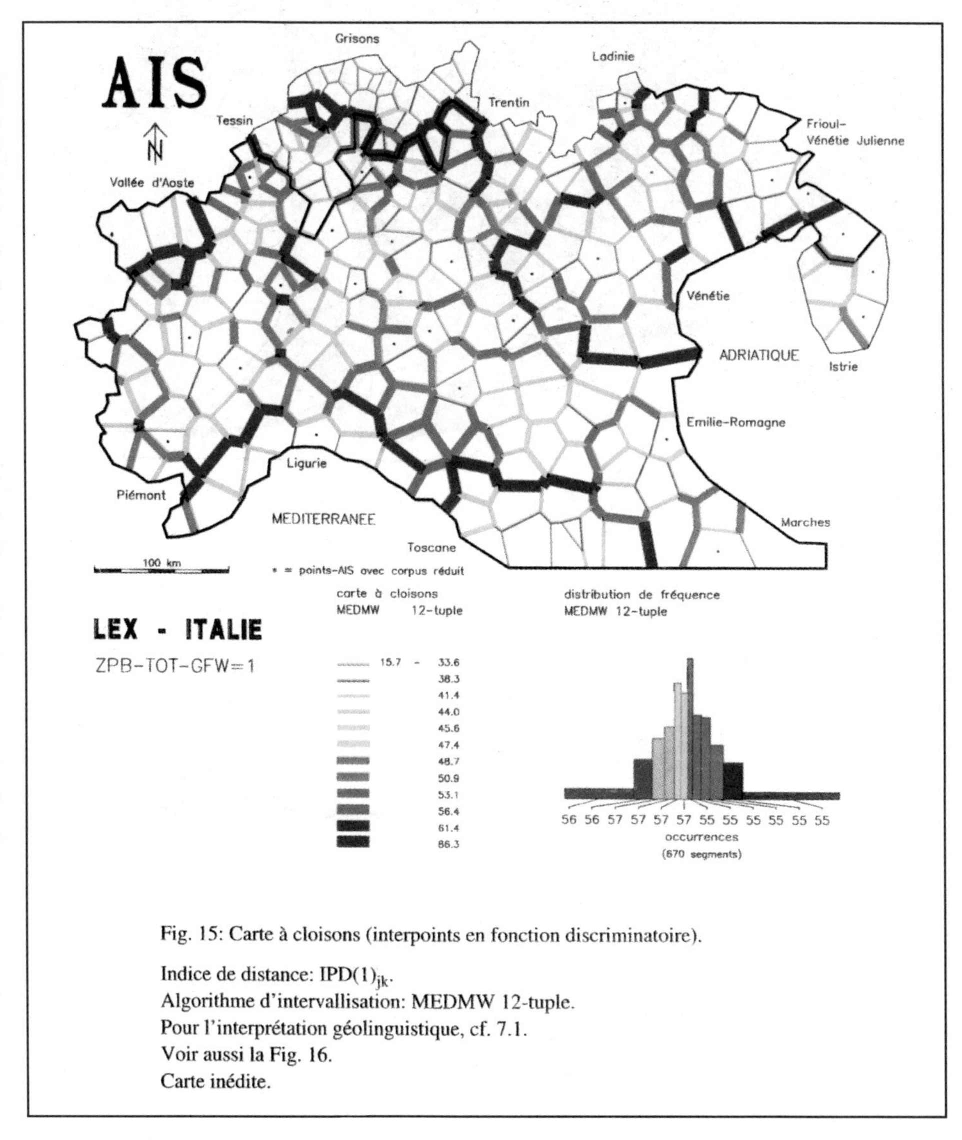

Fig. 15: Carte à cloisons (interpoints en fonction discriminatoire).

Indice de distance: $IPD(1)_{jk}$.
Algorithme d'intervallisation: MEDMW 12-tuple.
Pour l'interprétation géolinguistique, cf. 7.1.
Voir aussi la Fig. 16.
Carte inédite.

Fig. 5. El mapa 15 es un mapa con tabiques, que refleja las diferencias interpuntuales. Los valores máximos se marcan en azul marino y con trazos del mayor grosor. Como es evidente, no producen isoglosas, fronteras seguidas (GOEBL, 1992: 472).

11. En Goebl (1992), pp. 439 y 440, hay mucha más información.

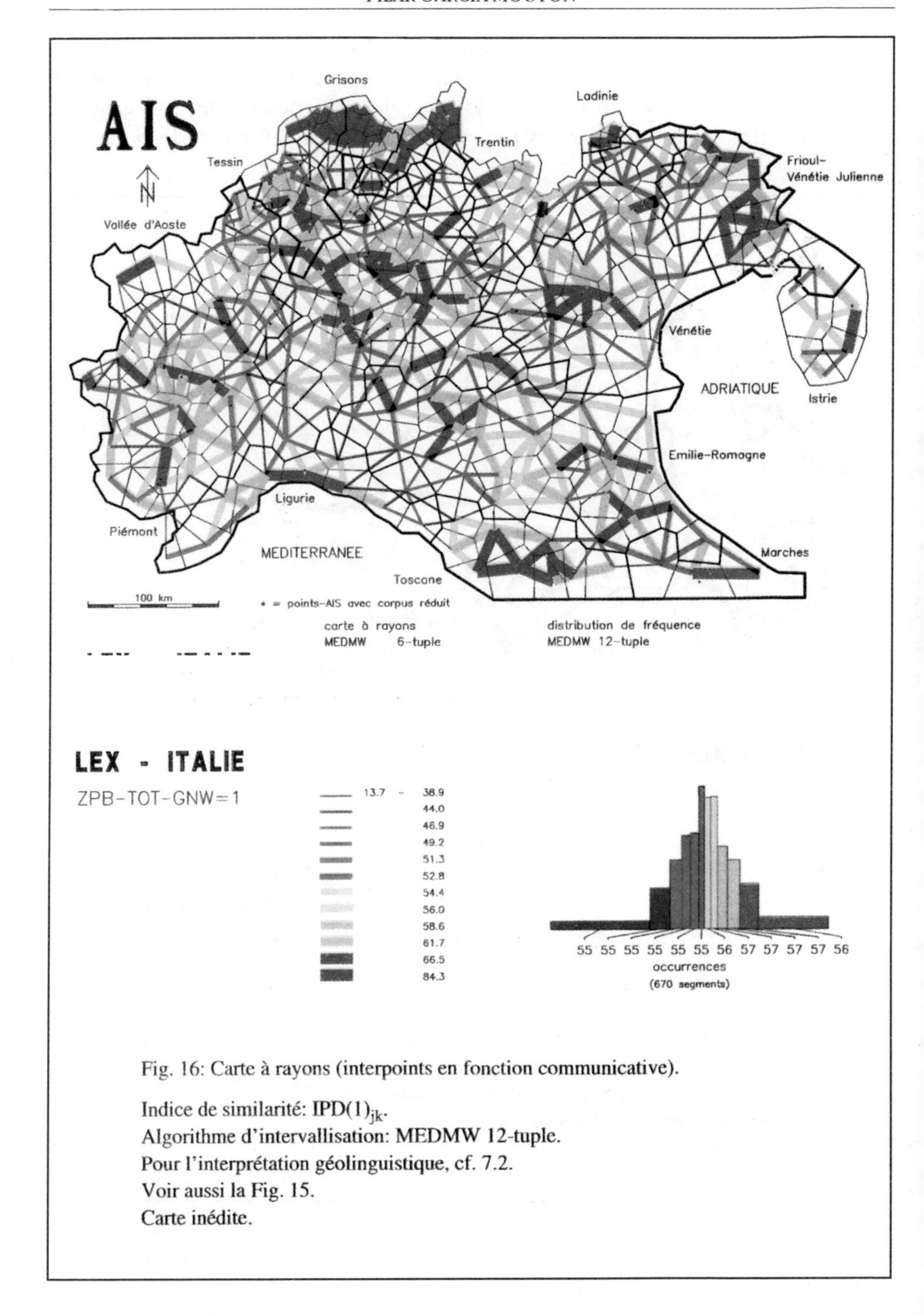

Fig. 16: Carte à rayons (interpoints en fonction communicative).

Indice de similarité: $IPD(1)_{jk}$.
Algorithme d'intervallisation: MEDMW 12-tuple.
Pour l'interprétation géolinguistique, cf. 7.2.
Voir aussi la Fig. 15.
Carte inédite.

Fig. 6. El mapa 16 refleja semejanzas interpuntuales, de modo que visualiza las zonas de cohesión que rodean los núcleos dialectales (GOEBL, 1992: 473).

En el momento actual de su evolución, Goebl parece haberse alejado mucho de la dialectometría interpuntual. Señala objetivamente que, a través de ella, los resultados son muy limitados y que, a pesar de su tradición entre los geolingüistas, no es un método muy capaz desde el punto de vista de la clasificación.

Para proporcionar un aprovechamiento icónico a los datos obtenidos, se pueden utilizar distintos algoritmos que sirven para clasificarlos en intervalos, entre ellos:

—el llamado MINMWMAX —del que Goebl alaba su "aptitud dialectométrica"—, que toma en cuenta el valor máximo, el mínimo y la media aritmética, estableciendo 6 valores, 3 por encima y 3 por debajo de la media,

—el MEDMW, que también parte del mínimo, el máximo y la media, pero difiere algo del anterior en su lógica algebraica, clasificando los datos en 12 grupos lo más parecidos posible entre sí, 6 por encima y 6 por debajo de la media. Entre sus características, está la de favorecer el contraste icónico.

Estos algoritmos resultan mucho más eficaces visualmente si se combinan con una gama escalonada de colores. Por ejemplo, con el MINMWMAX, desde la media aritmética, se marcan tres niveles por encima —que representarían los valores más altos reflejados con colores calientes, del amarillo al rojo— y tres por debajo —para los más bajos, que irían de más a menos del verde al azul marino en la gama de los fríos. Estos colores visualizan variables cuantitativas, en principio, aunque en algún caso puedan responder a un enfoque cualitativo. A partir de aquí se estructuran los mapas coropletos. Los algoritmos proporcionan también los histogramas que aparecen debajo de estos mapas o de los mapas interpuntuales, interesantes desde el punto de vista estadístico.

Levantado a partir de la matriz de semejanza, un mapa que refleje semejanzas es muy útil para hacer un análisis tipo diagnóstico, pues toma un punto como referencia de todos los demás. Según el interés geolingüístico previo del dialectólogo, será fácil ver con qué otros puntos tiene relación, a qué área de influencia pertenece, etc. Si se toma como referencia un centro de irradiación, se podrá establecer su eficacia comunicativa y los caminos que ayudan a difundir sus usos, detectar zonas de transición, etc. En este sentido, el mapa n.º 9, que Goebl incluye en su trabajo del 92, tiene el interés de tomar como referencia el punto 999, punto ideal que representa el italiano estándar y permite ver su influencia sobre los dialectos de la Italia del Norte. La lectura geolingüística del mapa coropleto resultante se puede hacer prácticamente en términos gillieronianos: los verdes marcarían la resistencia de las hablas periféricas; los amarillos, las invasiones victoriosas de los usos normativos que se extienden desde la Toscana y desde los núcleos urbanos.

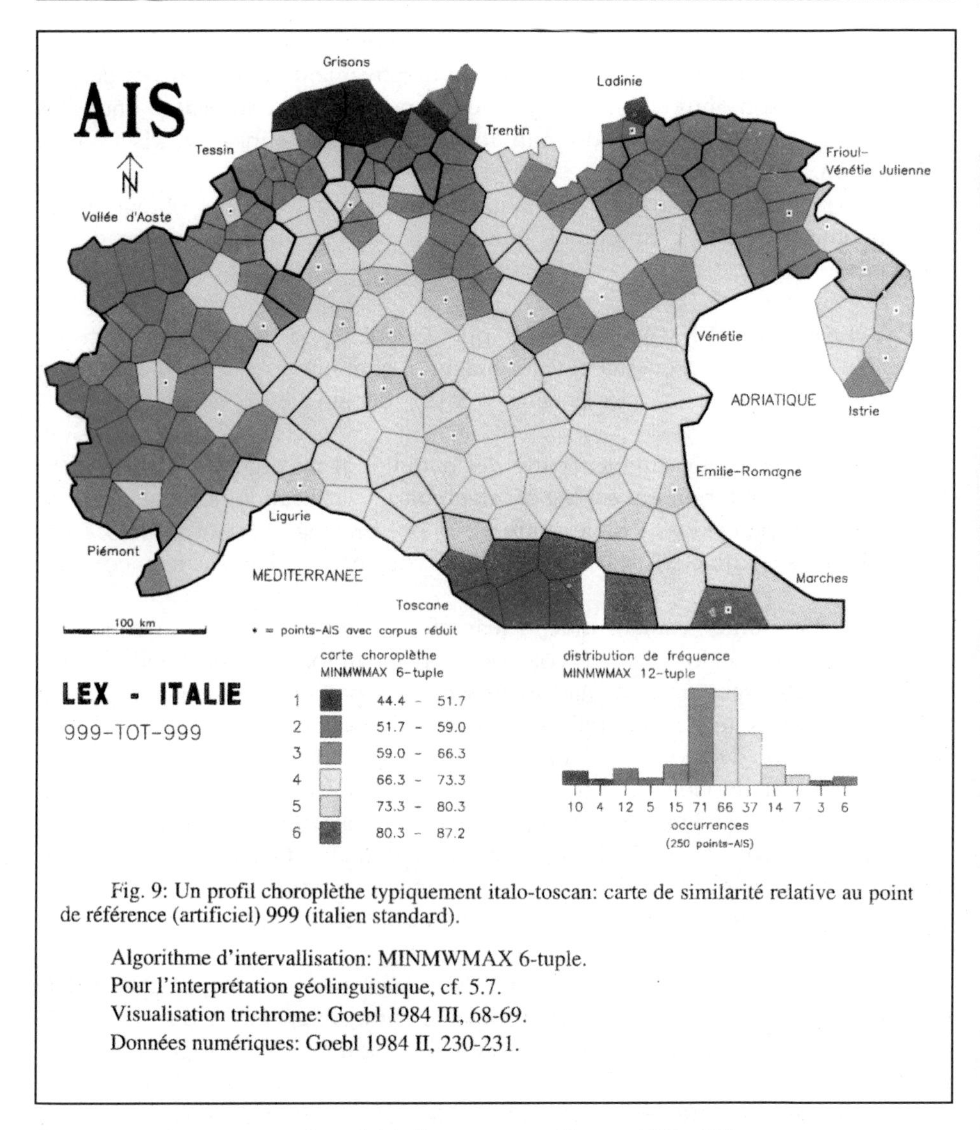

Fig. 9: Un profil choroplèthe typiquement italo-toscan: carte de similarité relative au point de référence (artificiel) 999 (italien standard).

Algorithme d'intervallisation: MINMWMAX 6-tuple.
Pour l'interprétation géolinguistique, cf. 5.7.
Visualisation trichrome: Goebl 1984 III, 68-69.
Données numériques: Goebl 1984 II, 230-231.

Fig. 7. Mapa 9. Mapa coropleto del italiano toscano (Goebl, 1992: 466).

Otra posibilidad dialectométrica es la que utiliza, en la explotación de la matriz de semejanza, la clasificación ascendente jerárquica para generar árboles. La presentación clasificatoria en forma de árboles cabe perfectamente en la tradición de los lingüistas que estudiaron los parentescos interlingüísticos ya en el xix.[12]

12. Philps ya había utilizado la clasificación jerárquica ascendente en geolingüística. También Sankoff (1988) lo hizo en cuestiones de estadística aplicadas al léxico o Hymes, a la glotocronología, ambos en los años 70 (Goebl, 1995).

A partir de diferentes procesos taxométricos, se consiguen *jerarquías* de clasificaciones disyuntivas en forma de árbol que, apoyadas en la estadística, establecen tipos jerarquizados (GOEBL, 1992: 453-457; GOEBL, 1995). En sus últimos trabajos, Goebl se inclina por esta opción dialectométrica y, de entre los muchos algoritmos aglomeradores que recogen los manuales de taxometría, prefiere el *Complete Linkage* —aunque también usa el método de WARD—, que va produciendo *fusiones* o *aglomeraciones* progresivas. Empieza por los valores máximos de semejanza y, desde ahí, va bajando. A cada fusión, genera una nueva matriz de semejanza, cada vez más reducida. Por ejemplo, en los 251 puntos del AIS, establece una serie de fusiones con N-1 etapas, es decir, 250 fusiones, con sus correspondientes ramas o bifurcaciones en el árbol jerárquico.

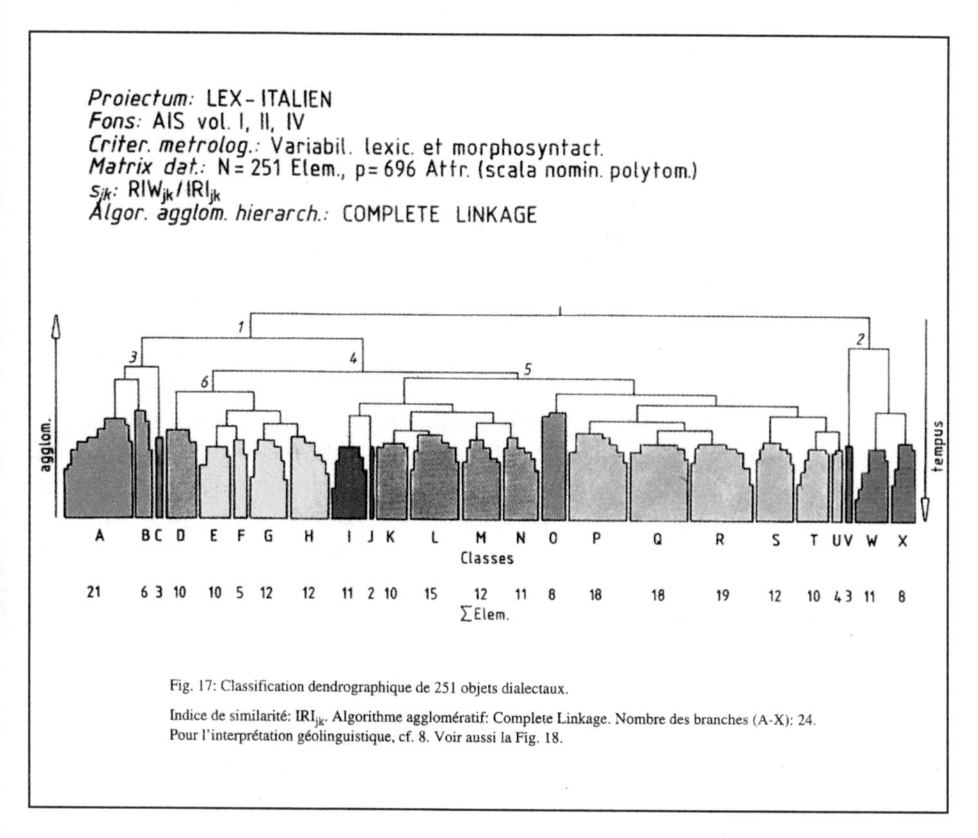

Fig. 17: Classification dendrographique de 251 objets dialectaux.

Indice de similarité: IRI_{jk}. Algorithme agglomératif: Complete Linkage. Nombre des branches (A-X): 24. Pour l'interprétation géolinguistique, cf. 8. Voir aussi la Fig. 18.

Fig. 8. La figura 17 corresponde a la simplificación de un árbol original (GOEBL, 1992: 474).

Estos dendrogramas, cuyo objetivo principal es el de establecer los vínculos de parentesco en su reflejo espacial, pueden volcarse o no sobre mapas y ser objeto de diversas interpretaciones sincrónicas o diacrónicas.

Dialectometría y fronteras dialectales

Los dialectólogos han buscado durante años la posibilidad de trazar isoglosas, límites, áreas compactas, áreas de transición, etc., y, naturalmente, han vuelto los ojos hacia el reflejo de los cálculos numéricos sobre los mapas lingüísticos. Frente a la subjetividad de un trabajo cualitativo, la clasificación de cifras parece, en principio, asegurar un tratamiento objetivo de cuestiones a veces sumamente escurridizas. La cuestión misma de la existencia del dialecto, tan ligada a la posibilidad de establecer límites y fronteras, marcó la discusión teórica durante los años que siguieron a la aparición de los primeros atlas.

Con el planteamiento de la dialectometría, algunas viejas cuestiones reverdecieron. Séguy había advertido: "La raison d'être d'un atlas, linguistique ou autre, est de délimiter des surfaces, de tracer des frontières. La chose est impossible s'agissant de territoires dialectaux. Plus exactement, le problème n'a pas de sens, puisque le fait visé n'a pas d'existence objective"[13] y tampoco era eso lo que se había tratado de conseguir con la dialectometría en el ALG (Séguy, 1973b: 18). Simplemente quedaba la salida de cartografiar no en términos de identidad, sino en términos de semejanza: "...il reste une issue si on se contente de porter des jugements de ressemblance". Así, las áreas que el mapa 2525 del ALG VI establece bajo el título *Frontières dialectales du gascon* "ne sont que de fausses aires",[14] y los burletes sólo suponen que existe una diferencia importante entre dos series de localidades contiguas. Por eso, cuando en dialectometría se habla de fronteras, se está empleando el término en un sentido restrictivo, que supone siempre la semejanza relativa de las hablas de los puntos que quedan a un mismo lado de ellas.

En ese sentido empleaba Guiter la palabra en su trabajo "Atlas et frontières linguistiques" (Guiter, 1973), cuando hablaba de establecer una jerarquía de diferencias o semejanzas para fijar fronteras lingüísticas.

Resulta interesante contrastar la opinión de C. Grassi, quien, ya en una primera aproximación al concepto de espacio en geografía lingüística (Grassi, 1981: 63 n. 27), hizo una referencia de pasada a los estudios dialectométricos de Goebl sobre el AIS y, años después, les dedicó todo un trabajo[15] en el que se opone frontalmente a Goebl, a quien acusa de pulverizar y disgregar el contenido del AIS,[16] insistiendo en que la dialectometría es fruto de la geografía lingüística francesa —siempre preocupada, escribe, por los límites lingüísticos— y, por eso mismo, inaplicable a la geografía lingüística italiana. Apoya su razonamiento en la diferente posición epistemológica de la geografía lingüística italiana respecto a la francesa, pero no resulta demasiado convincente. En primer lugar, no parece adecuado reclamar un acercamiento diastrático al AIS desde la dialectometría;

13. ["la razón de ser de un atlas, lingüístico o de otro tipo, es delimitar superficies, trazar fronteras. Esto es imposible tratándose de territorios dialectales. Más exactamente, el problema no tiene sentido, porque lo que se busca no tiene existencia objetiva"] (Séguy 1973: 18].

14. ["...queda una salida si uno se contenta con hacer juicios de semejanza"]... ["son sólo áreas falsas"] (pp. 22-23).

15. Dispongo de una copia mecanografiada, gracias a la amabilidad del prof. Goebl.

16. Pero no juzga con la misma dureza a Séguy, ni a Guiter.

tampoco cuando se maneja un atlas se puede negar, a efectos prácticos, la unidad lingüística relativa de cada punto; y, finalmente, el hecho de que casi siempre se consiga una sola respuesta para cada concepto en un punto no niega la utilidad del atlas, por más que se puedan suponer diferencias diastráticas, de registro, etc.[17]

Se ha hablado de tipófobos y de tipófilos entre los geolingüistas, que en cierto modo heredaron las viejas posturas teóricas del XIX. Sin duda, son los segundos los que salen beneficiados de los progresos de la dialectometría. Sin embargo, no se puede acusar, en este caso a Goebl, de obsesión por delimitar, clasificar o excluir; precisamente en su evolución se caracteriza por avanzar hacia la semejanza, por utilizar distintos criterios taxométricos que leen de forma diferente un mismo mapa, por buscar visualizaciones de los resultados dialectométricos alejadas de los rígidos tabiques y barreras de los primeros trabajos.

Otra cosa es plantear la aportación real de la dialectometría. Los dialectólogos tradicionales son más bien escépticos al respecto, lo cual es bastante comprensible. Las críticas de Grassi se resumen en esta apreciación: "D'altra parte, devo francamente ammetterlo, non mi pare proprio che le carte dialettometriche finora allestite ci abbiano portato risultati decisamente nuovi, rivoluzionari rispetto a quello che sapevamo già".[18]

¿Hay en el método mucho de nuevo? La elaboración a partir de números, la clasificación de los resultados. Para hacerlas, hay que elegir y decidir basándose en presuposiciones geolingüísticas, que los resultados confirmarán o descalificarán, pero la misma posibilidad de objetivar los datos a través de cifras puede ayudar, de entrada, a cambiar la visión que los no humanistas tienen de las disciplinas lingüísticas, y no perjudica en absoluto, siempre que la investigación no se detenga ahí, en unos datos sin explicación. En un segundo momento, también será nuevo el volcado automático de esos datos en mapas, árboles, etc. A partir de ellos, se abren posibilidades nuevas de estudiar la variación dialectal y, también, de comparar esos mapas con los que utilizan como síntesis otras disciplinas,[19] lo que estará facilitando las relaciones interdisciplinares.

Es verdad que estos mapas —y, antes que ellos, las estadísticas obtenidas a partir de las matrices de semejanza o de distancia— necesitan de la

17. En cambio, resulta contradictoria con toda su argumentación anterior la afirmación final: "Non bisogna infatti dimenticare che le carte 'coroplete' di Goebl presentano, nella migliore delle ipotesi, la ripartizione delle parlate italiane limitatamente a come risultano dell' atlante, e non come esse sono effettivamente" ["No hay que olvidar que los mapas 'coropletos' de Goebl presentan, en la mejor de las hipótesis, la distribución de las hablas italianas tal como resultan del atlas, y no como son efectivamente"] (pp. 26-27).

18. ["Por otra parte, debo admitirlo francamente, no me parece de verdad que los mapas dialectométricos preparados hasta ahora nos hayan proporcionado resultados decisivamente nuevos, revolucionarios respecto a lo que ya sabíamos"] (p. 26).

19. Goebl confronta sus mapas con los de los genetistas de la Universidad de Pavía (GOEBL, 1995a). Éstos elaboran datos genéticos y onomásticos sobre un territorio triangulado sobre una red de puntos cercanos, con un método taxométrico —que busca fronteras o zonas de ruptura— llamado "Wombling" (del nombre del sociólogo y antropólogo americano William Womble, que lo usó en 1951). Corresponde casi exactamente al método interpuntual de Haag y de los dialectómetras que vinieron después. También M. Contini ha trabajado sobre las relaciones entre geolingüística y geogenética (CONTINI, 1988-89).

interpretación de un dialectólogo para alcanzar una lectura cualitativa, ya que en general reflejan cantidades; pero también es verdad que, aunque no dieran más que lo ya sabido, eso mismo inclinaría a creer en su eficacia, a confiar en ellos para acercarse a grandes zonas de las que no se sabe tanto. Una ventaja innegable es la vertiente "publicitaria" del cartografiado dialectométrico, espectacular gráficamente frente a la modestia icónica de los mapas lingüísticos que le sirven de base. Puede contribuir a divulgar, a dar una salida al trabajo especializado, en una sociedad acostumbrada a respetar gráficos, esquemas y mapas como vehículo amable de mensajes de menos contenido.

Clasificar, cuando hacerlo supone una seria reflexión teórica sobre los datos que se poseen, suele ser muy productivo. Cuando los resultados pueden llevar a replantear los presupuestos teóricos de esa reflexión, merece la pena abordar la clasificación desde ángulos nuevos y aprovechar *l'ivresse des chiffres* que Séguy atribuía a los primeros dialectómetras.

Referencias bibliográficas

ALVAR, M. (1955), "Catalán y aragonés en las regiones fronterizas", *Actas del VII Congreso Internacional de Lingüística Románica*, Barcelona, pp. 737-778; recogido en *La frontera catalano-aragonesa*, Zaragoza, 1976.

ALVAR, M., LLORENTE, A., BUESA, T., ALVAR, E. (1979-1983), *Atlas Lingüístico y Etnográfico de Aragón, Navarra y Rioja*, I-XII, Madrid: CSIC.

ATWOOD, E. B (1955), "The Phonological Division of Belgo-Romance", *Orbis*, 4, pp. 367-389.

AURREKOETXEA, G. (1991), "Nafarroako euskara: azterketa dialektometrikoa", *Uztaro*, 5, Bilbao, pp. 59-109.

BRASSEL, K. E., REIF, D. (1979), "A Procedure to generate Thiessen Polygons", *Geographical Analysis*, 11, pp. 289-303.

CONTINI, M. et al. (1988-89), "Géolinguistique et géogénétique: une démarche interdisciplinaire", *Géolinguistique*, 4, pp. 129-197.

FOSSAT, J.-L. (1978), "État des recherches dialectométriques sur le domaine gascon. Fonction maximale et fonction minimales du dialecte", en WERLEN, I. (ed.), *Probleme der schweizerischen Dialektologie*, Fribourg, pp. 109-139, citado por Goebl.

GARCÍA MOUTON, P. (1991), "Dialectometría y léxico en Huesca", en *I Curso de Geografía Lingüística de Aragón (1988)*, Zaragoza: Institución Fernando el Católico, pp. 311-326.

GOEBL, H. (1981), "La méthode des interpoints appliquée à l'AIS (*essai de dialectométrie*)", en *Mélanges de Philologie et de Toponimie Romanes offerts à Henri Guiter*, Perpignan, pp. 138-172.

— (1983), "Parquet polygonal et treillis triangulaire. Les deux versants de la dialectométrie interponctuelle", *Revue de Linguistique Romane*, 47, pp. 353-412.

— (1984), *Dialektometrische Studien. Anhand italoromanischer, rätoromanischer und galloromanischer Sprachmaterialien aus AIS und ALF*, vol. I-III, Tubingen.

— (1987), "Points chauds de l'analyse dialectométrique: pondération et visualisation", *Revue de Linguistique Romane*, 51, pp. 63-118.

— (1987), "Encore un coup d'oeil dialectométrique sur les *tableaux phonétiques des patois suisses romands* (TPPSR). Deux analyses interponctuelles: parquet polygonal et treillis triangulaire", *Vox romanica*, 46, pp. 91-125.

GOEBL, H. (1992), "Problèmes et méthodes de la dialectometrie actuelle (avec application à l'AIS)", en *Iker-7*, Actas del Congreso Internacional de Dialectología (1991), Bilbao: Euskaltzaindia, pp. 429-475.

— (1995), "Dans la fôret des dialectes normands... La dialectométrie dendrographique au service de la dialectologie et de la géolinguistique galloromanes", en *Mélanges René Lepelley*, Cahier des Annales de Normandie, Caen: Musée de Normandie, n.º 26, pp. 39-50.

— (en prensa) "La convergence entre les fragmentations géo-linguistique et géogénétique de l'Italie du Nord", *Revue de Linguistique Romane.*

— (en prensa) "Some Dendrographic Classifications of the Data of CLAE I and CLAE II". (Anejo al CLAE de W. Viereck).

GRASSI, C. (1981), "Il concetto di spazio e la geografia linguistica", *Logos semantikos, Studia Linguistica in honorem Eugenio Coseriu*, Madrid: Gredos, V, pp. 59-69, nota 27.

— (1985), "Dialettometria: quale progresso?" (original mecanografiado para el Homenaje a C. Battisti).

GUARISMA, G., MÖHLIG, W. J. G. (eds.) (1986), *La méthode dialectométrique appliquée aux langues africaines*. Berlin: Dietrich Reimer.

GUITER, H. (1973), "Atlas et frontières dialectales", en STRAKA, G., GARDETTE, P. (coord.), *Les dialectes romans de France à la lumière des atlas régionaux* (Strasbourg, 1971), Paris: CNRS, pp. 61-109.

— (1983), "Aproximació lingüística a la cadena cantabro-pirenenca", *Miscel·lània Aramon I Serra*, III, Barcelona, pág. 247 y ss.

— (1985), "Compte rendu de Goebl 1984", *Revue de Linguistique Romane*, 49, pp. 201-207.

— (1985), "Les méthodes quantitatives en géolinguistique sont-elles equivalentes?", en *Actes del XVI Congreso Internacional de Lingüística y Filología Románicas*, II, Palma de Mallorca: Edit. Moll, pp. 355-367.

HAAG, C. (1898), *Die Mundarten des oberen Neckar- und Donaulandes (Schwäbisch-alemannisches Grenzgebiet: Baarmundarten)*, Reutlingen (Beilagen zum Programm der königlichen Realanstalt zu Reutlingen) (citado por Goebl).

JABERG, K. (1947), "Géographie linguistique et expressivisme phonétique: les noms de la balançoire en portugais", *Revista Portuguesa de Filologia*, I, pp. 1-58.

LALANNE, Th. (1953), "Indice de polyonymie. Indice de polyphonie", *Le Francais Moderne*, XXI, pp. 263-274.

MORENO FERNÁNDEZ, F. (1991), "Morfología en el ALEANR: aproximación dialectométrica", en *I Curso de Geografía Lingüística de Aragón* (Zaragoza, 1988), Zaragoza: Inst. Fernando el Católico, pp. 289-309.

PHILIPS, D. (1985), *Atlas dialectométrique des Pyrénées centrales*, Toulouse.

POLANCO ROIG, Ll. B. (1984), "Llengua o dialecte: solucions teòriques i aplicació al cas català", en *Actes du XVIIe Congrès International de Linguistique et Philologie Rromanes* (Aix-en-Provence, 1983), Aix-en-Provence, V, pp. 13-31.

SANKOFF, D. (1988), "Variable rules", en AMMON, U., DITTMAR, N., MATTHEIER, K. J., (eds.), *Sociolinguistics*, Berlin: de Gruyter, vol. II, pp. 984-997.

SARAMAGO, J. (1986), "Differentiation lexicale (un essai dialectométrique appliqué aux materiaux portugais de l'ALE)", *Géolinguistique*, II, pp. 1-31.

SÉGUY, J. (1973a), *Atlas Linguistique de la Gascogne. Complément du volume VI: Notice explicative et matrice dialectométriques*, Paris: CNRS.

SÉGUY, J. (1973b), "La dialectométrie dans l'Atlas linguistique de la Gascogne", *Revue de Linguistique Romane*, 37, pp. 1-24.

SNEATH, P. H. A., SOKAL, R. R. (1973), *Numerical Taxonomy. The Principles and Practice of Numerical Classification*, San Francisco: U. H. Freeman.

VERLINDE, S. (1988), "La dialectométrie et la détection des zones dialectales: l'architecture dialectale de l'Est de la Belgique romane", *Revue de Linguistique Romane*, 51, pp. 151-172.

VIERECK, W. (1985) "Linguistic atlases and dialectometry: The Survey of English Dialects", en KIRK, J. M., SANDERSON, S., WIDDOWSON, J. D. A. (eds.), *Studies in Linguistic Geography. The Dialects of English in Britain and Ireland.* London: Croam Helm, pp. 94-112.

— (1988) "The Computerisation and Quantification of Linguistic Data: Dialectometrical Methods", en THOMAS, A. R. (ed..), *Methods in Dialectology*, Proceedings of the International Conference held at the University College of North Wales (3th-7h august 1987), Clevedon: Multilingual Matters, pp. 524-550.

WEINREICH, U. (1963), 2.ª ed., *Languages in contact*, The Hague: Mouton.

WILLIAMS, C. H., AMBROSE, J. E. (1988), "On Measuring Language Border Areas", en WILLIAMS, C. H. (ed.), *Language in Geographic Context*, Clevedon: Multilingual Matters, pp. 93-135.

FRANCISCO MORENO FERNÁNDEZ
Universidad de Alcalá

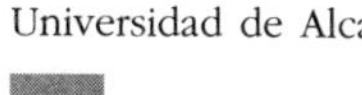

Análisis cuantitativo de campos léxicos

1. Introducción

El trabajo de Gregorio Salvador "Estudio del campo semántico 'arar' en Andalucía",[1] elaborado con materiales del *Atlas Lingüístico y Etnográfico de Andalucía*,[2] puso sobre la mesa, en el momento de su publicación, nuevos y viejos problemas de la lingüística y, particularmente, de la semántica. Se trata de un estudio en el que se plantea la posibilidad de analizar estructuralmente el significado, con el fin de llegar a una "semántica estructural". Al mismo tiempo, destaca la utilidad de los materiales ofrecidos por los atlas, proponiendo una forma "ejemplar" —según el propio autor— de aprovechar esos conjuntos de datos en beneficio del estudio del significado.

Efectivamente, estamos ante un estudio ejemplar, que abrió nuevas puertas a las relaciones entre la teoría semántica y la metodología lingüística. Sin embargo el ejemplo no se ha seguido con la intensidad que cabría esperar, en lo que se refiere al manejo sistemático de la cartografía lingüística para hacer semántica estructural. Como consecuencia de ello, muchos de los problemas planteados por Salvador no han sido objeto de revisión, de ampliación o de comentarios posteriores, al menos desde dentro de la semántica propiamente dicha, con la excepción de algunas contribuciones de Ramón Trujillo.[3]

Para redactar este trabajo hemos partido de los supuestos de que es posible analizar estructuralmente el significado y de que los atlas lingüísticos españoles permiten realizar ese análisis. La innovación que se pretende aportar consiste en analizar la información léxica y semántica de los atlas utilizando los procedimientos técnicos que ponen a nuestro alcance la estadística y la informática.

Gregorio Salvador ofrece en su estudio un análisis estadístico de las formas léxicas y de los semas que constituyen su contenido semántico, pero actualmente es casi obligado ir más allá de una estadística de frecuencias absolutas y relativas; además, la informática facilita el proceso de recuento de datos y

1. *Archivum*, XV (1965), pp. 73-111. Recogido en *Semántica y lexicología del español*, Madrid, Paraninfo, 1985, pp. 13-41.

2. M. Alvar, *Atlas Lingüístico y Etnográfico de Andalucía*, Universidad de Granada, CSIC, 1961-1973. Con la col. de G. Salvador y A. Llorente. Reed. en 3 vols., Madrid, Arco/Libros, 1991.

3. Véanse de R. Trujillo, "Análisis de estructuras dialectales", *Anuario de Letras*, XVII (1979), pp. 137-165; "El léxico de los vegetales en Masca", en *Lenguaje y cultura en Masca*, Santa Cruz de Tenerife, Ed. Interinsular Canaria — Inst. Andrés Bello, 1980, pp. 124-188.

hace que la interpretación de los resultados sea, a la vez, más precisa y segura. Por todo ello, deseamos presentar las bases de una técnica de investigación en la que la estadística y la informática se aplican sistemáticamente sobre los datos léxico-semánticos de los atlas, con la idea de que los resultados de los análisis sean de utilidad para la lexicografía y para otros campos de la lingüística.

2. Problemas teóricos

El análisis de campos léxicos presenta una serie de problemas teóricos que podemos dividir en dos grupos. En un lado estarían los problemas con los que se han enfrentado las teorías basadas en el concepto de campo y la semántica estructural desde su aparición en el panorama de la lingüística. En el otro lado estarían los problemas teóricos y metodológicos que tienen que ver con la utilización de datos extraídos de la lengua hablada.

2.1. Problemas generales

Entre los problemas básicos que presenta el estudio de los campos, quizá los de mayor interés han sido aquellos que se derivan de la relación entre la lengua y la realidad y los que afectan a la delimitación de los paradigmas léxicos y a la configuración interna de los campos. Es decir, si queremos analizar el campo 'arar', debemos determinar qué unidades léxicas de una lengua funcional pertenecen a ese campo (por ejemplo, *arar, romper, roturar, labrar, levantar, barbechar, rozar*, etc.) y cuáles quedan fuera de él. Pero, a la vez, debemos determinar qué relación semántica existe entre unas unidades y otras, debemos saber, por ejemplo, si *alzar* se utiliza para hacer referencia a la primera vuelta, a la segunda o a la tercera, mientras que *levantar* se utiliza solamente para la primera vuelta.

No obstante su importancia, no merece la pena que nos detengamos en estas cuestiones, puesto que están recogidas y analizadas en las obras de estudiosos con gran autoridad.[4] Pero, hay un asunto acreedor, desde nuestro punto de vista, de un breve comentario: se refiere a la metodología utilizada habitualmente en las investigaciones sobre campos léxicos. Cuando se trata de seleccionar el vocabulario que ha de someterse a estudio, es decir, de buscar las formas léxicas susceptibles de pertenecer a un campo determinado, es frecuente manejar diversas fuentes. Las más importantes son los diccionarios y

4. Véanse E. Coseriu, *Teoría del lenguaje y lingüística general*, Madrid, Gredos, 1973; E. Coseriu, *Principios de semántica estructural*, Madrid, Gredos, 1977; B. Pottier, *Lingüística moderna y filología hispánica*, Madrid, Gredos, 1968; B. Pottier, *Semántica y lógica*, Madrid, Gredos, 1983; B. Pottier, *Semántica general*, Madrid, Gredos, 1993; H. Geckeler, *Semántica estrcutural y teoría del campo léxico,* Madrid, Gredos, 1976; A. J. Greimas, *Semántica estructural*, Madrid, Gredos, 1971; R. Trujillo, *Elementos de semántica lingüística*, Madrid, Cátedra, 1979; R. Trujillo, *Introducción a la semántica española*, Madrid, Arco/Libros, 1988; S. Gutiérrez Ordóñez, *Introducción a la Semántica Funcional*, Madrid, Síntesis, 1992; Ch. Baylon y P. Fabre, *La semántica*, Barcelona, Paidós, 1994.

los vocabularios, los corpus de textos literarios y las encuestas directas.[5] A esto hay que sumar la atención prestada a la intuición del propio investigador y el empleo, menos frecuente, de los atlas lingüísticos. En la selección del vocabulario también se tiene en cuenta la frecuencia de uso de la unidades léxicas.

El manejo de los diccionarios como fuente para conseguir una lista de vocabulario es fundamental e imprescindible. Por lo general, los trabajos realizados sobre el español emplean el *Diccionario de la Lengua Española* de la Real Academia Española, el *Diccionario de Uso del Español* de María Moliner y el *Diccionario ideológico* de Casares. El uso de vocabularios dialectales o técnicos es mucho más limitado, por la propia naturaleza de estas obras.

También se hace necesaria la consulta de un corpus textual, esto es, la comprobación del uso que se hace de esas unidades léxicas en textos concretos, pero ello puede acarrear ciertos problemas, algunos muy difíciles de salvar: por ejemplo, las limitaciones de los corpus.[6] Los conjuntos textuales que se manejan en semántica estructural proceden generalmente de la literatura. En muchos estudios se procura utilizar obras de autores más o menos representativos, pertenecientes a géneros diferentes. Pero ¿qué criterios *objetivos* sirven de guía en la selección de los textos? Porque no es lo mismo trabajar con teatro que con poesía, novela o prensa. Y ¿por qué no se utilizan con mayor asiduidad textos no literarios? (pienso, por ejemplo, en el material que aporta la obra de Boyd-Bowman sobre léxico hispanoamericano).[7] Parece claro que el tipo de campo que se va a analizar determina de forma importante qué clases de textos van a resultar de mayor utilidad, pero es el investigador el que toma la decisión de forma particular; es el investigador quien decide qué autores son más representativos o qué género le será de más provecho. En este sentido, la intuición adquiere un protagonismo excesivo. Para afrontar la selección del vocabulario y los análisis sémicos con mayores garantías, deberíamos saber más de lo que sabemos sobre los corpus lingüísticos y sobre su elaboración, y deberíamos disponer de mejores corpus de la lengua española, incluyendo corpus de la lengua hablada.

Si todo esto lo trasladamos al estudio semántico de un campo en una sincronía del pasado —pongamos, del castellano medieval—, comprobamos que los problemas se multiplican de forma alarmante, porque no contamos ni con

5. Véase R. TRUJILLO, *El campo semántico de la valoración intelectual en español*, La Laguna, Universidad de La Laguna, 1970. También A. J. GREIMAS, *op.cit.;* C. CORRALES ZUMBADO, "Los campos semánticos. Teoría y práctica", *In memoriam Inmaculada Corrales*, I, La Laguna, Universidad de La Laguna, 1987, pp. 161-174.

6. Véanse M. ALVAR EZQUERRA y J. A. VILLENA PONSODA, *Estudios para un coprpus del español*, Málaga, Universidad de Málaga, 1994; J. VIDAL BENEYTO (dir.), *Las industrias de la lengua*, Madrid, Fundación Germán Sánchez Ruipérez, 1991; J. M. SINCLAIR (ed.), *Looking Up An account of the COBULID Project in lexical computing and the development of the Collins COBUILD English Language Dictionary*, Londres, Collins, 1987; J. M. SINCLAIR, *Corpus, Concordance, Collocation*, Oxford, Oxford University Press, 1991; J. AARTS y W. MEIJS (eds.), *Theory and Practice in Corpus Linguistics*, Amsterdam, Rodopi, 1990; C. S. BUTLER (ed.), *Computers and written texts*, Oxford, Blackwell, 1992.; R. ILSON, *Assembling, Analysing and Using a Corpus of Authentic Language*, Academia Húngara de la Ciencias, 1991.

7. Véase, por ejemplo, *Léxico hispanoamericano del siglo XVI*, Londres, Támesis, 1972.

el auxilio inestimable de diccionarios de la época ni con la capacidad introspectiva del investigador. Los corpus de castellano medieval son escasos y algunos de ellos poco fiables, lo que obliga al estudioso a echar mano, en más de una ocasión, de su conocimiento de la lengua moderna o actual y aplicarlo a la lengua de la época estudiada, con el riesgo que ello encierra. Por eso parece muy razonable comparar los campos léxicos, si se quiere hacer diacronía, como lo hace Ramón Trujillo: en un recorrido que vaya del presente al pasado, aunque confor-me se retrocede en el tiempo es inevitable que la inseguridad aumente.[8] Aquí también se hace imprescindible tener un corpus de entidad, donde quede recogido el mayor número posible de textos medievales, tanto literarios como no literarios.

En lo que se refiere a las encuestas directas, es imprescindible darles mayor importancia de la que hasta ahora han tenido,[9] aunque sólo sea en el momento de explicar en las publicaciones cómo se han hecho, cuántas se han hecho y a qué tipo de hablantes se ha entrevistado.

2.2. Problemas relacionados con el estudio de la lengua hablada

Tanto las investigaciones sobre campos léxicos como los trabajos de lingüística general y de dialectología han prestado atención, con mayor o menor intensidad, a los problemas que presenta el estudio semántico de la lengua hablada.[10] Entre ellos destaca un problema de gran actualidad: la variación

8. Véase *El campo semántico de la valoración intelectual en español, op. cit.*

9. Coincidimos en éste, como en otros puntos, con R. Trujillo ("El léxico de los vegetales en Masca", art.cit.). Este autor establece una clara diferencia entre el "cuestionario dialectal normal", básicamente onomasiológico, y el cuestionario semántico. Sin embargo, es importante tener en cuenta que los cuestionarios dialectales también pueden estar organizados en algunas de sus partes como cuestionarios de interés semántico.

10. Las investigaciones sobre campos ofrecen afirmaciones que nos interesan de un modo especial:

1º) El léxico recogido indirectamente en un territorio puede estar relacionado con estructuraciones diferentes de un mismo campo; esto es, un campo semántico puede manifestarse a través de estructuras diferentes en puntos geográficos diferentes y podríamos decir que hasta en hablantes diferentes. Gregorio Salvador, al analizar el campo semántico 'arar' en Andalucía, encuentra hasta veinte tipos de estructuras semánticas (p. 40).

2º) Las estructuras lexemáticas pueden variar según la norma de ciertos grupos sociales; esto es, el contenido puede reestructurarse de acuerdo con la norma. Ramón Trujillo señala, por ejemplo, que el uso colectivo de la lengua puede hacer que surjan estructuras antonímicas donde no existían. Se trata de oposiciones del tipo "ladrón" / "tonto" (*El campo semántico..., op.cit,*, pp. 66-68).

3º) Las estructuras lexemáticas pueden expresarse mediante la combinación de numerosas formas léxicas, hasta el punto de que es posible encontrar áreas enormemente heterogéneas: estructuras distintas y combinaciones de formas léxicas diferentes. La estadística que ofrece Salvador para Andalucía da prueba de ello.

4º) Los usos contextuales del léxico aparecen fijados, de igual manera, en la norma y su estudio requiere atender a factores cuantitativos, es decir, a la frecuencia del propio uso. Así lo afirma Dolores García Padrón en su estudio de los verbos de 'movimiento' en español (*Estudio semántico de los verbos de 'movimiento' en español*, La Laguna, Universidad de La Laguna, 1988, pp. 7-8).

lingüística.[11] Hablamos de *variación*, no con el significado que se le da al término dentro de la semántica estructural —entendida como variación de contenido debida a la influencia de los elementos con que se combina el signo en el contexto—, sino como alternancia de unidades que dicen lo mismo, sin que la sustitución de una por otra provoque cambios en el significado. En cierto modo, hablar de variación lingüística es hablar de la existencia de la sinonimia, concepto que tradicionalmente se ha puesto en tela de juicio.[12] Dado que las investigaciones que se han ocupado de este asunto son muy conocidas, nos limitaremos a hacer unos comentarios sobre la manera en que se produce la variación en el nivel léxico-semántico y sobre el camino que puede seguirse para dar cuenta de ella desde un punto de vista práctico.

A nuestro juicio, de igual modo que puede hablarse de una lingüística de la lengua, preocupada por describir y explicar los fenómenos generales de la lengua, y de una lingüística del habla, más preocupada por los fenómenos de

---

5º) El estudio de campos léxicos en zonas o puntos geográficos diferentes se ha hecho con materiales recogidos por el procedimiento de la encuesta indirecta, característica de los atlas lingüísticos. Cuando se habla de "encuesta indirecta" se hace referencia a la recogida del léxico, porque lo que el investigador ofrece a su informante son significados. Para Gregorio Salvador, sin embargo, si la encuesta se hace a partir de "un cuestionario amplio y bien trabado, con densidad de preguntas en cada campo semántico, buscando lexemas y no archilexemas, los frutos que se obtienen en orden al estudio de las formas de contenido no sólo son valiosos sino que responden a una estructura" (*op. cit*, p. 18).

Por otro lado, las investigaciones realizadas desde una perspectiva dialectológica o desde la lingüística general también han permitido llegar a conclusiones significativas para nuestros intereses:

1º) La lengua no es un sistema hecho o cerrado, sino una perpetua sistematización por cuanto que su naturaleza es dinámica. Así se entiende desde el estructuralismo de Coseriu (*Sincronía, diacronía e historia*, Madrid, Gredos, 1973) y lo afirman sobre una base empírica autores como Alvar (*Norma lingüística sevillana y español de América*, Madrid, Ediciones de Cultura Hispánica, 1990) o Lope Blanch (*Investigaciones sobre dialectología mexicana*, México, UNAM, 1990).

2º) El polimorfismo es un fenómeno de alternancia libre, no condicionada, de elementos lingüísticos cuya variabilidad no supone un cambio de significado. Este polimorfismo puede manifestarse en todos los niveles lingüísticos, incluido por supuesto el nivel léxico-semántico. Lope Blanch ha insistido en varios trabajos sobre la existencia del polimorfismo léxico en territorio mejicano (*op. cit.*, pp. 7-16).

3º) Muchas unidades léxicas, que podrían inscribirse en campos bien estructurados, ofrecen una disparidad semasiológica extraordinaria de unos hablantes a otros, hasta el punto de que muchos hablantes no son capaces de hacer precisión alguna sobre el significado de tales unidades. Este fenómeno se describe en el estudio de Borrego Nieto sobre el habla de Villadepera de Sayago a propósito del campo "edad" para diversas especies de animales (*Sociolingüística rural*, Salamanca, Universidad de Salamanca, 1981, pp. 307-320).

11. Véase H. López Morales, *Sociolingüística*, 2ª ed., Madrid, Gredos, 1993. Desde planteamientos estructuralistas, véase E. Coseriu, *Competencia lingüística*, Madrid, Gredos, 1992, p. 237 y ss.

12. Sobre la sinonimia, véase G. Salvador, "Sí hay sinónimos", en *Semántica y lexicología del español*, *op. cit*, pp. 51-66. También S. Ullmann, *Semántica. Introducción a la ciencia del significado*, Madrid, Aguilar, 1965; F. R. Palmer, *La semántica. Una nueva introducción*, México, Siglo XXI, 1978; G. Berruto, *La semántica*, México, Nueva Imagen, 1979; K. Baldinger, *Teoría semántica. Hacia una semántica moderna*, Madrid, Alcalá, 1970; J. Fernández-Sevilla, *Problemas de lexicografía actual*, Bobotá, ICC, 1974.

variación, por las manifestaciones diversas de esa lengua, podría distinguirse una semántica de la lengua y una semántica del habla, pensando siempre en clave estructuralista. El estudio realizado por Trujillo sobre el campo de la valoración intelectual y todos los trabajos que siguen una pauta similar estarían encuadrados en la investigación de la semántica de la lengua.[13] El estudio de Gregorio Salvador sobre el campo semántico 'arar' o el de Julio Fernández-Sevilla sobre el léxico agrícola andaluz[14] estarían encuadrados en la investigación de la semántica del habla.[15]

Unos y otros trabajan a partir del concepto de lengua funcional —no puede ser de otra manera en el análisis de los campos léxicos—, pero siguen una ruta diferente. En el primer caso, se intenta saber cómo es el sistema de una comunidad de habla, el que comparten todos sus miembros; en el segundo caso se trata, bien de comparar el sistema de grupos o comunidades diferentes, bien de ver cómo un sistema se manifiesta en el uso lingüístico, con las diferencias internas que ello pueda suponer dentro de una comunidad. En la semántica de la lengua se busca lo constante, lo común a todos los hablantes, incluyendo, claro está, los elementos posibles o virtuales; la semántica del habla se interesa por lo variable, por las manifestaciones diversas, esto es, por los elementos vinculados principalmente a los niveles de la norma y del habla. Hay que señalar, no obstante, que los estudios incluidos en la llamada semántica de la lengua en ningún momento han cerrado los ojos a cuestiones pertenecientes a la norma,[16] aunque es verdad que no se han hecho estrictamente desde la posición adjudicada a la semántica del habla.

La diferencia de perspectiva entre el estudio del sistema y el estudio de la norma y el habla queda reflejada en los problemas teóricos que se plantean en un caso y en otro, en el método de trabajo y en la naturaleza de las conclusiones que se obtienen. Ahora bien, entre ambos planteamientos hay elementos comunes y relaciones insoslayables, porque la semántica de la lengua identifica lo general partiendo de lo concreto —textos, definiciones lexicográficas— en un proceso de inducción; la semántica del habla parte de un sistema general para confirmarlo o modificarlo desde lo particular, en un proceso de inducción que requiere —y esto es lo importante— una deducción previa. Este sistema general se construye a modo de hipótesis en la elaboración de los cuestionarios y, cuando es el caso, en el cartografiado del material léxico: es la parte del proceso más claramente deductiva; sobre los resultados de las encuestas se inicia la ruta inductiva.[17]

13. Véanse, por ejemplo, I. CORRALES ZUMBADO, *El campo semántico "edad" en español*, La Laguna, Universidad de La Laguna, 1981; B. GARCÍA HERNÁNDEZ, *El campo semántico de "ver" en la lengua latina: estudio estructural*, Salamanca, Universidad de Salamanca, 1976; R. LODARES, *El campo léxico "mujer" en español*, Madrid, Universidad Complutense, 1988; F. MILLÁN CHIVITE, "El campo semántico de las vías de comunicación: perspectiva sincrónica y diacrónica", *Cauce*, 8 (1985), pp. 5-39; Mª. Á. PASTOR MILLÁN, *Indagaciones lexemáticas. A propósito del campo léxico 'asir' en español*, Granada, Universidad de Granada, 1990.

14. *Formas y estructuras en el léxico agrícola andaluz*, Madrid, CSIC, 1975.

15. También cabría incluir aquí los estudios de semántica dialectal de R. Trujillo (art. cit).

16. Véase R. TRUJILLO, *El campo semántico..., op. cit.*, pp. 66-70.

Las diferencias entre una semántica y otra, consecuentemente, no están tanto en el objeto de estudio como en la perspectiva del análisis y en la metodología.

La relación entre lo general y lo variable en el nivel léxico-semántico encuentra un paralelismo con lo que ocurre en otros niveles lingüísticos.[18] Los elementos del sistema han de ser compartidos por todos los miembros de una comunidad de habla determinada o, dicho de una forma distinta, por todos los usuarios de una lengua funcional. Es difícil admitir que los hablantes de una misma lengua funcional posean estructuras semánticas diferentes, pero sí es posible que una estructura pueda manifestarse de modos diferentes en los niveles de la norma y del habla. Esa manifestación heterogénea y las virtualidades del sistema son la base del dinamismo de la lengua y, en definitiva, del cambio lingüístico.[19]

En esta misma línea de pensamiento, podríamos distinguir dos tipos de capacidades que caracterizarían los niveles de abstracción del sistema y de la norma. El sistema se caracterizaría por una *capacidad reguladora,* bien diferenciada de las realizaciones formales y anterior a la actividad lingüística; la norma se caracterizaría por una *capacidad constitutiva* que nutre a la capacidad reguladora y que está fuertemente influida por ella. La *capacidad constitutiva* tendría que ver con los fenómenos de variación y creación léxico-semánticas; la *capacidad reguladora* contribuiría a la regulación de esos procesos de variación y creación.[20] Si unimos esta distinción a la que se ha propuesto anteriormente, la semántica de la lengua se encargaría de estudiar la capacidad reguladora del sistema y la semántica del habla se ocuparía de la capacidad constitutiva de la norma.

El análisis cuantitativo que aquí se propone se encuadra dentro de la semántica del habla, es decir, va a conceder prioridad al estudio de las manifestaciones formales de un sistema, sin que ello suponga prescindir del sistema funcional. Dado que las realizaciones no son necesariamente constantes, es importante que el método sea capaz de describir cómo se manifiesta la variación, cuáles son las unidades léxico-semánticas más frecuentes y cuáles las más variables, qué grupos de hablantes o de comunidades comparten unas realizaciones formales y cuáles no. Se trata en definitiva de observar de qué modo se ordena la variación léxico-semántica y cuándo esa variación no responde a un orden determinado.

Como es bien conocido, el estudio de la variación lingüística se ha llevado a la práctica con mayor intensidad en los niveles fonológico y morfológico. El

17. R. Trujillo ha afirmado: "Tenemos, pues, que desechar la inducción como un camino que lleva a confusiones graves en el análisis del significado. Nosotros, que hemos iniciado la investigación semántica del español [con *El campo semántico de la valoración intelectual en español*], y que hemos recurrido ampliamente a métodos de ese tipo, sabemos qué derroche de ingenio hay que emplear para inducir cualquier principio y cuánta deducción disfrazada se ha quedado escondida tras los resultados publicados" ("El léxico...", art.cit., p. 166).

18. Véase E. Coseriu, "Los conceptos de «dialecto», «nivel» y «estilo de lengua» y el sentido propio de la dialectología", *Lingüística Española Actual,* III (1981), pp. 1-32. También G. Salvador, "Estructuralismo lingüístico e investigación dialectal", en *Estudios dialectológicos,* Madrid, Paraninfo, 1987, pp. 15-30.

19. Véase W. Labov, *Principles of Linguistic Change. Internal Factors,* Oxford, Blackwell, 1994.

20. Véase J. Searle, *Actos de habla,* Madrid, Cátedra, 1980, pp. 42-51.

nivel léxico, en este terreno, apenas si ha merecido atención. Este hecho puede tener su explicación en lo que Eugenio Coseriu señaló en 1962: "la enorme complejidad e infinita variedad de las oposiciones que se establecen en este campo y que hacen tan arduo el estudio sistemático del vocabulario".[21] La propuesta que aquí se hace pretende ayudar precisamente en ese punto: hacer más fácil el estudio sistemático del vocabulario, tanto en lo que se refiere a la multiplicidad de manifestaciones del sistema, como en lo que atañe a la variación en el uso de las unidades léxicas.

Terminamos este apartado teórico señalando que los resultados de los análisis cuantitativos de los campos pueden ser de especial utilidad para disciplinas como la lexicografía o la semántica diacrónica. En el caso de la lexicografía, porque es importante que el lexicógrafo conozca la dimensión de cada una de las manifestaciones formales del sistema y la frecuencia de los lexemas asociados a las distintas oposiciones semánticas. Cuando consultamos en los diccionarios las entradas correspondientes a "azada" y "azadón" o a "umbral" y "dintel", podemos sacar la impresión de que cualquiera de esos vocablos puede asociarse a cualquiera de los sememas correspondientes en cualquier lugar hispanohablante o comprobamos que se nos ofrece una repartición léxico-semántica que no funciona de igual manera en todas partes.[22] Un análisis cuantitativo adecuado nos indicaría en qué lugares se asocia el significante o la unidad de expresión *umbral* al semema 'parte inferior de la puerta', en cuáles se asocia al semema 'parte superior de la puerta' y con qué frecuencia. Estos ele-mentos de juicio hacen que el lexicógrafo pueda tomar sus decisiones sobre bases más seguras, al tener una idea más clara de lo que es general, regional o local.

Asimismo, el análisis de las manifestaciones del sistema o de la capacidad constitutiva de la norma permitiría apreciar más claramente por dónde se orientan los cambios semánticos que están en marcha en un momento determinado. La cuantificación es un instrumento de análisis ineludible en el estudio de los fenómenos muy heterogéneos.

3. Metodología para el análisis cuantitativo de los campos léxicos

El análisis cuantitativo de los campos léxicos se puede realizar por medio de un paquete de programas de estadística que recibe el nombre de "Sistema Integral de Análisis Dialectal". Este paquete ha sido preparado por Hiroto Ueda y, a grandes rasgos, se trata de una técnica dialectométrica.[23]

Como es sabido, la dialectometría busca medir las distancias entre variedades, perfilar fronteras y facilitar la clasificación de los dialectos usando

21. *Principios de semántica estructural, op.cit.*, p. 85.

22. Véase M. Alvar Ezquerra, *Lexicografía descriptiva*, Barcelona, Biblograf, 1993, pp. 13-37. También M. Alvar, "Atlas lingüísticos y diccionarios", *Estudios de geografía lingüística*, Madrid, Paraninfo, 1991, pp. 49-115; G. Salvador, "Lexicografía y geografía lingüística", *Semántica y lexicología del español, op. cit.*, pp. 138-144. Véase también el interesante trabajo de F. G. Cassidy (ed.), *Dictionary of American Regional English*, 2 vols. Cambridge, Harvard University Press, 1991.

23. Véase H. Ueda, "División dialectal de Andalucía: Análisis computacional", en H. Ueda (ed.), *Actas del III Congreso de Hispanistas de Asia*, Tokio, Asociación Asiática de Hispanistas, 1993, pp. 407-419.

mapas procedentes, sobre todo, de los atlas lingüísticos; en otras palabras, pretende contar el número de rasgos lingüísticos que comparten dos o más comunidades para así establecer los límites y la distribución por áreas de las variedades dialectales.[24]

El " Sistema Integral" que vamos a presentar ofrece la posibilidad de hacer recuentos de frecuencias absolutas, cálculos de frecuencias relativas y análisis de correlación, pero tiene un interés especial en el ámbito de los análisis multivariables, análisis que son la base de numerosas investigaciones de la lingüística cuantitativa actual.

Cuando hablamos de análisis multivariables nos estamos refiriendo a un conjunto de técnicas que sirven para la descripción, síntesis o análisis de conjuntos o corpus de datos en los que se incluyen diversas variables pertenecientes a las mismas unidades de muestra. La mayoría de las técnicas de análisis multivariables son de naturaleza descriptiva y sirven para presentar de forma ordenada grandes conjuntos de datos. Por esta razón, no suelen ser necesarias las hipótesis previas: las técnicas pretenden descubrir, precisamente, las posibles relaciones subyacentes.

El "Sistema Integral" realiza una prueba multivariable llamada análisis de configuración. Consiste en descubrir las relaciones subyacentes entre una serie de unidades o elementos y una serie de características o rasgos que las unidades comparten de forma variable. El análisis maneja conjuntamente la información de las unidades y de sus características, y descubre la configuración de sus relaciones; en otras palabras, descubre qué unidades son más afines entre sí por las características que comparten, o qué características tienen una relación más estrecha por las unidades en las que concurren. Este tipo de análisis puede aplicarse sobre cualquier nivel lingüístico, pero es especialmente útil para el estudio de los niveles léxico y sintáctico, sobre todo cuando los materiales han sido recogidos mediante la técnica del cuestionario.[25]

La prueba está basada en el método de cuantificación de Chikio Hayashi. Según este método, a partir de una matriz formada por N unidades dotadas de L características binarias, se busca una distribución interna y significativa tanto para las unidades como para las características. Pongamos un ejemplo. Si tenemos 6 unidades —por ejemplo, léxicas— (A, B, C, D, E, F) y cada uno de ellas puede tener 7 características —pongamos, rasgos semánticos— (a, b, c, d, e, f, g,) de forma variable, podríamos crear una matriz en la que se reflejara con el signo + qué características concretas se dan en cada unidad (véase la figura 1).

24. Véase F. Moreno Fernández, "Geolingüística y cuantificación", en H. Ueda (ed.), *Actas del III Congreso de Hispanistas de Asia*, Tokio, Asociación Asiática de Hispanistas, 1993, pp. 289-300.

25. Para otros estudios cuantitativos del léxico, realizados sobre materiales procedentes de los atlas lingüísticos españoles, véase J. Fernández-Sevilla, "Relaciones léxicas entre Andalucía y Canarias", en M. Alvar (coord.), *I Simposio Internacional de Lengua Española*, Las Palmas, Excmo. Cabildo Insular de Gran Canaria, 1981, pp. También F. Moreno Fernández, "Relaciones léxicas entre Colombia, Andalucía y Canarias", en C. Hernández *et al.*, *El español de América. Actas del III Congreso Internacional de "El español de América"*, 2, Salamanca, Junta de Castilla y León, 1991, pp. 815-826.

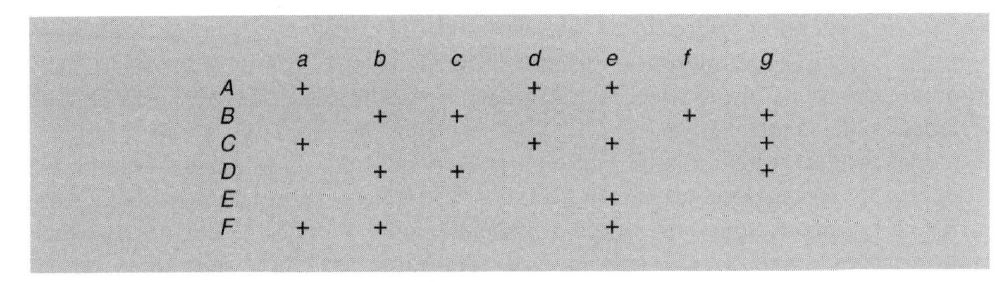

	a	b	c	d	e	f	g
A	+			+	+		
B		+	+			+	+
C	+			+	+		+
D		+	+				+
E					+		
F	+	+			+		

Figura 1. Distribución de los datos (matriz).

De esta manera, y a simple vista, es difícil saber cuáles son las unidades más parecidas entre sí por sus características. Ahora bien, si reordenamos la serie de unidades y características de tal forma que los signos + se alineen en una diagonal de la figura, podremos saber cuáles son las características más afines entre sí y las unidades más parecidas entre sí; en otras palabras, podremos descubrir su configuración interna (véase la figura 2). Al resultado de la reordenación lo denominamos *patrón*.

	e	a	d	b	g	c	f
E	+						
A	+	+	+				
F	+	+		+			
C	+	+	+		+		
D				+	+	+	
B				+	+	+	+

Figura 2. Patrón.[26]

El programa encargado de realizar estas operaciones y reordenaciones es de manejo muy sencillo. Los datos se introducen en un archivo y se guardan en ASCII. Cada dato se anota en una línea del documento en forma de serie de

26. Para conseguir un patrón se pueden aplicar dos procedimientos. Uno de ellos utiliza un criterio externo a las relaciones entre los mismos datos: en el otro, no. En el primer caso, el criterio externo que se utiliza es la distancia existente entre los datos de cada unidad y el punto 0, o entre los datos de cada característica y el mismo punto. Para calcular esto, se tiene en cuenta cuál es la posición en la que aparecen los signos + dentro de cada línea, contando desde el lado izquierdo (punto 0): posición 1,2,...n. El cálculo consiste en extraer la raíz cuadrada de la media de las posiciones, elevadas previamente al cuadrado.

_ (pos. i^2 + pos.j^2 + ...) / núm. de +

Para evitar que se den patrones distintos en aquellos casos en los que dos unidades presentan una misma distancia, hay que utilizar un valor matemático que sirva de contrapeso y que se obtiene sumando el número de signos + al valor máximo y dividiéndolo por el número de características.

El segundo procedimiento del análisis de configuración busca ordenar las unidades y las características sin utilizar un punto de referencia externo. En este caso, se realiza la misma operación que en el primer procedimiento, pero tantas veces como sea necesario hasta que las unidades y las características no admitan ninguna reordenación más. El criterio para la interpretación de los dos ejes (unidades y características) debe ser el mismo.

códigos y de etiquetas. Sobre este archivo, el “Sistema” crea una matriz similar a la que aparece en la Figura 1 y a partir de aquí sólo requiere conocer cuántas unidades y características se están manejando en cada caso, qué lugar ocupa en la matriz cada una de ellas y el tipo de configuración que se quiere obtener. Esta información permite al ordenador elaborar los patrones y presentarlos en una forma semejante a la de la figura 2.

Pero aquí no acaba todo. También existe la posibilidad, mediante la aplicación de un programa complementario, de que el ordenador señale explícitamente las divisiones internas que se pueden hacer dentro de un patrón, tanto en su eje vertical como en su eje horizontal (véase, como ejemplo, la figura 3).

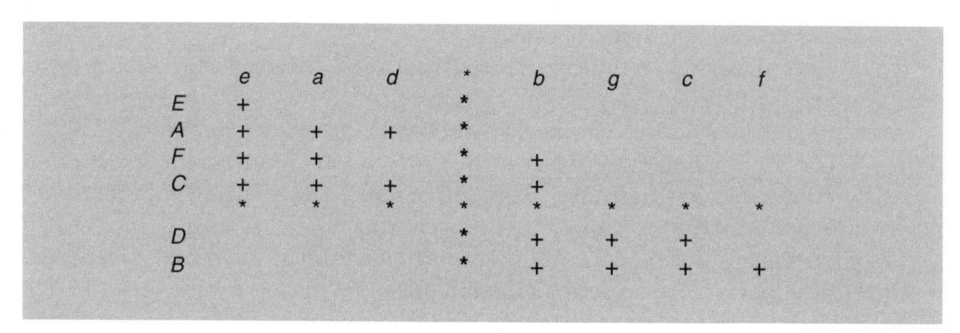

	e	*a*	*d*	*	*b*	*g*	*c*	*f*
E	+			*				
A	+	+	+	*				
F	+	+		*	+			
C	+	+	+	*	+			
	*	*	*	*	*	*	*	*
D				*	+	+	+	
B				*	+	+	+	+

Figura 3. Patrón con división interna (horizontal y vertical).

Asimismo, otro programa complementario distribuye las características y las unidades en sendos ejes cuyos valores extremos son 0 y 1. Tal distribución nos ayuda a precisar la distancia relativa que hay entre unas características y otras, por un lado, y entre las diferentes unidades, por el otro (véase, como ejemplo, la figura 4).

UNIDADES	Med. N.	0 ________ + ________ 1
1) 5 E	0.000	*
2) 1 A	0.252	*
3) 6 F	0.357	*
4) 3 C	0.460	*
5) 4 D	0.882	*
6) 2 B	1.000	*

ATRIBUTOS	Med.N.	0 ________ + ________ 1
1) **5 e**	0.000	*
2) **1 a**	0.110	*
3) **4 d**	0.150	*
4) **2 b**	0.524	*
5) **7 g**	0.763	*
6) **3 c**	0.915	*
7) **6 f**	1.000	*

Figura 4. Ejes de unidades y características. Distancia relativa.

Para el análisis cuantitativo de los campos léxicos, las unidades y las características que manejaremos serán, por un lado, las formas léxicas (lexemas o lexías) y sus correspondientes sememas y, por otro lado, los puntos geográficos y las mismas formas léxicas. La aplicación de la informática sobre estos parámetros hará posible cumplir los objetivos siguientes:

1º. Determinar la distribución geográfica de los sememas; esto es, determinar en qué lugares funcionan ciertos sememas y en cuáles se dan otros diferentes o, simplemente, en qué lugares no son pertinentes los sememas que se están estudiando.

2º. Determinar el modo y la frecuencia con que los sememas se asocian a los diferentes lexemas; es decir, cuáles son los sememas que se asocian a determinadas unidades léxicas.

3º. Determinar la distribución geográfica de los lexemas asociados a cada semema.

Los programas del "Sistema Integral" ofrecen los resultados en forma de histogramas, tablas de contingencia, matrices de correlación, dendrogramas, patrones y ejes de configuración. Todo ello permite proceder directamente a la interpretación de los materiales cartográficos de acuerdo con los objetivos previstos.

Como muestra del modo en que la informática puede venir en auxilio de la semántica y la lexicología estructural, ofrecemos un análisis pormenorizado del campo léxico 'cencerro' en Andalucía. Este campo es, a la vez, complejo e interesante. Si uno mira los mapas del Atlas de Andalucía relacionados con los cencerros encuentra, por ejemplo, que en la provincia de Almería el nombre genérico del cencerro es *cencerro* y que, en Granada, en algunos lugares es *cencerro* y en otros *cencerra*, mientras que *cencerra*, en bastantes puntos de Almería, se aplica sólo al cencerro pequeño. En los puntos granadinos en los que *cencerra* es el nombre genérico, el cencerro pequeño se denomina *cencerrilla, piquete* o *picota*. Estos rápidos comentarios pueden dar una imagen de confusión que se multiplica cuando se comparan las ocho provincias andaluzas y los diversos tipos de cencerros que existen en unas áreas y otras. El análisis léxico-semántico intenta hacer ver que no es imposible descubrir regularidades en lo que aparentemente es un mosaico abigarrado de palabras, significados y objetos diferentes.[27]

4. Análisis cuantitativo del campo léxico 'cencerro' en Andalucía

4.1. Estructura semántica del campo

El primer paso en el estudio de un campo léxico es determinar sus límites. Como se va a trabajar con un corpus de naturaleza geolingüística, nos ahorramos

27. Algunos semantistas podrían poner en duda que las unidades que forman el campo 'cencerro' pertenezcan al léxico estructurado y dirían que no podrían ser objeto de una organización en campos por tratarse de *léxico nomenclador*, de una nomenclatura. A este respecto, se puede mantener una postura más cercana a la de G. Salvador que a la del R. Trujillo de los últimos años. Si se considera válido un estudio sobre el campo 'asiento' o sobre el campo 'pared', no debería haber problemas para admitir un estudio del campo 'cencerro'.

la tarea de delimitación del paradigma léxico, puesto que se construirá directamente con el material léxico que nos ofrecen los mapas.

La forma *cencerro* es un archilexema o valor de campo, cuyo archisemema (núcleo semántico o núcleo semántico común) está formado por tres semas: s_1: 'campana', s_2: 'de metal', s_3: 'que se cuelga del cuello de los animales'. Ese archisemema o núcleo semántico se puede combinar con estos otros semas pertinentes: s_4: 'grande' (o 'no pequeño'), s_5: 'pequeño', s_6: 'recto', s_7: 'boquiancho', s_8: 'boquiestrecho'. El modo en que se combinan los semas en los sememas respondería a la fórmula

$$s1 + s2 + s3 + s_{(4,\ 5)} + s_{(6,\ 7,\ 8)}$$

Si seguimos la tipología de los campos propuesta por Coseriu,[28] el campo semántico que se dibuja a partir de estas unidades sémicas es un campo bidimensional y, por lo tanto, jerarquizante: las dimensiones pertinentes son el "tamaño" ('no pequeño' / 'pequeño') y la "forma" ('recto' / 'boquiancho' / 'boquiestrecho'). Sin embargo, hay que precisar que el campo 'cencerro' podría haber incluido otra dimensión que aquí no figura porque no disponemos del material necesario para el análisis. Se podría haber contado con unos semas relativos a la clase de animales que pueden llevar la campana: 'para vacas' / 'para ganado lanar y cabrío'. En ese caso habríamos estado ante un campo pluridimensional.

La catalogación de nuestro campo, dentro de los bidimensionales, presenta algunas dificultades para adjudicarle un carácter "correlativo" o "no correlativo", según la tipología de Coseriu, porque para que un campo sea correlativo debe darse la combinación de dos oposiciones polares —sinonímica o antonímica— y ambas deben cruzarse formando un haz de correlación, de manera semejante a las correlaciones fonológicas.

Los semas que se han tenido en cuenta nos hablan de una correlación 'grande' ('no pequeño) / 'pequeño' que, en principio, se considera antonímica o privativa, pero que fácilmente podría funcionar como una oposición gradual: 'muy pequeño' / 'pequeño' / 'mediano' / 'grande' / 'muy grande'. Al mismo tiempo contamos con una oposición gradual 'boquiestrecho' / 'recto' / 'boquiancho'. Si consideramos la primera de las oposiciones —la de tamaño— como gradual, no estaríamos estrictamente ni ante un haz de correlaciones ni ante un campo no correlativo, puesto que, en este último tipo, una de las oposiciones debería ser equipolente. Para solucionar esta dificultad, aplicamos estrictamente la idea de Coseriu, según la cual siempre existe la posibilidad de interpretar las oposiciones graduales como antonímicas —por ejemplo, 'pequeño' / 'no pequeño' o incluso 'boquiestrecho' / 'no boquiestrecho'—, dado que la "privaticidad" semántica léxica es muy diferente de la "privaticidad" fonológica y gramatical.[29]

El campo léxico 'cencerro' sería un campo bidimensional correlativo cuya organización interna formaría un haz de seis sememas que podría representarse

28. "Hacia una tipología de los campos léxicos", en *Principios de semántica estructural, op.cit.*, pp. 210-242.

29. Art.cit, pp. 2250-226.

como en la figura 5 o como aparece en la figura 6, en la que se pone de relieve la disposición jerárquica de las unidades:

"no pequeño boquiestrecho"	"pequeño boquiestrecho"
"no pequeño recto"	"pequeño recto"
"no pequeño boquiancho"	"pequeño boquiancho"

Figura 5. Campo 'cencerro' (haz de correlación).

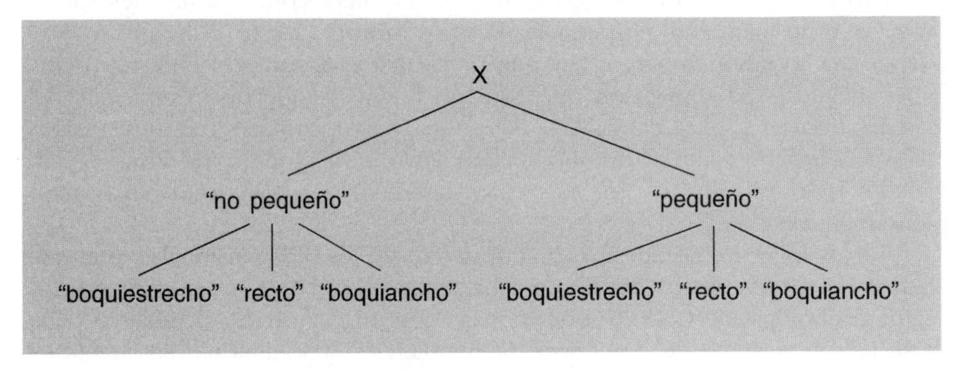

Figura 6. Campo cencerro (jerarquía de dos dimensiones).

Las distintas posibilidades que ofrece la interpretación de las oposiciones del campo nos pueden ayudar a entender, antes de entrar en más análisis, que la estructura tenga diferentes manifestaciones formales desde un punto de vista estrictamente semántico, porque no todas las casillas de la Figura 5 han de tener correspondencia necesariamente con un lexema en todos los puntos e incluso puede haber lugares en los que se distinga entre 'pequeño', 'mediano' o 'grande'.

En cuanto a la correspondencia entre los sememas estructurados y los lexemas, no es fácil encontrar una asociación constante, ni siquiera predominante. Forzando la realidad, podríamos decir que los lexemas y sememas asociados más frecuentemente en Andalucía son estos: *picote* 'boquiestrecho no pequeño', *picotillo* 'boquiestrecho pequeño', *cencerro* 'recto no pequeño', *cencerra* 'recto pequeño', *esquila* 'boquiancho no pequeño' y *esquilón* 'boquiancho pequeño'.[30] No es preocupante, sin embargo, no encontrar *a priori* una correspondencia constante entre los sememas y ciertos lexemas, porque el análisis informático nos va a ayudar precisamente a conocer cómo se manifiesta en cada área geográfica, incluyendo la posibilidad de que existan lagunas léxicas.[31]

30. Aquí observamos que el lexema *cencerro* coincide con el archilexema.

31. Con el fin de hacer menos engorrosa la lectura, también usaremos el adjetivo 'grande' para hacer referencia al sema 'no pequeño'.

4.2. El campo léxico 'cencerro' en el ALEA

La pregunta 1538 del cuestionario del *Atlas Lingüístico y Etnográfico de Andalucía* figura con el enunciado "las esquilas (formas, clases y nombres)", sin más precisiones (Granada, 1952). Esta pregunta fue desgranada en cada una de las encuestas siguiendo las indicaciones que cada informante apuntaba y pidiendo detalles específicos cuando no salían a la luz espontáneamente. La experiencia de trabajar con cuestiones de este tipo hace ver que los informantes, dependiendo de la realidad que los rodea, suelen ofrecer datos esclarecedores en cuanto a la pertinencia o no pertinencia de ciertos rasgos semánticos. Por otra parte, desde una perspectiva lexemática es interesante suponer que en la selección y ordenación de los mapas se han tenido en cuenta las distinciones semánticas que los mismos informantes aportaron durante las encuestas.[32]

La pregunta genérica del cuestionario dio lugar a cinco mapas lingüísticos: el mapa número 456 *cencerros (nombre genérico)*, 457 *cencerro*,[33] 458 *cencerro (bis)*,[34] 459 *cencerro boquiangosto*[35] y 460 *esquila*.[36] Además los mapas 459 y 460 ofrecen datos sobre el *cencerro boquiangosto pequeño* y la *esquilita* respectivamente. Estos datos aparecen sin cartografiar, pero van acompañados de la localización geográfica pertinente. A ello hay que añadir que, en los mapas del *cencerro grande* y del *cencerro boquiangosto grande*, se ofrecen, para muchos puntos, más de una respuesta, con las que se distingue el tamaño mayor o menor del referente. Hay advertir que en casi todas las localidades en las que se han hecho encuestas se han obtenido respuestas[37] y que se considera como dato significativo una respuesta del tipo "no lo sé" o "no hay", que sirve para indicarnos dónde están las lagunas léxicas y dónde el sistema presenta una realización diferente.[38]

Los mapas del *ALEA* cubren completamente el campo semántico propuesto más arriba, es decir, proporcionan información léxica o ausencia de respuesta léxica, que también es significativa, para todos los sememas y además incluye el cartografiado de las variantes del archilexema. Tal y como señaló Gregorio Salvador para el campo 'arar', "cada mapa, aisladamente, no nos dice nada de interés semántico. Es el mosaico expresivo que nos ofrece el área geográfica

32. En este caso se contaba con la ventaja de la concreción de los referentes.

33. Se refiere al "Cencerro igual de ancho arriba que en la boca" y, sin otra especificación, al de mayor tamaño.

34. Este mapa está desglosado del anterior y en él figuran los nombres del "cencerro igual de ancho arriba que en la boca", pero pequeño.

35. Se refiere al "cencerro con la boca más estrecha que la parte de arriba". En el se incluyen los nombres obtenidos sin referencia al tamaño y los del cencerro grande

36. Se refiere a la "esquililla en forma de campanilla".

37. En general, los cinco mapas son muy completos, pues dan respuestas prácticamente para 229 puntos de los 230 que componen la obra. Solamente falta la información del punto Gr 309 (tal vez por algún error de composición); en las demás localidades, siempre hay respuesta.

38. En algún caso no aparecía cartografiada la respuesta, sobre todo en el mapa dedicado al nombre genérico. Cuando nos ha parecido que se trataba de una errata evidente, se he dado a la localidad el valor lingüístico que figuraba en los puntos circundantes.

andaluza para un único semema. [...] Es preciso fundir, superponer los [cinco] mapas, no sólo para analizar la distribución estructural del campo semántico, [...] sino también para poner un poco de orden en el maremágnum de significantes".[39]

Para dar una idea de la entidad de este "maremágnum" léxico en los mapas de las esquilas o cencerros, baste decir que las lexías cartografiadas, sin tener en cuenta las variantes fonéticas ni las variantes morfológicas no pertinentes, son más de setenta.

4.3. Análisis semántico y semántico-geográfico

Conocida la naturaleza semántica del campo y las características de los mapas que nos van a ocupar, pasamos a presentar los resultados del proceso informático realizado con el "Sistema Integral", señalando que el interés prioritario es presentar las técnicas y las posibilidades de ese análisis informático y no tratar exhaustivamente todo lo que los mapas encierran.

El primero de los objetivos previstos es el de determinar la distribución geográfica de los sememas. Se trata de observar cuántos sememas funcionan en cada punto y descubrir áreas caracterizadas por configuraciones semánticas afines o comunes; en otras palabras, se comprobará si el campo semántico que constituye nuestro punto de partida (véase figura 5) tiene diversas manifestaciones o variantes de norma y cómo se distribuyen en la geografía, si es que existe realmente algún tipo de distribución.

Comenzamos por considerar que, siempre que un punto del atlas ofrece una respuesta léxica, se puede interpretar que el semema correspondiente funciona de manera activa en el sistema. Si un punto presenta como respuesta un "no lo sé" o un "no hay", se interpreta que existe una laguna léxica, concretamente una laguna en la estructuración semántica. De aquí se desprende que la interpretación del campo semántico, desde el punto de vista de la norma, dependerá en buena medida de la ausencia de respuestas léxicas.

Para realizar el análisis informático, se han utilizado los cinco mapas principales que ofrece el *ALEA*, por lo que, en un primer momento, se ha dejado a un lado la información complementaria sobre el *cencerro boquiestrecho pequeño* y sobre la *esquila pequeña*. Para hacer el análisis de configuración se ha considerado la ausencia de respuesta léxica, en cada uno de los puntos donde se da, como el parámetro correspondiente a las "unidades" y los sememas del campo como el parámetro de las "características". Utilizando estos dos criterios —el geográfico y el sémémico—, el programa informático ha proporcionado unos ejes de configuración en los que localidades y sememas se han distribuido según la distancia relativa que hay entre ellos. La figura 7 nos muestra esos ejes.

39. "Estudio del campo semántico 'arar' en Andalucía", art.cit, pp. 19-20.

```
122 123) CO62.                  *                                          0.250
123  10) A32..                  *                                          0.250
124 138) MA30.                  *                                          0.250
125 139) MA31.                  *                                          0.250
126 147) MA44.                  *                                          0.250
127 153) MA51.                  *                                          0.250
128 155) MA53.                  *                                          0.250
129  48) G44..                  *                                          0.250
130  92) J36..                  *                                          0.250
131 168) SE36.                  *                                          0.250
132 171) SE39.                  *                                          0.250
133  51) G47..                  *                                          0.250
134 177) SE44.                  *                                          0.250
135  13) A41..                  *                                          0.250
136   6) A24..                  *                                          0.250
137 184) SE60.                  *                                          0.250
138 104) J53..                  *                                          0.250
139 105) J54..                  *                                          0.250
140   1) A10..                  *                                          0.250
141 199) CA32.                  *                                          0.250
142   9) A31..                  *                                          0.250
143 205) H10..                  *                                          0.250
144 206) H11..                  *                                          0.250
145 210) H22..                  *                                          0.250
146 217) H40..                  *                                          0.250
147 218) H41..                  *                                          0.250
148 219) H42..                  *                                          0.250
149 220) H50..                  *                                          0.250
150 221) H51..                  *                                          0.250
151 226) H61..                  *                                          0.250
152 228) H63..                  *                                          0.250
153 227) H62..                                *                            0.500
154 194) CA23.                                  *                          0.540
155  83) J23..                                  *                          0.540
156  89) J33..                                  *                          0.559
157  94) J38..                                  *                          0.559
158 172) SE310                                  *                          0.559
159 134) MA20.                                  *                          0.559
160 176) SE43.                                  *                          0.559
161  14) A42..                                  *                          0.559
162  16) A44..                                  *                          0.559
163 185) SE61.                                  *                          0.559
164 187) SE63.                                  *                          0.559
165 191) CA20.                                  *                          0.559
166 193) CA22.                                  *                          0.559
167 200) CA40.                                  *                          0.559
168 203) CA61.                                  *                          0.559
169  80) J20..                                  *                          0.559
170  87) J31..                                        *                    0.685
171 189) CA11.                                        *                    0.685
172  86) J30..                                        *                    0.685
173 169) SE37.                                        *                    0.685
174  82) J22..                                        *                    0.685
175 223) H53..                                        *                    0.685
176 119) CO42.                                        *                    0.685
177 129) CO68.                                            *                0.729
178  55) G50..                                            *                0.729
179  26) A58..                                            *                0.736
180  21) A53..                                            *                0.736
181  22) A54..                                            *                0.736
182 125) CO64.                                            *                0.750
183 163) SE31.                                            *                0.750
184 186) SE62.                                            *                0.750
185  91) J35..                                            *                0.750
186  75) G64..                                            *                0.750
187 131) MA10.                                            *                0.750
188  41) G36..                                            *                0.750
189 166) SE34.                                            *                0.750
190 140) MA32.                                            *                0.750
191 135) MA21.                                            *                0.750
192 198) CA31.                                            *                0.750
193  12) A40..                                            *                0.750
194 108) CO12.                                            *                0.750
195 132) MA11.                                            *                0.750
196 109) CO13.                                            *                0.750
197  47) G43..                                            *                0.750
198  60) G55..                                            *                0.750
199  20) A52..                                            *                0.750
200  37) G32..                                            *                0.750
201 146) MA43.                                            *                0.750
202  63) G58..                                            *                0.750
203  64) G59..                                            *                0.750
204  65) G510.                                            *                0.750
205  67) G512.                                            *                0.750
206  42) G37..                                            *                0.750
207  50) G46..                                            *                0.750
208  84) J24..                                            *                0.750
209  68) G513.                                            *                0.750
210  88) J32..                                            *                0.750
211  85) J25..                                            *                0.750
212 122) CO61.                                            *                0.750
213  70) G515.                                            *                0.750
214 136) MA22.                                            *                0.750
215 156) MA60.                                            *                0.750
216 130) CO69.                                            *                0.750
217 178) SE45.                                            *                0.750
218 197) CA30.                                              *              0.777
219  27) A59..                                              *              0.781
220 230) GR39.                                                 *           0.829
221 211) H23..                                                   *         0.854
222 188) CA10.                                                    *        0.884
223  25) A57..                                                    *        0.884
224  11) A33..                                                    *        0.884
225   7) A25..                                                    *        0.884
226 148) MA45.                                                    *        0.884
227  78) J12..                                                    *        0.884
228 158) SE11.                                                    *        0.901
229  95) J39..                                                           * 1.000
230 157) SE10.                                                           * 1.000

* L EJE HORIZONTAL 0.0 -------------------------+------------------------- 1.000

 1  2 RPE           *                                                      0.000
 2  1 RGR                     *                                            0.176
 3  3 BEG                                                      *           0.827
 4  4 BAG                                                            *     0.955
 5  5 GEN                                                                * 1.000
```

Fig. 7. Ejes de configuración de los rasgos "puntos geográficos" (unidades) y "sememas" (características).

GEN = 'cencerro' (archisemema) BAG = 'boquiancho no pequeño' BEP = 'boquiestrecho pequeño'
RGR = 'recto no pequeño' BEG = 'boquiestrecho no pequeño' BAP = 'boquiancho pequeño'
RPE = 'recto pequeño'

En el primer eje (unidades) se observa con claridad que las localidades andaluzas se reúnen en cuatro grupos suficientemente diferenciados. En el segundo eje (características) comprobamos que la distribución geográfica de la ausencia de lexema coincide notablemente para los sememas que incluyen el sema 'recto' y está a bastante distancia de la distribución que corresponde a la ausencia de respuesta de los sememas 'boquiestrecho' y 'boquiancho'. En otras palabras, hay lugares de Andalucía en los que no aparece un lexema para denominar a los cencerros rectos y otros lugares en los que no aparecen lexemas para los cencerros boquiestrechos y boquianchos.

Si trasladamos a un mapa la zonificación que ofrece el primer eje y comprobamos qué sememas son los que no presentan lexema o lexía, el resultado que se obtiene es el que aparece en la figura 8.

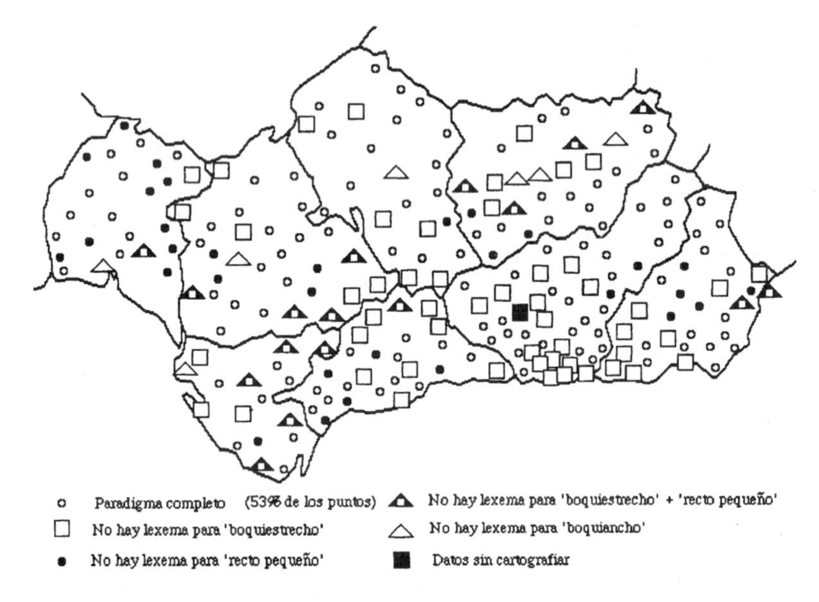

Figura 8. Distribución geográfica de ausencia de lexemas para diferentes sememas.

El mapa está revelando que existen lexemas para los cuatro sememas analizados, e incluso para el archilexema, en el 53% de las localidades andaluzas. Por tanto, en el 47% de los puntos existe alguna laguna léxica. De ellas, la que presenta un reparto geográfico más coherente es la correspondiente al semema 'boquiestrecho' y a la combinación de sememas 'boquiestrecho' + 'recto pequeño'. La extensión de esta laguna abarca, principalmente, el Sudoeste de Almería, la mayor parte del Sur de Granada, la confluencia de las provincias de Málaga, Cádiz, Sevilla y Córdoba y el centro de Jaén, aparte de localidades más o menos aisladas que no constituyen áreas nítidas.

Al analizar la información complementaria de los mapas sobre el *cencerro boquiestrecho pequeño* y la *esquila pequeña*, observamos, en la figura 9, que el semema 'boquiestrecho pequeño' se manifiesta léxicamente, sobre todo, en la mitad oriental de Andalucía, y en puntos sueltos de las demás provincias. Por su parte, el semema 'boquiancho pequeño' disfruta de lexemas principalmente en la mitad occidental de Andalucía y en localidades aisladas de Jaén y de Granada. Tomando conjuntamente ambos casos, encontramos lexemas para tales sememas en el 41% del territorio andaluz (véase figura 9).

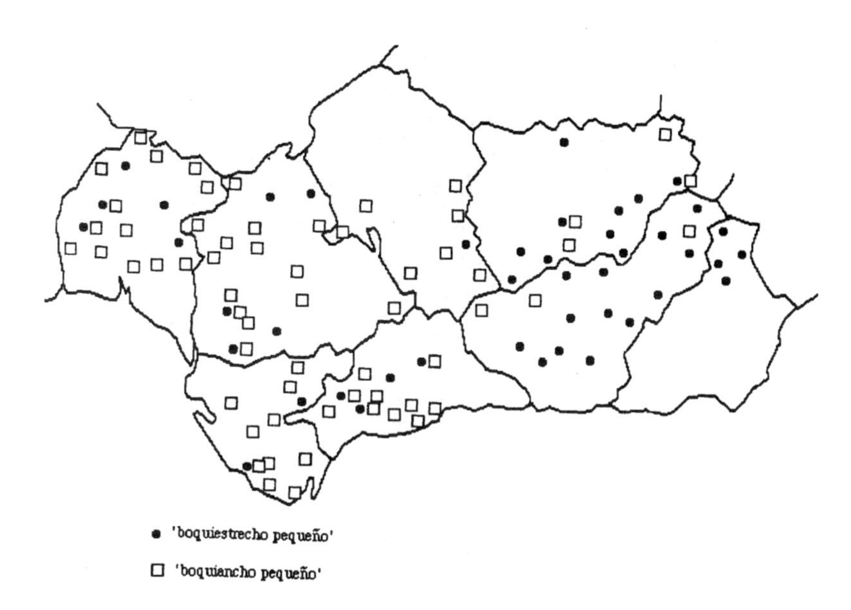

Figura 9. Distribución geográfica de la presencia de lexemas para los sememas 'boquiestrecho pequeño' y 'boquiancho pequeño'.

Dada la heterogeneidad del campo 'cencerro' en Andalucía, es importante apuntar algunas conclusiones parciales que den cierta luz a este "maremágnum' de sememas y localidades:

1ª. El campo 'cencerro', tal y como se ha organizado más arriba, se manifiesta sin lagunas léxicas prácticamente en la mitad del territorio andaluz.

2ª. Las lagunas léxicas nos permiten apreciar algunas diferencias semánticas entre la Andalucía occidental y la oriental. En líneas generales, la Andalucía occidental se caracteriza por la pertinencia de todos los sememas del campo, excepción hecha del semema 'boquiestrecho pequeño' y del semema 'recto pequeño' en Huelva. La Andalucía oriental se caracteriza por la no pertinencia de los sememas 'boquiancho pequeño' y 'boquiestrecho', si bien la distribución de las ausencias léxicas no es del todo homogénea.

3ª. Las posibilidades de manifestación formal del sistema, si prescindimos de las grandes áreas, son muy diversas, porque van desde las localidades en las que sólo encontramos el archilexema (J 202, 300, 301, Co 402, 608, etc.),

```
SINRESP.DIV
• PATRON DE OUTPUT •

                 1 2  345

                 2 1  345

                 R R  BBG
                 P G  EAE
                 E R  GGN

122 123) CO62. +b ac
123  10) A32.. +b ac
124 138) MA30. +b ac
125 139) MA31. +b ac
126 147) MA44. +b ac
127 153) MA51. +b ac
128 155) MA53. +b ac
129  48) G44.. +b ac
130  92) J36.. +b ac
131 168) SE36. +b ac
132 171) SE39. +b ac
133  51) G47.. +b ac
134 177) SE44. +b ac
135  13) A41.. +b ac
136   6) A24.. +b ac
137 184) SE60. +b ac
138 104) J53.. +b ac
139 105) J54.. +b ac
140   1) A10.. +b ac
141 199) CA32. +b ac
142   9) A31.. +b ac
143 205) H10.. +b ac
144 206) H11.. +b ac
145 210) H22.. +b ac
146 217) H40.. +b ac
147 218) H41.. +b ac
148 219) H42.. +b ac
149 220) H50.. +b ac
150 221) H51.. +b ac
151 226) H61.. +b ac
152 228) H63.. +b ac
153 227) H62..  b+ac
154 194) CA23. +b+ac+
155  83) J23.. +b+ac+
156  89) J33.. +b ac+
157  94) J38.. +b ac+
158 172) SE310 +b ac+
159 134) MA20. +b ac+
160 176) SE43. +b ac+
161  14) A42.. +b ac+
162  16) A44.. +b ac+
163 185) SE61. +b ac+
164 187) SE63. +b ac+
165 191) CA20. +b ac+
166 193) CA22. +b ac+
167 200) CA40. +b ac+
168 203) CA61. +b ac+
169  80) J20.. +b ac+
              bbbbbbbb
170  87) J31.. +b+ac++
171 189) CA11. +b+ac++
172  86) J30.. +b+ac++
173 169) SE37. +b+ac++
174  82) J22.. +b+ac++
175 223) H53.. +b+ac++
176 119) CO42. +b+ac++
177 129) CO68. +b ac +
              cccccccc
178  55) G50.. +b ac +
              aaaaaaaa
179  26) A58.. +b ac++
180  21) A53.. +b ac++
181  22) A54.. +b ac++
182 125) CO64.  b ac+
183 163) SE31.  b ac+
184 186) SE62.  b ac+
185  91) J35..  b ac+
186  75) G64..  b ac+
187 131) MA10.  b ac+
188  41) G36..  b ac+
189 166) SE34.  b ac+
190 140) MA32.  b ac+
191 135) MA21.  b ac+
192 198) CA31.  b ac+
193  12) A40..  b ac+
194 108) CO12.  b ac+
195 132) MA11.  b ac+
196 109) CO13.  b ac+
197  47) G43..  b ac+
198  60) G55..  b ac+
199  20) A52..  b ac+
200  37) G32..  b ac+
201 146) MA43.  b ac+
202  63) G58..  b ac+
203  64) G59..  b ac+
204  65) G510.  b ac+
205  67) G512.  b ac+
206  42) G37..  b ac+
207  50) G46..  b ac+
208  84) J24..  b ac+
209  68) G513.  b ac+
210  88) J32..  b ac+
211  85) J25..  b ac+
212 122) CO61.  b ac+
213  70) G515.  b ac+
214 136) MA22.  b ac+
215 156) MA60.  b ac+
216 130) CO69.  b ac+
217 178) SE45.  b ac+
218 197) CA30.  b+ac++
219  27) A59.. +b+ac+ +
220 230) GR39. +b+ac+++
221 211) H23.. +b ac+ +
222 188) CA10.  b ac++
223  25) A57..  b ac++
224  11) A33..  b ac++
225   7) A25..  b ac++
226 148) MA45.  b ac++
227  78) J12..  b ac++
228 158) SE11. +b ac  +
229  95) J39..  b ac +
230 157) SE10.  b ac +

• DIVISION NUM. = 1  LINEA = a
```

Fig.10. Patrón de ausencia de lexemas con divisiones internas (las líneas divisorias se marcan a, b, c).

GEN = 'cencerro' (archisemema) BEG = 'boquiestrecho no pequeño' BAG = 'boquiancho no pequeño' RGR = 'recto no pequeño' RPE = 'recto pequeño' hasta los puntos en los que hay lexemas para todos los sememas, pasando, por ejemplo, por los lugares en los que sólo se documenta el lexema correspondiente al semema 'recto grande'. La casuística de la semántica queda reflejada en la figura 10. En ese patrón se puede comprobar qué sememas no tienen correspondencia léxica en ca-da uno de los puntos del *ALEA* y cómo se distribuyen esos puntos y esas ausencias.

A estas apreciaciones se puede añadir, que los mapas correspondientes al *cencerro* ('recto grande'), al *cencerro boquiestrecho* ('boquiestrecho grande') y a la *esquila* ('boquiancho grande') suelen incluir, en algunos puntos, una doble respuesta, con indicación de un tamaño mayor o menor. Se puede suponer que en estas localidades no funciona estrictamente una oposición privativa 'grande' / 'pequeño', sino una oposición gradual 'grande' / 'mediano' / 'pequeño'.

4.4. Análisis léxico-semántico y léxico-semántico-geográfico

De acuerdo con los objetivos iniciales, el análisis de nuestros corpus de lexemas —o mejor, de las lexías[40]— debe llevarnos a determinar el modo y la frecuencia con que los sememas se asocian a ellos, así como su distribución geográfica.

Las lexías cartografiadas en al *ALEA* en relación con el campo 'cencerro' son más de setenta, como ya ha quedado dicho. Estamos, pues, ante una variabilidad onoma-siológica importante. Como es lógico, se prescinde de aquellos aspectos fonéticos, morfológicos y morfosintácticos que no parecen pertinentes para la semántica del campo. La relación completa de lexías se ofrece, en forma de lista, en la figura 11.

De esta relación de lexías se desprenden dos comentarios: en primer lugar, muchas de las más de setenta lexías que se han recogido son lexías complejas cuyo núcleo coincide con otras lexías simples (*cencerro gordo, cencerro grande, cencerra chica, cencerra mora*, etc.) o bien son adjetivos sustantivados por omisión del núcleo nominal (*boquiestrecho, pedrera, mulera, arrancadera*; *realera, pedrereña*); en segundo lugar, al tratarse de lexemas relacionados con la dimensión "tamaño", es muy frecuente la utilización de recursos morfológicos para expresar esa diferencia semántica (*cencerro - cencerra, campana-campanilla, campanillo - campanilla, esquila - esquilón, picote - picota*).[41] Prescindiendo de las formas adjetivales y de las mociones morfológicas, encontraríamos una veintena de morfemas léxicos distribuidos por toda Andalucía y de ellos solamente cuatro alcanzarían una frecuencia notable: *cencerr-, campan- esquil-* y *pic-*. A pesar de

40. "La lexía es una combinación estable de elementos lingüísticos, funcionalmente equivalente a un lexema que la lengua no posee o que la lengua no actualiza". J. Fernández-Sevilla, *Formas y estructuras en el léxico angrícola andaluz, op.cit.*, p. 466.

41. Véase J. Fernández-Sevilla, *Formas y estructuras en el léxico angrícola andaluz, op.cit.*, pp. 465-467. También F. Moreno Fernández y J.I. Sánchez Pérez, "Los nombres de la «esquila» y la «esquilita» en varias regiones españolas", *Archivo de Filología Aragonesa*, XXXIV-XXXV, pp. 315-359.

aiguante
arrancadera
arriera
arriero
avutarda
boquiangosto
boquiestrecho
boquinete
cabestreño
cabestro
campana
campanilla
campanilla de metal
campanilla grande
campanilla lisa
campanillo
campano
cañón
cascabel
cencerra
cencerra chica
cencerra grande
cencerra mora
cencerra mulera
cencerra portuguesa
cencerra rondeña
cencerrilla
cencerrillo
cencerro
cencerro boquiangosto
cencerro borreguero
cencerro cabrero
cencerro chico
cencerro grande
cencerro mediano
cencerro pico
cencerro rebollero
cortadilla
cuarteño
esquila
esquilero
esquilita
esquilón
grillo
lengüeta
locajo
manga
marcenilla
mediana
medianera
mulera
ovejuno
pedrera
pedrereña
picorra
picorrilla
picota
picote
piqueta
piquete
piquetillo
playera
primera esquila
puchero
realera
rebollero
sangajo
segunda esquila
tercera esquila
truco
zumba

Figura 11. Lista de lexías incluidas en los mapas.

que la variabilidad léxica no es tan grande como los datos de superficie revelan, el estudio del campo obliga a trabajar, no con esos morfemas léxicos, sino con lexías.

Las lexías que se localizan en más de diez puntos de encuesta, junto a la indicación de los sememas con los que se asocian y la frecuencia relativa con que se produce tal asociación, quedan reflejadas en el cuadro de la Figura 12.

Lexía (frec.absoluta)	*BEP*	*BEG*	*RGR*	*RPE*	*GEN*	*BAP*	*BAG*
1) truco (14)	14%	68%					
2) picote (30)	27%	63%	46%				
3) rebollero (13)	9%	61%	30%				
4) medianera (24)*	8%	55%	37%				
5) cañón (25)		25%	75%				
6) arriera (21)*	24%	28%		48%			
7) piqueta (26)	7%	23%	14%	56%			
8) picota (13)	23%	8%	46%	23%			
9) piquete (107)	8%	46%	30%	15%	1%		
10) cencerro (299)	1%	2%	40%	4%	53%		
11) boquiestrecho (14)				100%			
12) cencerrillo (34)				100%			
13) locajo (14)			21%		79%		
14) esquila (67)	2%	9%	5%	2%		21%	61%
15) cencerra (154)			17%	49%	31%	3%	
16) campanillo (50)		6%		10%	8%	20%	56%
17) campanilla (110)			1%	2%		15%	82%
18) grillo (12)				84%			6%
19) esquilón (61)					2%	23%	75%

Figura 12. Lexías más frecuentes y proporción de las asociaciones a los diferentes sememas.

GEN = 'cencerro' (archisemema)
RGR = 'recto no pequeño' RPE = 'recto pequeño'
BEG = 'boquiestrecho no pequeño' BEP = 'boquiestrecho pequeño'
BAG = 'boquiancho no pequeño' BAP = 'boquiancho pequeño'
* = Indica respuesta para un referente de menor tamaño.

Este cuadro se ha elaborado desde el patrón proporcionado por el "Sistema Integral". En él las lexías y los sememas aparecen ordenados según la distancia relativa existente entre ellos.

Este tipo de información podría ser muy útil a la hora de redactar las entradas correspondientes de diccionarios o vocabularios. Por otro lado, su riqueza apenas es comparable con la información que se nos ofrece en los vocabularios dialectales del andaluz, porque Alcalá Vencelada, por ejemplo, en la entrada *cencerra* dice simplemente "cencerro pequeño", sin más precisiones geográficas o semánticas, la voz *cencerro* no figura en el vocabulario, y de *campanillo* se dice "campanilla, cencerro de cobre o bronce en forma de campana", sin hacer alusión al tamaño; de *piqueta* se dice "Especie de cencerro de sonido muy sonoro", *piquete* remite a *piqueta* y de *truco* se dice "cencerro cuya parte más ancha es la superior". Las demás voces no figuran en el *Vocabulario* de Alcalá, al menos en acepciones referidas a los cencerros.

Pero, si se encuentran lagunas y limitaciones en el Alcalá Venceslada, que es un vocabulario amplio y útil, muchas más se aprecian en otros vocabularios, porque la inmensa mayoría de las formas recogidas en la figura 12 no aparecen en ninguno de ellos, con la excepción del *Vocabulario de la Alta Alpujarra* de García de Cabañas (1967), donde se especifica únicamente el orden que les corresponde por su tamaño.

En el gráfico de la figura 13 se aprecia claramente que son muy pocas las lexías realmente frecuentes en Andalucía, a pesar de la gran variabilidad del territorio. Concretamente las formas de frecuencia más alta son *campanilla* (17), *cencerra* (15), *cencerro* (10) y *piquete* (9).

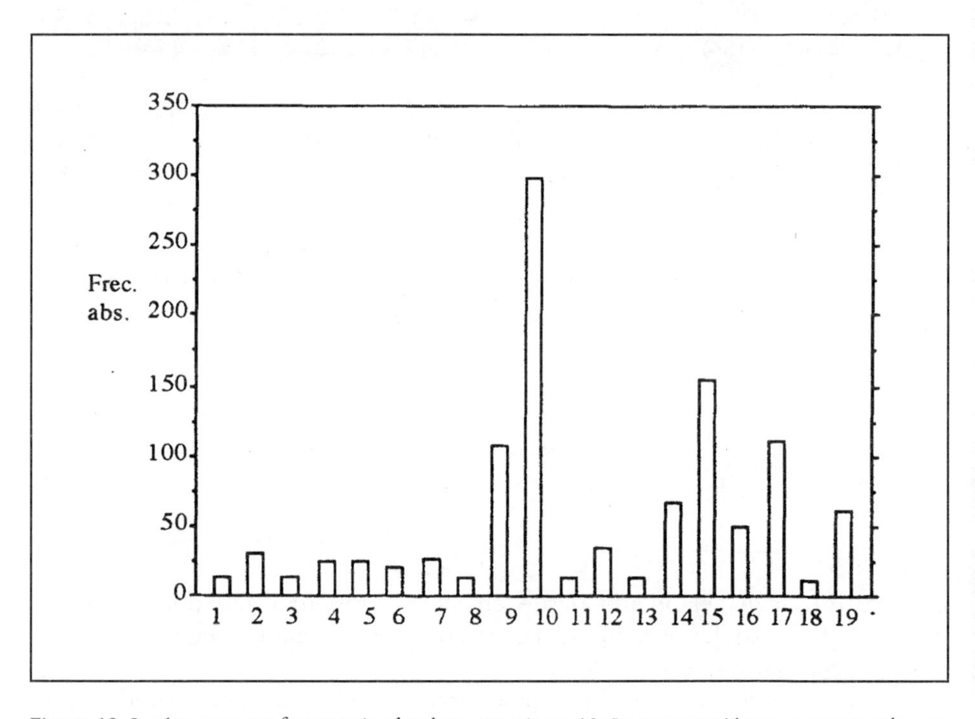

Figura 13. Lexías con una frecuencia absoluta superior a 10. La numeración se corresponde con la que se ofrece en la fig. 12.

Al elaborar con el ordenador los ejes de las lexías y los sememas reproducidos en la figura 12, obtenemos la configuración de la figura 14.

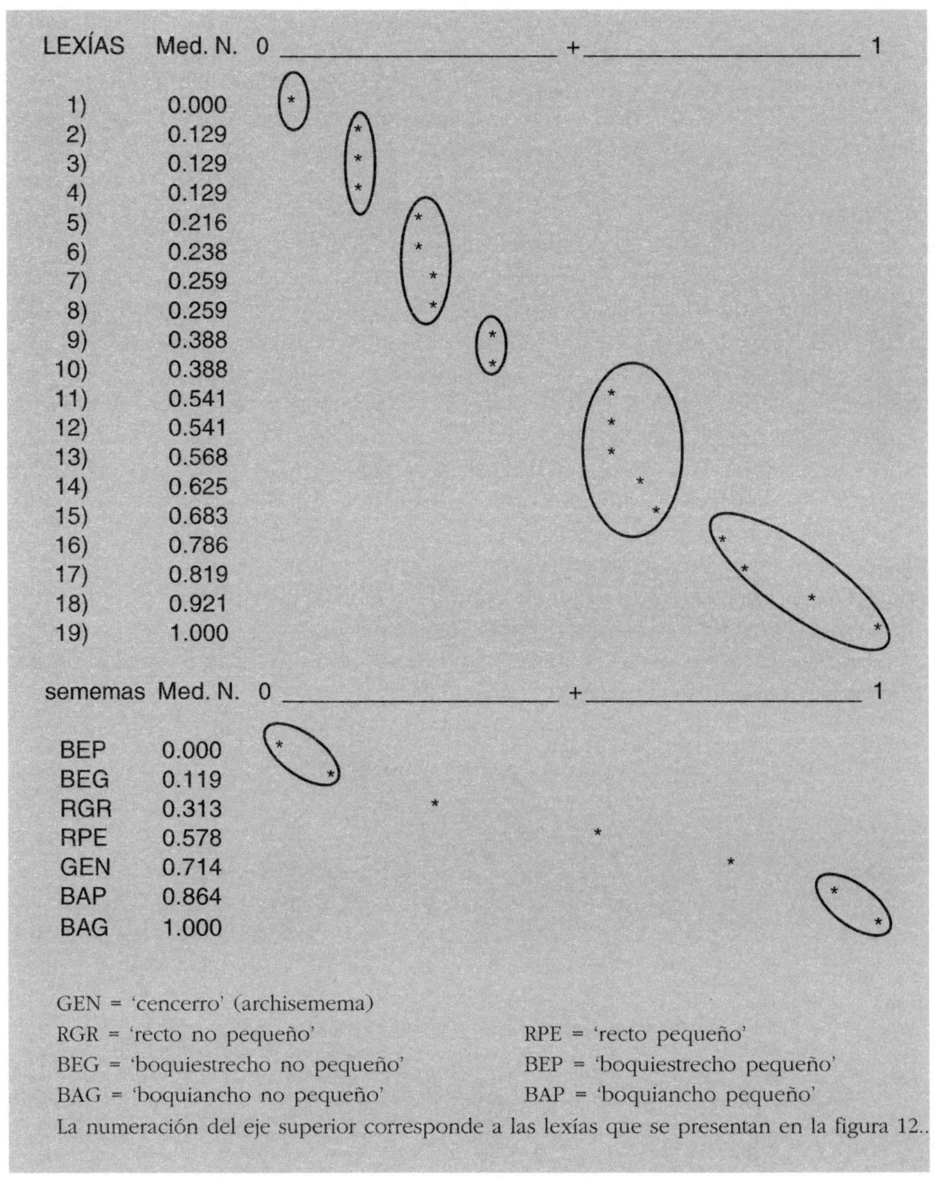

Figura 14. Ejes de configuración de las lexías más frecuentes y los sememas.

En la parte inferior de esa figura, el eje de los sememas, se observa que hay una tendencia a utilizar lexemas diferentes para sememas diferentes, de ahí la distribución lineal de los asteriscos. Sin embargo, es claro que los sememas 'boquiestrecho pequeño' y 'boquiestrecho grande', por un lado, y 'boquiancho pequeño' y 'boquiancho grande', por otro, son los más próximos en cuanto a los lexemas con que se asocian, es decir, son los más marcados.

El análisis que he presentado hasta el momento da cuenta de la diversidad y frecuencia de las lexías del campo 'cencerro' y de la cantidad de veces que un lexema se asocia a cada uno de los sememas. Pero, aún es posible ir más allá. Desde el punto de vista de la relación entre los lexemas y los sememas, ¿se puede llegar a algún tipo de zonificación o de reparto por áreas geográficas dentro del territorio? Antes se ha hablado de zonas manejando argumentos exclusivamente semánticos; ahora se hará siguiendo un criterio léxico-semántico, es decir, combinaremos la geografía, las lexías y los sememas.

Es evidente que las relaciones entre estos tres parámetros dentro de Andalucía son muy complejas y variadas, del tal forma que la simple comparación de los cinco mapas puede llevar a pensar que no existe un orden interno. Debido a esa complejidad aparente, he creído oportuno no entrar en casuísticas pormenorizadas y conformarme con saber si los rasgos semánticos y léxicos forman algún tipo de área, por muy general que sea. Con este objetivo, he elaborado patrones de los cinco mapas que nos ocupan y he solicitado del ordenador la división de cada uno de ellos en dos grandes grupos, manejando la geografía como variable constante. Los resultados de esa patronización y división son muy interesantes para el estudio de los sememas 'recto grande', 'boquiestrecho grande' y 'boquiancho grande'. Sobre esos patrones con división interna he dibujado los mapas pertinentes.

La figura 15 presenta el mapa del reparto en dos grupos de las lexías correspondientes al semema 'recto grande'.

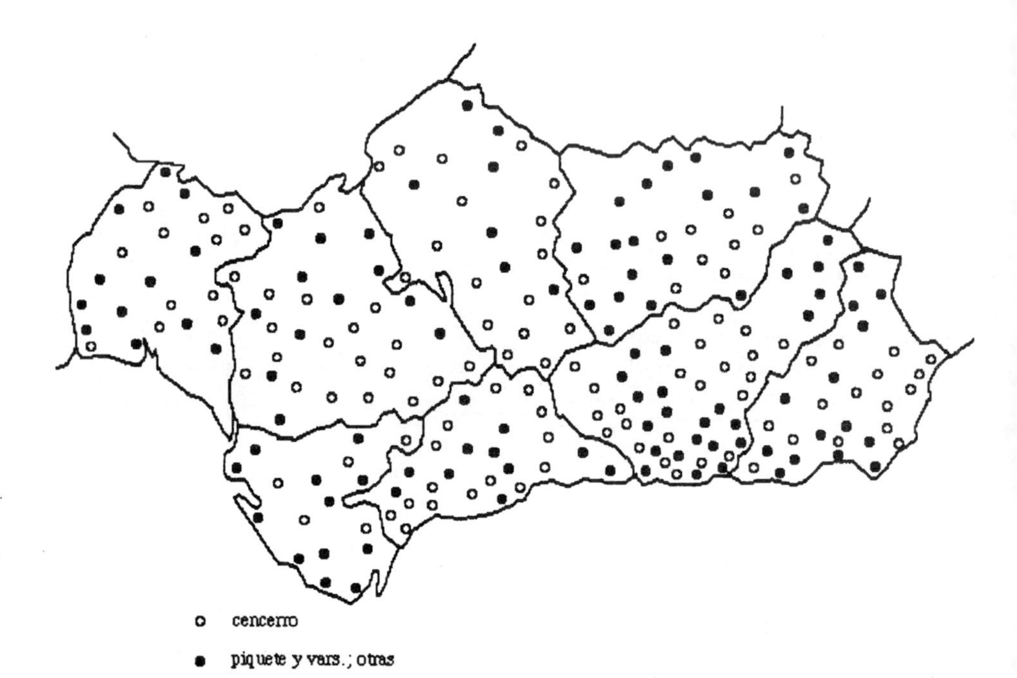

Figura 15. Mapa de la división en dos grupos de los lexemas correspondientes al semema 'recto no pequeño'.

De este mapa se deduce que no es posible dividir claramente el territorio porque no se descubren grandes áreas generales. Ahora bien, queda patente que la lexía *cencerro* no es exclusiva de ninguna de las provincias, sin olvidar que es también la forma más abundante como archilexema o tal vez precisamente por ello.

La figura 16 presenta el mapa del reparto en dos grupos de la información disponible sobre el semema 'boquiestrecho grande'.

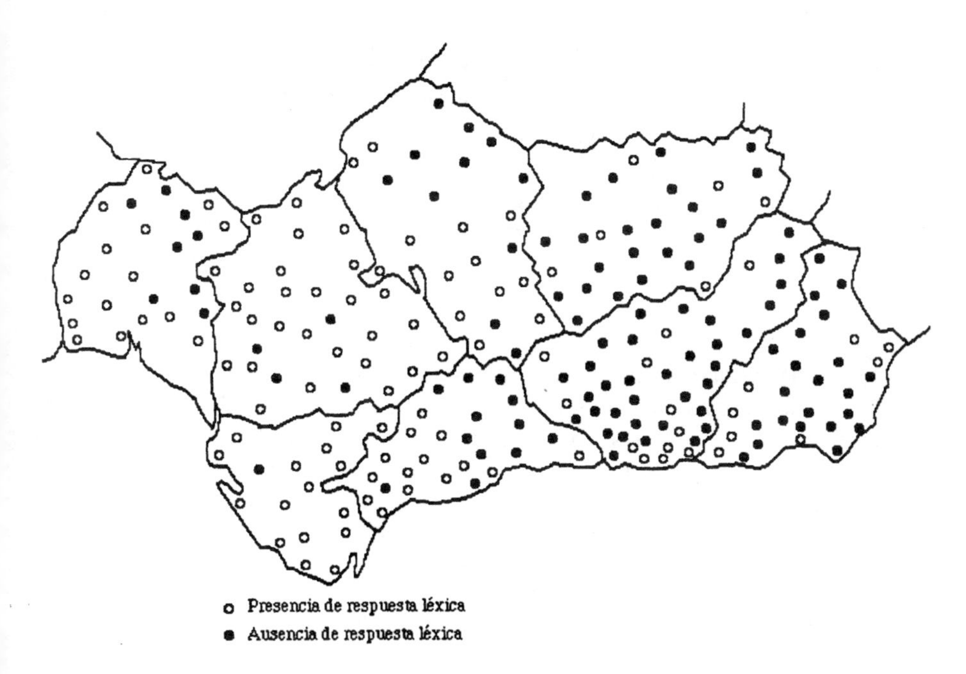

Figura 16. Mapa de la división en dos grupos de los lexemas correspondientes al semema 'boquiestrecho no pequeño'.

En este caso se observa, que el patrón nos ha dividido Andalucía en dos zonas bastante bien delimitadas. Al confrontar esta división automática con los mapas del *ALEA* se puede comprobar que el ordenador ha agrupado, en un lado (Andalucía occidental), los puntos en los que se usa un lexema con ese valor semántico y, en el otro (Andalucía oriental), los puntos en los que se localiza una laguna léxica, es decir, donde la respuesta que se obtuvo fue "no hay" o "no lo sé". Concretamente, en la provincia de Almería lo normal es que no haya lexemas asociados al semema 'boquiestrecho grande', pero también se puede ver que no es así justo en una parte de los fronteras con Murcia y con Granada.

El tercero de esta serie de mapas presenta el reparto en dos grupos de las lexías correspondientes al semema 'boquiancho grande'. La figura 17 presenta la división ofrecida por el patrón informático.

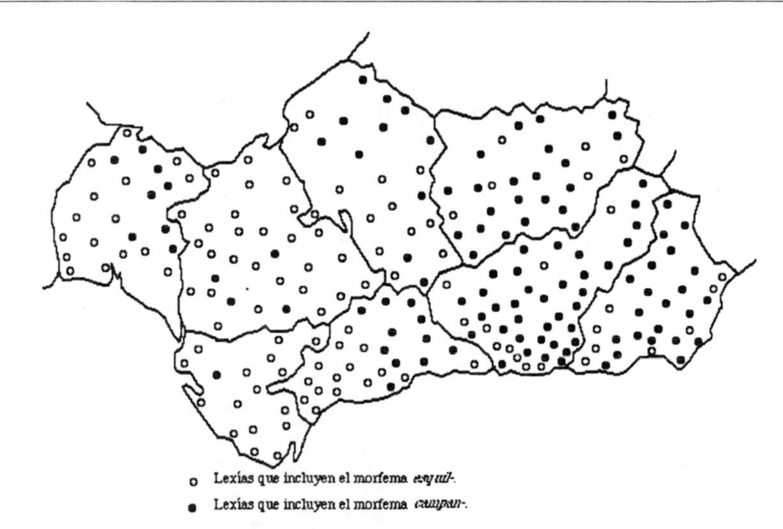

Figura 17.- Mapa de la división en dos grupos de los lexemas correspondientes al semema 'boquiancho no pequeño'.

De forma similar al mapa anterior, el territorio andaluz se nos muestra dividido en dos zonas de fronteras suficientemente claras. Al confrontar este mapa con el original, se descubre que en la Andalucía occidental predominan las formas léxicas que incluyen el morfema *esquil-* (*esquila, esquilón*), mientras en la Andalucía oriental son mayoritarias las lexías que incluyen el morfema *campan-* (*campanillo, campanilla*).

Pero más interesante que estos análisis parciales es llegar a conocer si existe una repartición geográfica similar cuando se toman en consideración todas las lexías y todos los sememas cartografiados en el *ALEA*. Se ha podido construir un patrón en el que se maneja conjuntamente toda esa información y lo he sometido a una división automática. El resultado se presenta en el mapa de la figura 18.

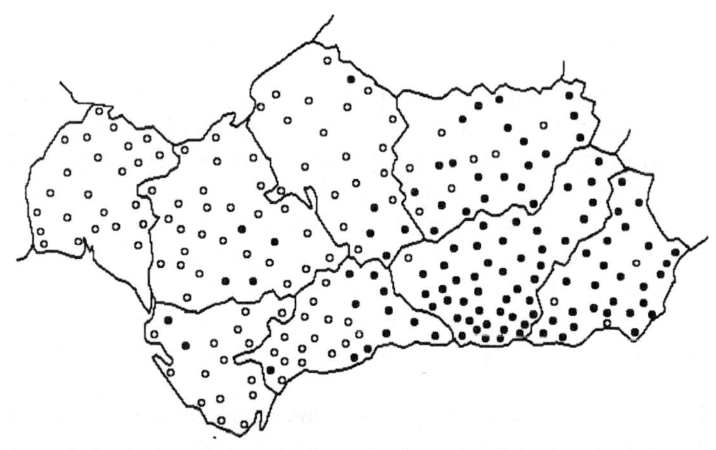

Figura 18. Mapa de la división de Andalucía en dos áreas (análisis de todas las lexías y de todos los sememas).

El mapa nos vuelve a ofrecer una imagen en la que Andalucía se reparte entre el oriente y el occidente. En esta ocasión tendríamos que echar mano de todos los argumentos que hemos utilizado parcialmente, con el fin de explicar qué criterios son los que han llevado a esa división. Tales argumentos han quedado expuestos a los largo del análisis y van a ser recogidos en las conclusiones generales que se presentan a continuación.

5. Conclusiones

A la hora de presentar las conclusiones es obligado separar las que se refieren al análisis específico del campo 'cencerro' de las que tienen que ver con la metodología y las técnicas empleadas.

El estudio del campo 'cencerro' a partir del corpus de materiales recogidos en el *ALEA* ha demostrado la conveniencia de recurrir a la estadística y a la informática para poder apreciar algo de orden en un conjunto complicado de materiales léxicos y semánticos. Ese estudio nos ha llevado a conocer que son varias y diferentes las posibles realizaciones del sistema que ha servido de guía a la investigación.

Desde una perspectiva semémico-geográfica hemos comprobado que el campo 'cencerro' se manifiesta sin lagunas léxicas prácticamente en la mitad del territorio andaluz. Aparte de esto se encuentran algunas diferencias entre la Andalucía occidental y la oriental, diferencias que se reflejan en los resultados del análisis léxico-semémico-geográfico. Hilvanando las conclusiones que aporta el estudio exclusivamente semántico y el estudio léxico-semántico, se pueden atribuir a cada una de esas áreas andaluzas las siguientes características:

a) La Andalucía occidental se caracteriza por la pertinencia de todos los sememas del campo, excepción hecha del semema 'boquiestrecho pequeño', por la presencia de lexías para el semema 'boquiestrecho grande' y por el uso de formas que incluyen el morfema *esquil-* asociado al semema 'boquiancho grande'.

b) La Andalucía oriental se caracteriza por la no pertinencia de los sememas 'boquiancho pequeño' y 'boquiestrecho' y por el uso de formas que incluyen el morfema *campan-* asociado al semema 'boquiancho grande'.

Hay que precisar no obstante que la homogeneidad de la mitad oriental del territorio es menor que la que se descubre en la mitad occidental y que, dentro de ésta, Huelva es la provincia que revela una personalidad más acusada.

Las tablas, gráficos, cuadros y mapas que se han ido presentando pueden dar una idea bastante clara de las muchas conclusiones que pueden extraerse para cada una de las lexías y sobre el funcionamiento particular de cada semema en cada rincón del territorio. Esos mismos materiales y los que se encierran en los archivos informáticos, sobre todo los patrones léxico-semémicos, permiten descubrir y estudiar con relativa facilidad los casos de sinonimias, lexemas puente y lexemas sincréticos incluidos en los mapas.[42]

42. Véase G. Salvador, "Lexemas puente y lexemas sincréticos", en *Semántica y lexicología del español*, *op.cit.*, pp. 42-50.

Desde una perspectiva general, se han puesto de manifiesto, aunque sólo sea parcialmente, las posibilidades del "Sistema Integral de Análisis Dialectal" y, en concreto, del análisis de configuración. La conclusión más importante que podemos extraer es que la informática, como ocurre en otros campos de la lingüística, puede ser una herramienta muy útil para la semántica. Al principio de estas páginas se comentaba la necesidad de disponer de más y mejores instrumentos de investigación. La estadística y la informática son perfectamente aprovechables para hacer semántica y son prácticamente imprescindibles cuando se trabaja sobre los centenares de datos que aportan los atlas lingüísticos.

Referencias bibliográficas

AARTS, J., MEIJS, W. (eds.) (1990), *Theory and Practice in Corpus Linguistics*, Amsterdam: Rodopi.

ALCALÁ VENCESLADA, A. (1980), *Vocabulario andaluz*, Madrid: Gredos.

ALVAR, M. (1952), *Atlas Lingüístico de Andalucía. Cuestionario*, Granada.

— (1991), *Atlas Lingüístico y Etnográfico de Andalucía*, Universidad de Granada, CSIC, 1961-1973. Con la col. de G. SALVADOR y A. LLORENTE. Reed. en 3 vols, Madrid: Arco/ Libros.

— (1991), "Atlas lingüísticos y diccionarios", *Estudios de geografía lingüística*, Madrid: Paraninfo, pp. 49-115.

— (1973), *Estructuralismo, geografía lingüística y dialectología actual*, 2ª ed., Madrid, Gredos.

— (1990), *Norma lingüística sevillana y español de América*, Madrid: Ediciones de Cultura Hispánica.

ALVAR EZQUERRA, M. (1993), *Lexicografía descriptiva*, Barcelona: Biblograf.

ALVAR EZQUERRA, M., VILLENA PONSODA, J. A. (1994), *Estudios para un corpus del español*, Málaga: Universidad de Málaga.

BALDINGER, K. (1970), *Teoría semántica. Hacia una semántica moderna*, Madrid: Alcalá.

BAYLON, Ch., FABRE, P. (1994), *La semántica*, Barcelona: Paidós.

BERRUTO, G. (1979), *La semántica*, México: Nueva Imagen.

BORREGO NIETO, J. (1981), *Sociolingüística rural*, Salamanca: Universidad de Salamanca.

BOYD-BOWMAN, P. (1972), *Léxico hispanoamericano del siglo XVI*, Londres: Támesis.

BUTLER, C.S. (ed.) (1992), *Computers and written texts*, Oxford: Blackwell.

CASSIDY, F.G. (ed.) (1991), *Dictionary of American Regional English*, 2 vols. Cambridge: Harvard University Press.

CORRALES ZUMBADO, C. (1987) "Los campos semánticos. Teoría y práctica", *In memoriam Inmaculada Corrales*, I, La Laguna: Universidad de La Laguna, pp. 161-174.

CORRALES ZUMBADO, I. (1981), *El campo semántico "edad" en español*, La Laguna: Universidad de La Laguna.

COSERIU, E. (1992), *Competencia lingüística*, Madrid, Gredos.

— (1981), "Los conceptos de «dialecto», «nivel» y «estilo de lengua» y el sentido propio de la dialectología", *Lingüística Española Actual*, III, pp. 1-32.

— (1977), *Principios de semántica estructural*, Madrid: Gredos.

— (1973), *Simcronía, diacronía e historia*, Madrid: Gredos.

— (1973), *Teoría del lenguaje y lingüística general*, Madrid: Gredos.

DUCHÁCEK, O., SPITZOVA, E. (1965), "Diferentes tipos de relaciones semánticas y problemas de los campos lingüísticos", *Archivum*, XV, pp. 59-72.

DUCHÁCEK, O. (1960), "Les champs linguistiques", *Philologica Pragensia*, III, pp. 22-34.

FERNÁNDEZ-SEVILLA, J. (1975) *Formas y estructuras en el léxico agrícola andaluz*, Madrid, CSIC.

FERNÁNDEZ-SEVILLA, J. (1976), "Ordenadores electrónicos y atlas lingüísticos", en *Utilización de ordenadores en problemas de lingüística, Revista de la Universidad Complutense*, XXV, pp. 87-100.
— (1974), *Problemas de lexicografía actual*, Bogotá: ICC.
— (1981), "Relaciones léxicas entre Andalucía y Canarias", en ALVAR, M. (coord.), *I Simposio Internacional de Lengua Española*, Las Palmas: Excmo. Cabildo Insular de Gran Canaria, pp.
GARCÍA DE CABAÑAS, Mª J. (1967), *Vocabulario de la Alta Alpujarra*, Anejos del Boletín de la Real Academia Española, Anejo XIV, Madrid.
GARCÍA HERNÁNDEZ, B. (1976), *El campo semántico de "ver" en la lengua latina: estudio estructural*, Salamanca: Universidad de Salamanca.
GARCÍA PADRÓN, D. (1988), *Estudio semántico de los verbos de 'movimiento' en español*, La Laguna: Universidad de La Laguna.
GECKELER, H. (1976), *Semántica estrcutural y teoría del campo léxico*, Madrid: Gredos.
GERMAIN, C. (1986), *La semántica funcional*, Madrid: Gredos.
GREIMAS, A.J. (1971), *Semántica estructural*, Madrid: Gredos.
GUIRAUD, P. (1960), *La semántica*, México: Fondo de Cultura Económica.
GUITÉRREZ ORDÓÑEZ (1992), *Introducción a la Semántica Funcional*, Madrid: Síntesis.
ILSON, R. (1991), *Assembling, Analysing and Using a Corpus of Authentic Language*, Academia Húngara de la Ciencias.
LABOV, W. (1994), *Principles of Linguistic Change. Internal Factors*, Oxford: Blackwell.
LODARES, R. (1988), *El campo léxico mujer en español*, Madrid: Universidad Complutense.
LÓPEZ MORALES, H. (1993), *Sociolingüística*, 2ª ed., Madrid: Gredos.
LOPE BLANCH, J. M. (1990), *Investigaciones sobre dialectología mexicana*, México: UNAM.
— (1992), "Polimorfismo y geografía lingüística", en VAQUERO, M., MORALES, A. (ed.), *Homenaje a Humberto López Morales*, Madrid: Arco/Libros, pp. 221-230.
LUZÓN, Mª. A. (1987), *Índices léxicos de los atlas lingüísticos españoles, Español Actual*, 47.
MILLÁN CHIVITE, F. (1985), "El campo semántico de las vías de comunicación: perspectiva sincrónica y diacrónica", *Cauce*, 8, pp. 5-39.
MORENO FERNÁNDEZ, F. (1990), *Estudios sobre variación lingüística*, Alcalá de Henares: Universidad de Alcalá.
— (1993), "Geolingüística y cuantificación", en UEDA, H. (ed.), *Actas del III Congreso de Hispanistas de Asia*, Tokio: Asociación Asiática de Hispanistas, pp. 289-300.
— (1991), "Relaciones léxicas entre Colombia, Andalucía y Canarias", en HERNÁNDEZ, C. *et al., El español de América. Actas del III Congreso Internacional de* El español de América, 2, Salamanca: Junta de Castilla y León, pp. 815-826.
MORENO FERNÁNDEZ, F., SÁNCHEZ PÉREZ, J. I. "Los nombres de la «esquila» y la «esquilita» en varias regiones españolas", *Archivo de Filología Aragonesa*, XXXIV-XXXV, pp. 315-359.
MOUNIN, G. (1974), *Claves para la semántica*, Barcelona, Anagrama.
PALMER, F. R. (1978), *La semántica. Una nueva introducción*, México: Siglo XXI.
PASTOR MILLÁN, Mª. Á. (1990), *Indagaciones lexemáticas. A propósito del campo léxico 'asir' en español*, Granada: Universidad de Granada.
PETYT, K. M. (1980), *The Study of Dialect. An introduction to dialectology*, Londres: Andre Deutsch.
PICKFORD, G. R. (1956), "American Linguistic Geography: A Sociological Appraisal", *Word*, 12, pp. 211-233.
POTTIER, B. (1968), *Lingüística moderna y filología hispánica*, Madrid: Gredos.
— (1993), *Semántica general*, Madrid: Gredos.
— (1983), *Semántica y lógica*, Madrid: Gredos.
RODRÍGUEZ ADRADOS, F. (1967), "Estructura del vocabulario y estructura de la lengua", *Principios y problemas del estructuralismo lingüístico*, Madrid: C.S.I.C., pp. 193-229.

RODRÍGUEZ ADRADOS, F. (1971), "Subclases de palabras, campos semánticos y acepciones", *Revista Española de Lingüística*, 1, pp. 335-354.

ROPERO NÚÑEZ, M. (1981), "El criterio semántico en la selección del léxico", *Cauce*, 4, pp. 11-22.

SALVADOR, G. (1987), "Estructuralismo lingüístico e investigación dialectal", en *Estudios dialectológicos*, Madrid: Paraninfo, pp. 15-30.

— (1965), "Estudio del campo semántico 'arar' en Andalucía", *Archivum*, XV, pp. 73-111. Recogido en *Semántica y lexicología del español*, Madrid: Paraninfo, 1985, pp. 13-41.

— (1985), "Lexemas puente y lexemas sincréticos", en *Semántica y lexicología del español*, Madrid: Paraninfo, pp. 42-50.

— (1985), "Lexicografía y geografía lingüística", *Semántica y lexicología del español*, Madrid: Paraninfo, pp. 138-144.

— (1985), "Sí hay sinónimos", en *Semántica y lexicología del español*, Madrid: Paraninfo, pp. 51-66.

SEARLE, J. (1980), *Actos de habla*, Madrid: Cátedra.

SÉGUY, J. (1973), "La dialectométrie dans l'*Atlas Linguistique de la Gascogne*", *Revue de Linguistique Romane*, 37, pp. 1-24.

SINCLAIR, J.M. (ed.) (1987), *Looking Up An account of the COBUILD Project in lexical computing and the development of the Collins COBUILD English Language Dictionary*, Londres: Collins.

— (1991), *Corpus, Concordance, Collocation*, Oxford: Oxford University Press.

TRAPERO, M. (1979), *El campo semántico "deporte"*, La Laguna: Universidad de La Laguna.

TRUJILLO, R. (1970), *El campo semántico de la valoración intelectual en español*, La Laguna: Universidad de La Laguna.

— (1979), *Elementos de semántica lingüística*, Madrid: Cátedra.

— (1979), "Análisis de estructuras dialectales", *Anuario de Letras*, XVII, pp. 137-165.

— (1980), "El léxico de los vegetales en Masca", en *Lenguaje y cultura en Masca. Fos estudios*, Santa Cruz de Tenerife: Ed. Interinsular Canaria — Inst. Andrés Bello, pp. 124-188.

— (1988), *Introducción a la semántica española*, Madrid: Arco/Libros.

UEDA, H. (1993), "División dialectal de Andalucía: Análisis computacional", en UEDA, H. (ed.), *Actas del III Congreso de Hispanistas de Asia*, Tokio: Asociación Asiática de Hispa-nistas, pp. 407-419.

UEDA, H., LÓPEZ MORALES, H., MORENO FERNÁNDEZ, F. (en preparación), *Curso de lingüística informática*.

ULLMANN, S. (1965), *Semántica. Introducción a la ciencia del significado*, Madrid: Aguilar.

VIDAL BENEYTO, J. (dir.) (1991), *Las industrias de la lengua*, Madrid: Fundación Germán Sánchez Ruipérez.

VIERECK, W. (1987), "Lowman's Southern English Dialectal Data and Dialectometry", *English World-Wide*, 8, pp. 11-23.

— "The Computerisation and Quantification of Linguistic Data: Dialectometrical Methods", en THOMAS, A.R. (ed.), *Methods in Dialectology*, Clevedon: Multilingual Matters, pp. 543-546.

DIACRONÍA

*T*odo estudio de la historia de una lengua implica necesariamente la utilización de fuentes escritas, se trate de obras literarias o no literarias, de diferentes épocas, dialectos o registros de lengua. Todo este material conforma un nutrido, pero «incompleto» corpus (siempre se puede añadir una obra o un documento más) al que debe recurrir una y otra vez el investigador. Esta metodología de trabajo explica que uno de los problemas a los que se enfrenta reiteradamente el lingüista histórico es el manejo de un ingente número de datos. El uso de herramientas informáticas permite el tratamiento automatizado de toda esta información de una forma más racional. No sólo se gana en cantidad, pues el tamaño de los corpus ya no es un obstáculo para su accesibilidad y manejabilidad; sino que también se puede incrementar la calidad de la investigación por cuanto la mejor interrelación de los datos obtenidos permite un mayor control del contenido del corpus y, por tanto, el análisis puede ser más profundo.

En los dos capítulos que conforman esta sección, se aplica una serie de programas informáticos, fácilmente asequibles para cualquier usuario, al estudio de unos problemas históricos concretos: José Ramón Morala los aplica a la investigación diacrónica y dialectal de unos documentos notariales leoneses de los siglos XIII y XIV; y Carlos Sánchez Lancis, al estudio interrelacionado de distintos cambios gramaticales producidos a lo largo de la Edad Media y su conexión con la periodización de la historia de la lengua española.

La informática aparece en diacronía, como en todo estudio lingüístico, como un medio (nunca un fin) en el tratamiento de los datos, cuya interpretación continúa (y continuará) en las manos del investigador.

DIACRONÍA

JOSÉ R. MORALA RODRÍGUEZ
Universidad de León

Las bases de datos en la investigación diacrónica y dialectal[1]

Para el filólogo que está interesado en el estudio de la historia de la lengua y utiliza como fuente las diversas colecciones documentales, resulta imprescindible contar con algún tipo de instrumento que le permita organizar y manejar el enorme volumen de información que el despojo de las colecciones notariales puede llegar a generar. Si además trabaja sobre un corpus de origen dialectal, el número de datos que se verá obligado a considerar aumenta hasta un punto que, en el peor de los casos, puede llevar a la desesperación y, más frecuentemente, al error solapado en un tratamiento defectuoso de la información.

La llegada de la informática a cualquier mesa de despacho ha posibilitado que, en estos momentos, el investigador cuente con unas armas hasta ahora insospechadas y que, a la vista de la continua renovación de estos productos, es previsible que sigan permitiendo cada día nuevas aplicaciones. Uno de esos productos —las conocidas bases de datos— aplicado a la documentación notarial de la Edad Media procedente del área leonesa, es el que vamos a analizar aquí para tratar de ver las posibilidades que permite en el tratamiento automatizado de este tipo de información.

1. La documentación medieval leonesa

Es ésta una época y un área cuya documentación notarial presenta, desde el punto de vista lingüístico, un gran interés. En efecto, al interés intrínseco que pueda tener el estudiar cualquier estadio de la historia de la lengua se unen en este caso unas circunstancias peculiares que trascienden lo meramente particular y permiten analizar cuestiones más generales como son el proceso de castellanización o, de forma especial, los mecanismos por los que, una vez que se abandona el latín como referencia en la lengua escrita, se va configurando a partir del romance patrimonial una norma culta apta para la escritura.

La peculiaridad de la lengua usada en la documentación procedente del antiguo dominio románico leonés reside, no tanto en el mero hecho de que se registren distintas variantes, sino, más bien, en el complejo entramado de formas de que hacen gala los notarios de la época. Así, además de con las lógicas

1. Este trabajo ha sido realizado en el marco de un proyecto de investigación titulado "Compendio léxico medieval castellano-leonés" subvencionado por la Junta de Castilla y León.

diferencias diacrónicas que se producen al analizar textos de distintas épocas, nos encontramos con una gran diversidad diatópica que viene dada, de un lado, por las continuas interferencias que se dan entre lo que podemos considerar específicamente leonés y lo que ha de ser calificado como producto de la influencia de los dos romances vecinos —castellano y gallego—, ambos con mayor pujanza que el leonés. De otra parte, las diferentes isoglosas que cruzan y segmentan el territorio del antiguo dominio leonés tienen también su reflejo correspondiente en los textos medievales del área: mientras en un texto se escribe, por ejemplo, *veiga*, en otro coetáneo figura *vega*. Uno y otro se corresponden con lo esperable a cada uno de los lados de la isoglosa "*ei, ou / e, o*" que separa leonés occidental de leonés central.

A las variantes de tipo diacrónico y diatópico hay que añadir las que se aíslan desde otra perspectiva, la diastrática, que también deja su impronta en la lengua de los documentos. Como, creo, he demostrado en otra ocasión (Morala, 1993, 1998), el uso que los notarios hacen de los diversos resultados leoneses es un uso diastrático: hay variantes diatópicas que, con independencia de la localización geográfica del documento en cuestión, se consideran más prestigiosas y, por tanto, se usan preferentemente en la lengua escrita frente a otras, consideradas más vulgares, que el amanuense trata de evitar. Con los ejemplos anteriores, esto permite que *vega* pueda utilizarse en el área de mantenimiento del diptongo decreciente y, viceversa, que en la zona de monoptongación pueda escribirse *veiga*. En resumen, que las diversas variantes diatópicas que convivirían en la lengua hablada, pasan a funcionar, en la escritura, como variantes diastráticas.

Esta actitud, que puede considerarse común a cualquier lengua histórica cuando entra en un proceso de normalización gráfica, resulta especialmente interesante en un área como la leonesa, con una compleja compartimentación dialectal y, por consiguiente, con un previsible mayor juego de variaciones que nos permitirá un más detallado seguimiento de ese proceso de normalización gráfica. La dificultad, claro está, reside en cómo manejar toda esa información acumulada tras el despojo de la documentación notarial. Quien esté acostumbrado a trabajar con este tipo de materiales sabrá, por propia experiencia, que la cantidad de variantes que presenta la lengua usada en la documentación tanto en el plano gráfico, como en el fonético, en el morfológico y en el léxico es extremadamente elevada. Dada la complejidad de los materiales con los que el investigador se ve obligado a trabajar, éste puede ser un buen banco de pruebas para analizar la utilidad de las bases de datos en la investigación dialectal y diacrónica.

2. Las bases de datos

Salvando las distancias, una base de datos informatizada no es muy distinta, en la parte que ve el usuario, de los tradicionales ficheros que todos hemos manejado en alguna ocasión. Cambia, eso sí, el soporte —miles de fichas de papel contenidas en un solo disco—, pero lo más importante para quien las utiliza es que, una vez introducida convenientemente la información en la base de datos, ésta es accesible desde ángulos muy diferentes: se puede seleccionar, filtrar, cruzar... a partir de cualquiera de los datos incluidos en la ficha. Obtendremos, así, sólo los datos que nos interesen y aparecerán ordenados por el criterio que en ese momento nos resulte más útil. Y todo ello a una velocidad de vértigo si lo comparamos con el paseo manual por nuestros antiguos ficheros.

La evolución del sector ha hecho, además, que las bases de datos —tal como estaban concebidas hace unos pocos años— hayan pasado de ser rígidas, complejas de manejar, sujetas al riesgo continuo de que cualquier cambio en la estructura acarreara pérdidas irreparables y con un acceso limitado a la información allí acumulada, a presentarse con una nueva generación de productos enormemente más versátiles, rápidos, seguros, potentes y paradójicamente —pese a su mayor complejidad interna— mucho más fáciles de manejar.

El ejemplo con el que aquí vamos a trabajar es una base de datos creada sobre el programa *Access®*, que trabaja en el entorno *Windows®*. Ambas aplicaciones son bien conocidas por la mayoría de las personas que se sirven de la informática para sus investigaciones. No en vano —según se encarga de repetir la publicidad— somos millones los usuarios que, en todo el mundo, trabajamos a diario con los productos creados por Microsoft. No se trata, por tanto, de un programa especializado, ni de crear un *software* específico, sino solamente de cómo aprovechar los recursos que ofrece un programa estándar al alcance de cualquier usuario, como es éste, en la investigación dialectal y, a la vez, diacrónica.[2]

3. La base de datos 'leonmed.mdb'

Pues bien, teniendo en cuenta estas premisas, se ha confeccionado una base de datos, denominada *leonmed.mdb,* en la que se incluyen, hasta la fecha en que redacto estas líneas, del orden de 8.000 fichas procedentes de unos 300 documentos. Lo que a continuación analizaremos será, en primer lugar, cómo está configurada esa base de datos y, en un segundo paso, las aplicaciones y utilidades concretas que podemos extraer de los datos introducidos.

3.1. La base de datos 'leonmed.mdb': objetivos

El primer paso para confeccionar correctamente una base de datos es definir, de la forma más clara posible, los objetivos para los que se hace. Sólo así podrá alcanzar una utilidad que vaya más allá de la mera estadística y de la relación ordenada de ejemplos, lo que por sí solo tampoco es una ayuda despreciable. En el caso que me ocupa, el fin con el que se confecciona la base de datos *leonmed.mdb* es contar con un muestreo amplio de ejemplos que nos

2. Conviene dejar claro desde el primer momento que el ejemplo que aquí presento no pretende, en modo alguno, constituirse en una especie de corpus del leonés medieval entendido éste en la línea de los grandes corpus que actualmente están en marcha (Nitti, 1993; Capsada y Torruella, 1995; Alvar Ezquerra y León Hurtado, 1996). Ni por su extensión, ni por su concepción, debe compararse con dichos corpus. Se trata sólo de una sencilla base de datos con la que únicamente se intenta contar con una ejemplificación suficiente de diversos fenómenos evolutivos que en este momento me interesan.

facilite el estudio de la lengua usada por los notarios leoneses desde el momento en el que abandonan el uso del latín en sus escritos hasta la época en la que el proceso de castellanización se presenta ya de forma avanzada.

Interesa muy especialmente analizar, de un lado, cómo y cuándo se va cumpliendo ese proceso de castellanización y, de otra parte, antes de que esto ocurra, fijar los mecanismos lingüísticos utilizados por los notarios leoneses para, a partir de las distintas variantes del romance hablado en la zona, constituir una norma gráfica del leonés medieval. Es decir, la relación que se daría entre la lengua hablada y la lengua escrita en el León del siglo XIII. Finalmente, en un tercer apartado más concreto —del que son deudores los dos anteriores—, interesa tipificar, datar y analizar los diversos rasgos lingüísticos que caracterizan el romance leonés del siglo XIII, así como su posterior evolución hasta ser sustituidos por los resultados del castellano.

3.2. La base de datos 'leonmed.mdb': las fuentes

Aunque está previsto continuar introduciendo datos procedentes de fondos inéditos, en esta primera fase se han utilizado solamente colecciones diplomáticas publicadas. Dentro de éstas, me he ceñido únicamente a aquellas que han sido editadas de forma sistemática. Finalmente, existe otra limitación que viene dada por el interés en los documentos escritos exclusivamente en romance.[3]

Esto supone que, por ejemplo, de la documentación procedente de la Catedral de León, exhaustivamente publicada desde sus orígenes hasta 1269, sólo pueda utilizarse el último de los siete volúmenes de los que hasta el momento consta la colección. Los anteriores incluyen documentos escritos en una lengua que se acerca más al latín que al romance, lo que se ha dado en llamar "latín vulgar leonés", y, aunque aparecen insertadas continuamente voces que podemos considerar romances, la lengua utilizada no responde, en su conjunto, a la clasificación de romance.

Contando con esto, la base de datos *leonmed.mdb*, se forma con ejemplos procedentes de tres fondos documentales, de los que se eligen diversas décadas que se analizan de forma sistemática. El muestreo es, a mi juicio, suficientemente representativo de la época en la que, abandonado el latín en el uso notarial, se generaliza el uso del romance. Los límites temporales marcados nos permiten igualmente analizar el proceso de sustitución de la naciente y no consolidada norma gráfica leonesa por la castellana.

En todos los casos se desechan, salvo excepciones que se indican, los documentos no originales, procedentes de épocas posteriores, así como aquellos que se remiten desde la Corte o están hechos en zonas distintas de la leonesa.

3. A este respecto, téngase en cuenta que hasta la llegada al trono de León de Fernan-do III, en el año 1230, cuando ya era rey de Castilla, los notarios leoneses no comienzan a utilizar el romance de forma sistemática en sus documentos. El hábito de escribir en romance sólo se generaliza en las décadas siguientes. De ahí que la primera década que se utiliza para el muestreo sea la de 1250-1260, en la que ya es usual el abandono del latín en este tipo de textos.

a) De la documentación procedente de la Catedral de León (Ruiz Asencio, 1993) se incluyen los documentos correspondientes a los años 1250-1260, ambos incluidos.
b) De la documentación procedente del Monasterio de Carrizo (Casado Lobato, 1983) se incluyen los documentos correspondientes a los años 1250-1260 y los de 1290-1299, incluidos éstos.
c) De la documentación procedente de la Colegiata de San Isidoro de León se recogen los correspondientes a los periodos 1350-1360 (Martín López, 1995), 1300-1310, 1350-1360 y 1390-1399 (Domínguez Sánchez, 1994), incluidos éstos.

3.3. La base de datos 'leonmed.mdb': criterios de selección

Dependiendo del planteamiento inicial que haga el usuario,[4] es preciso establecer una serie de criterios de selección cuidadosamente elegidos para que nos proporcionen el máximo de información posible, sin que por ello haya necesidad de cargar la base de datos con registros inútiles y, al mismo tiempo, lo suficientemente claros como para que sea posible recuperar posteriormente toda la información recogida sin dar lugar alguno a confusión.

En nuestro caso, una vez establecidos los límites temporales y espaciales de la documentación que interesa estudiar, el criterio básico que se ha seguido para seleccionar los ejemplos que pasan a formar parte de la base de datos es el de que representen alguna variante característica del leonés, bien frente a los romances de su entorno, bien dentro de las propias isoglosas que internamente dividen el antiguo dominio leonés.

De esta forma, sólo interesan aquellas variantes que se consideran representativas de la lengua de la época y que son fundamentalmente las siguientes. En el apartado del vocalismo se registran los ejemplos que tengan algo que ver con la diptongación de /ĕ,ŏ/ —bien en sílaba no condicionada, bien en contacto con yod—, con el tratamiento de los diptongos decrecientes o del vocalismo final o con la llamada yod epentética.

En cuanto al consonantismo, se han recogido los datos correspondientes a fenómenos evolutivos como el tratamiento que se da a /f-/, /l-/, /g^{e,i}-/ o las soluciones que se presentan para el grupo /pl-/ y grupos similares en posición fuerte. Se analizan igualmente las posibles pérdidas de oposición entre /l/ y /r/, entre las sibilantes sordas y sonoras o entre /b/ y /v/, así como otras más llamativas dentro de los fonemas del área palatal como es el caso, a tenor de lo que indican las correspondientes grafías, de /ĉ/, /ž/, /y/. Igualmente se registran los ejemplos en los que se incluyen resultados para /-lj-/, o los grupos romances /-m'n-/ o los del tipo de /-t'k-/ > /-lg-/ como *portaticu* > *portalgo*. Por último, se registran las voces en las que se documenta la pérdida de una oclusiva

4. El planteamiento con el que se hace la base de datos condiciona una buena parte de las elecciones posibles. En el caso que aquí nos ocupa, por ejemplo, dado que de cada documento interesan únicamente unos pocos ejemplos, no he creído conveniente utilizar el escáner —en combinación con algún programa como el *OCP*— para introducir los datos, sino hacerlo manualmente, tecleando el contenido de cada registro.

sonora intervocálica y aquéllas en las que el resultado /y/ < /-dj-/ y grupos similares se pierde en contextos en los que no lo hace en castellano, como / -aya-, -ayo-/ > /-aa-, -ao-/ (*maor* por *mayor*, *alfaate* por *alfayate*).

En el campo morfológico o morfosintáctico se registran los ejemplos relativos al uso que se hace de los paradigmas verbales, los cambios en la vocal temática, el apócope de la vocal final en la tercera persona del singular, las desinencias de primera y tercera del plural. Del sintagma nominal se recopilan ejemplos relativos al uso y formas del morfema de género y del de número; los paradigmas del artículo, del posesivo, del relativo y de los pronombres personales; la serie de los numerales o el tratamiento que se da a la construcción de preposición seguida de artículo; de la llamada morfología léxica se recogen las voces que presentan un sufijo diminutivo o, en fin, se registran los usos y formas de las partículas invariables.

3.4. La base de datos 'leonmed.mdb': campos utilizados

La filología tradicional, cuando analiza la documentación notarial, tiende a reducir al mínimo la información que acompaña a cada uno de los ejemplos recogidos. Esta actitud, disculpable cuando sólo se trabaja con fichas sobre papel, no lo es cuando lo hacemos con un producto informático que nos permite una inmensamente mejor y más fácil gestión de la información.[5] Reducir la recopilación de datos a la localización espacial y temporal del ejemplo, supone cerrar la puerta a cualquier posible hipótesis que no responda a dichos condicionantes.

A los escuetos datos de año del documento y lugar en el que se hace el mismo, es preciso añadir toda una serie de elementos externos que, en un momento dado, pueden resultar reveladores a la hora de analizar los datos registrados. Es preciso arropar la palabra recogida con el mayor número de las circunstancias que la rodean en su utilización por parte de un notario de hace seis o siete siglos. De lo contrario, como ocurre con las piezas arqueológicas separadas del estrato en el que durante siglos durmieron, el ejemplo puede resultar inanalizable o directamente confundidor.

Al mismo tiempo, si, como veíamos antes, la documentación medieval leonesa presenta un sinnúmero de variantes, es evidente que nuestro análisis no puede reducirse a establecer las oposiciones que se dan en el sistema, en la estructura de la lengua, sino que, siguiendo el planteamiento de E. Coseriu, será preciso hacerlo en el marco de la arquitectura de la lengua. Resulta obligado,

5. De hecho, esta facilidad que da la informática para manejar un gran volumen de datos se aprovechó desde el primer momento en el que comienzan a surgir aplicaciones a la filología. Sirva como ejemplo el trabajo de A.M. Fernández Molina (1982), quien aplica toda una larga serie de posibles perspectivas a la recopilación informatizada de materiales para el estudio del voseo en el Norte de Argentina a partir de la documentación antigua. Pese a que la complejidad a la que obligaba el *software* disponible entonces era enorme, los datos que utiliza para cada registro van mucho más allá de los tradicionales en filología.

6. Aunque aquí, por el tipo de material que se maneja, es poco útil esta última distinción, sí lo es cuando, en vez de con fondos notariales, se trabaja con archivos más amplios en los que figuran, por ejemplo, cartas personales.

por tanto, dar cabida en la información registrada a las perspectivas diacrónica, diatópica y, en la medida en la que el documento lo permita y aunque sea de forma indirecta, también a las perspectivas diastrática y diafásica.[6]

De este modo, se intenta incluir en cada registro —o, lo que es lo mismo, en cada ficha— entre otros datos, todo lo relativo a su localización, pero distinguiendo entre el lugar al que se refiere el documento, el lugar en el que se hace o se fecha y, si es posible, el lugar en el que trabaja el notario; la fecha en la que se hace el documento; el tipo de documento que es, así como su contenido; el notario y/o escribano que lo realiza y el cargo que ostenta quien lo escribe... etc. Estas informaciones, que pueden parecer innecesarias —y que en ocasiones realmente lo son—, sirven, en otros casos, para justificar por sí solas la aparición de una u otra variante.

Con el fin de dar cabida a toda esta información y tener disponible cada uno de estos extremos —siempre que el documento lo permita— para todos los registros, la base de datos *leonmed.mdb* cuenta con un buen número de campos, catorce concretamente, sobre los que luego se volcarán los diferentes datos registrados. Estos campos son los que siguen.

ID. Esta casilla contiene un número de identificación que el programa asigna automáticamente y de forma consecutiva a cada registro introducido.

voz. Se recoge en este campo la palabra o secuencia del texto que interesa analizar. Suele ser frecuente en este tipo de trabajos que aparezca un campo en el que se recoge el contexto del que se extrae el ejemplo. Teniendo en cuenta los objetivos que aquí se plantean, no he creído oportuno desdoblar este campo y, de este modo, se registran aquí, en unas ocasiones, una sola palabra y, en otras, una secuencia más amplia.

lema. Con el fin de unificar todas los registros que tengan una referencia única, aunque aparezcan con distintas variantes en el texto y así se recojan en el campo *voz*, en este campo se da la variante normalizada, la misma —siempre que sea posible— con la que figura como entrada en el *DRAE.*

tradcc. Cuando el segmento registrado en el campo *voz* presente alguna dificultad de interpretación fuera de contexto, se hacen aquí las oportunas indicaciones. También se incluyen en este campo, que generalmente no es necesario utilizar para "traducir" el ejemplo recogido, indicaciones de otro tipo como la forma concreta del paradigma verbal que se utiliza en el texto y que, en el campo *lema*, figuraría de forma general con el infinitivo.

clave. Mediante la correspondiente sigla se identifica en este campo el fenómeno concreto por el que el ejemplo se recoge en la base de datos. Como se usa una referencia única para cada uno de los fenómenos, servirá también para agrupar posteriormente todos los ejemplos relativos a cada uno de los resultados que, según se explicó a la hora de hablar de los criterios de selección, se consideran útiles para caracterizar la lengua de la época. Una buena definición de este campo resulta imprescindible para que todos los registros de la base de datos sean posteriormente recuperables. Dado que una única cita puede tener interés en diversos apartados lingüísticos, cuando esto ocurre, se utilizan tantos registros como claves sea necesario anotar. La relación de claves utilizadas, así como su correspondencia, es la siguiente:

F

- **f1**. vocalismo final
- **f2**. diptongos decrecientes
- **f3**. diptongos < /ĕ,ŏ/
- **f4**. diptongos < /ĕ,ŏ/ante yod
- **f5**. yod epentética
- **f6**. resultados de grupos del tipo /-t'k/ (*dulda, portalgo*)
- **f7**. resultados de /g^{e,i}-/ (*genero / enero*)
- **f8**. conservación o reducción del grupo /-mb-/
- **f10**. resultados del grupo /pl-/ y similares (*llano / xano / chano*)
- **f11**. resultados de /-lj-/
- **f12**. pérdida de /-y-/ < /-dj-/ y similares
- **f13**. confusión /l/ y /r/
- **f14**. tratamiento de las sibilantes y de /b/ ~ /v/
- **f15**. confusiones entre palatales /y/, /ĉ/ y /ž/
- **f16**. palatalización de /l-/
- **f17**. resultados del grupo /-m'n-/
- **f18**. tratamiento de /f-/
- **f19**. resultados del grupo /l'd/
- **f20**. pérdida sonoras intervocálicas

M

- **m1**. paradigmas más frecuentes (*ser, dar, saber*)
- **m2**. apócope 3ª pers. sing.
- **m3**. desinencia de la 1ª y 3ª pers. plural
- **m4**. vocal temática
- **m5**. conjugaciones
- **m10**. posesivos
- **m11**. artículo
- **m12**. prep. + artículo
- **m13**. partículas invariables
- **m14**. prons. personales
- **m15**. *connosco, convusco*
- **m16**. diminutivos
- **m17**. género, número
- **m18**. relativo
- **m19**. numerales

doc. Sigla alfanumérica con la que se identifica cada uno de los documentos analizados. Cada sigla se compone de dos letras, con las que se identifica el fondo al que pertenece el documento (*CL*, Catedral de León; *MC*, Monasterio de Carrizo; *SI*,[7] San Isidoro de León), seguidas del número que se le da al documento en la edición manejada.

año. El año en el que se fecha el documento. Admite más de cuatro dígitos para incluir indicaciones de fechas no precisadas (*c*., *h*. ?) o bien los años entre los que se puede ubicar la redacción del documento (*1225-1250*). En todo caso, ha de tomarse la precaución de situar siempre al inicio del campo las cifras —y no cualquier otra indicación o signo— con el fin de que, en un listado ordenado por años, aunque se trate de una fecha dudosa, el documento aparezca siempre en la fecha en la que suponemos que se escribió.

escribano. En este campo se incluye, cuando así se indica en el documento, el escribano que lo hace "por orden" del notario correspondiente. Para no incrementar espacios con un nuevo campo, también se recogen aquí —siempre entre paréntesis— las variaciones gráficas con las que aparece el nombre de un notario (siguiente campo).

7. Al contrario de lo que ocurre con las otras dos colecciones, en la correspondiente a San Isidoro no se utilizó en la edición manejada una numeración correlativa para los documentos del primero y del segundo tomo. Esto hace que la sigla general haya tenido que completarla con una indicación para el tomo: *SIa*, para el primero, y *SIb*, para el segundo, seguidas del número del documento.

notario. Se recoge en este campo el nombre de quien firma el documento —sea notario o escribano—. Sólo si aparecen dos nombres —escribano y notario— el primero pasa al campo *escribano* y el segundo a éste. Cuando el nombre de un notario figura en varios documentos y presenta variantes formales, en este campo se registra con una grafía normalizada y en el anterior (entre paréntesis) con la que figura realmente en el documento. Se permite de este modo una más fácil identificación de todos los documentos salidos de la mano o del taller de un mismo notario.

tipo. Mediante las siglas usuales (*A, B*) se indica si el documento es original o es copia o bien (*A/B*) si incluye tanto una como otra. Por lo general sólo se recogen documentos originales (*A*) y, en caso de utilizar documentos del tipo (*A/B*), se indica en la casilla *lengua* a qué parte se refieren los datos registrados.

clase. Recojo en este campo una indicación mínima del contenido del documento: si se trata de un *testamento*, de una *venta*, de una *donación*, de un *cambio*, de un *acuerdo* o *avenencia* ... etc. Esta distinción puede resultar interesante en algunos casos en los que, por las propias características del documento (*noticias*, *relaciones* o declaraciones de testigos más o menos textuales), se utiliza un lenguaje menos formal, lo que daría lugar a variaciones que pueden ser interpretadas como de tipo diastrático.

lengua. Cuando el documento tiene rasgos lingüísticos claros que lo diferencian de los de su entorno, se incluye bajo este campo una indicación del tipo de *arcaizante, latinizante, gallego, muy castellanizado, asturiano,* etc. Dado que no es de uso frecuente, también se aprovecha esta casilla para otras indicaciones que nada tienen que ver con esto y que pueden servir para situar mejor el documento en cuestión: cuando no aparece ningún tipo de referencia al lugar donde se hace el documento, se indica aquí la vecindad de los testigos; cuando el documento incluye a su vez varios así se indica; cuando se trata de un documento (*A/B*) se aclara la parte que se recoge en la base de datos; cuando contiene algunos rasgos llamativos se hace una llamada para compararlo con otro documento similar o de la misma procedencia ... etc.

lugdoc. Se indica el lugar al que se refiere el documento y/o el lugar que figura en la datación del mismo.

lugnot. Se incluyen bajo este epígrafe al menos dos informaciones (siempre y cuando figuren en el documento): de un lado el cargo de quien escribe el documento (*notario del concejo, escribano, capellán, clérigo, notario público del rey* ...) y de otro el lugar donde lo ejerce, especialmente sí éste no coincide con el que se refiere al documento (*León, Laguna, Pobladura, Valencia de DJ* ...). La distinción entre la información de este campo y la del anterior permite una diferencia interesante que puede ayudar a una mejor identificación de la variante diatópica usada en el texto.

Es preciso aclarar que no siempre se cubren todos estos campos para cada una de las fichas. Hay datos, como los referidos a quién o dónde lo escribe, que no siempre figuran en el documento y para los cuales, por lo tanto, la casilla correspondiente quedará vacía. Otras veces, puede ocurrir que el contenido de algunos campos —como el que aquí denomino *tradcc*— carezca de interés. En otros casos, no obstante, el campo ha de estar siempre cubierto.

Es el caso, obviamente, del campo *voz*, pero también también es obligado cubrir siempre la casilla *doc* —para identificar el documento en el que se localiza el ejemplo—, así como los campos *lema* y *clave* que son los que nos van a permitir posteriormente recuperar la información de manera lógica y ordenada, agrupando los ejemplos en series hechas con criterio filológico.

3.5. Cuadro de relaciones en la base de datos 'leonmed.mdb'

Evidentemente, si tuviéramos que repetir todos estos extremos para cada una de las entradas, estaríamos obligados a manejar registros excesivamente amplios y, quizá, poco operativos, además de vernos condenados a realizar una tarea engorrosa y repetitiva en exceso. Las bases de datos más recientes, como *Access* o *dBase*, permiten, sin embargo, jugar con una gran cantidad de información en cada ficha sin que por ello sea necesario recogerla materialmente en todas ellas.

En realidad, estos programas funcionan no con una base de datos —en singular— identificable con un solo fichero, sino con varios ficheros, lo que en el argot se denominan *tablas*, independientes entre sí, con formato y contenidos diferentes. Lo característico es que esos ficheros, autónomos, pueden ponerse en relación unos con otros por medio de algún campo que se utiliza como clave y que, integrados, forman lo que conocemos como base de datos propiamente dicha.

En el ejemplo que aquí nos ocupa, la base de datos *Leonmed.mdb* está formada por dos tablas, la tabla *documentos* y la tabla *voces*, en las que respectivamente se vuelca toda la información que atañe a cada uno de los documentos (notario, fecha, lugar ... etc) y la relativa a cada uno de los ejemplos concretos que se registran.

Es decir que, como se ve en los cuadros adjuntos, de la larga serie de campos que se relacionaban en el apartado anterior, todos aquellos que se refieren al documento en su conjunto y que afectan, por tanto, a todos los ejemplos que se registren en la base de datos procedentes de un mismo documento, pasan a la tabla o fichero *documentos*. Por el contrario, los campos que se refieren exclusivamente al ejemplo concreto se integran en la tabla *voces*.

ID	doc	año	escribano	notario	tipo	clase	lengua	lugdoc	lugnot
32	CL2179	1257	Jochan del Cabo	Don Silvestre	A	acuerdo	vid. 2204	Mansilla	Mansilla, nota
33	CL2183	1257		Johan Iohannis	A	venta		Corbillos	León, concey
34	CL2184	1257		Johan Iohannis	A	venta		Corbillos	León, concey
35	CL2185	1257		Alfonso Iohan	A	venta		Marialba	León, concey
36	CL2186	1257		Johan Miyelez	A	venta		Arcahueja	León ?
37	CL2187	1257		Alfonso Iohan	A	venta		León	León, concey
38	CL2188	1257?			A	venta		León	
39	CL2189	1258		Pedro Rodriguez	A	venta	arcaizante	Villa Albura	
40	CL2190	1258		Pedr Iuanes	A	venta	le. occ.	Villagallegos	

Fig. 1. Tabla *documentos* en *leonmed.mdb*

ID	voz	lema	tradcc	clave	doc
1300	ennos logares	en los		m12	CL2179
1301	sua senal	su		m10	CL2179
1302	sues bonas muebles	sus		m10	CL2179
1303	sua uoluntat	su		m10	CL2179
1304	priuilegios	privilegio		f15	CL2179
1305	conseyo	consejo		f11	CL2179
1306	Maorga	Mayorga		f12	CL2179
1307	duas cartas	dos		m19	CL2179
1308	cabillo	cabildo		f19	CL2179
1309	Jochan	Juan	8 veces	f15	CL2179
1310	enna alfoz	alfoz		m17	CL2179
1311	enna alfoz	en la		m12	CL2183
1312	duas tierras	dos		m19	CL2183
1313	Yela primer tierra	y	Y la ...	m13	CL2183
1314	ye así determ.	ser	es (2 v.)	m1	CL2183
1315	a nos ye a uos plogo	y		m13	CL2183
1316	remouidas ye enayenadas	y		m13	CL2183
1317	enayenadas	ajeno		f11	CL2183

Figura 2. Tabla *voces* en *leonmed.mdb*

Tenemos entonces dos ficheros con contenidos distintos, diferentes entre sí, pero no absolutamente independientes pues, como también puede verse en la figura siguiente, ambas tablas recogen campos distintos excepto en el caso del campo *doc*[8] que aparece en ambas y que en el gráfico puede verse con una línea que une el campo *doc* de la tabla *documentos* con un campo de igual denominación en la tabla *voces*. Éste es el campo clave que permite relacionar ambas tablas.

De esta forma, y mediante la relación que se establece entre los dos campos *doc* de una y otra tabla, se pueden combinar entre sí todos y cada uno de los datos incluidos en dichas tablas, aunque los datos generales relativos a cada documento se registren una sola vez. Esto supone que, cuando elaboremos un informe, podremos realizar una consulta en la que nos interese, por ejemplo, seleccionar únicamente la relación de vocablos que presentan algún resultado de /lj/ (campos *voz* y *clave* de la tabla *voces*) utilizados por un amanuense concreto y exclusivamente en los documentos que realiza fuera de León (campos *notario* y *lugdoc* de la tabla *documentos*).

8. También aparecen repetidos los dos primeros campos de ambas tablas, el campo *ID*, pero se trata, según se ha dicho, de un numero correlativo, el *identificador*, que el programa asigna de forma correlativa a cada uno de los registros introducidos en la tabla.

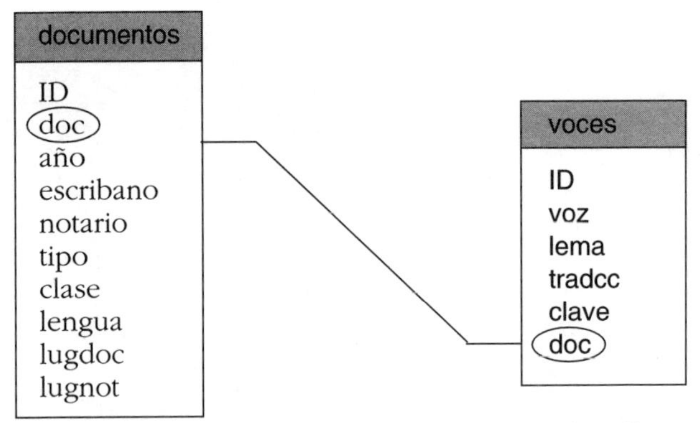

Figura 3. Cuadro de relaciones en *Leonmed. mdb*

Conviene anotar que, para que esta relación entre las dos tablas se establezca correctamente, las siglas utilizadas en los campos *doc* de una y otra han de ser lógicamente idénticas para todo aquello que se refiera al mismo documento. No obstante, el formato de ambos campos no tiene por qué ser el mismo pues, mientras en el campo *doc* de la tabla *voces* la sigla se repite tantas veces como ejemplos registremos de un texto dado, en el campo correspondiente a la tabla *documentos* la referencia ha de ser unívoca, ya que cada sigla debe identificar uno y sólo un documento. En este sentido, resulta muy útil una función del propio programa (*con duplicados / sin duplicados*) que permite, a la hora de dar formato a un campo, impedir que, por despiste al asignar la sigla o por error mecanográfico, pueda haber dos registros con el mismo contenido. Si así ocurriera el propio programa nos advierte de la incorrección.

4. Aplicaciones con 'leonmed.mdb'

Hemos ido introduciendo registros en ambas tablas y tenemos ya varios cientos o incluso miles de ellos en la base de datos. Es el momento de comenzar a sacarle partido al almacenamiento sistemático de información. En el caso de *Access*, el propio programa ofrece, desde la carátula inicial del archivo, el acceso a la aplicación *consultas*. Entrando a través del *diseño* de una consulta, tenemos la posibilidad de establecer un *filtro* mediante el cual, definidos los parámetros que nos interesa analizar, obtendremos una nueva tabla a partir de los datos contenidos en las dos tablas que hasta ahora habíamos manejado y en las que nosotros hamos ido introduciendo los datos directamente.[9]

9. Los datos pueden introducirse en la base, bien a través de las tablas directamente, bien por medio de la aplicación denominada *formularios*. Esta última no es otra cosa que una ficha que puede ocupar la pantalla completa y en la que aparecen todos los campos de cada registro. Tiene la ventaja de que permite incorporar imágenes, lo que sería útil en el caso de estar trabajando, por ejemplo, con manuscritos que, por medio del escáner, podrían incorporarse a la base de datos, aún a costa de consumir una gran cantidad de espacio. Se trata de una posibilidad que aquí no se contempla y, a mi juicio, el introducir los datos directamente en la tabla puede ahorrar mucho tiempo pues, utilizando las funciones usuales de Windows, cualquier campo que se repita en la tabla puede ser copiado sin necesidad de teclearlo. Una curiosidad que no figura en los manuales: la combinación de las teclas Ctrl + ? sirve para copiar en una casilla el contenido de la inmediatamente superior.

Podemos pedir, pongamos por caso, la relación de ejemplos correspondientes a un fenómeno evolutivo —identificados y agrupados por la sigla que hemos introducido en el campo *clave* de la tabla *voces*—, ordenados por el campo *lema* (también en la tabla *voces*) y acompañados por la sigla que identifica el documento en el que se encuentra el ejemplo, así como el año en el que se hizo y el notario que lo realizó (los tres últimos, campos pertenecientes a la tabla *documentos*). En esta ocasión, utilizaremos como referencia la sigla *m12* que, en el campo *clave*, identifica todos aquellos ejemplos en los que aparece la secuencia "preposición más artículo".

Si abandonamos ahora el modo *diseño* de la consulta y pasamos al de *presentación* de hoja de datos, observaremos que el programa ha generado una tabla con cerca de 600 registros localizados y ordenados según los parámetros que le hemos marcado. Se trata de una nueva tabla, distinta a las dos que originalmente teníamos, y que selecciona sólo algunos de los campos de las tablas anteriores, uniéndolos en el mismo registro y dando lugar a un listado diferente. Una muestra del resultado de la consulta aparece en la figura 4.

lema	*voz*	*doc*	*año*	*notario*
con las	conas otras cosas	CL2109	1251	Miguel Abril
con las	connas otras compras	MC312	1256	Yoan Guillen
con las	conas fumadgas	CL2187	1257	Alfonso Iohan
con los	connos dannados	CL2168	1255	Johán Miyelez
con los	con los otros	SIb012	1303	
en las	enas casas	MC266	1250	
en las	enas Caruas	MC273	1251	Don Uiuian
en lo (el)	enno de Stª Mª	CL2099	1225-50	
en lo (el)	enno esperital τ enno corporal	MC556	1291	
en los	enos ortos	MC335	1259	Rui Lopez
en los	enos Bariales	MC314	1257	Don Uiuian
por lo (el)	por lo merino	CL2204	1259	
por lo (el)	pollo caudal	CL2204	1259	
por lo (el)	pello mio pan	CL2097	1250	
por el	por el Sant Martino	SIb003	1301	Iohan Martinez

Figura 4. Consulta "preposición más artículo".

Por último, otra de las aplicaciones del programa, la denominada *informes* en este caso, nos va a facilitar una mejor presentación de la consulta realizada. Esta aplicación, realizada siempre sobre una *tabla*, bien sea ésta original o el resultado de una *consulta*, nos permite, además de utilizar los distintos recursos gráficos que posee, volver a seleccionar la información y ordenarla según otro criterio distinto al que inicialmente tenía en la tabla de origen. Lógicamente, podemos cambiar el orden o eliminar alguno de los campos, pero no es posible incluir en el informe un campo que no se haya seleccionado en la tabla sobre la que éste se hace. Con el ejemplo anterior, podríamos presentar un informe en el que los ejemplos estén ahora ordenados por años y/o notarios, pero no sería posible incluir campos previamente desechados en la consulta que hemos hecho, como el de *tipo* de documento o *lugar* donde se hace.

lema	*voz*	*doc*	*año*
con las	*conas otras cosas*	CL2109	1251
	connos dannados	CL2168	1255
	connas otras compras	MC312	1256
	conas fumadgas	CL2187	1257
con los	*con los otros*	SIb012	1303
en las	*enas casas*	MC266	1250
	enas Caruas	MC273	1251
en lo (el)	*enno de Stª Mª*	CL2099	1225-50
	enno esperital τ enno corporal	MC556	1291
en los	*enos Bariales*	MC314	1257
	enos ortos	MC335	1259
por lo (el)	*pello mio pan*	CL2097	1250
	por lo merino	CL2204	1259
	pollo caudal	CL2204	1259
por el	*por el Sant Martino*	SIb003	1301

Figura 5. Informe "preposición más artículo".

Lo que hemos hecho, sobre el ejemplo de la *consulta* anterior, es eliminar la columna correspondiente al campo *notario*, poner en cursiva el campo *voz*, suprimir los duplicados del campo *lema* —cuando aparecen en el listado elementos repetidos el programa permite que figure sólo el primero de ellos, eliminando el resto— y, finalmente, establecer un nuevo criterio de ordenamiento: si en la consulta habíamos pedido los registros ordenados alfabéticamente por el campo *lema*, lo que nos permitió agrupar todos los ejemplos colocados bajo una única referencia, ahora le hemos pedido que, dentro de él, nos lo combine con otro nuevo por el campo *año*.

Una ventaja añadida de estas dos aplicaciones, es que, una vez archivados el *informe* o la *consulta* que se han realizado, cuando volvamos a necesitarlo, sus datos se actualizarán automáticamente: cualquier nuevo registro que hayamos introducido posteriormente o cualquier modificación que se haya hecho aparecerá renovada en el momento que activemos de nuevo la *consulta* o el *informe* previamente archivados.[10]

10. En realidad, lo que el programa archiva no es la relación de datos, el listado, sino el diseño de la consulta o informe con los parámetros que se hayan establecido y, cada vez que cualquiera de ellos se activa, vuelve a generar una nueva tabla con los datos que entonces tiene la tabla de origen —hayan cambiado éstos o no—.

5. Casos prácticos

Con estas premisas, el límite para hacer consultas útiles sobre una base de datos como la que aquí estamos manejando lo pone nuestra capacidad para imaginar hipótesis que puedan encontrar respuesta adecuada en la selección y combinación de datos objetivos que hemos incluido en el archivo. Evidentemente, la utilidad más simple e inmediata que puede extraerse de una base de datos como *leonmed.mdb* es la relación ordenada y sistemática de ejemplos de un fenómeno concreto.

5.1. Resultados de /pl-/

Tomemos el caso, por ejemplo, de los resultados de los grupos latinos /pl-, kl-, fl-/ en posición fuerte, que han quedado agrupados por la sigla *f10* del campo *clave.* Hecha la consulta obtendremos una relación de más de medio centenar de registros que, en la base de datos, figuran bajo esa clave. Las grafías utilizadas para las voces en cuyo étimo aparece alguno de esos grupos consonánticos alternan, por lo general, entre *x* y *ll* (*xamar* / *llamar*, *xano* / *llano*, *axar* / *allar* / *fallar*, *axegar* / *allegar*, *xumazo*, el nombre propio *Xaino* / *Xeino*). A su lado, aparece en tres documentos la voz *lantados* 'plantados'.

La utilidad de la base de datos no se agota en esta relación ordenada alfabéticamente, por ejemplo, por lemas, lo que nos serviría —según se ha visto arriba— para agrupar todos los ejemplos de *llamar*, *llano* ... etc. Es preciso combinar los diversos parámetros que hemos incluido en la base de datos, especialmente los que aparecen en los campos de la tabla *documentos*, para dar con aquél que nos permita explicar el motivo por el que una variante se da precisamente en un momento o en un lugar concreto. En el caso que ahora estamos ejemplificando, la explicación —como se puede observar en la figura 6, en la que

año	*voz*	*doc*
1254	xumazo	CL2134
1255	villa que xaman	MC305
1258	costa ya xano	MC323
1259	enno bago de Xano	CL2215
1260	don Xeino	MC373
1291	que ssea en axagar bien τ prot	MC556
1291	du quier que axardes	MC556
1294	heredamientos τ lantados	MC565
1296	que fallaren	MC566
1304	que sean llamadas	Slb016
1304	rogadas et xamadas	Slb017
1305	et falle que	Slb033
1360	dezir nin allegar	Slb178

Figura 6. Consulta "Resultados de /pl-/ ordenados por años".

aparece una selección de la consulta— nos viene prácticamente dada si ordenamos esos registros por el campo *año*.

Mientras que el agrupamiento por otros campos (lugar donde se hace el documento, lugar de procedencia del notario, lemas ...) no consiguen darnos una distribución uniforme y lógica de los ejemplos, inmediatamente se observa que, ordenados por el criterio de la fecha en la que se escribe el texto, sí se produce una distribución uniforme: las variantes con *x* se concentran mayoritariamente en los textos procedentes del siglo XIII y, a medida que nos acercamos al final de este siglo, comienzan a aparecer y a ser cada vez más frecuentes los ejemplos con *ll*. Todo indica, por tanto, que cualquier explicación pasa por tener en cuenta la fecha.[11]

Podemos incluso ir más allá y tratar de explicar las grafías con *l* (*lantados*) que aparecen únicamente en tres documentos de finales del siglo XIII (años 1294, 1295 y 1297). La explicación inicial, atendiendo a las fechas y sin contar con otros datos, nos llevaría a entender que —dado que esas grafías se sitúan en el momento en el que *xamar*, *axegar* ... etc comienzan a sustituirse por *llamar*, *allegar* ... etc— se trata, junto a *ll*, de otra variante gráfica del fonema palatal /l̬/ lo que, en principio, es cierto, pero sigue sin explicarse por qué se utiliza esa grafía sólo en esos años y no nos figura en el resto de la relación. La solución la encontraremos si en la consulta incluimos las casillas correspondientes a los campos *tipo*, *lugdoc* y/o *lugnot*. Todas ellas contienen referencias que indican claramente que estamos ante textos hechos en Asturias —y no en León—. La grafía en cuestión, extraña a los documentos escritos en León, tiene, por tanto, en común el aparecer en textos asturianos y ése será el dato inicial que nos permita explicar su presencia en la base de datos.[12]

5.2. Documentos con seseo

Veamos ahora otro ejemplo, aparentemente complejo pero también de fácil interpretación una vez que damos con la clave para ello. Si hacemos una consulta en la que pidamos los ejemplos registrados en el fondo del Monasterio de Carrizo[13] durante la década 1250-1259 bajo la clave *f14*, es

11. Se trata de uno de los ejemplos característicos para mostrar el proceso de castellanización en la lengua escrita. Hasta finales del siglo XIII, prácticamente de forma general, los notarios leoneses usan la grafía *x* y, sólo cuando se intensifica el proceso de castellanización —fines del XIII, comienzos del XIV—, se produce el abandono de esta grafía en beneficio de la castellana *ll*. A partir de este momento, las grafías con *x* para étimos con el grupo /pl-/ quedan confinadas a los topónimos, voces estas habitualmente refractarias a la castellanización, que llegan hasta nuestros días manteniendo el resultado patrimonial, aunque con la lógica evolución posterior desde /š/ hasta la velar /x/ (vid. Morala, 1998).

12. En el asturiano medieval, acostumbrados a alternar grafías como *llunes* / *lunes*, *llagar* / *lagar*, nada tiene de extraño que paralelamente alternen también *llamar* / *lamar*.

13. En la pantalla de diseño de la consulta figurarán las pertinentes especificaciones en los campos *clave* y *año*. Para seleccionar únicamente los documentos procedentes del fondo del Monasterio de Carrizo, dejando fuera los de esos mismos años pero procedentes de la Catedral o de San Isidoro, se utilizará el parámetro "MC*" en la casilla del campo *doc*.

decir, los que tienen algo que ver con el uso de las parejas de sibilantes y de /b,v/ —preparada inicialmente para comprobar el estado de la oposición *sorda / sonora* en las primeras y el de *oclusiva / fricativa* en la última—, nos encontraremos con un listado de más de una centena de registros entre los que abundan los casos de indiferenciación gráfica de dichas oposiciones.

De entre ellos, 65 registros hacen referencia al uso que los escribanos hacen de las grafías correspondientes a la pareja de las apicoalveolares y a la de las predorsodentales. Pues bien, el 50% de ese grupo se refiere a ejemplos en los que se confunden las grafías "-s-" y "-ss-" esperables para /z/ y /s/ respectivamente (*cantase* por *cantasse, pasar* por *passar, asi* por *assi, cassa* por *casa*...). Casi un 30% corresponde a ejemplos que confunden las grafías de /ŝ/ "c, ç", y la de /ẑ/ "z". Son ejemplos del tipo de *facer* por *fazer, cabezero* por *cabeçero, nazer* por *naçer* o *nascer.* Pero la sorpresa nos la llevamos al comprobar que hay un porcentaje nada despreciable de casos —el 20% restante— en los que la confusión gráfica se establece entre las grafías propias de las apicoalveolares y las de las predorsodentales. Dicho de otra forma, hay un significativo porcentaje de grafías que indicarían claramente la existencia de seseo o çeçeo: *cazas* por *casas, plaser* por *plazer, Carrisso* por *Carrizo* ... etc. La confusión de las dos primeras series no presenta mayor problema para ser explicada pero esta última resulta, en principio, menos fácilmente interpretable.

Si a los escuetos datos de los campos *voz, lema, documento* y *año* les añadimos el de *notario,* la explicación a ese extraño fenómeno es mucho más fácil: observaremos que, mientras que las dos primeras series de ejemplos aparecen repartidas entre un buen número de documentos y de notarios, el último grupo aparece concentrado en sólo cuatro documentos (en negrita en el cuadro número 7), dos de los cuales los firma el mismo escribano —un tal Reymondo— y los otros dos aparecen sin firma. Aquí debe buscarse la posible explicación. Las dos primeras confusiones están generalizadas por diversas épocas y notarios, pero esta última, pese a su elevada representación porcentual, más que representar un fenómeno generalizado o en fase de serlo y achacable a la lengua usual en la época en León, indicaría que el fenómeno, tal como se manifiesta en la escritura, es imputable exclusivamente a un notario.

Si queremos avanzar en la explicación, podemos hacer a continuación otra consulta que nos deparará nuevas sorpresas y una justificación más clara. Seleccionemos ahora todos los registros de la base de datos que correspondan a un notario llamado *Reymondo* y obtendremos una tabla en la que, al lado de abundantes rasgos claramente leoneses, del leonés occidental para ser más exactos, aparecen otros, entre los que se incluirían los ejemplos anteriores de

año	*voz*	*doc*	*notario*
1250	E asi ... assi	MC265	Martin Perez
1251	ni por nazer	MC267	Iaime de Pamplona
1251	quillo demandase	MC276	Don Marcos
1252	mandeymus facer	MC286b	Iohan Perez
1253	quizerdes	**MC293**	Reymondo
1253	ceer (ser)	**MC293**	Reymondo
1254	facemus carta	MC301	Dominicus Ramus
1255	cazas (casas)	**MC305**	
1255	ceyelos (sellos	**MC305**	
1256	pussiese	MC312	Yoan Guillen
1257	asi la recibo	MC316	Don Uiuian
1258	demandar ou pasar	MC328	Fernan Perez
1258	mandei facer	MC327	Pelai Garcia
1259	deuyzas (divisas)	**MC339**	Reymondo
1259	prezentes (presentes)	**MC339**	Reymondo
1259	coussa	MC336	Don Martin
1259	facemus, facer	MC337	Martinus Lupi
1259	facemus, facer	MC335	Rui lopez
1259	abadesa	MC334	Pedro Perez
1259	plaser (plazer)	**MC344**	
1259	Carisso (Carrizo)	**MC344**	

Figura 7. Texos de Carrizo (1250-59) con confusiones en las sibilantes.

seseo, que en modo alguno coinciden con lo esperable en los textos leoneses de la época. Ahora es más evidente aún que la singularidad de estos ejemplos tan sólo tienen en común un campo, el del notario que los firma, y ahí es donde hemos de incidir.[14]

14. Queda fuera de mi propósito aquí analizar la explicación de estas variantes. Anotaré únicamente que los escritos de este notario, incluidos varios más anteriores a 1250 —y fuera por tanto del muestreo utilizado para la base de datos—, apuntan a un origen gascón del mencionado Reymondo. El asunto lo he tratado en detalle en una comunicación titulada "Rasgos occitanos en un escriba medieval del Monasterio de Carrizo", presentada al III Congreso Internacional de Historia de la Lengua Española, celebrado en Salamanca en 1993, en cuyas actas apareció publicada (J. R. Morala, 1996).

voz	*doc*
esta deuan*dixa* heredat	MC293
esta deuan*dixa* heredat	MC293
Martin Pasc*oa*l	MC293
Gonzaluo M*au*ran (Moran)	MC339
deuan*dyta* heredat	MC339
pect*ix* a rege nostro (peche)	MC339
Gonzaluo M*au*ran (Moran)	MC339
Nos sobre*dichos*	MC339
Iohan pan τ ag*oa*	MC339

Figura 8. Otros rasgos peculiares de los documentos firmados por Reymondo.

Si comparamos después el listado de registros firmados por este notario con los procedentes de los documentos MC305 y MC344, en los que no figura quién los escribió pero que presentaban también la misma confusión entre apicoalveolares y predorsodentales que inicialmente nos llamó la atención, comprobaremos que la coincidencia va más allá de esa extraña confusión y se establece también para varios de los usos anómalos que utiliza Reymondo. Todo parece indicar que, al menos el primero de esos dos documentos sin firma (MC305), salió de la misma mano que los otros en los que dicho notario aparece como autor.[15]

voz	*doc*
Gonzaluo M*au*ran (varias veces)	MC305
*au*torgamos (otorgamos) (varias veces)	MC305
s*oa* muyer (sua)	MC305
s*oa* muler (sua)	MC305
C*au*monte (Comonte)	MC305

Figura 9. Otros rasgos peculiares del documento MC305.

15. A los efectos del ejemplo aquí utilizado sólo comparo con los dos documentos de este notario incluidos en la base de datos *leonmed.mdb*. Por supuesto que, para sustentar esta conclusión, es preciso hacerlo también con el resto de los textos de Reymondo que han quedado fuera del muestreo. El procedimiento es sustancialmente idéntico al que se puede aplicar al comentario de textos (E. IRIZARRY, 1994).

5.3. Resultado del lat. 'hodie'

Analicemos un último ejemplo, en esta ocasión del área del vocalismo. Uno de los fenómenos que *a priori* se han seleccionado (sigla *f4* del campo *clave* contenido en la tabla *voces*) es el relativo a los resultados de /ĕ,ŏ/ en contacto con yod pues, como es sabido, el leonés presenta diptongación donde el castellano mantiene /e, o/ sin diptongar por el influjo cerrador de la yod. Descon-tados los casos minoritarios como *venga / vienga, tenga / tienga, ocho / uecho* o *moyo / mueyo*, el ejemplo que mayoritariamente[16] aparece en este listado es el de la solución, diptongada o no, del latín *hodie*. Utilicemos, entonces, en aras de una mayor comodidad, únicamente los resultados procedentes de este étimo.[17]

Realizada la pertinente consulta, obtenemos un listado de 71 registros en los que se utiliza alguna de las soluciones de *hodie*. Pues bien, como puede verse en el extracto de la tabla obtenida que figura abajo, todo parece indicar que estamos ante uno más de los casos en los que el leonés medieval presenta una diversidad de soluciones sin que, con los criterios tradicionalmente utilizados, pueda darse con la explicación oportuna a su distribución.

año	*voz*	*doc*	*lugdoc*	*lugnot*
1258	deste dia de *uoy*	MC320	Audanzas del Valle	
1258	desde *uoy* dia	MC318	Villa García?	
1259	deste dia de *uuay*	MC332	Antoñanes	
1259	desde *uuey* dia	MC347	Grulleros	
1259	de *uuey* en día	CL2217	Villameriel	
1259	de *oy* dia	CL2209	Bercianos Páramo	
1259	desde *vuey* dia	MC349	Oteruelo	notario de León
1259	des *oy* día	CL2210	Villagallegos	
1259	desde *vuey* dia	CL2215	Arcahueja	León, notario
1259	desde *vuey* dia	CL2206	Trobajo Camino	
1260	desde *uoy* dia	MC377	Grulleros	
1260	desd*oy*	MC366	Carrizo	presbiter
1260	desd*oi*	MC363	Carrizo	presbiter
1260	desde *vuey* dia	MC378	Carrizo (testigo)	not mayor León
1260	desde *uuey* díe	CL2222	Villaquilambre	
1297	desde *uuey* dia	MC568	Ardón	not. rey en Ardón
1304	desde dia de *oy*	SI032	León	escrib.del rey en León

Figura 10. Consulta "Resultados de *hodie*".

16. La alta frecuencia con la que aparecen en la base de datos las distintas variantes de *hoy*, se explica por la presencia de este vocablo en un formulismo usual en la parte final de los textos que recogen algún tipo de transacción, "desde *hoy* día en adelante pase a vuestro juro ..."

17. La serie podemos aislarla del resto de los ejemplos agrupados bajo la misma clave (*f4*) especificando en la consulta que el campo *lema* coincida con el término "hoy" que sistemáticamente se ha introducido como referencia única al ir rellenando la base de datos con las distintas variantes localizadas.

La estadística es bien ilustrativa de esta dispersión de resultados: 28 ejemplos utilizan formas no diptongadas (mayoritariamente *oy* y, en menor grado, variantes gráficas de ésta como *oi, hoy*). El resto, hasta 71 registros, aparecen desigualmente repartidos entre formas siempre diptongadas pero, en unos casos con refuerzo del [w-] y en otros sin él y, además, con variaciones de timbre para la vocal abierta del diptongo: *uuey* (16 veces), *vuey* (8), *uue* (2); *uoy* (16) y *uuay* (en una sola ocasión).

Es decir, el abanico de posibles variantes casi al completo. Ante esta acumulación de formas, sólo cabe buscar algún criterio que permita agruparlas y nos deje entrever el camino hacia una posible explicación sobre el modo en el que se distribuyen. Con los datos manejados hasta aquí, únicamente es posible apuntar que, con el cambio del siglo XIII al XIV, comienzan a escasear las variantes diptongadas. Una vez más estamos ante un fenómeno sobre el que actúa la castellanización sustituyendo las formas del tipo de *uuey, uoy* por la de *oy*. Es éste, sin embargo, un caso diferente al que veíamos más arriba para los resultados de /pl-/. Allí, había una solución generalizada (*xamar*) durante el siglo XIII que, al filo del cambio del siglo, se sustituía por otra prácticamente desconocida hasta ese momento (*llamar*). Aquí, las formas del tipo *oy* conviven con sus correspondientes diptongadas desde los primeros documentos en romance.

No cabe, por tanto, la misma explicación. Ni se puede recurrir tampoco a explicar la distribución de dichas formas como variantes diatópicas: unas y otras soluciones figuran tanto para León (leonés central) como para Carrizo (leonés occidental) así como repartidas por otras muchas poblaciones. Tampoco parece tener nada que ver el que se trate de un notario de prestigio (el notario del Rey en la capital leonesa) o un simple clérigo que sabe escribir y acostumbra a dar fe de los actos notariales del convento.

¿Hay, entonces, algún otro elemento que nos permita atisbar el criterio por el que, de una forma lógica, se distribuyen todas las variantes mencionadas? La respuesta resulta evidente si a la relación inicial le añadimos el campo *notario* y ordenamos todos los registros precisamente por este campo. Excepto uno, el resto de los notarios que utilizan en más de una ocasión dicho vocablo, lo hacen siempre y sistemáticamente con una sola de las formas incluyendo, como mucho, variaciones meramente gráficas.

El caso más curioso es, quizá, el de dos amanuenses que concentran la mayor parte de los documentos de Carrizo en la década 1250-1260. Pues bien, ambos escriben en Carrizo, ambos escriben en las mismas fechas, ambos utilizan un mismo tipo de lengua inmediatamente clasificable como leonés[18] y, sin embargo, uno de ellos, un tal Don Domingo, escribe sistemáticamente *desdoi desdoy* en los doce documentos que firma, y otro, Don Uiuián, utiliza en otros tantos la expresión *desde uoy*. En los documentos hechos ante Alvar García,[19] notario publico del Rey en León, se utiliza siempre la expresión *desde vuey* (6

18. Ambos amanuenses, Don Vivián y Don Domingo, utilizan, entre otras, expresiones claramente leonesas como *bian* 'bien', *fiyo, muyer, cona rina* 'con la reina', etc.

19. Por lo general están realizados por el escribano Macia Gutiérrez (cinco de los seis citados).

veces). Otras tantas lo hace Johan Iohannis, notario del concejo de León, que echa mano de una variante gráfica de la forma usada por el anterior: *desde uuey*. La misma que utilizan, en las dos ocasiones en que lo hacen, un amanuense que firma únicamente como Alfonso y otro, Johán Martínez, notario del concejo de León. Sin embargo, Martín Pérez en cuatro ocasiones y Pedr Iuanes en tres, utilizan respectivamente la expresión *de oy* y *des oy* en textos igualmente con marcados leonesismos[20] y escritos también a mediados del siglo XIII. Únicamente en los dos escritos en los cuales utiliza esta palabra y que firma Miguel Abril, jurado del concejo de León en las mismas fechas que los anteriores notarios, aparece, en una ocasión, *desde oy dia* y, en otra, *uuey dia*.

Si la distribución de unas y otras variantes poco o nada tiene que ver con distinciones diatópicas; si tampoco —excepción hecha del cambio por castellanización a comienzos del XIV— parecen ordenarse secuencialmente como variantes diacrónicas; si ni siquiera parece que pueda detectarse una tendencia definida al uso de una variante con más prestigio que el resto al poner en relación el uso y el cargo que tiene quien escribe ¿cuál es la explicación a esta mezcolanza de variantes? El único dato fiable con el que contamos es el del uso sistemático que cada notario hace de una de las variantes —y este uso es lo suficientemente estable como para que no pueda, de ninguna forma, ser considerado fruto de la casualidad— por lo que en torno a este aspecto ha de girar cualquier hipótesis que se plantee.

Es más que probable que la preferencia que los amanuenses muestran por uno u otro resultado del latín *hodie* se explique, no tanto como manifestación de su propia variedad oral o la de la zona en la que escriben, sino, más bien, como fruto del aprendizaje de la escritura en los diversos *scriptoria* existentes en el área de León a mediados del siglo XIII, justamente cuando comienzan a escribirse en romance los documentos notariales: en tanto se generaliza una normalización del romance como lengua escrita, algunos de esos centros primarían una de las variantes y, otros, otras distintas, lo que explicaría la enorme variedad de resultados que presenta la documentación de un área y una época concretas y, al mismo tiempo, el uso sistemático por parte de cada notario de una y sólo una de las variantes posibles.

El curso del razonamiento nos ha llevado, casi de forma inconsciente, desde el campo de la exposición objetiva de los datos al más resbaladizo de su interpretación y ése, desde luego, no era mi propósito. Lo único que me interesaba era poner de manifiesto la utilidad de las bases de datos en la investigación diacrónica y dialectal y, entre las posibilidades que este uso plantea, no entra —al menos de momento— la de interpretar los datos. Sí parece, sin embargo, que un adecuado tratamiento de la información objetiva —la que aparece reflejada en el documento— permite un mejor análisis y una más adecuada interpretación —subjetiva— de los datos. Pero este plano, creo que

20. Pese a este aparente castellanismo, los escritos de ambos están plagados de rasgos leoneses (*meyor*, *muyer*, *migaya* 'migaja', *eno* mes ...) que incluso alcanzan al diptongo decreciente /ei/, aunque no de forma general pues sólo afecta a *peyche*, *feycha*, *Tareysa* y *meyrino* y no a otras palabras.

afortunadamente, queda todavía reservado al filólogo que, eso sí, puede ayudarse para su propósito de los avances de la informática.

Permítaseme, para acabar, el juego con una manida comparación refranera: en el complejo entramado de variantes que presenta la documentación medieval leonesa, no siempre es fácil dar con una explicación lógica al aparente rompecabezas. En este sentido, las bases de datos informatizadas, no es que nos den la fotografía aérea del bosque, pero, desde luego, sí que nos facilitan un altozano desde el que, con buena vista, podemos apartar la visión de los árboles más cercanos y divisar una perspectiva de hasta dónde llega el bosque y las formas que éste tiene.

Referencias bibliográficas

Alvar Ezquerra, M. - León Hurtado, L. (1996) "Las industrias de la lengua y las aplicaciones de los córpora", *Scripta Philologica in memoriam Manuel Taboada Cid*, Univ. da Coruña, Tomo I, pp. 31-46.

Capsada, R. - Torruella, J. (1995) "Transcalc, del manuscrit a la base de dades", *Quaderns de Filologia*, nº 7, Barcelona: Seminari de Filologia i Informàtica, Univ. Autònoma de Barcelona.

Casado Lobato, M. C. (1983) *Colección Diplomática del Monasterio de Carrizo*, 2 tomos, Colección "Fuentes y estudios de historia leonesa", León.

Domínguez Sánchez, S. (1994) *Patrimonio cultural de San Isidoro de León. Documentos del s. xiv*, León: Univ. de León.

Fernández Molina, A. M. (1982) "Una propuesta metodológica para estudios diacrónicos del español de América", *Anuario de Lingüística Histórica*, VIII, pp. 73-83.

Irizarry, E. (1994) "Por qué usar el ordenador para el análisis de textos", *Cuadernos de Filología*, nº 5, Barcelona: Seminario de Filología e Informática, Univ. Autónoma de Barcelona.

Martín López, M. E. (1995) *Patrimonio cultural de San Isidoro de León. Documentos de los s. x-xiii*, León: Univ. de León.

Morala Rodríguez, J. R. (1993) "El leonés medieval: Lengua escrita y lengua hablada", *Actes du XXe CILFR*, Tomo II, Zürich, pp. 519-530.

— (1996) "Rasgos occitanos en un escriba medieval del Monasterio de Carrizo", *Actas del III Congreso Internacional de Historia de la Lengua Española*, AHLE, tomo I, Madrid: ArcoLibros-Fundación Duques de Soria, pp. 797-808.

— (1998) "Norma gráfica y variedades orales en el leonés medieval", *Estudios de grafemática en el dominio hispánico*, Blecua, J. M., Gutiérrez, J. y Sala, L. (eds.), Salamanca: Ediciones Universidad de Salamanca, pp. 169-187.

Nitti, J. J. (1993), "El taller lexicográfico de Wisconsin", *Cuadernos de Filología*, nº2, Barcelona: Seminario de Filología e Informática, Univ. Autónoma de Barcelona.

Ruiz Asencio, J. M. (1993), *Colección documental del Archivo de la Catedral de León*, tomo nº VIII (1230-1269), Colección "Fuentes y estudios de historia leonesa", León.

CARLOS SÁNCHEZ LANCIS
Universidad Autónoma de Barcelona

Sintaxis histórica, informática y periodización del español*

1. Introducción

La aplicación de herramientas informáticas al estudio de la lingüística diacrónica en general, y a la sintaxis histórica en particular, ha dejado de ser una novedad en los últimos años, para pasar a ser una forma necesaria e imprescindible de abordar problemas lingüísticos mediante la utilización de corpus informatizados (vid. LLOYD, 1994). El trabajo con corpus lingüísticos de cierta magnitud nos ha convertido en familiar el término:

> "*Lingüística de corpus* (*Corpus Linguistics*), en la que se estudian con medios informáticos de diferentes tipos grandes masas de datos, inabordables de otro modo, para obtener de ese análisis las características gramaticales (en el aspecto estudiado) de una lengua en un cierto momento de su historia, de cierto tipo de textos, de un conjunto de autores o un autor determinado, etc." (Rojo, 1993: 15).[1]

El propósito del presente trabajo consiste en la presentación de las grandes posibilidades que comporta la aplicación de nuevas herramientas informáticas (bases de datos relacionales y textuales) al estudio de un determinado corpus del español medieval, con el fin de establecer un nexo común entre una serie de cambios sintácticos (cuya difusión confluye a finales del siglo XV, en la etapa denominada español preclásico), y poder aportar de este modo datos gramaticales concretos que ayuden al establecimiento de períodos históricos diferentes en la historia del español. Para lograr este fin, se ha dividido el presente trabajo en dos partes bien diferenciadas: en la primera, se han elegido algunas investigaciones sobre sintaxis, tanto sincrónica como diacrónica, que comparten

* La presente investigación ha sido parcialmente financiada con una ayuda de la DGICYT (nº de ref. PB95-0656 y PB96-1199-CO4-01) y del Comissionat per Universitats i Recerca de la Generalitat de Catalunya (nº de ref. 1997SGR-00125).

1. Para una mayor información sobre el diseño y el análisis en general de corpus lingüísticos, vid. Atkins – Clear y Ostler (1992), y Svartvik (1992); la compilación de artículos de Alvar Ezquerra y Villena Ponsoda (1994) sobre un corpus del español, especialmente el trabajo de García Platero (1994) sobre la necesidad de un corpus lingüístico del español; la recopilación de Payrató - Boix - Lloret y Lorente (1996), en donde se encuentran las atinadas reflexiones de Blecua (1996) sobre la definición y función de los corpus; y el excelente capítulo de Torruella y Llisterri titulado "Diseño de corpus textuales y orales", en este mismo volumen. Ténganse además en cuenta las observaciones realizadas por Mackenzie (1994) sobre la composición de los corpus en particular y otros aspectos relacionados.

una metodología informática más o menos común, y que pueden servir de modelo a la hora de realizar el presente estudio;[2] y en la segunda, se estudia la evolución y confluencia de dos cambios gramaticales a lo largo del español medieval con la ayuda de la informática, la cual desempeña una función básica a la hora de relacionar los datos lingüísticos.

2. Sintaxis histórica e informática

La búsqueda de datos gramaticales por parte de investigadores en sintaxis histórica ha recibido en los últimos años la inapreciable ayuda de la informática. Esta labor ha consistido, primordialmente, en la localización y recuperación de datos lingüísticos a partir de la digitalización de una serie de textos que conforman un determinado corpus histórico. Sin embargo, el proceso de informatización del corpus por parte del investigador, desde que éste entra en contacto con el texto hasta que obtiene la información gramatical necesaria, presenta diferentes grados de elaboración.

El grado inferior corresponde a aquellos investigadores que han digitalizado uno o más textos, ya sea mediante escáner y con la ayuda de un programa de reconocimiento de caracteres tipo OCR, o a través de una copia directa en el ordenador, y se limitan a hacer búsquedas con los procedimientos que facilita cualquier procesador de textos. Obviamente, de esta manera se consigue no tener que volver a leer de nuevo el texto cada vez que se realiza un estudio diferente, ya sea dentro del mismo nivel lingüístico (estudio de los posesivos y del futuro analítico, por ejemplo), o en niveles diferentes (búsqueda de casos de *f-* inicial de palabra o de confusión de *b-v*; de vocablos terminados en *–dor*, etc.). El mayor problema que implica este sistema es que sólo permite buscar formas léxicas concretas y no estructuras gramaticales, por lo que para estudiar diacrónicamente un determinado adverbio, por ejemplo *ende*, debe conocerse de antemano todas sus posibles variantes gráficas (*ende, end, ent, den, dend, dende, dent, dente, desend, desende, desent, dessende, dessent*, etc.), que no son pocas. Por otro lado, y sólo en el caso de algunas construcciones sintácticas compuestas por categorías gramaticales con muy poca variación, sólo se consigue su localización cuando además se conoce previamente el orden de los elementos gramaticales, como sería el caso de la anteposición del artículo al posesivo; pero esto no sería posible con la anteposición del adjetivo al núcleo nominal, ya que en ningún momento el texto nos informa de qué elementos pertenecen a estas clases morfosintácticas. De esta forma, en definitiva, la búsqueda de los datos gramaticales queda reducida sólo a la que requiere un cierto conocimiento léxico previo por parte del investigador.

Por otra parte, el grado intermedio corresponde a aquellos usuarios de programas de concordancias (el programa Micro-OCP, de Oxford University Computing Service, de 1988, es uno de los más corrientes y utilizados en estos

2. Nuestra intención en el presente trabajo es dar a conocer principalmente la metodología de ciertas investigaciones, no todas, en sintaxis histórica, ver los problemas que plantean y las soluciones que se han adoptado, con vistas a su posible aplicación por parte de futuros lingüistas.

años), los cuales seleccionan un contexto limitado de un texto en función de la inclusión en su interior de un determinado vocablo. Si bien este sistema supone un gran avance respecto al anterior, ya que clasifica alfabéticamente todas las formas léxicas que se encuentran en el texto con sus respectivos contextos, por lo que el investigador llega a conocer con exactitud todas las variantes que aparecen en éste, siguen existiendo más o menos las mismas limitaciones que se observaban en el apartado anterior, ya que el criterio léxico prevalece, por razones obvias, sobre el gramatical.

Finalmente, el grado superior corresponde, según esta clasificación tan particular, al empleo de bases de datos, tanto relacionales como textuales, en las que las posibilidades de dotar de información lingüística a cada forma léxica incluida en su contexto y a todo el texto en general, así como de establecer posibles relaciones y recuperar con posterioridad los resultados obtenidos, son prácticamente ilimitadas. A pesar de que ambas operan en cierto modo con concordancias, pero de forma no tan rígida como lo descrito más arriba, la diferencia básica entre una base de datos relacional y otra textual estriba en que la primera presenta un diseño ajeno al texto, en formato de ficha, cuyo interior está formado por diferentes campos en donde se introduce la información lingüística (lema, variantes, sentido, función, etc.) y la información textual (contexto y referencia) relacionada con cada forma léxica, estructura gramatical, etc.; mientras que la segunda, la base de datos textual, opera desde el texto, por lo que las etiquetas se realizan en su interior. En ambos casos el investigador, ya sea de forma manual o semiautomática, dota al texto (indirectamente en el caso de la base de datos relacional, directamente en la textual) de una anotación morfológica, sintáctica, semántica, etc., que le permite, además de lo dicho anteriormente, realizar búsquedas de contenido gramatical, como puede ser, por ejemplo, desde la lista de variantes del posesivo de 3ª persona, hasta el listado de todas las perífrasis verbales, de los complementos directos introducidos por la preposición *a*, de las estructuras de interpolación entre el clítico y el verbo, de las oraciones subordinadas adverbiales con valor temporal, etc.[3]

Por consiguiente, dadas las grandes ventajas que presentan en general este tipo de bases de datos para la investigación en gramática, se presentan a continuación algunos estudios de sintaxis sincrónica y diacrónica que han utilizado este tipo de herramientas informáticas, con vistas a una mayor comprensión tanto de su funcionamiento como de sus posibles aplicaciones y resultados.

3. Existe una gran variedad de bases de datos relacionales en el mercado, por lo que es innecesario hacer una referencia específica a una de ellas en particular. Sin embargo, resulta mucho más útil una descripción del funcionamiento concreto de una base de datos relacional, de sus posibilidades, de su aplicación al estudio de la sintaxis y de la lexicografía históricas del español y el catalán, la cual aparece respectivamente en Clavería Nadal y Sánchez Lancis (1997), y Torruella (1993). Por otro lado, de entre las bases de datos textuales, destacan por su potencia y fácil manejo el programa TACT, del Dr. Bradley, de la Universidad de Toronto, de distribución gratuita; y el programa DBT (Data Base Testuale), versión 3.1 de 1997, de E. Picchi, del Istituto di Linguistica Computazionale de Pisa, desarrollado en entorno Windows, el cual se aplica en la segunda parte del presente artículo.

2.1. BASES DE DATOS RELACIONALES

2.1.1. *Base de datos tipológica*

Las bases de datos han sido empleadas para la comparación tipológica de diferentes lenguas (proyecto EUROTYP). La necesidad de manejar una gran cantidad de datos de muchas lenguas obliga al empleo de bases de datos gramaticales, estructuradas a partir de unos contenidos informativos mínimos básicos a todas ellas (vid. Moreno Cabrera, 1995: 63-66):

1. *Identificación de la ficha.*
2. *Representación ortográfica*: Forma ortográfica del texto.
3. *Representación fonética*: Transcripción fonética.
4. *Representación fonológica*: Transcripción fonológica.
5. *Representación prosódica*: Estructura prosódica.
6. *Representación morfológica*: Segmentación del texto en morfemas.
7. *Glosa morfológica*: Significado o función gramatical de los morfemas del campo 6.
8. *Etiquetado gramatical*: Categoría gramatical de los elementos lingüísticos de 6, e información estructural del texto.
9. *Traducción.*
10. *Descriptores*: Identificación de los rasgos lingüísticos pertinentes del texto mediante palabras-clave.
11. *Comentarios*: Comentarios sobre posibles problemas.

Esta información mínima se completaría en función del nivel lingüístico estudiado. De este modo, una base de datos sintáctica añadiría la siguiente información:

a) *Temas*: Problemas gramaticales que están relacionados con los datos recogidos.
b) *Ejemplo*: Transcripción de la oración o sintagma.
c) *Glosa* y *Traducción*: Significado o función gramatical de los elementos morfemáticos y lexemáticos, además de la traducción de la oración o el sintagma.
d) *Fuente*: Procedencia del ejemplo.

Se trata de un proyecto muy ambicioso y a la vez muy interesante, cuya principal finalidad es la construcción de "una base de datos con el mayor número de lenguas posible para de esa manera poder obtener listados de oraciones o sintagmas relevantes para uno o varios problemas gramaticales", y así formar "un *corpus* gramatical interlingüístico inicial para llevar a cabo un estudio tipológico de cualquier fenómeno que nos interesara" (Moreno Cabrera, 1995: 66).

2.1.2. *Database querying system (DBQS)*

Un sistema un tanto diferente de aplicación de bases de datos lo representa el modelo de "database querying system (DBQS)", que se podría traducir como un sistema de interrogación de bases de datos, utilizado por Panckhurst (1994) para el estudio del orden de las oraciones interrogativas del francés moderno. Esta lingüista propugna, por un lado, el diseño de una base de datos gramatical únicamente a partir de los datos lingüísticos extraídos de un corpus de ejemplos, que previamente han sido analizados y clasificados. El análisis de los ejemplos se hace de forma lineal, pero no como lo haría un análisis distribucional, sino asignándole una representación o estructura sintáctica y léxica a cada uno. La forma lineal es elegida por su carácter neutral frente a otro tipo igualmente válido y también posible de estudios lingüísticos. Finalmente, el programa DBQS completa las posibles consultas que se pueden realizar a esta base de datos con su vinculación a un analizador sintáctico, cuya función primordial es hacer un análisis general de los ejemplos que contiene la base de datos; seleccionar diferentes tipos de interrogativas en función de su estructura; asignar valores de gramaticalidad o agramaticalidad, solventando así posibles discusiones entre lingüistas con distintos idiolectos; etc. En definitiva, el programa DBQS permite acceder a un gran número de enunciados interrogativos y confrontarlos entre sí e, incluso, estudiar otro tipo de problemas lingüísticos.[4]

Sin embargo, de todo este proceso informático, en donde se combinan tan bien las informaciones que recoge la base de datos con la ayuda de un analizador sintáctico, llama la atención la defensa a ultranza por parte de esta investigadora del carácter neutral, desde un punto de vista teórico, de la información recogida, con el fin de que se cumpla el objetivo final de todo programa DBQS: la posibilidad de acceder a la información de una única base de datos por diferentes miembros de la comunidad lingüística, que pertenecen a distintos marcos teóricos.

2.1.3. *Base de datos sintácticos del español actual (BADSEA)*

La aplicación de herramientas informáticas al estudio de la sintaxis del español es bastante reciente.[5] Uno de los ejemplos más sobresalientes en este caso lo constituyen los trabajos de Rojo (1992), (1993) y (1994) en los que aplica bases de datos relacionales. En todos estos artículos, y sobre todo en el más reciente, se plantea la relación existente entre léxico y gramática, y los problemas de tipo lingüístico e informático que conlleva la realización de un diccionario de construcción y régimen del español actual. Para ello, se ha establecido un corpus[6] de un millón y medio de palabras (pertenecientes a 34 textos íntegros, fechados a partir de 1980), lo más representativo posible tanto del español peninsular como del español americano; se ha llevado a cabo su posterior informatización mediante un escáner y un programa de concordancias; y se ha creado una base de datos que recoge de forma exhaustiva todas las cláusulas simples, 160.000 aproximadamente, con los distintos verbos, unos 3500, y sus respectivas construcciones verbales (esquemas y subesquemas sintácticos con su frecuencia, es decir, funciones sintácticas principales con valor argumental, tipos

4. Para un conocimiento mucho más preciso del tipo de oraciones interrogativas estudiadas, así como de los diferentes pasos que se sigue desde la simple entrada de datos hasta la compleja actuación del analizador sintáctico, remito a la lectura de este interesante artículo de Panckhurst (1994: 42-50).

5. Para el conocimiento de las distintas herramientas informáticas que se pueden aplicar al tratamiento de corpus en los ordenadores personales, vid. Castillo Cabezas (1994).

6. Sobre el diseño de un corpus del español, vid. los artículos de Alvar Ezquerra, Blanco Rodríguez y Pérez Lagos (1994), y el de Alvar Ezquerra y Corpas Pastor (1994).

de sintagmas, de cláusulas, etc.) que aparecen en éste. La base de datos, cuya estructura consta de 63 campos posibles, está conectada al corpus con el fin de relacionar la información textual con la información gramatical. La finalidad de todo este proceso consiste en la creación de la *Base de datos sintácticos del español actual* (BADSEA), que permite, en primer término, la confección del *Diccionario de construcciones verbales del español actual* (DICVEA).[7]

Reproducimos a continuación, de forma parcial, algunos de los datos que recoge la BADSEA (Rojo, 1993: 19-20), como posible modelo de etiquetado con miras a posibles estudios por parte de otros investigadores:

Datos generales: verbo y su referencia (texto, página, línea); tipo de cláusula (independiente, coordinada, completiva, adverbial, de gerundio, de participio, de infinitivo, etc.); función de la cláusula; voz; polaridad; modalidad; perífrasis verbales; forma verbal; forma verbal de la cláusula dominante; número y persona; predicado complejo; número de argumentos; orden de elementos.
Datos de elementos funcionales: sujeto (tipo de sujeto, tipo de unidad, animación, determinación, número); complemento directo (presencia, clítico, marca, tipo, etc.); complemento indirecto; complementos preposicionales y adverbiales regidos (tipo, suplemento, modal, adverbial, otros, etc.); complemento predicativo; complemento agente.
Tipos de unidad: frase nominal; demostrativos; indefinidos y numerales; cláusula de relativo nominalizada; nominalización; posesivos; pronombre personal; relativo; cláusula de *que*; cláusula de infinitivo; cláusula con *si*; cláusula relativa; frase adjetiva; frase adverbial; etc.

Cuadro 1

Además, existen dos campos en la base de datos que ordenan secuencialmente algunas de las informaciones anteriores:

Esquema: elementos funcionales de la cláusula (por ejemplo: sujeto-predicado-complemento directo-complemento indirecto; etc.).
Subesquema: indicaciones de carácter formal y semántico de los elementos funcionales que componen el esquema (e. g.: frase nominal inanimada; cláusula de relativo; etc.).

Cuadro 2

7. Para conocer la existencia de otros corpus preexistentes del español, vid. López Guzmán (1994a) y, especialmente, los informes sobre recursos lingüísticos para el español que tratan sobre corpus escritos y orales disponibles y en desarrollo en España, publicados por el Instituto Cervantes (Arrarte y Llisterri 1994, Fernández y Llisterri 1996, y SEPLN-Observatorio Español de Industrias de la Lengua 1997).

Ciertamente, la posibilidad de tener a nuestro alcance un corpus analizado morfosintácticamente y suficientemente representativo del español actual, permite eliminar una gran cantidad de obstáculos que limitan las investigaciones actuales, tales como el uso parcial de los datos y el excesivo peso del marco teórico. Como señala Rojo (1993: 17), "se trata de poner en manos de los investigadores un conjunto de datos que les resulte de utilidad con independencia de la opción teórica en que se muevan", ya que "la publicación del DICVEA pondrá a disposición de todos los que trabajamos sobre sintaxis del español un conjunto de materiales que ahora mismo es difícil incluso imaginar." (Rojo, 1992: 47). A partir de ahora, los materiales usados, así como las propias investigaciones, quedan abiertos, ya que siempre será posible reutilizar el material, y ampliarlo, además de aportar nuevos datos y perspectivas al estudio realizado.

2.2. Bases de datos textuales

2.2.1. *Data Base for Old Spanish Syntax (DBOSS)*

Respecto al estudio de la sintaxis histórica del español, el uso de herramientas informáticas representa una gran ayuda para la renovación de esta disciplina. Existe un acuerdo unánime entre todos los investigadores de sintaxis diacrónica en la necesidad de realizar nuevas investigaciones con una metodología renovada, que permita abordar el análisis y el manejo de grandes corpus (vid. Wanner, 1991a y 1997). Sin embargo, hay que tener en cuenta que, a pesar de que

> "el recurso a instrumentos informáticos, que son decisivos en el ámbito de la lexicología y aun de la morfología, está mucho más limitado en sintaxis, pues el análisis automático de estructuras sintácticas es viable en una medida muy escasa (...), la informática puede y debe ser utilizada razonablemente como un auxiliar importante: a partir de corpora informatizados es posible localizar y cuantificar estructuras que tengan una base formal clara." (Ridruejo, 1994: 590).

La *Data Base for Old Spanish Syntax* (DBOSS), es decir, la Base de datos sintácticos del español medieval de D. Wanner nace como proyecto ya en 1981-83, aunque no ha podido ser concluido en la actualidad. El uso de corpus textuales y el manejo de una gran cantidad de datos procedentes de dichos textos implica un cambio metodológico de los estudios de sintaxis histórica frente a los de sintaxis sincrónica, como se explica en Wanner (1991a). Para este lingüista, la necesidad de recurrir a textos para obtener datos lingüísticos, no desacredita en absoluto la calidad y los resultados obtenidos en sintaxis histórica, a pesar de que algunas teorías lingüísticas no han otorgado durante mucho tiempo un reconocido valor a los resultados conseguidos de tal forma. Por ello, dada la obligada necesidad de trabajar con una gran cantidad de datos, la creación de una base de datos del español medieval con ayuda de herramientas informáticas es de suma importancia, ya que permite una mejor caracterización de la lengua en las distintas etapas de su historia, y suplir en la medida de lo posible la inexistencia de hablantes (vid. Wanner, 1991a: 179-180). D. Wanner parte, para la realización de esta base de datos, del corpus del español medieval de la Universidad de Wisconsin, al que se le ha aplicado un programa informático para obtener concordancias (palabras en su contexto: KWIC) con vistas a la confección del *Dictionary of the Old Spanish Language* (DOSL). Sin embargo, la limitación que supone el manejo de concordancias para la búsqueda de estructuras sintác-ticas (no así para el estudio de formas léxicas), ha propiciado la codificación o etiquetado semiautomático en los niveles morfológico (palabras) y sintáctico (sintagmas y oraciones) del corpus analizado incluido en esta base de datos. De este modo, sí es posible obtener resultados sintácticos a partir de búsquedas específicas de un elemento concreto o mediante la relación de palabras, categorías morfológicas, sintagmas e incluso tipos de oraciones (vid. Wanner 1991a: 181-183, y especialmente la nota 20 de la pág. 184). La base de datos resultante, en donde se combinan concordancias automatizadas junto con la creación semimanual de ficheros codificados, permite, según su autor, establecer un modelo de la lengua medieval (la norma) bastante fiable, así como su continua ampliación y reutilización en otras investigaciones y por parte de investigadores diferentes.

Con este último fin, la codificación empleada representa conscientemente un análisis neutral de los datos:

> "While this analysis is consciously held at a level of considerable naïveté —no empty categories at any level, no abstract constituents such as INFL— it has the advantage of remaining neutral with regard to the theoretical framework that an investigator might want to use for further analysis. The issues are not prejudged beyond the degree of bias introduced by the straightforward interpretation of the surface manifestations themselves." (Wanner, 1991a: 182).

Se incluye a continuación traducida la clasificación establecida por Wanner (1991a: 190; y explicada pormenorizadamente en 1994), como un posible modelo para seguir y para una mejor comprensión de los mecanismos de etiquetado en sintaxis histórica:[8]

8. La codificación textual electrónica se ha visto en la necesidad de establecer un conjunto de etiquetas textuales de uso internacional, con el fin de hacer posible el intercambio de datos en investigaciones relacionadas con las humanidades. Por todo esto, nació la *Text Encoding forInterchange* (TEI), basada en el formato *Standard Generalized Markup Language* (SGML) "lenguaje estándar generalizado de codificación", que permitirá, entre otros muchos aspectos, el análisis lingüístico y la interpretación de los textos en los niveles fonológico, morfológico, sintáctico, semántico, estilístico, métrico, pragmático, etc. Actualmente se está trabajando en el diseño de una codificación de la anotación morfosintáctica de corpus sincrónicos y diacrónicos del español en lenguaje SGML, que sigue las normas de la TEI, con el fin de su aprovechamiento léxico y gramatical (vid. Pino 1996, y Pino y Santalla 1996). Esta anotación supera ampliamente los problemas que plantea la TEI respecto a la especificación de tipo lingüístico, especialmente en aquellos casos en donde la representación lineal es incapaz de dar cuenta de las distintas clases de formas compuestas recursivas, tales como frases hechas, perífrasis, colocaciones, tiempos compuestos, contracciones, discontinuidades, etc.

Por otra parte, si se desea una mayor información sobre la historia y las características de todas estas normas, vid. Marcos Marín (1994b) y (1996), Faulhaber (1994), López Guzmán (1994b) y el completo trabajo de Arrarte, titulado "Normas y estándares para la codificación de textos y para la ingeniería lingüística", en este mismo volumen. Y si se quiere comparar con los criterios de diseño y aplicación de etiquetado en el ámbito de la lexicografía histórica (el *Diccionario crítico etimológico castellano e hispánico*, de J. Corominas y J. A. Pascual), siguiendo en la medida de lo posible las normas de la TEI, vid. Clavería Nadal *et alii* (1997), y Clavería Nadal, Sánchez Lancis y Torruella Casañas (1997).

sím-bolo	*#cat. morfológica#*	*{sint.: sintagmas}*	*[sint.: oraciones]*	*(nivel sint.)*
a	adverbio	sint. adverbial	or. adverbial	(sub.)
b	pron. personal tónico	SN oblicuo (subcat.)	-	
c	conjunción subord.	sint. conjuntivo	or. completiva	(sub.)
d	determinante	SN objeto directo	-	
e	exclamación	sint. exclamativo	or. exclamativa	(princ.)
f	adj./pron. demostrat.	-	or. fragmentaria	(princ.)
g	gerundio	sint. de gerundio	-	
h	adj./pron. indef./neg.	-	or. volitiva	(princ.)
i	infinitivo	sint. de infinitivo	-	
j	adjetivo	sint. adjetivo	or. sub. compl. de adj.	(sub.)
k	coordinación	sint. coordinado (opt.)	conjunc. coord. (opt.)	s/p
l	negación	-	-	
m	adverbio comparativo	sint. comparativo	or. comparativa	(sub.)
n	sustantivo	SN (no regido)	or. sub. compl. de sust.	(sub.)
o	adj./pron. posesivo	SN aposición	or. imperativa	(princ.)
p	preposición	sint. preposicional	or. princ.propia	(princ.)
q	palabra QU-	sint. QU-	or. interrogativa	s/p
r	verbo pers. subjuntivo	loc. preposicional	or. de relativo	(sub.)
s	pronombre sujeto	SN sujeto	or. subord. sujeto	(sub.)
t	*y/ende*	SN objeto indirecto	discurso directo	(princ.)
u	numeral	sint. numeral	-	
v	verbo pers. indicativo	SN vocativo	or. enunciativa	(princ.)
w	pronombre clítico	predicado nominal	or. seudoprincipal	(princ.)
x	verbo auxiliar	SN dislocado	-	
y	nombre prop./topónimo	SPrep. compl. agente	or. parentética/cita	s/p
z	participio pasado	sint. de participio	-	

Cuadro 3.

Independientemente de si la anterior clasificación y etiquetado recoge todos los posibles aspectos morfosintácticos que un texto medieval puede ofrecer (tal vez no están todos los que son, pero creemos que sí son todos los que están), ciertamente representa un importante y muy notorio esfuerzo por parte del profesor D. Wanner, para dotar al estudio de la sintaxis histórica del español de un mecanismo riguroso de análisis de sus peculiaridades gramaticales más importantes. Sirva para demostrar tal afirmación el siguiente fragmento del *Calila e Dimna*, de 1251 (siglo XIII) en donde se aplica el etiquetado anterior:[9]

9. Agradezco muy sinceramente al profesor Dieter Wanner que me haya facilitado su manuscrito de 1994, en el que explica muy detalladamente el sistema de códigos que utiliza en su DBOSS (*Data Base for Old Spanish Syntax*), así como los cambios que ha sufrido respecto a su edición de 1991, los cuales omito por no ser relevantes para este estudio. De este texto extraigo el ejemplo que aparece en el presente artículo para una mayor comprensión del funcionamiento y utilidad de su etiquetado. Téngase en cuenta que lo modifico a la hora de colocar el fin de sintagma "]" y el fin de oración "}" según mi criterio, ya que no aparece en el texto original, por lo que soy el único responsable de cualquier error en dicho análisis morfosintáctico. Cito según el *Calila e Dimna* de la edición de J. M. Cacho Blecua y M.ª J. Lacarra (1987), Madrid, Castalia (*Clásicos Castalia*, 133), pp. 138-139.

"Desí fuese para la çibdat a buscar al ome, et posó con una muger mala alcahueta."
[v #a #vv + #w {b #p #d #n} {i #p #vi {d #p + #d #n}}] [v #k #vv {p #p #d #n #j {o #n}}]
"Et la muger avía una mançeba que se avía enamorado de un ome, et non quería a otro ninguno."
[v #k {s #d #n}#vv {d #d #n [r #c #wx #vv #z {b #p #d #n}] [r #k #l #vv {d #p #h #lj}]
"Et en esto fazía daño a su ama porque perdié la soldada que le dava por aquel ome."
[v #k {p #p #f} #vv {d #n} {t #p #o #n} [a #c #vv {d #d #n [r #c #wt #vv {p #p #f #n}]}]]
"Et trabajóse de matarlo aquella noche que ospedava al religioso, et dio a bever a la mançeba et al ome tanto del vino puro fasta que se enbeodaron et se dormieron."
[v #k #vv + #wx {i #p #vi + #wd {n #f #n [r #c #vv {d #p + #d #j}]}}] [v #k #vv {i #p #vi} {t #p #d #n} #k {t #p + #d #n} {d #h {h #p + #d #n #j}} [a {c #p #c #wx #vv}] [a #k #wx #vv]]

Como se puede comprobar fácilmente si se ha tenido la suficiente paciencia de interpretar el etiquetado anterior, la información aportada por la codificación permite extraer automáticamente, por ejemplo, todos los SNs en función de complemento directo introducidos por preposición (*al ome; a otro ninguno; al religioso*), ya que todos corresponden a un sintagma {$_{d}$… $_{d}$}; o todas las oraciones de relativo con sus respectivos complementos (*que se avía enamorado de un ome, et non quería a otro ninguno; que le dava por aquel ome; que ospedava al religioso*), etiquetados con [$_{r}$… $_{r}$]. Pero, además, tal lectura de códigos permite hacerse una clara idea de lo costoso que resulta el etiquetado de un texto, a efectos de inversión de tiempo por parte de un solo investigador (el resultado a medio o largo plazo no compensa tal coste), por lo que este tipo de proyectos sólo puede ser abordado por equipos de investigación formados por varios miembros y con medios informáticos suficientes.

2.2.2. Penn-Helsinki Parsed Corpus of Middle English *(PPCME)*

Las aplicaciones informáticas a textos medievales del inglés van muy por delante del mismo tipo de estudios del español. Anthony Kroch y Ann Taylor, de la Universidad de Pennsylvania, son los autores de la elaboración del *Penn-Helsinki Parsed Corpus of Middle English - PPCME* (1995), una versión de unas 510.000 palabras con anotaciones sintácticas de textos en prosa de una etapa histórica del inglés (Middle English), extraído del *Helsinki Corpus of English Texts* (1991).[10]

10. La información sobre el *Penn-Helsinki Parsed Corpus of Middle English* y el *Brooklyn-Geneva-Amsterdam-Helsinki Parsed Corpus of Old English* procede de sendas conferencias dadas por el Dr. Anthony Kroch (1996) y la Dra. Susan Pintzuk (1996) en la "IV Jornada sobre corpus lingüístics: constitució, etiquetatge i explotació des d'una perspectiva lingüística variacionista", organizada por la Unitat de Recerca de Variació Lingüística del Institut Universitari de Lingüística Aplicada de la Universitat Pompeu Fabra, el 28 de mayo de 1996.

La finalidad del PPCME es poner al alcance de los investigadores en sintaxis histórica un corpus textual que permita, desde la simple localización de palabras (el adverbio *never*, por ejemplo) hasta la compleja búsqueda de construcciones sintácticas (todas las construcciones de relativo de un texto), o determinados órdenes de elementos lingüísticos (la inversión del sujeto no pronominal respecto al verbo) y su posterior estudio estadístico. Para ello, sólo se han codificado aquellas construcciones que no son fácilmente localizables mediante ciertas palabras características (por ejemplo, las oraciones con verbo segundo, las construcciones de relativo, oraciones subordinadas, elementos vacíos, etc.) y se ha evitado un etiquetado exhaustivo que comportara un completo análisis gramatical (sólo se señalan las principales funciones sintácticas, tales como sujeto, complemento directo, indirecto, etc., pero no la estructura interna de cada sintagma), el cual puede provocar numerosos errores dada la complejidad de trabajar con textos antiguos.

2.2.3. *Brooklyn-Geneva-Amsterdam-Helsinki Parsed Corpus of Old English (BPCOE)*

Junto al *PPCME*, existe también en la actualidad el *Brooklyn-Geneva-Amsterdam-Helsinki Parsed Corpus of Old English* (de cinco lingüistas de tres países diferentes: Susan Pintzuk, Eric Haeberli, Ans van Kemenade, Willem Koopman y Frank Beths,), corpus anotado de textos del inglés antiguo (*Old English*) extraídos también del *Helsinki Corpus of English Texts*.[11] Consta de unas 413.000 palabras que pertenecen a 90 textos de inglés antiguo de diferentes autores, dialectos y géneros. Cada palabra ha sido glosada, y cada texto ha recibido un etiquetaje morfológico (basado en el corpus del francés antiguo de A. Dees, de Amsterdam) y sintáctico (según el PPCME) básico, neutral en cuanto a un marco teórico específico se refiere, como señala explícitamente uno de sus autores:

> "It should be emphasized that the annotations should in no way be regarded as the implementation of a structural analysis within a particular theoretical framework. The annotation schemes were developed as a tool for the investigation of the structure of earlier stages of English. The annotations enable the users to pose and answer questions about word order, constituent order, abstract structure, and syntactic and morphological characteristics of the texts in the corpus. The annotation schemes are general-purpose ones that are as theory-neutral as possible while still incorporating the insights of modern linguistic theory. The annotations can be used as they are, or augmented without the need for revision or redesign, by scholars with widely varying research interests." (Pintzuk, 1996, 1).[12]

11. Otro corpus diacrónico representativo del inglés británico es el *Century of Prose Corpus* (COPC), que abarca el período comprendido entre 1680 y 1780 (vid. Milic 1995).

12. La coincidencia por parte de todos estos investigadores, que han trabajado con herramientas informáticas, en relación al etiquetado de sólo los principales elementos lingüísticos, así como la no interferencia de teorías lingüísticas en la realización de esta tarea, es un juicio que debe ser tenido muy en cuenta a la hora de trabajar también con textos españoles. Ciertamente, el increíble coste en tiempo de un etiquetado sumamente exhaustivo no implica necesariamente una mejor explotación del corpus, como ya han demostrado.

Las etiquetas morfológicas (cuadro 4) y sintácticas (cuadro 5) de estos textos, son las siguientes (Pintzuk, 1996: 2-3):

Anotación morfológica:
Clase de palabra:
Adjetivo: atributivo, predicativo, interrogativo;
Adverbio: modo, tiempo, lugar, negativo, interrogativo;
Sustantivo: propio, común;
Número: primera parte de un numeral complejo, cardinal, nominal, ordinal;
Pronombre: demostrativo, posesivo, personal, indefinido, relativo, reflexivo, interrogativo;
Verbo (infinitivo, indicativo/subjuntivo, imperativo, participio presente, participio pasado): principal, auxiliar, modal, cópula;
Conjunción: coordinante, subordinante, parte de una locución conjuncional;
Interjección/Exclamación;
Preposición;
Partícula (verbal);
Caso: nominativo, acusativo, genitivo, dativo, instrumental;
Género: masculino, femenino, neutro;
Persona: primera, segunda, tercera;
Número: singular, dual, plural;
Modo: indicativo, subjuntivo, participio, imperativo, infinitivo, infinitivo flexionado;
Tiempo: presente, pasado;
Códigos de complementación: intransitivo, monotransitivo, bitransitivo, SN + oración finita, SN + oración no finita, oración finita, oración no finita, transitivo complejo (objeto de oración mínima), impersonal.

Cuadro 4.

Anotación sintáctica:
a) *Etiquetas oracionales*:
—Oración principal: interrogativa directa, exclamativa, imperativa, etc.
—Oración subordinada: adverbial, relativa, interrogativa indirecta, completiva, oración reducida, etc.
b) *Etiquetas intraoracionales*: sintagma nominal (nominativo, acusativo, etc.), sintagma adjetivo, verbos, sintagma adverbial (locativo, temporal, de modo, etc.), sintagma preposicional, partículas, negación, conjunciones, categorías vacías, otros.

Cuadro 5.

La comparación de los cuadros 4 y 5, con los cuadros 1 y 2 de Rojo y 3 de Wanner, permite observar la mayor o menor complejidad de la anotación empleada en función de las necesidades de los propios investigadores. Ciertamente, cuanto más completa sea ésta, el aprovechamiento de la base de datos será mucho mayor, al mismo tiempo que aumentarán proporcionalmente las dificultades de su realización.

3. Sintaxis histórica y periodización del español

La existencia de distintas etapas en la historia de la lengua española, representadas arbitrariamente por lapsos de tiempo equivalentes a siglos, es un hecho generalmente admitido por la práctica totalidad de manuales y estudios históricos (vid. Menéndez Pidal, 1942; Lapesa, 1981; Cano Aguilar, 1988; etc.). Sin embargo, español medieval, español clásico y español moderno, etapas que se caracterizan por presentar entre ellas grandes diferencias de tipo lingüístico (fonético-fonológicas, morfológicas, sintácticas y léxico-semánticas), acostumbran a ser descritas sólo en función de criterios de tipo externo o extralingüístico, es decir, a partir de aspectos históricos, sociales y literarios (vid. Marcos Marín, 1992 y Gutiérrez Cuadrado, 1994). Si bien son muchos los fenómenos de tipo externo que pueden incidir en la evolución de una lengua, es muy necesario tener en cuenta también los aspectos de historia interna, propiamente lingüísticos, ya que existe una clara relación entre la historia interna y la historia externa de toda lengua. Esta conexión es la que, en definitiva, nos permite el establecimiento, a partir del estudio de las épocas en que se produce la acumulación y generalización de los diferentes cambios lingüísticos, de tres etapas históricas del español que corresponden, según Eberenz (1991), a: a) fase *antigua* de estabilidad (1200-1450); b) etapa *media* de transformación (1450-1650); y c) fase *moderna* de estabilidad (a partir de 1650).

El cambio lingüístico que de forma general afecta al español a finales del siglo XV (el llamado español preclásico) es de suma importancia en el estudio de la diacronía de esta lengua, ya que la reestructuración del sistema lingüístico peninsular no tiene equivalente en otras lenguas románicas (vid. Vàrvaro, 1997). Se trata básicamente de un período de transición en donde confluyen aspectos de gran importancia, tanto externos como internos.[13] Por todo ello, de entre todos los cambios lingüísticos que se producen, destaca por su importancia y singularidad la confluencia de una gran variedad de cambios gramaticales, los cuales originan un reajuste sintáctico en la lengua lo suficientemente importante como, no sólo para permitir la delimitación de dos períodos históricos del español (vid. Ridruejo, 1993), sino también para establecer conexiones entre diferentes estructuras gramaticales a partir de una coincidencia en su evolución temporal (vid. Sánchez Lancis, 1997 y 1998). En definitiva, como muy bien señala Cano Aguilar (1991: § 3.3, p. 80), es necesario que los estudios de sintaxis histórica del español se renueven para pasar tanto:

> "(...) a un análisis global y sistemático de cambios que, supuestamente o por datos comprobables, deberían investigarse como manifestaciones diversas, en sectores diferentes de la estructura gramatical, de un solo cambio profundo, de una modificación básica de la gramática de una lengua (...)"; como a un intento por "determinar si ciertos cambios sintácticos, o la conjunción de varios de ellos, son capaces de definir fases en la historia del

---

13. De ahí el nombre de *época del Descubrimiento* con que Cano Aguilar (1992) denomina este período, aunque también destaca la simplificación de la gramática medieval como otra de sus grandes características.

español, del modo en que se habla, p. ej., de la "revolución fonológica" del Siglo de Oro."

Ya que un estudio detallado de todos los cambios sintácticos que acaecen en el español preclásico rebasa con creces las expectativas del presente trabajo, se presenta a continuación el seguimiento de la evolución de algunos de estos cambios más representativos mediante la ayuda de herramientas informáticas, con el fin de establecer posibles relaciones entre éstos y como ejemplo de las posibilidades que ofrece la aplicación de la informática a la sintaxis histórica.

3.1. El corpus estudiado

Para realizar un estudio sobre algunos aspectos concretos de la relación existente entre la sintaxis histórica y la periodización del español, hemos elegido como corpus la antología de textos del español medieval que ha seleccionado el profesor González Ollé (1993). La elección de esta obra se debe a varias razones. En primer lugar, con vistas a un estudio diacrónico general de una época tan compleja y rica como es la Edad Media, y con independencia del nivel lingüístico analizado, resulta imprescindible llegar a tener una visión global del fenómeno estudiado tanto desde el punto de vista diacrónico, como también diatópico, diastrático e incluso diafásico, en la medida de lo posible. Ya que este objetivo sólo se puede conseguir mediante el estudio de un conjunto suficientemente representativo de obras de diversas épocas, dialectos, géneros, estilos, etc., una selección de textos como la que establece González Ollé (1993), con un total de más de 550.000 caracteres, representados por unas 110.000 palabras (que equivalen a unas 21.000 formas diferentes), permite un acercamiento inicial al español medieval que no admite el análisis de una o varias obras individuales. Esto no significa en absoluto que no sea preferible el estudio de un corpus lo suficientemente amplio del español medieval formado por obras completas, como sucede con el *Archivo Digital de Manuscritos y Textos Españoles* (ADMYTE), preparado por Marcos Marín *et alii* (1992), que contiene la nada despreciable cifra de un total de sesenta y un títulos, pero la ausencia de un etiquetado gramatical de los textos impide su completo análisis morfosintáctico, y su realización a corto o medio plazo sería tan costosa en tiempo y personal, como ya se ha expuesto anteriormente, que, para conseguir unos primeros resultados mediante una codificación gramatical apoyada en el uso de bases de datos, resulta más viable, por el momento, empezar a trabajar con fragmentos.[14]

En segundo lugar, la antología de González Ollé realiza una clasificación de los textos elegidos bastante minuciosa y, en la medida de lo posible, proporcional, en función del género (literario = 308.000 caracteres y 60.000

14. Téngase en cuenta que el uso de una gran variedad de textos de diversas épocas y dialectos, aunque sea en estado fragmentario, posibilita la creación de una base de datos gramatical lo suficientemente representativa del español medieval como para permitir *a posteriori* un etiquetado semiautomático de obras completas. Sobre la historia, descripción y características del *Archivo Digital de Manuscritos y Textos Españoles* (ADMYTE), vid. Marcos Marín (1994a) y (1994b).

palabras / no literario = 242.000 caracteres y 50.000 palabras, aproximadamente), como se observa en el cuadro 6:

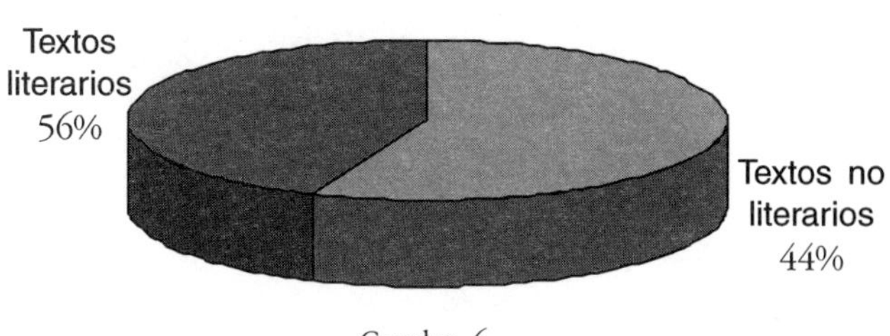

Cuadro 6.

Y también existe una distribución en función de la época (año o siglo de composición), en clara correspondencia con la mayor o menor existencia de textos, como se puede ver en el cuadro 7:

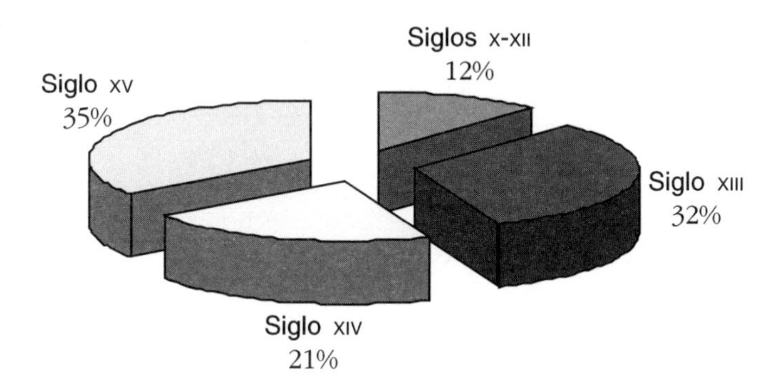

Cuadro 7.

De este modo, se encuentran:

1) textos no literarios anteriores al siglo XII (TNLASXII), con un total de 47 fragmentos;

2) textos literarios anteriores al siglo XIII (TLASXIII), con 18 fragmentos;

3) textos no literarios del siglo XII (TNLSXII), con 36;

4) textos literarios del siglo XIII (TLSXIII), con 21;

5) textos no literarios del siglo XIII (TNLSXIII), con 87;

6) textos literarios del siglo XIV (TLSXIV), con 31;

7) textos no literarios del siglo XIV (TNLSXIV), con 32;

8) textos literarios del siglo XV (TLSXV), con 63; y

9) textos no literarios del siglo XV (TNLSXV), con 40.

Los textos literarios aportan un total de 133 fragmentos (89 equivalen a poesía y 44 a prosa), y los no literarios unos 242. Las distintas clases de textos en función de su época y género, y a tenor del número de caracteres que ocupan, aparecen para su comparación en el cuadro 8:

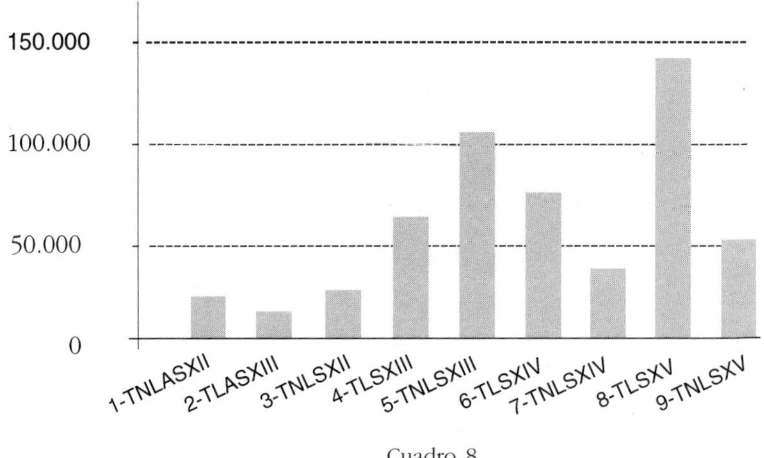

Cuadro 8.

Además, dentro de los textos no literarios, se introduce el criterio dialectal para su clasificación: documentos asturianos, leoneses, castellanos, riojanos, navarros, aragoneses (respetando el orden geográfico oeste-este) y andaluces (norte-sur, a partir del XIV). Y dentro de cada dialecto, se distingue el tipo de texto según un principio estilístico: glosas, documentos, fueros, fazañas, textos doctrinales, jurídicos o históricos, etc. Todo este tipo de informaciones resultan de una gran utilidad a la hora de realizar cualquier estudio diacrónico, por lo que el investigador debe tenerlas muy en cuenta y manejarlas con el fin de encontrar relaciones entre los diversos fenómenos lingüísticos.[15]

Vistas las características de los textos elegidos para su estudio, se puede afirmar que la presente antología es un microcorpus suficientemente representativo del español medieval, al menos por lo que se refiere tanto en los niveles diacrónico como diatópico, y muy adecuado para realizar investigaciones de carácter gramatical, como es el caso que aquí nos ocupa.

3.2. Las herramientas informáticas utilizadas

Para el estudio del corpus anterior mediante herramientas informáticas, se ha procedido en diversas etapas. En primer lugar, se ha realizado el escaneado

15. Si bien los criterios dialectales obedecen a razones geográficas y no siempre según el origen del escriba, y la distinción entre literario y no literario es muy discutible, sobre todo si incide en la mayor proporción de textos literarios del XV y de no literarios del XIII, mientras no se demuestre lo contrario, estos rasgos permiten confrontar y analizar estructuras gramaticales para observar su difusión y evolución, aspectos básicos en todo estudio del cambio lingüístico. Un comentario sobre los distintos tipos de textos con que se trabaja en diacronía, y su mayor o menor valor en el estudio de la sintaxis histórica o de la periodización en general, aparece en Cano Aguilar (1994) y Eberenz (1991: §2.2), respectivamente.

de los textos, mediante un programa de reconocimiento de caracteres tipo OCR, y su posterior corrección manual.[16] En segundo lugar, se ha efectuado la codificación del corpus para su manejo dentro de un programa de bases de datos textuales (el DBT o Data Base Testuale, de E. Picchi, versión 3.1 para Windows), en lo que se refiere a todas aquellas informaciones que pueden tener relación con el fenómeno de la periodización y que aparecen contenidas en la edición del texto, como son: siglo, género (literario/no literario) y subgénero (prosa/verso, etc.), dialecto, autor, obra, página, línea o verso. Y, en tercer lugar, se está procediendo en estos momentos a la anotación propiamente de tipo lingüístico, en donde se incluye la información gramatical a la que hemos aludido en el apartado "Sintaxis histórica e informática". Para la realización de esta última codificación se cuenta con la inestimable ayuda del programa TRANSCALC,[17] un lematizador que trabaja con bases de datos relacionales (dBase IV, V, o Acces) a partir de las concordancias obtenidas con el OCP. De este modo, y con el fin de aprovechar al máximo las posibilidades de este programa, se ha diseñado una estructura de base de datos relacional compuesta por los siguientes campos:[18]

Campo 1 → *FORMA GRAMATICAL*: Forma(s) gráfica(s) de la(s) palabra(s) del texto, seleccionadas para su estudio. En este campo aparecen, por ejemplo, desde perífrasis verbales, locuciones de cualquier tipo, etc., hasta todas las variantes gráficas del adverbio *ende*.

Campo 2 → *FORMA ESTÁNDAR*: Forma gráfica común a todas las variantes de un mismo elemento léxico o de un mismo tipo de construcción gramatical. Por ejemplo, *ende* sería la forma estándar común a todas las variantes recogidas en el campo 1.

Campo 3 → *LEMA*: Unidad léxica o gramatical a la que corresponden una o varias formas estándares, tal como aparece en los dicciona-

16. En el escaneado y posterior corrección de todos estos textos han colaborado las siguientes personas: M. Batllori e I. Pujol, de la UdG; y A. Belmonte, R. Carro, M. Prat e I. Ramírez, de la UAB. A todos ellos agradezco la confianza depositada en este proyecto y su incondicional apoyo.

17. Para conocer más detalles sobre el funcionamiento de este lematizador, y de sus posibles aplicaciones a la lingüística histórica, especialmente en lo que se refiere a la lexicografía, vid. Capsada y Torruella (1995).

18. La aplicación, en general, de las bases de datos relacionales al estudio histórico del español, así como la relación de sendas estructuras referidas al análisis de un problema específico de sintaxis y lexicografía históricas, con la descripción pormenorizada de sus respectivos campos, han sido tratadas recientemente en Clavería Nadal y Sánchez Lancis (1997). Por el contrario, si se desea una mayor profundización en el desarrollo de este tipo de bases de datos en sintaxis histórica del español, existe en Sánchez Lancis (1992: especialmente vii-xiii del volumen II) un estudio muy detallado de los adverbios de espacio y tiempo del español medieval, en donde se emplea este tipo de herramientas informáticas. Y, por último, también se encuentra en Batllori Dillet - Pujol Payet y Sánchez Lancis (1996) un ejemplo de diseño de una estructura de base de datos relacional, aunque en este caso referida a la información sintáctica indirecta contenida en el *Diccionario crítico etimológico castellano e hispánico*, de J. Corominas y J. A. Pascual, en donde se explica y ejemplifica con gran detalle el contenido de los diversos campos utilizados.

rios de la lengua. Por ejemplo, en el caso de los verbos, este campo incluye el infinitivo; respecto al artículo, la forma masculina singular; etc.

Campo 4 → *CLASE GRAMATICAL*: Categoría gramatical de la forma lingüística estudiada.

Campo 5 → *FUNCIÓN GRAMATICAL*: Función sintáctica desempeñada por la forma gramatical del campo 1.

Campo 6 → *SENTIDO GRAMATICAL*: Significado gramatical de esta forma. Por ejemplo, en el caso de algunos adverbios se especifica su valor espacial, temporal, etc.

Campo 7 → *SIGNIFICADO*: Significado léxico del elemento lingüístico analizado, independientemente del contexto donde aparece.

Campo 8 → *TIPO DE SIGNIFICADO*: Significado gramatical de dicho elemento lingüístico en función de su contexto. Por ejemplo, un adverbio espacial puede adquirir, a partir del texto, un significado temporal que *a priori* no le pertenece.

Campo 9 → *TIPO DE PROBLEMA GRAMATICAL*: Tema gramatical con el que está relacionada la forma gramatical recogida en el campo 1. Por ejemplo, un pronombre personal puede responder al apartado de orden de clíticos; un sintagma nominal precedido por la preposición *a*, al de los complementos directos preposicionales; etc.

Campo 10 → *TEXTO*: Contexto o concordancia en donde se incluye el elemento lingüístico analizado.

Campo 11 → *AUTOR*

Campo 12 → *OBRA*

Campo 13 → *GÉNERO*: Se distingue entre literario (prosa/verso) y no literario (glosa, documento, fuero, texto histórico, texto doctrinal, etc.), en función de la información facilitada por el corpus estudiado.

Campo 14 → *INFORMACIÓN DIATÓPICA*: Dialecto al que pertenece el texto, según la clasificación establecida en el corpus.

Campo 15 → *FECHA*: Referencia temporal concreta o aproximada del texto. Se especifica siempre el siglo y, según las posibilidades, la fecha exacta o aproximada de su composición.

Campo 16 → *REFERENCIA*: Página, número de verso (según los casos) y línea, en donde aparece con exactitud la forma gramatical objeto de estudio.

Campo 17 → *OBSERVACIONES*: Comentarios realizados por el investigador sobre aspectos que no han podido ser recogidos en los campos anteriores, ya sea por carencias en el diseño de la estructura de la presente base de datos, o por simple falta de espacio.

Por una parte, la elección de una base de datos relacional para una investigación gramatical del tipo que nos ocupa, obedece al hecho de que se trata de un complemento indispensable en este tipo de investigaciones, ya que permite recopilar y relacionar una gran cantidad de informaciones lingüísticas, lo cual no resulta tan sencillo con una base de datos textual. De hecho, se puede postular la complementariedad de ambas clases de bases de datos, la relacional y la textual, ya que, mientras la primera opera sobre todo en el nivel léxico (se aproxima más a un modelo de diccionario de construcción y régimen), la segunda trabaja principalmente en el nivel sintáctico, es decir, permite buscar y combinar diferentes órdenes de palabras al trabajar el investigador directamente sobre el texto, y no sobre un fragmento o contexto limitado, incapaz de dar cuenta, por ejemplo, del antecedente de un elemento deíctico.

Por otra parte, hay que tener muy en cuenta que el diseño de la estructura de una base de datos relacional varía en función del problema gramatical investigado. Uno de los primeros interrogantes que debe resolver todo investigador que trabaja con herramientas informáticas aplicadas a la sintaxis, es el de definir qué tipo de datos lingüísticos debe elegir en un corpus a la hora de introducirlos en una base de datos, ya sea de tipo relacional o textual, y qué espera encontrar con posterioridad. Tal pregunta ha sido respondida de forma acertada por Panckhurst (1994: 39-40), que clasifica los datos del siguiente modo:

> "One type is the raw text, i.e., the corpus. At the present time, research is carried out on corpora perusal with the aim of observing phenomena independently from linguistic theories. Another type of data, lexical data, consists essentially of lexical entries, with attributed sets of properties. A third type of data, which can be considered as observable data in linguistics, is the example (...). Examples and their descriptions, comparisons, analyses and classifications form the object of study for the linguist-syntactician (...)."

Ciertamente, no es lo mismo, por ejemplo, un estudio particular sobre el sintagma nominal, en donde la función que desempeña en la oración, así como los determinantes y complementos que puede llevar, resultan de gran interés; que sobre el sintagma verbal, en donde el verbo aporta una compleja información tanto morfológica como sintáctica. Se trata, en definitiva, de datos gramaticales de naturaleza muy distinta, que conllevan la incorporación de nuevos campos a la actual base de datos, los cuales, en todo caso, completan y precisan la estructura general presentada más arriba. Por todo ello, los 17 campos anteriores, junto con la base de datos textual anotada pertinentemente, pretenden recoger de forma general, pero también exhaustiva, la información gramatical básica presente en el corpus, referida tanto a datos léxicos como a ejemplos con su respectivo análisis, según el criterio común sobre simplicidad y reutilización de los datos lingüísticos, señalado anteriormente por los distintos investigadores del apartado "Sintaxis histórica e informática".

3.3. Los datos gramaticales obtenidos

Para el estudio de la relación existente entre distintos cambios sintácticos, y su posible aportación al establecimiento de una periodización del español, se han seleccionado dos cambios gramaticales, ya que son los más representativos, no sólo del denominado español preclásico, sino también del español en general frente al resto de lenguas románicas.[19] Se trata de las estructuras de artículo ante posesivo antepuestos al sustantivo (artículo + posesivo + sustantivo), y las de interpolación de complementos entre el pronombre personal átono y el verbo (clítico + complemento + verbo). Ambas son características del período denominado español medieval, y ambas coinciden al perderse prácticamente a finales del siglo XV a causa de un proceso de gramaticalización (vid. RIDRUEJO, 1989 y Hopper- Traugott 1993) del posesivo y del clítico respectivamente, singularizando, por su importancia, toda una etapa histórica de la lengua.[20]

En los siguientes apartados se parte única y exclusivamente del corpus para estudiar la evolución de estas dos construcciones sintácticas, a partir de su posible pertenencia o no a un determinado género (información diastrática), dialecto (información diatópica) o época (información diacrónica) específicos, con el fin de poder constatar o no similitudes en el desarrollo de su difusión y posterior pérdida o desgramaticalización.[21] Como se podrá observar, la ayuda de las bases de datos resulta imprescindible para la localización, el manejo y la comparación de todos estos datos gramaticales.

3.3.1. *La anteposición de artículo y posesivo ante sustantivo*

Para el estudio de la combinación sintáctica de artículo + posesivo antepuestos a un sustantivo, se parte sólo de un tipo de posesivo, el de 3ª persona, dada la gran cantidad de datos que ofrece el corpus y que sobrepasa las expectativas del presente trabajo. A pesar de esta selección, las formas gramati-

19. Para una lista bastante completa de otros cambios, tanto fonológicos como gramaticales, que confluyen en los siglos XV y XVI, vid. Eberenz (1991: §§ 4.2.-4.5.), Cano Aguilar (1992) y Ridruejo (1993); y, ya de forma más particular, referido principalmente al desarrollo de las perífrasis verbales, vid. Green (1993).

20. La bibliografía existente sobre la evolución de estos dos tipos de estructuras gramaticales es bastante amplia y sobrepasa con creces las expectativas del presente estudio, en donde se pretende mostrar las ventajas de la aplicación de herramientas informáticas en sintaxis histórica. Con todo, merece la pena hacer mención explícita de aquellos trabajos más sobresalientes que se han ocupado de estos temas, los cuales se han tenido en cuenta para la realización del presente artículo. En relación a ambos tipos de construcciones, existen referencias de forma general en Hanssen (1913/1945: §§ 504-507 y §§ 517-519) y Alonso (1962), y en relación a una época concreta, en Meilán García (1991: § 4.1.1.1. y § 3.2.13.) para el siglo XV, y en Keniston (1937: §§ 19 y 9, especialmente el § 9.9) para el XVI, época esta última en que se expresa el carácter arcaico o muy esporádico de esta clase de estructuras. Sobre el artículo ante posesivo en particular, destacan desde los clásicos estudios de Terracini (1951) y Lapesa (1971), hasta los más actuales de Clavería Nadal (1992), Lyons (1993) y, sobre todo, la serie dedicada por Company (1991), (1993), (1994) y (1995), y la tesis doctoral de Batllori (1996). Respecto a la interpolación, sobresale el clásico trabajo de Chenery (1905), desarrollado y completado posteriormente por los estudios de Ramsden (1963), Wanner (1987), Benacchio y Renzi (1987), Wanner (1991b), Fontana (1993), Sánchez Lancis (1993), Batllori Dillet, Sánchez Lancis, Suñer Gratacós (1995) y, recientemente, de forma monográfica, por Castillo Lluch (1996) y (1997).

21. Para un estudio pormenorizado de la evolución de ambos tipos de estructuras a partir de datos extraídos tanto de gramáticas como de obras de la época, así como de la bibliografía citada en la nota anterior, vid. Sánchez Lancis (1995) y (1997).

cales que responden a tal clase en nuestra base de datos comporta la nada despreciable cifra de 1.112 ejemplos. Éstos se han extraído a partir de una consulta a través del campo 3 Lema (formas *su / suyo* respectivamente para los valores adjetivo y pronominal) o del campo 4 Clase Gramatical (pronombre posesivo, 3ª persona), la cual proporciona las siguientes Formas Gramaticales (campo 1) registradas en el corpus: *suo* (26), *suos* (11), *sui* (1), *suis* (1), *so* (54), *sso* (2), *sos* (36), *ssos* (2), *suyo* (18) y *suyos* (9), para el masculino; *sua* (37), *suam* (5), *suas* (16), *sue* (3), *sues* (1), *su* (627), *sus* (256), *suya* (6) y *suyas* (1), para el femenino. Algunas de las formas anteriores no sólo sirven para ambos géneros (caso de *su / sus*), sino que pueden desempeñar tanto función sustantiva como adjetiva indistintamente (*sua / suas*, por ejemplo), o reducirse sólo a una de éstas (e. g., *suyo(s) / suya(s)*, que actúa de núcleo o va pospuesto al sustantivo). Además, el uso de la base de datos permite la discriminación de homónimos, como es el caso de *so*, 1ª pers. del verbo *ser*, y *so*, preposición, con un total de 68 formas en todo el texto, las cuales se han tenido que separar de los casos de posesivo de forma semiautomática. Algunos ejemplos de anteposición con posesivo de 3ª pers. en donde aparecen estas formas, son:

1) "Facanos Deus omnipotes tal serbitjo fere ke denante *ela sua* face gaudioso segamus." [1.1. *Glosas emilianenses*, S. X (949_951). TNL.P. Pag.0017.21]
2) "De *las sus* bocas todos dizían una razóne:" [2.3. S. XII (1105H y 1140H). TL.V. Pag.0040.26]
3) "E quando Ihesus ouo acabadas estas palauras, marauillauan se las compannas d*el so* castigamiento;" [5.51. T. doct. y jur. cast., S. XIII (1260H). TNL.P. Pag.0175.30]
4) "Leyendo *el su* libro muy sancto que compuso," [6.12.1. S. XIV (1333H). TL.V. Pag.0218.10]
5) "E quando le falleçia de los omnes e frutos en que fartase *las sus* fanbre e ira," [8.7. S. XV (1417). TL.P. Pag.0301.5]

Debido a que la base de datos relacional que se ha presentado anteriormente no está terminada en la actualidad (se está realizando todavía la clasificación propiamente gramatical, campos 1-4, para poder pasar más adelante al estudio sintáctico y tipológico), se ha recurrido a la inestimable ayuda de la base de datos textual (programa DBT), ya que ésta ofrece enormes posibilidades para estudiar el orden de palabras a partir de la realización de concordancias, ordenadas en función de la forma que aparece tanto a la izquierda como a la derecha del posesivo. Por consiguiente, y con una cierta dosis de paciencia, se ha realizado un estudio muy pormenorizado de todas las diferentes posiciones y combinaciones que adoptan todas las formas, tanto adjetivas o determinantes como pronominales, del pronombre posesivo de 3ª persona. Los resultados quedan reflejados en el cuadro 9:

Posesivo de 3ª pers.			*Pos. + Sust.*	*Det.+Pos.+Sust.*	Posesivo	*Sust. + Pos.*	*Total*
S. X	*Lit.:*	*Prosa*	0	0	0	0	0
	Lit.:	*Verso*	0	0	0	0	0
	No Lit.:	*ast.*	3	0	0	1	4 (22,3%)
	No Lit.:	*leon.*	3	0	0	0	3 (16,7%)
	No Lit.:	*cast.*	10	1 (100%)	0	0	11 (61%)
	No Lit.:	*rioj.*	0	0	0	0	0
	No Lit.:	*nav.*	0	0	0	0	0
	No Lit.:	*arag.*	0	0	0	0	0
	Total:		**16 (88,9%)**	**1 (5,55%)**	**0 (0%)**	**1 (5,55%)**	**18 (1,5%)**
S. XI	*Lit.:*	*Prosa*	0	0	0	0	0
	Lit.:	*Verso*	0	0	0	0	0
	No Lit.:	*ast.*	1	0	0	1	2 (10%)
	No Lit.:	*leon.*	2	0	0	0	2 (10%)
	No Lit.:	*cast.*	2	0	0	0	2 (10%)
	No Lit.:	*rioj.*	1	0	0	0	1 (5%)
	No Lit.:	*nav.*	0	0	0	0	0
	No Lit.:	*arag.*	11	0	1	1	13 (65%)
	Total:		**17 (85%)**	**0 (0%)**	**1 (5%)**	**2 (10%)**	**20 (2%)**
S. XII	*Lit.:*	*Prosa*	0	0	0	0	0
	Lit.:	*Verso*	15	5 (83,3%)	2	0	22 (31%)
	No Lit.:	*ast.*	11	0	0	0	11 (15,5%)
	No Lit.:	*leon.*	7	1 (16,7%)	0	0	8 (11,25%)
	No Lit.:	*cast.*	15	0	0	0	15 (21,15%)
	No Lit.:	*rioj.*	2	0	0	0	2 (2,8%)
	No Lit.:	*nav.*	9	0	2	1	12 (16,9%)
	No Lit.:	*arag.*	1	0	0	0	1 (1,4%)
	Total:		**60 (84,5%)**	**6 (8,45%)**	**4 (5,6%)**	**1 (1,4%)**	**71 (6,5%)**
S. XIII	*Lit.:*	*Prosa*	58	5 (12,8%)	2	1	66 (17,2%)
	Lit.:	*Verso*	103	19 (48,7%)	0	0	122 (31,8%)
	No Lit.:	*ast.*	7	1 (2,6%)	1	0	9 (2,3%)
	No Lit.:	*leon.*	24	4 (10,2%)	1	1	30 (7,8%)
	No Lit.:	*cast.*	91	7 (18%)	0	0	98 (25,5%)
	No Lit.:	*rioj.*	6	0	0	0	6 (1,6%)
	No Lit.:	*nav.*	33	1 (2,6%)	0	0	34 (8,9%)
	No Lit.:	*arag.*	16	2 (5,1%)	0	1	19 (4,9%)
	Total:		**338 (88%)**	**39 (10%)**	**4 (1%)**	**3 (1%)**	**384 (34,5%)**
S. XIV	*Lit.:*	*Prosa*	78	19 (49%)	3	1	101 (45%)
	Lit.:	*Verso*	44	16 (41%)	2	0	62 (27,5%)
	No Lit.:	*ast.*	2	0	0	0	2 (1%)
	No Lit.:	*leon.*	1	0	0	0	1 (0,5%)
	No Lit.:	*cast.*	19	3 (8%)	3	0	25 (11,5%)
	No Lit.:	*rioj.*	0	0	0	0	0
	No Lit.:	*nav.*	6	1 (2%)	0	1	8 (3,5%)
	No Lit.:	*arag.*	16	0	0	2	18 (8%)
	No Lit.:	*and.*	7	0	0	0	7 (3%)
	Total:		**173 (77%)**	**39 (17,5%)**	**8 (3,5%)**	**4 (2%)**	**224 (20%)**
S. XV	*Lit.:*	*Prosa*	142	9 (23%)	4	3	158 (40%)
	Lit.:	*Verso*	102	20 (51%)	2	0	124 (31%)
	No Lit.:	*ast.*	6	0	2	0	8 (2%)
	No Lit.:	*leon.*	0	0	0	0	0
	No Lit.:	*cast.*	66	9 (23%)	0	2	77 (19,5%)
	No Lit.:	*rioj.*	0	0	0	0	0
	No Lit.:	*nav.*	11	1 (3%)	0	1	13 (3,5%)
	No Lit.:	*arag.*	4	0	0	0	4 (1%)
	No Lit.:	*and.*	8	0	3	0	11 (3%)
	Total:		**339 (86%)**	**39 (10%)**	**11 (2,5%)**	**6 (1,5%)**	**395 (35,5%)**
TOTAL			**943 (85%)**	**124 (11%)**	**28 (2,5%)**	**17 (1,5%)**	**1.112 (100%)**

Cuadro 9.

A falta de un análisis sintáctico mucho más pormenorizado, los datos recogidos en el cuadro anterior aportan los siguientes rasgos a la construcción de artículo + posesivo + sustantivo en español medieval: a) se trata de un tipo de orden que, aunque posee muy poca difusión durante prácticamente toda la etapa medieval (representa apenas un 10% de todas las construcciones con posesivo), con excepción de un leve aumento en el siglo XIV (17,5%), existe ya desde el siglo X como modelo marcado respecto al orden mayoritario de posesivo + sustantivo (siempre se sitúa sobre un 80-85% del total de los casos); b) a pesar de que el número de ejemplos se repite desde el siglo XIII al XV (39 casos), el siglo XV, proporcionalmente, marca el declive de esta combinación sintáctica; c) con excepción del castellano, no se advierte ningún otro dialecto que muestre una clara preferencia por esta clase de orden, ya que todos permiten tal combinación, aunque sí parece existir una mayor preferencia en los textos literarios frente a los no literarios a partir del siglo XIV (se pasa de un 30-50% aproximadamente en los siglos XII-XIII, a un 70%), independientemente de si se trata de prosa o verso, lo cual justificaría su mantenimiento residual en literatura; y d) no se observa una gran proliferación durante toda la Edad Media, ni tampoco un aumento en su última época, de los casos de posposición del posesivo al sustantivo (se mantiene desde el XII al XV sobre un 1,5%), como habría sido esperable si la posposición hubiera incidido en la pérdida de la anteposición con artículo.

En definitiva, los distintos parámetros diacrónicos, diastráticos y diatópicos muestran un claro proceso de gramaticalización de un elemento lingüístico, el posesivo, en la posición de determinante del sintagma nominal, y una progresiva difusión de tal proceso durante todo el español medieval, la cual culmina a finales del siglo XV.

3.3.2. *La interpolación de complementos entre el pronombre personal átono y el verbo*

De todas las construcciones que presentan interpolación en español medieval, la más característica es la de la inclusión del adverbio de negación *no* entre el clítico y el verbo. Con el fin de localizar este tipo de estructuras en el corpus textual, se ha realizado una consulta al campo LEMA de la base de datos relacional (elemento léxico *no*), el cual nos ha proporcionado las siguientes formas gráficas (campo 1) con que aparece dicho adverbio en 1596 construcciones gramaticales: *no* (437 veces), *nol* (18), *nola* (1), *nolo* (4), *nom* (3), *non* (1128), *nonlo* (1), *nonse* (2), *nosse* (1) y *not* (1). Una vez obtenidas todas las variantes gráficas, y debido a las carencias que todavía presenta la base de datos relacional (está en proceso de elaboración), resulta de extraordinaria utilidad la base de datos textual para iniciar las búsquedas sintácticas a partir de las variantes establecidas. De este modo, para conocer las veces en que el adverbio de negación aparece interpolado entre el clítico y el verbo, se recurre a la opción *Varie* del programa DBT, en cuyo interior se encuentra la opción *Cooccorrenze Statistiche*, que permite estudiar estadísticamente la relación sintagmática entre las diversas ocurrencias del texto. Dentro de esta opción, se selecciona sólo el contexto referido a 1 palabra a la izquierda, 0 a la derecha y 1 como frecuencia mínima de aparición. Esta búsqueda nos da como resultado que el adverbio de negación *no* aparece pospuesto a 142 palabras diferentes y *non* a otras 312 formas, ordenadas en función de su frecuencia de aparición en relación tanto al total de veces que se localizan en todo el texto, como sólo con este adverbio. Una vez seleccionadas todas estas palabras, sólo se han tenido en cuenta los clíticos que aparecen a continuación (recuérdese que las palabras gramaticales, por su gran índice o frecuencia de aparición en todo el texto, son las que acostumbran a tener la frecuencia más baja o incluso negativa):

Co-Occorrenze statistiche de *no*

N.º	*coaparición*	*total*	*frecuencia*	*forma*
133)	1	481	-0.920	me
135)	2	1532	-1.006	los
139)	1	786	-1.628	lo
Total:	4			

Co-Occorrenze statistiche de *non*

N.º	*coaparición*	*total*	*frecuencia*	*forma*
45)	1	1	6.612	silu
97)	1	4	4.612	quele
114)	2	11	4.153	gelo
166)	1	13	2.912	ques
244)	16	668	1.229	se
245)	2	86	1.186	les
252)	3	331	1.049	vos
262)	1	57	0.779	l
272)	12	786	0.579	lo
279)	1	78	0.327	quel
293)	4	481	-0.298	me
305)	1	280	-1.517	le
309)	2	1532	-2.969	los
310)	3	2602	-3.148	la
Total:	50			

Como se puede ver, el adverbio de negación, tanto en sus formas *no* (minoritaria) y *non* (mayoritaria) medievales, presenta un total de 54 casos de interpolación en todo el corpus, de los que seleccionamos los siguientes ejemplos, que van del XII al XV:

1) "que *gelo non* ventassen de Burgos omne nado." [2.3. S. XII (1105H y 1140H).TL.V. Pag.0043.7]
2) "se uan de la tierra por que *los no* fallen. [5.45. T. cast., s. XIII (1256-65). TNL.P. Pag.0168.20]
3) "E feriolo tan fieramente que *le non* valio arma ninguna;" [6.4. S. XIV (1313H).TL.P. Pag.0204.35]
4) " (...) ca *me no* podría al presente desta tierra partir?" [8.58. S. XV (1498A). TL. P. Pag.0400.35]

Tales ejemplos, independientemente de los comentarios de tipo sintáctico que se puedan realizar (y que ya aparecen en la bibliografía mencionada), representan un modelo de construcción con muy poco rendimiento en español medieval, como se comprueba fácilmente si se contrastan todos los casos de interpolación de adverbio negativo con aquéllos en donde el clítico se coloca junto al verbo, opción mayoritaria y preferida durante toda esta época. De este modo, un estudio estadístico de formas que aparecen a la derecha de la negación, proporciona los siguientes resultados: el adverbio *no* concurre con 233 palabras distintas, de entre las cuales 16, con un total de 164 ocasiones, corresponden a clíticos (*t', li, m', te, os, les, me, lo, le, se, nos, vos, uos, la, los, las*); mientras que el adverbio *non* se presenta con 583 formas diferentes, de las cuales 18 (258 veces) son clíticos (*gela, lelo, lle, li, se, gelo, m', les, te, me, lo, le, vos, uos, nos, las, los, la*). Si a estas 422 construcciones de adverbio + clítico se le suman los casos de interpolación (54), nos da un total de 476 combinaciones ambivalentes de negación y clítico, lo cual implica que el orden interpolado sólo es "elegido" un 11,35% de ocasiones. Como se comprueba fácilmente, estos datos proporcionan un índice de frecuencia muy bajo para las estructuras interpoladas, hecho que repercute notablemente en su productividad durante toda la etapa medieval, como se puede observar en el siguiente cuadro, en donde se tienen en cuenta factores como el siglo, el género y el dialecto:

	Textos		*Interpolación*		*Textos*		*Interpolación*
S. X	*Lit.:*	*Prosa*	0	S. XI	*Lit.:*	*Prosa*	0
	Lit.:	*Verso*	0		*Lit.:*	*Verso*	0
	No Lit.:	*ast.*	0		*No Lit.:*	*ast.*	0
	No Lit.:	*leon.*	0		*No Lit.:*	*leon.*	0
	No Lit.:	*cast.*	0		*No Lit.:*	*cast.*	0
	No Lit.:	*rioj.*	0		*No Lit.:*	*rioj.*	0
	No Lit.:	*nav.*	0		*No Lit.:*	*nav.*	0
	No Lit.:	*arag.*	0		*No Lit.:*	*arag.*	0
	Total:		**0 (0%)**		***Total:***		**0 (0%)**
S. XII	*Lit.:*	*Prosa*	0	S. XIII	*Lit.:*	*Prosa*	7 (33,3%)
	Lit.:	*Verso*	1 (100%)		*Lit.:*	*Verso*	4 (19,0%)
	No Lit.:	*ast.*	0		*No Lit.:*	*ast.*	1 (04,8%)
	No Lit.:	*leon.*	0		*No Lit.:*	*leon.*	3 (14,3%)
	No Lit.:	*cast.*	0		*No Lit.:*	*cast.*	6 (28,6%)
	No Lit.:	*rioj.*	0		*No Lit.:*	*rioj.*	0
	No Lit.:	*nav.*	0		*No Lit.:*	*nav.*	0
	No Lit.:	*arag.*	0		*No Lit.:*	*arag.*	0
	Total:		**1 (1,9%)**		***Total:***		**21 (38,9%)**
S. XIV	*Lit.:*	*Prosa*	16 (64%)	S. XV	*Lit.:*	*Prosa*	3 (3,43%)
	Lit.:	*Verso*	5 (20%)		*Lit.:*	*Verso*	0
	No Lit.:	*ast.*	0		*No Lit.:*	*ast.*	0
	No Lit.:	*leon.*	0		*No Lit.:*	*leon.*	0
	No Lit.:	*cast.*	3 (12%)		*No Lit.:*	*cast.*	2 (28,5%)
	No Lit.:	*rioj.*	0		*No Lit.:*	*rioj.*	0
	No Lit.:	*nav.*	0		*No Lit.:*	*nav.*	0
	No Lit.:	*arag.*	0		*No Lit.:*	*arag.*	0
	No Lit.:	*and.*	1 (4%)		*No Lit.:*	*and.*	2 (28,5%)
	Total:		**25 (46,3%)**		***Total:***		**7 (12,9%)**
TEXTOS	*Lit.:*	*Prosa*	**26 (48%)**				
	Lit.:	*Verso*	**10 (18,5%)**				
	No Lit.:	*ast.*	**1 (1,9%)**				
	No Lit.:	*leon.*	**3 (5,6%)**				
	No Lit.:	*cast.*	**11 (20,5%)**				
	No Lit.:	*rioj.*	**0**				
	No Lit.:	*nav.*	**0**				
	No Lit.:	*arag.*	**1 (2%)**				
	No Lit.:	*and.*	**2 (3,5%)**				
	Total:		**54 (100%)**				

Cuadro 10.

De la interpretación de los datos anteriores, se desprenden las siguientes conclusiones: a) si se tiene en cuenta la evolución diacrónica, la interpolación es un tipo de construcción que se introduce tímidamente en el XII, tiene un creciente desarrollo durante los siglos XIII y XIV, y cae drásticamente en el XV (se pasa de un 46,3% a un casi testimonial 12,9%); b) si se parte del género, su uso en literatura es muy mayoritario respecto a los textos no literarios (70% a 30%), siendo la prosa el lugar preferido (51,9%), a pesar de lo que se podría pensar *a priori*, si se considera que el verso permite mayores alteraciones en el orden de la oración por motivos de cómputo silábico, rima, etc.; y c) si se tiene en consideración los parámetros diatópicos, el dialecto castellano parece ser el que aceptó tal construcción, junto con el leonés, andaluz y asturiano, aunque éstos en menor grado.

Por consiguiente, todos estos datos vienen a confirmar su evolución, así como el carácter opcional, castellano (a pesar de ser característica de Galicia, Portugal y León) y literario de este tipo de construcción durante todo el español medieval que, a pesar de su limitada incidencia en el corpus, no deja de sorprender su constancia durante tan largo período de la lengua española.

3.3.3. *La relación existente entre dos cambios gramaticales: el artículo ante posesivo y la interpolación*

Si bien la pérdida o desgramaticalización de ambos tipos de construcciones, artículo más posesivo antepuesto al sustantivo e interpolación de complementos entre el clítico y el verbo, no parece concluir en el siglo XV según los datos expuestos en los cuadros 9 y 10, ya que ambas disminuyen su presencia, pero se mantienen en la lengua, un estudio mucho más detenido de la aparición de estas combinaciones en distintas épocas de este siglo (cada 25 años), ofrece unas conclusiones muy diferentes, como revelan los datos del cuadro 11:

Siglo XV		*Artículo + Posesivo + Sustantivo / Interpolación*			
		1400-1424	*1425-1449*	*1450-1474*	*1475-1499*
Lit.:	*Prosa*	3 / 0	5 / 2	0 / 0	1 / 1
Lit.:	*Verso*	8 / 0	9 / 2	1 / 0	2 / 0
No Lit.:	*ast.*	0 / 0	0 / 0	0 / 0	0 / 0
No Lit.:	*leon.*	0 / 0	0 / 0	0 / 0	0 / 0
No Lit.:	*cast.*	5 / 0	1 / 0	2 / 0	1 / 0
No Lit.:	*rioj.*	0 / 0	0 / 0	0 / 0	0 / 0
No Lit.:	*nav.*	0 / 0	1 / 0	0 / 0	0 / 0
No Lit.:	*arag.*	0 / 0	0 / 0	0 / 0	0 / 0
No Lit.:	*and.*	0 / 0	0 / 2	0 / 0	0 / 0
Total:		**16 (41%) / 0**	**16 (41%) / 6 (86%)**	**3 (8%) / 0**	**4 (10%) / 1 (14%)**

Cuadro 11.

Ambas construcciones presentan la casi totalidad de ejemplos en la primera mitad del siglo XV (82% y 86% respectivamente), por lo que se puede postular su práctica desaparición en el último cuarto de siglo, a falta de la incorporación a nuestro corpus de textos de los siglos XVI y XVII. Sin embargo, este hecho resulta lo suficientemente importante en el momento que supone una clara ruptura en la proliferación de esta clase de construcciones, e implica su más que probable abandono por parte de los hablantes del incipiente español preclásico. Esta hipótesis parece confirmarse si se observa la reducción de tales casos al ámbito literario durante toda esta etapa y, especialmente, en los últimos años, sobre todo en lo que se refiere a los ejemplos de interpolación.

Por consiguiente, la pérdida de dos construcciones sintácticas tan generalizadas y tan características de todo el español medieval en un mismo período de tiempo, la segunda mitad del siglo XV, sobrepasa el mero factor de coincidencia temporal y es motivo más que suficiente para establecer una clara frontera lingüística entre dos épocas muy distintas de la lengua española, español medieval y español clásico, y postular el fin de una etapa de estabilidad y el inicio de una nueva fase que, como sugiere Eberenz (1991), implicará una progresiva transformación de esta lengua. Por ello, la presencia esporádica de ejemplos de alguna de estas construcciones en siglos posteriores no contradice en absoluto la existencia de dicha frontera, sino que implica la confirmación del carácter residual de estos modelos sintácticos, consecuencia necesaria de todo proceso de cambio lingüístico. A partir de ahora es posible realizar el estudio de la actuación de aquellos mecanismos gramaticales comunes que se encargaron de facilitar la confluencia temporal de tales cambios.

4. Conclusión

La utilización de herramientas informáticas para el estudio de la sintaxis histórica ha permitido ayudar al establecimiento de unos límites mucho más precisos en la periodización del español, sobre todo por lo que respecta a la época denominada español preclásico, al demostrar una coincidencia temporal en el abandono o pérdida de dos construcciones sintácticas tan características del español medieval y tan opuestas al español actual, como son la anteposición del artículo ante el posesivo y la interpolación de complementos entre el clítico y el verbo. Tal coincidencia temporal entre dos construcciones en principio tan diferentes (la primera afecta al sintagma nominal, la segunda al sintagma verbal), propicia la existencia de un posible cambio común, la actuación de un proceso general de gramaticalización de la estructura de todo sintagma, que afecta a los elementos antepuestos al núcleo, y que merece estudios gramaticales mucho más específicos que el que se ha presentado aquí.[22]

Finalmente, la aplicación de bases de datos relacionales y textuales para una investigación de esta índole, ha permitido extraer y relacionar una serie de datos gramaticales que de otro modo habría sido mucho más complicado, así como ha dejado también la puerta abierta a la realización de nuevos estudios referidos a otros cambios sintácticos, que permitan verificar la hipótesis planteada más arriba. En definitiva, la presente metodología viene a avalar no sólo la utilidad de este tipo de herramientas informáticas, sino la necesidad imperiosa, en el momento

22. Uno de nuestros próximos objetivos es hacer un estudio de la práctica totalidad de cambios gramaticales que suceden entre finales del XV y principios del XVI, mediante la aplicación de la metodología expuesta en estas páginas.

actual, de dotar a los estudios de diacronía del español de un corpus anotado lo suficientemente representativo, como para cubrir con creces las necesidades de una disciplina durante tanto tiempo relegada como ha sido la sintaxis histórica.

Referencias bibliográficas

ALONSO, M. (1962), *Evolución sintáctica del español. Sintaxis histórica del español desde el iberorromano hasta nuestros días*, Madrid: Aguilar, 1972[3].

ALVAR EZQUERRA, M., BLANCO RODRÍGUEZ, Mª J., PÉREZ LAGOS, F. (1994), "Diseño de un corpus español en el marco de un corpus europeo", en ALVAR EZQUERRA, M., VILLENA PONSODA, J. A. (Coords.) (1994), *Estudios para un corpus del español*, Málaga: Universidad de Málaga, pp. 9-29.

ALVAR EZQUERRA, M., CORPAS PASTOR, G. (1994), "Criterios de diseño para la creación de córpora", en ALVAR EZQUERRA, M., VILLENA PONSODA, J. A. (Coords.) (1994), *Estudios para un corpus del español*, Málaga: Universidad de Málaga, pp. 31-40.

ALVAR EZQUERRA, M., VILLENA PONSODA, J. A. (Coords.) (1994), *Estudios para un corpus del español*, Málaga: Universidad de Málaga (*Anejo* 7 de *Analecta Malacitana*).

ARRARTE, G., LLISTERRI, J. (1994), *Informe sobre recursos lingüísticos para el español:* I. *Corpus escritos y orales disponibles y en desarrollo en España*, Alcalá de Henares: Instituto Cervantes.

ATKINS, S.,CLEAR, J., OSTLER, N. (1992), "Corpus Design Criteria", *Literary and Linguistic Computing*, 7, 1: 1-16.

BATLLORI DILLET, M. (1996), *Aspectos tipológicos y cambio sintáctico en la evolución del latín clásico al español medieval y preclásico*, tesis doctoral en microforma, Bellaterra: Universidad Autónoma de Barcelona.

BATLLORI DILLET, M., PUJOL PAYET, I., SÁNCHEZ LANCIS, C. (1996), "The Syntactic Information in the *Diccionario crítico etimológico castellano e hispánico* by J. Corominas and J. A. Pascual as Expressed in the Database *Syntax.dbf*", *Catalan Working Papers in Linguistics*, 5, 2: 153-167.

BATLLORI DILLET, M., SÁNCHEZ LANCIS, C., SUÑER GRATACÓS, A. (1995), "The Incidence of Interpolation on the Word Order of Romance Languages", *Catalan Working Papers in Linguistics*, 4, 2: 185-209.

BENACCHIO, R., RENZI, L. (1987), *Clitici Slavi e Romanzi*, Padova: Università di Padova (*Quaderni Patavini di Linguistica, Monografie* 1).

BLECUA, J. M. (1996), "Reflexiones al margen de los corpus escritos", en PAYRATÓ, LL., BOIX, E., LLORET, M. R., LORENTE, M. (eds.) (1996), *Corpus, corpora. Actes del 1r i 2n Col·loquis Lingüístics de la Universitat de Barcelona (CLUB -1, CLUB -2)*, Barcelona: Promociones y Publicaciones Universitarias (*Col·lecció Lingüística Catalana*, 1), pp. 15-26.

CANO AGUILAR, R. (1988), *El español a través de los tiempos*, Madrid: Arco/Libros.

— (1991), "Perspectivas de la sintaxis histórica española", *Anuario de Letras de México*, 29: 53-81.

— (1992), "La sintaxis española en la época del Descubrimiento", en BARTOL HERNÁNDEZ, J. A., GARCÍA SANTOS, J. F., SANTIAGO GUERVÓS, J. de (eds.) (1992), *Estudios filológicos en homenaje a Eugenio de Bustos Tovar*, vol. I, Salamanca: Universidad de Salamanca (*Acta Salmanticensia*, 250), pp. 183-197.

— (1994), "Perspectivas de la sintaxis histórica española: el análisis de los textos", en las *Actas del congreso de la lengua. Sevilla, 7 al 10 de octubre de 1992*, Madrid: Instituto Cervantes, pp. 577-586.

CAPSADA, R., TORRUELLA, J. (1995), *TRANSCALC. Del manuscrit a la base de dades*, Bellaterra: Universitat Autònoma de Barcelona (*Cuadernos de Filologia*, 7).

CASTILLO CABEZAS, M. (1994), "Herramientas para el tratamiento de corpus en PC", en ALVAR EZQUERRA, M., VILLENA PONSODA, J. A. (Coords.) (1994), *Estudios para un corpus del español*, Málaga: Universidad de Málaga, pp. 133-144.

CASTILLO LLUCH, M. (1996), *La posición del pronombre átono en la prosa hispánica medieval*, tesis doctoral inédita, Madrid: Universidad Autónoma de Madrid.

— (1997), "La interpolación en español antiguo", en las *Actas del IVº Congreso Internacional de Historia de la Lengua Española* (*Universidad de La Rioja, 1-5 de abril de 1997*), Logroño: Universidad de La Rioja (en prensa).

CLAVERÍA NADAL, G. (1992), "La construcción artículo+posesivo en los siglos XIV y XV", en ARIZA, M., CANO, R., MENDOZA, J. Mª, NARBONA, A. (eds.) (1992), *Actas del IIº Congreso Internacional de Historia de la Lengua Española*, tomo I, Madrid: Pabellón de España, pp.347-357.

CLAVERÍA NADAL, G. *et alii* (1997), "El proyecto de informatización del *DCECH*: Aplicaciones y resultados", en las *Actas del IVº Congreso Internacional de Historia de la Lengua Española* (*Universidad de La Rioja, 1-5 de abril de 1997*), Logroño: Universidad de La Rioja (en prensa).

CLAVERÍA NADAL, G., SÁNCHEZ LANCIS, C. (1997), "La aplicación de las bases de datos al estudio histórico del español", *Hispania,* 80, 1: 142-152.

CLAVERÍA NADAL, G., SÁNCHEZ LANCIS, C., TORRUELLA CASAÑAS, J. (1997), "La conversión del *DCECH* a un sistema hipertextual", *La corónica,* 26, 1: 25-44.

COMPANY, C. (1991), *La frase sustantiva en el español medieval. Cuatro cambios sintácticos,* México: UNAM.

— (1993), "*Su casa de Juan*: estructura y evolución de la duplicación posesiva en español", en PENNY, R. (ed.) (1993), *Actas del Primer Congreso Anglo-Hispano,* Tomo I, Madrid: Castalia, pp. 73-86.

— (1994), "Semántica y sintaxis de los posesivos duplicados en el español de los siglos XV y XVI", *Romance Philology,* 48, 2: 111-135.

— (1995), "De la gramática a la estilística: las duplicaciones posesivas en *La Celestina*", en GONZÁLEZ, A., WALDE, L. von der- COMPANY, C. (1995), *Palabra e imagen en la Edad Media* (*Actas de las IV Jornadas Medievales*), México: UNAM (Publicaciones *Medievalia,* 10), pp. 141-156.

CHENERY, W. H. (1905), "Object-Pronouns in Dependent Clauses: A Study in Old Spanish Word-Order", *Modern Language Association of America* 20-21: 1-151.

EBERENZ, R. (1991), "*Castellano antiguo* y *español moderno*: reflexiones sobre la periodización en la historia de la lengua", *Revista de Filología Española,* 71: 79-106.

FAULHABER, Ch. B. (1994), "La *Text Encoding Initiative* y su aplicación a la codificación textual y explotación", en las *Actas del congreso de la lengua. Sevilla, 7 al 10 de octubre de 1992,* Madrid: Instituto Cervantes, pp. 331-40.

FERNANDEZ, A., LLISTERRI, J. (1996), *Informe sobre recursos lingüísticos para el español:* II. *Corpus escritos y orales disponibles y en desarrollo en España,* Alcalá de Henares: Instituto Cervantes.

FONTANA, J. Mª (1993), *Phrase Structure and the Syntax of Clitics in the History of Spanish,* PhD Dissertation, UMI microfilm: University of Pennsylvania.

GARCÍA PLATERO, J. M. (1994), "Resultados de la encuesta en España sobre la necesidad de un corpus textual", en ALVAR EZQUERRA, M., VILLENA PONSODA, J. A. (coords.) (1994), *Estudios para un corpus del español,* Málaga: Universidad de Málaga, pp. 41-45.

GONZÁLEZ OLLÉ, F. (1993), *Lengua y literatura españolas medievales. Textos y glosario,* 2ª edición revisada, Madrid: Arco/Libros (*Bibliotheca Philologica*).

GREEN, J. N. (1993), "El desarrollo de las perífrasis verbales y de la categoría 'semiauxiliar' en español", en PENNY, R. (ed.) (1993), *Actas del Primer Congreso Anglo-Hispano,* tomo I, Madrid: Castalia, pp. 61-71.

GUTIÉRREZ CUADRADO, J. (1994), "Volviendo sobre la lengua de Colón", en BERCHEM, Th., LAITENBERGER, H. (coords.) (1994), *Lengua y literatura en la época de los descubrimientos*, Salamanca: Junta de Castilla y León, Consejería de Cultura y Turismo, pp. 221-245.

HANSSEN, F. (1913/1945), *Gramática histórica de la lengua castellana*, ed. facsímil, Buenos Aires: El Ateneo.

HOPPER, P. J., TRAUGOTT, E. C. (1993), *Grammaticalization*, Cambridge: Cambridge University Press (*Cambridge Textbooks in Linguistics*).

KENISTON, H. (1937), *The Syntax of the Castilian Prose. The Sixteenth Century*, Chicago: Chicago University Press.

KROCH, A. (1996), "The Penn-Helsinki Parsed Corpus of Middle English: Methods, Results, and Future Prospects", texto manuscrito de la conferencia pronunciada en la "IV Jornada sobre corpus lingüístics: constitució, etiquetatge i explotació des d'una perspectiva lingüística variacionista", organizada por la Unitat de Recerca de Variació Lingüística del Institut Universitari de Lingüística Aplicada de la Universitat Pompeu Fabra, el 28 de mayo de 1996.

LAPESA, R. (1971), "Sobre el artículo ante posesivo en castellano antiguo", en COSERIU, E., DIEBER STEMPEL, W. (eds.) (1971), *Sprache und Geschichte. Festschrift für Harri Meier zum 65. Geburtstag*, München: Wilhelm Fink Verlag, pp. 277-296.

— (1981), *Historia de la lengua española*, 9ª ed. corregida y aumentada, Madrid: Gredos (*BRH, Manuales*, 45).

LÓPEZ GUZMÁN, J. M. (1994a), "Adquisición y reusabilidad de materiales en la creación de corpus", en ALVAR EZQUERRA, A, M., VILLENA PONSODA, J. A. (coords.) (1994), *Estudios para un corpus del español*, Málaga: Universidad de Málaga, pp. 47-62.

— (1994b), "Niveles de representación de textos escritos", en ALVAR EZQUERRA, A, M., VILLENA PONSODA, J. A. (coords.) (1994), *Estudios para un corpus del español*, Málaga: Universidad de Málaga, pp. 63-71.

LYONS, CH. (1993), "El desarrollo de las estructuras posesivas en el español temprano", en PENNY, R. (ed.) (1993), *Actas del Primer Congreso Anglo-Hispano*, tomo I, Madrid: Castalia, pp. 215-223.

LLOYD, P. M. (1994), "Tradición e innovación en las investigaciones en la historia de la lengua española", en las *Actas del congreso de la lengua. Sevilla, 7 al 10 de octubre de 1992*, Madrid: Instituto Cervantes, pp. 569-576.

MACKENZIE, D. (1994), "Problemas de transcripción textual electrónica: lenguas, dialectos, máquinas" en las *Actas del congreso de la lengua. Sevilla, 7 al 10 de octubre de 1992*, Madrid: Instituto Cervantes, pp. 341-344.

MARCOS MARÍN, F. (1992), "Spanisch: Periodisierung / Periodización", en HOLTUS, G., METZELTIN, M., SCHMITT, Ch. (eds.) (1992), *Lexikon der Romanistischen Linguistik*, Band VI, 1, Tübingen: Max Niemeyer, pp. 602-607.

— (1994a), "Estándares y estándar: ADMYTE, el archivo digital de manuscritos y textos españoles y sus soluciones para codificar e intercambiar datos textuales" en las *Actas del congreso de la lengua. Sevilla, 7 al 10 de octubre de 1992*, Madrid: Instituto Cervantes, pp. 345-359.

— (1994b), *Informática y humanidades*, Madrid: Gredos.

— (1996), *El comentario filológico con apoyo informático*, Madrid: Síntesis (*Teoría de la Literatura y Literatura Comparada*, 17).

MARCOS MARÍN, F. *et alii* (coords.) (1992), *ADMYTE: Archivo Digital de Manuscritos y Textos Españoles*, vol. 1, edición en CD-ROM, Madrid: Micronet.

MEILÁN GARCÍA, A. (1991), *La oración simple en la prosa castellana del siglo XV*, Oviedo: Universidad de Oviedo - Departamento de Filología Española (*Series Maior*, 4).

MENÉNDEZ PIDAL, R. (1942), "El lenguaje del siglo XVI", en MENÉNDEZ PIDAL, R. (1942), *La lengua de Cristóbal Colón, El estilo de Santa Teresa y otros estudios sobre el siglo XVI*, Madrid: Espasa-Calpe, 1978[6], pp. 47-84.

MILIC, L. T. (1995), "The Century of Prose Corpus: A Half-Million Word Historical Data Base", *Computers and the Humanities*, 29: 327-337.

MORENO CABRERA, J. C. (1995), *La lingüística teórico-tipológica*, Madrid: Gredos (*BRH, Estudios y Ensayos*, 389).

PANCKHURST, R. (1994), "A Database for Linguists: Intelligent Querying and Increase of Data", *Computers and the Humanities*, 28: 39-52.

PAYRATÓ, LL., BOIX, E., LLORET, M. R., LORENTE, M. (eds.) (1996), *Corpus, corpora. Actes del 1r i 2n Col·loquis Lingüístics de la Universitat de Barcelona (CLUB -1, CLUB -2)*, Barcelona: Promociones y Publicaciones Universitarias (*Col·lecció Lingüística Catalana*, 1).

PINO, M. (1996), "Encoding two large Spanish corpora with the TEI scheme: design and technical aspects of textual markup", Bethesda, Maryland: TEI Workshop at the ACM Digital Libraries '96, pp. 1-18.

PINO, M., SANTALLA, Mª P. (1996), "Codificación de la anotación morfosintáctica de corpus en lenguaje SGML", *Procesamiento del Lenguaje Natural*, 19: 101-117.

PINTZUK, S. (1996), "Annotating the Helsinki Corpus: Design and Implementation", texto manuscrito de la conferencia pronunciada en la "IV Jornada sobre corpus lingüístics: constitució, etiquetatge i explotació des d'una perspectiva lingüística variacionista", organizada por la Unitat de Recerca de Variació Lingüística del Institut Universitari de Lingüística Aplicada de la Universitat Pompeu Fabra, el 28 de mayo de 1996.

RAMSDEN, H. (1963), *Weak-Pronoun Position in the Early Romance Languages*, Manchester: Manchester University Press.

RIDRUEJO ALONSO, E. (1989), *Las estructuras gramaticales desde el punto de vista histórico*, Madrid: Síntesis (*Lingüística*, 10).

— (1993), "¿Un reajuste sintáctico en el español de los siglos XV y XVI?", en PENNY, R. (ed.) (1993), *Actas del Primer Congreso Anglo-Hispano*, Tomo I, Madrid: Castalia, pp. 49-60.

— (1994), "Sintaxis histórica", en las *Actas del congreso de la lengua. Sevilla, 7 al 10 de octubre de 1992*, Madrid: Instituto Cervantes, pp. 587-596.

ROJO, G. (1992), "El futuro *Diccionario de construcciones verbales del español actual*", en MARTÍN VIDA, C. (ed.) (1992), *Actas del VIII Congreso de Lenguajes Naturales y Lenguajes Formales*, Barcelona: Promociones y Publicaciones Universitarias, pp. 41-50.

— (1993), "La base de datos sintácticos del español actual", *Español Actual*, 59: 15-20.

— (1994), "Problemas lingüísticos e informáticos en los diccionarios de construcción y régimen", en las *Actas del congreso de la lengua. Sevilla, 7 al 10 de octubre de 1992*, Madrid: Instituto Cervantes, pp. 307-315.

SÁNCHEZ LANCIS, C. (1992), *Estudio de los adverbios de espacio y tiempo en el español medieval*, edición en microforma, Bellaterra: Universidad Autónoma de Barcelona.

— (1993), "La interpolación de complementos entre el pronombre personal átono y el verbo en español medieval", en HILTY, G, (ed.) (1993), *XXe Congrès International de Linguistique et Philologie Romanes*, tomo III, Sección IV, Tübingen: Francke und Basel, pp. 323-334.

— (1997), "La relación existente entre dos cambios gramaticales del español preclásico: artículo ante posesivo e interpolación", en las *Actas del IVº Congreso Internacional de Historia de la Lengua Española (Universidad de La Rioja, 1-5 de abril de 1997)*, Logroño: Universidad de La Rioja (en prensa).

— (1998), "Una reflexión global sobre el cambio gramatical en el español preclásico", en RUFFINO, G. (1998), *Atti del XXI Congresso Internazionale di Linguistica e Filologia*

Romanza (Palermo, 18/24 settembre 1995), tomo I, Tübingen: Max Niemeyer, pp. 349-360.

SEPLN-OBSERVATORIO ESPAÑOL DE INDUSTRIAS DE LA LENGUA (1997), *Grupos de investigación en procesamiento del lenguaje y del habla en España 1997*, Madrid: Instituto Cervantes.

SVARTVIK, J. (1992), *Directions in Corpus Linguistics: Proceedings of Nobel Symposium 82* (*Stockholm, 4-8 August 1991*), Berlín – New York: Mouton de Gruyter (*Trends in Linguistics, Studies and Monographs,* 65).

TERRACINI, L. (1951), *L'uso dell'articolo davanti al possessivo nel «Libro de Buen Amor»*, Torino: Università di Torino.

TORRUELLA, J. (1993), "Bases de dades per a textos medievals: el cas de l'Arxiu informatitzat de textos catalans medievals", en HILTY, G, (ed.) (1993), *Actes du XXe Congrès International de Linguistique et Philologie Romanes. Université de Zurich (6-11 avril 1992)*, Tomo IV, Tübingen: Francke und Basel, pp. 749-760.

VÁRVARO, A. (1997), "La historia de la lengua española como modelo para la lingüística diacrónica", conferencia inaugural, en las *Actas del Cuarto Congreso Internacional de Historia de la Lengua Española* (*La Rioja, 1 al 5 de abril de 1997*), Logroño: Universidad de La Rioja (en prensa).

WANNER, D. (1987), *The Development of Romance Clitic Pronouns: From Latin to Old Romance*, Berlin – New York – Amsterdam: Mouton de Gruyter (*Empirical Approaches to Language Typology*, 3).

— (1991a), "Historical Syntax and Old Spanish Text Files", en HARRIS-NORTHALL, R., CRAVENS, Th. D. (eds.) (1991), *Linguistic Studies in Medieval Spanish*, Madison: The Hispanic Seminary of Medieval Studies, pp. 166-190.

— (1991b), "The Tobler-Mussafia law in Old Spanish", en CAMPOS, H., MARTÍNEZ-GIL, F. (eds.) (1991), *Current Studies in Spanish Linguistics*, Washington: Georgetown University Press, pp. 313-378.

— (1994), "Data Base for Old Spanish Syntax (DBOSS). Instructions for File Preparation & Coding System (System 3 Final)", texto manuscrito, Ohio: The Ohio State University, pp. 1-24.

— (1997), "Proyecto para una sintaxis histórica del castellano", texto manuscrito inédito, conferencia pronunciada en la Universidad de Alcalá de Henares el 21 de mayo de 1997.

FONÉTICA

La fonética, como cualquier otra disciplina lingüística, se ha beneficiado enormemente del nacimiento de la tecnología digital. Con las nuevas herramientas informáticas, el estudio de los sonidos del habla ha pasado de ser una disciplina basada fundamentalmente en análisis auditivos –que no dejan de considerarse subjetivos, porque dependen de la percepción humana, aunque muchos de ellos se han demostrado más tarde acertados– a ser definitivamente una disciplina experimental, con una metodología muy semejante a la de otras ciencias. Los primeros aparatos y técnicas de análisis experimental (la palatografía, el quimógrafo, el sonógrafo, etc.) han dado paso a nuevas herramientas digitales, que han permitido un gran desarrollo de la fonética acústica y perceptiva, así como grandes avances en el campo de la fonética articulatoria. Con ellas, el tratamiento se ha simplificado y, en muchos casos, automatizado, lo que ha permitido el análisis de grandes corpus. Además, gracias a la aparición de ordenadores cada vez más potentes y de programas más sofisticados, el análisis estadístico de los datos se ha automatizado, lo que ha permitido trabajar más rápido con un número cada vez mayor de datos y variables.

Los dos capítulos siguientes tratan las dos vertientes de la relación entre fonética e informática. En el primero, elaborado por Joaquim Llisterri *et al.,* se describen, por un lado, las principales herramientas informáticas de que dispone actualmente la fonética, y por otro, algunas de las aplicaciones del conocimiento fonético en el campo de las tecnologías del habla. En el segundo, realizado por Dolors Poch y Bernard Harmegnies, se analiza la influencia de la informática en la fonética aplicada a la enseñanza de segundas lenguas.

J. LLISTERRI, L. AGUILAR,
J. M. GARRIDO, M. J. MACHUCA,
R. MARÍN, C. DE LA MOTA
Y A. RÍOS
Universitat Autònoma de Barcelona

Fonética y tecnologías del habla

1. Introducción

La fonética constituye, indudablemente, uno de los ámbitos de la lingüística que se ha beneficiado en mayor medida de la utilización de herramientas computacionales. Tratándose de una disciplina con un importante componente experimental (Llisterri, 1991), es fácil comprender que buena parte de su desarrollo en las últimas décadas haya estado estrechamente ligado a los avances de la informática, tal como en otros momentos lo estuvo a los de la electroacústica o, a finales del siglo pasado, a los de la mecánica. Al igual que en otros campos del saber, disponer de poderosas herramientas de análisis ha favorecido el desarrollo de teorías que, en nuestro caso, tienen como objetivo último explicar la comunicación mediante el habla entre los seres humanos. Dichas teorías avanzan necesariamente gracias al mejor conocimiento de los mecanismos de producción, transmisión y percepción de las señales sonoras lingüísticamente significativas que constituyen el objeto de estudio de la fonética. Sin embargo, la accesibilidad de nuevos sistemas de análisis no garantiza por sí misma el desarrollo de modelos y aunque el presente capítulo exponga aspectos fundamentalmente metodológicos y aplicados, no por ello debe olvidarse la existencia de un importante corpus teórico que proporciona una sólida base a las observaciones empíricas (Beckman, 1988; Lindblom, 1990; Stevens, 1989, entre otros).

Por otra parte, la necesidad de transmitir el habla a distancia de un modo eficaz está en la base del surgimiento de las denominadas tecnologías del habla, campo que comprende tanto la síntesis —generación automática del habla a partir de una representación simbólica— como el reconocimiento —conversión del habla en una representación simbólica— integrados en sistemas que permiten establecer una comunicación en forma de diálogo entre la persona y el ordenador (Holmes, 1988; Keller (ed.), 1994; O'Shaughnessy, 1987). Como es de suponer, el desarrollo de las tecnologías del habla ha sido paralelo al de la informática, especialmente en sus aplicaciones al procesamiento de señales; aun así, el avance de los conocimientos en fonética ha contribuido también a que este ámbito se encuentre actualmente entre los que ofrecen mayores posibilidades de expansión en el marco de lo que se conoce como las industrias de la lengua (Cole *et al.* (eds.), 1996; Sager, 1992; Vidal Beneyto (dir), 1991).

La primera parte de este capítulo presenta sucintamente las principales herramientas informáticas de que dispone la fonética experimental en cada una de sus principales ramas —fonética articulatoria, acústica y perceptiva—, incluyendo algunos ejemplos del método de trabajo y de los resultados obtenidos por nuestro grupo de investigación. La segunda parte aborda la aplicación de los conocimientos derivados mediante estas herramientas a uno de los ámbitos de las tecnologías del habla, la conversión de texto a habla, entendida como un proceso que permite la transformación de un texto escrito en ortografía convencional en su representación sonora; para ello se ofrecen también algunos ejemplos de los trabajos llevados a cabo en el grupo.

El principal objetivo del capítulo es mostrar cómo el uso de herramientas informáticas guiado por una metodología experimental y una teoría que la sostiene permite, por una parte, avanzar en la descripción fonética de las lenguas y, por otra, poner los datos obtenidos al servicio de aplicaciones encaminadas, en primer lugar, a facilitar la interacción entre personas y máquinas y, en última instancia, a establecer un modelo del comportamiento comunicativo humano.

2. Herramientas y métodos de análisis en fonética

Tal como se ha indicado al principio, la fonética es una rama de la lingüística que tiene entre sus objetivos la determinación de las características de los sonidos del habla. Dichas características pueden describirse desde el punto de vista articulatorio, acústico y perceptivo en función de cada uno de los elementos que integran el acto comunicativo —emisor, mensaje y receptor—. Cada configuración articulatoria del emisor se corresponde con unas características acústicas específicas de la señal que el oyente considera a fin de discriminar los indicios que necesita para la percepción o decodificación del mensaje recibido.

El estudio experimental del habla desde las diferentes perspectivas de la fonética requiere la utilización de herramientas de análisis con el fin, por un lado, de establecer una clasificación de los parámetros que caracterizan a los sonidos —o elementos segmentales— de una lengua, y, por otro, de determinar la estructura y el funcionamiento de los patrones entonativos y rítmicos que configuran los denominados elementos suprasegmentales.

El enfoque articulatorio, acústico o perceptivo del estudio fonético condiciona y determina la elección de las técnicas de análisis adecuadas. Algunas de las técnicas empleadas en el estudio de los elementos segmentales son aplicables también al análisis de los suprasegmentales como la entonación, el acento, el ritmo o la velocidad de elocución.

2.1. El análisis articulatorio del habla

La aerometría, la electrolaringografía, la electromiografía, la electropalatografía o la radiografía son herramientas que nos permiten abordar el estudio de los procesos implicados en la producción del habla (Abbs-Watkin, 1976; Stone, 1996). Así, para el español, disponemos de la caracterización de los sonidos mediante palatogramas (Navarro Tomás, 1918) y mediante cortes sagitales (Navarro Tomás, 1918; Quilis-Fernández, 1964; Álvarez Henao, 1977; Quilis, 1985).

Dichas técnicas se pueden aplicar no sólo a la descripción de la lengua, sino también a la caracterización y clasificación de los problemas fonéticos en hablantes que padecen algún tipo de alteración del habla o del lenguaje. Por ejemplo, los estudios en palatografía permiten diagnosticar los problemas de articulación, facilitando así la tarea de corrección fonética (Code-Ball, 1984; Ball, 1989).

También el estudio de la melodía, del ritmo y de la calidad de la voz se beneficia de la existencia de instrumentos que analizan la producción, como el laringógrafo, el electroglotógrafo o el estroboscopio.

Por último, cabe destacar que un conocimiento profundo de los mecanismos fisiológicos puede contribuir a la mejora de los modelos de producción (Levelt, 1989) y de los modelos prosódicos (Fujisaki, 1991).

2.2. El análisis acústico del habla

El estudio de los segmentos del habla y de los fenómenos de alcance suprasegmental desde una perspectiva acústica implica el análisis y la cuantificación en los dominios de la frecuencia, la amplitud y el tiempo que configuran la onda sonora portadora del habla. Algunas de las técnicas empleadas en esta tarea son el análisis oscilográfico, espectrográfico, espectral y de predicción lineal (LPC) (Javkin, 1996; Wakita, 1996)

En este sentido, Lindblom (1986) se refiere a dos de los problemas abordados desde la fonética acústica: la segmentación y la búsqueda de invariantes acústicos. Para solventar las dificultades de segmentación en unidades fonéticas del continuo acústico que constituye la onda sonora, se recurre generalmente al análisis oscilográfico, dado que es una técnica que ofrece una representación de la señal en los dominios del tiempo y de la amplitud, conocida también como forma de onda. Sin embargo, la delimitación de las fronteras entre los segmentos del habla presenta múltiples problemas. Veamos, por ejemplo, el caso de los sonidos aproximantes. Los sonidos aproximantes, caracterizados articulatoriamente como *made with open approximation of the articulators, and central passage or the air stream* (Abercrombie, 1967: 67), desde el punto de vista acústico son muy similares a las vocales, dada la presencia de periodicidad y de fuerte intensidad. De ahí que la segmentación de una secuencia aproximante no sea tarea fácil. Como puede observarse en la figura 1, resulta complejo determinar con precisión los límites entre la consonante y las vocales adyacentes. Por otro lado, la corta duración del segmento vocal-aproximante-vocal acentúa estos problemas. Pero, la existencia de tales dificultades no invalida el trabajo en la caracterización de estos sonidos. Así, disponemos de descripciones temporales de los sonidos aproximantes del español en Martínez Celdrán (1985) y en Aguilar-Andreu (1991).

El método tradicional de análisis de la duración segmental se basa en la determinación manual de las fronteras por medio de oscilogramas y espectrogramas. Recientemente, sin embargo, se han desarrollado sistemas de segmentación automática que utilizan técnicas de autoaprendizaje, como los Modelos Ocultos de Markov (Boëffard, 1993).

En cuanto a la búsqueda de invariantes acústicos, los métodos utilizados —análisis espectrográfico, análisis espectral y análisis por predicción lineal— se

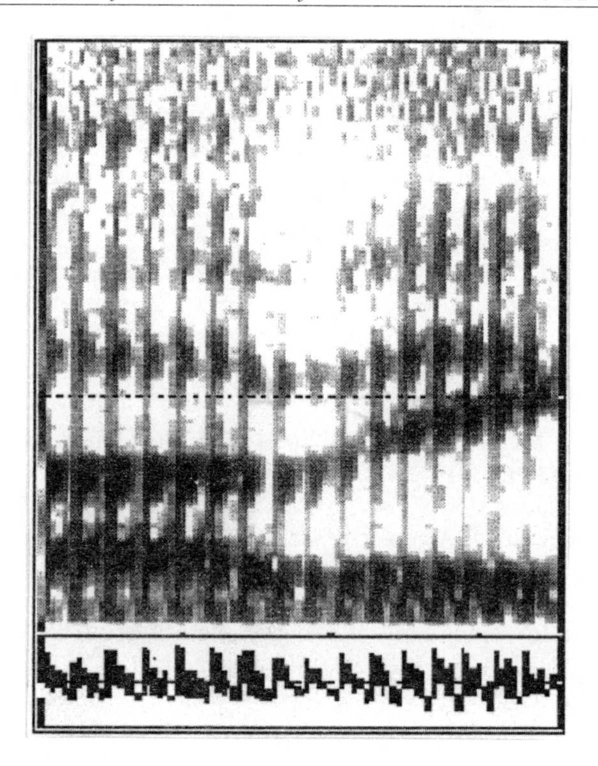

Figura 1. Espectrograma y oscilograma de la secuencia [ˈaβa].

centran en la extracción de parámetros frecuenciales, tanto estáticos como en su evolución a lo largo del tiempo.

Mediante el análisis espectrográfico podemos visualizar la onda sonora en los tres dominios del tiempo, la frecuencia y la amplitud. La frecuencia de los formantes, uno de los principales indicios acústicos utilizados como representante de la invariación, se calcula trazando una línea imaginaria en el centro del formante y tomando la frecuencia del punto medio de esta línea (Farmer, 1984; Kent-Read, 1992; Ladefoged, 1996).

En ocasiones la determinación de la frecuencia de los formantes presenta dificultades. Por ejemplo, en el caso de las consonantes nasales puede aparecer un problema de interpretación de la estructura formántica de dichas consonantes. En la mayoría de espectrogramas se advierte una fusión de los dos formantes, lo que plantea la alternativa de considerar un único formante de banda ancha resultante de la aproximación de dos formantes, o considerar dos formantes de frecuencias muy próximas. En Machuca (1991) se optó por tomar los datos de dos formantes. La trayectoria de este formante considerando las vocales adyacentes indica que la parte inferior se corresponde con un formante de nasalidad que se crea en las vocales, y la parte superior, con el segundo formante de las vocales (figura 2).

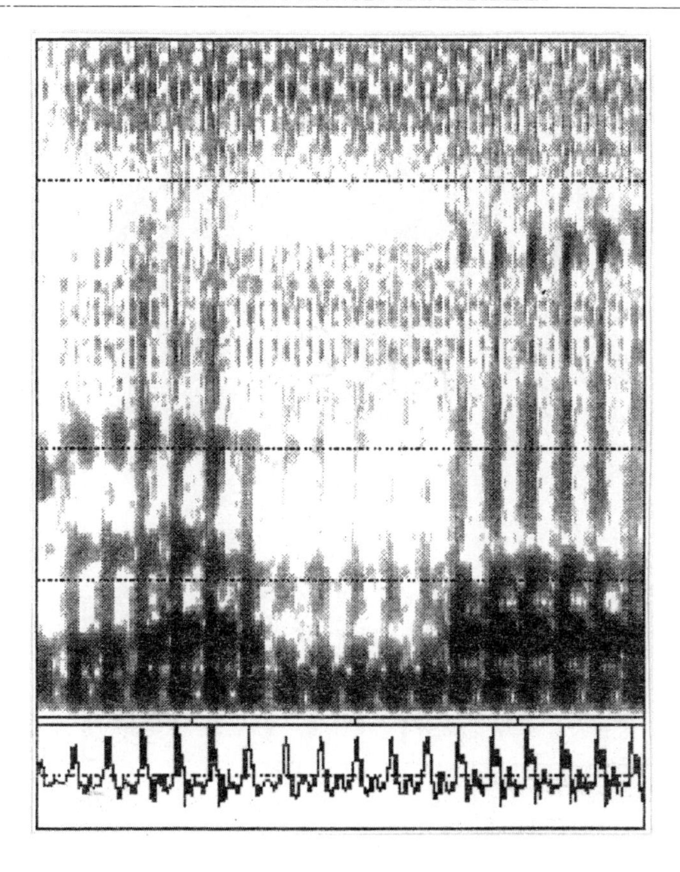

Figura 2. Espectrograma y oscilograma de la secuencia [a'ma].

Al introducir la variable tiempo en la representación de la onda sonora, el espectrograma permite identificar la trayectoria de los formantes y por tanto obtener información sobre las transiciones de un sonido a otro (figura 3). Sin embargo, determinar el punto en que se inicia el cambio de frecuencia y el punto en el que se estabiliza de nuevo la trayectoria del formante, es decir, determinar los límites de la transición, es especialmente difícil cuando las muestras de habla proceden de una situación comunicativa informal, caracterizada por una relajación en la pronunciación. Dada esta situación, en el proceso de análisis llevado a cabo en Aguilar (1991), donde el corpus procede de un discurso oral no preplanificado, de un informante se optó por considerar la secuencia vocálica como una unidad y tomar los datos de frecuencia de los formantes en cinco puntos equidistantes desde el inicio hasta el fin de la secuencia, de manera que se pudiera automatizar fácilmente el proceso de obtención de datos.

Los datos obtenidos a partir del análisis espectrográfico permiten asimismo derivar fórmulas que expliquen la variación fonética: por ejemplo, es posible

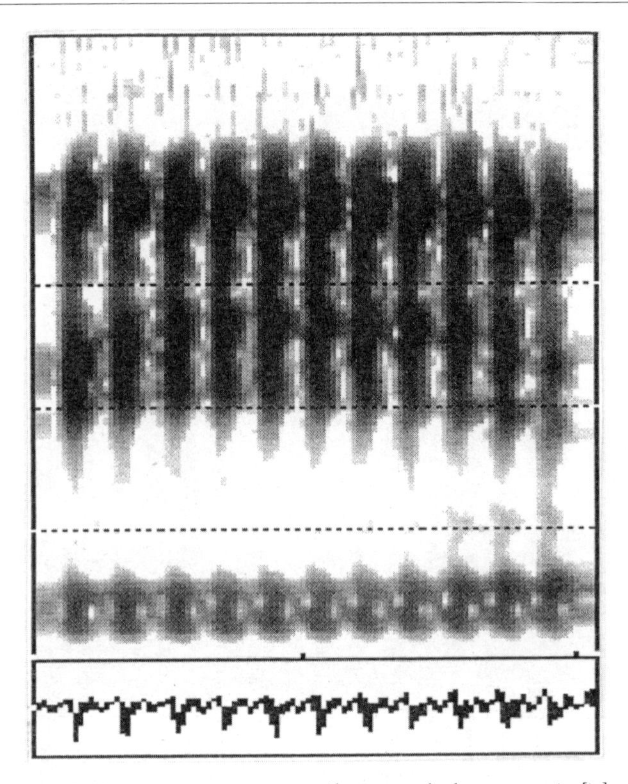

Figura 3. Espectrograma y oscilograma de la secuencia [ja].

calcular el índice de reducción de los sistemas vocálicos en diferentes estilos de habla mediante el grado de entropía (Harmegnies-Poch, 1992).

En la determinación de los formantes es posible también utilizar el análisis espectral, mediante el que obtenemos una representación de la onda sonora en los dominios de la frecuencia y la amplitud. El espectro de un sonido es la función resultante de aplicar el algoritmo denominado Transformada Rápida de Fourier (FFT, *Fast Fourier Transform*), que descompone la onda sonora en sus armónicos (Martí, 1988).

Este procedimiento no proporciona información acerca de la evolución frecuencial en el tiempo y, por tanto, no permite analizar las transiciones. Sin embargo, tiene la ventaja de ofrecer un análisis de frecuencias detallado; en otras palabras, es posible observar la distribución de la energía en la escala de frecuencias: así, si el sonido es sonoro, se aprecia la estructura fina de armónicos, y por tanto, la frecuencia fundamental y, si el sonido es sordo, la concentración de la energía en determinadas bandas frecuenciales.

En el espectro, los formantes aparecen en forma de agrupación de armónicos. La frecuencia del formante se toma en el punto medio de la agrupación, mientras que la intensidad corresponde al armónico más alto. El armónico de frecuencia más baja que se observa en el espectro corresponde a la frecuencia fundamental (F_0), que tiene como correlato articulatorio la frecuencia de vibración de las cuerdas vocales. En el modelo de producción del habla de Fant (1960), la parametrización del espectro describe la fuente de excitación en términos de F_0 y el filtro o función de transferencia del tracto vocal —cuyo correlato articulatorio es la configuración de las cavidades supraglóticas— en términos de las frecuencias de formantes.

Otra técnica que nos permite obtener información sobre la estructura acústica de los sonidos del habla es el análisis por predicción lineal (LPC, *Linear Predictive Coding*), según el cual la onda sonora se representa directamente en términos de parámetros relacionados con la función de transferencia del tracto vocal y las características de la función de la fuente que varían con el tiempo. El análisis LPC se enfoca como un procedimiento de separación entre la estructura fina del espectro y la envolvente espectral —formada por los picos correspondientes a los formantes—, de tal modo que se evitan los problemas inherentes al análisis espectral, como las dificultades en el momento de analizar voz femenina o infantil (Atal-Hanauer, 1971; Atal, 1985).

A partir de los coeficientes LPC se reconstruye, como se ha indicado, la envolvente espectral. Ejemplificamos el uso de esta técnica con la caracterización acústica de los diptongos y hiatos del español presentada en el trabajo de Aguilar (1994). Mediante la sucesión de análisis LPC en una secuencia es posible obtener una representación dinámica de las trayectorias formánticas con una ecuación polinómica de segundo grado $ax^2 + bx + c$ donde el coeficiente a equivale al grado y la forma de curvatura. Con el fin de poder comparar segmentos de diferente duración, se lleva a cabo también una normalización temporal. La figura 4 representa el hiato ['ia] de forma esquemática siguiendo el procedimiento descrito anteriormente.

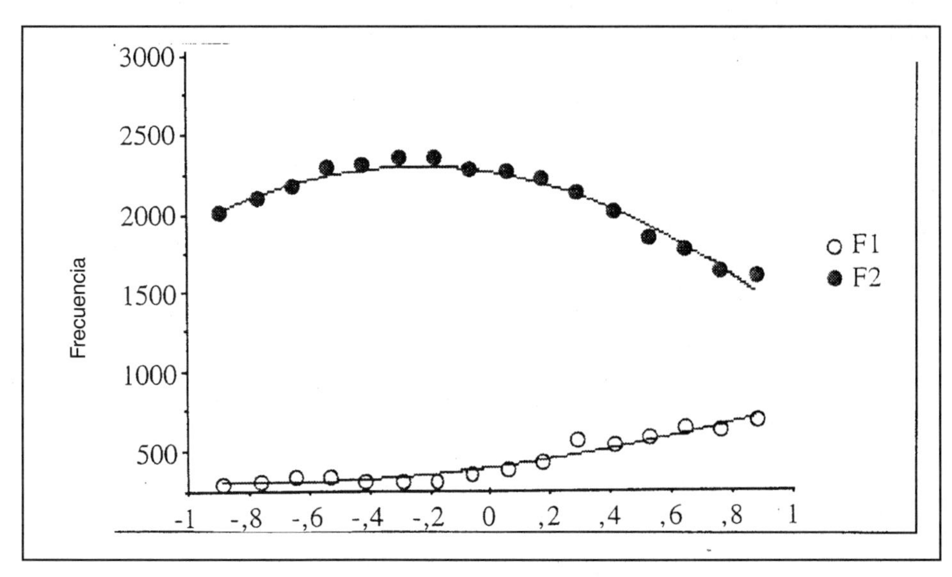

Figura 4. Secuencia ['ia] extraída de un corpus de frases marco con los puntos de análisis de LPC.

A modo de resumen, cabe mencionar que, en el nivel segmental, la selección de una determinada técnica acústica dependerá del tipo de sonidos que se estén describiendo, de los parámetros que se quieran analizar y de la procedencia de las muestras de habla. Frente al análisis espectral, el análisis espectrográfico presenta las ventajas derivadas de incorporar la información temporal: por ejemplo, posibilita el estudio de las transiciones y la observación de las trayectorias formánticas. Por otro lado, elimina los efectos de la ventana de análisis, que puede afectar a la caracterización de sonidos cortos, como la vibrante simple del español, o a la descripción acústica de los elementos segmentales en estilos de habla relajados o con una velocidad de elocución elevada donde se dan reducciones fonéticas (de la Mota, 1991; Aguilar *et al.*, 1993; Blecua, 1996).

Por otro lado, la principal diferencia entre el análisis espectral y el análisis por predicción lineal reside en que el segundo método elimina la influencia de la fuente, por lo que no aparece la frecuencia fundamental ni la estructura fina de armónicos, siendo adecuado para generalizar las descripciones de diferentes tipos de voz.

En lo que se refiere al nivel suprasegmental, el objeto principal de análisis es el contorno de la frecuencia fundamental —F_0 o tono— en un dominio determinado. El cálculo del período a partir de la forma de onda es el método clásico para el análisis acústico del tono. No obstante, los avances en el procesamiento digital de señales han traído consigo el desarrollo de algoritmos de estimación de la frecuencia fundamental que emplean técnicas basadas en el análisis de la estructura armónica, en el cálculo LPC o en la detección de picos en el oscilograma (Gold-Rabiner, 1969; Hess, 1983; entre otros). Sin embargo, los contornos frecuenciales obtenidos por estos métodos contienen normalmente errores, que suelen minimizarse por medio de la aplicación de métodos de alisado. Por otro lado, las curvas contienen variaciones muchas veces irrelevantes para el análisis posterior. Así, el estudio comparado de los contornos frecuenciales precisa, por un lado, una estilización o eliminación de las variaciones no relevantes de cada contorno —como las debidas a información micromelódica— y por otro, una normalización o eliminación de las variaciones entre contornos. Recientemente, el desarrollo de sistemas automáticos de estilización ha simplificado enormemente estas tareas (el sistema MOMEL, por ejemplo, descrito en Hirst-Espesser, 1993, entre otros).

Los contornos frecuenciales se han relacionado tradicionalmente con la expresión de la modalidad (Garrido, 1991), el acento (Garrido *et al.*, 1993; Llisterri *et al.*, 1995), la posición dentro del párrafo (Garrido *et al.*, 1993; Garrido, 1996), el contenido informativo (de la Mota, 1995) o la información sintáctica del enunciado (Garrido *et al.*, 1995).

También es posible analizar la amplitud, relacionada habitualmente con la entonación, el acento o el realce fonológico, entre otros, por medio de las denominadas envolventes de energía o de amplitud.

2.3. El análisis perceptivo del habla

Los resultados acústicos obtenidos a partir de las técnicas de análisis mencionadas anteriormente pueden validarse perceptivamente, a fin de discernir qué indicios acústicos se utilizan en la percepción del habla. En general, la forma de obtener la opinión de los oyentes consiste en responder a unas determinadas preguntas sobre cada uno de los estímulos que componen una prueba de percepción (Sawusch, 1996).

Los estímulos que se utilizan para la elaboración de las pruebas de percepción pueden obtenerse del habla natural, o bien crearse mediante técnicas de síntesis del habla. La ventaja de utilizar la síntesis en la preparación de estos estímulos es que se pueden variar independientemente los valores de los parámetros acústicos y, de esta forma, llegar a conclusiones sobre el efecto de los valores de los parámetros en la percepción. Algunos entornos gráficos diseñados para el uso de sintetizadores de habla (Klatt, 1988 en el entorno KPE (*Klatt Parameter Editor*) desarrollado en la *University College London*) permiten visualizar de forma conjunta el segmento procedente del habla natural y el segmento sintetizado; así, es posible modificar los parámetros del habla sintetizada en función de los observados en la natural. En la figura 5 aparecen los espectros y los oscilogramas correspondientes a cada segmento. El estímulo sintetizado aparece en la parte superior y el estímulo natural en la parte inferior.

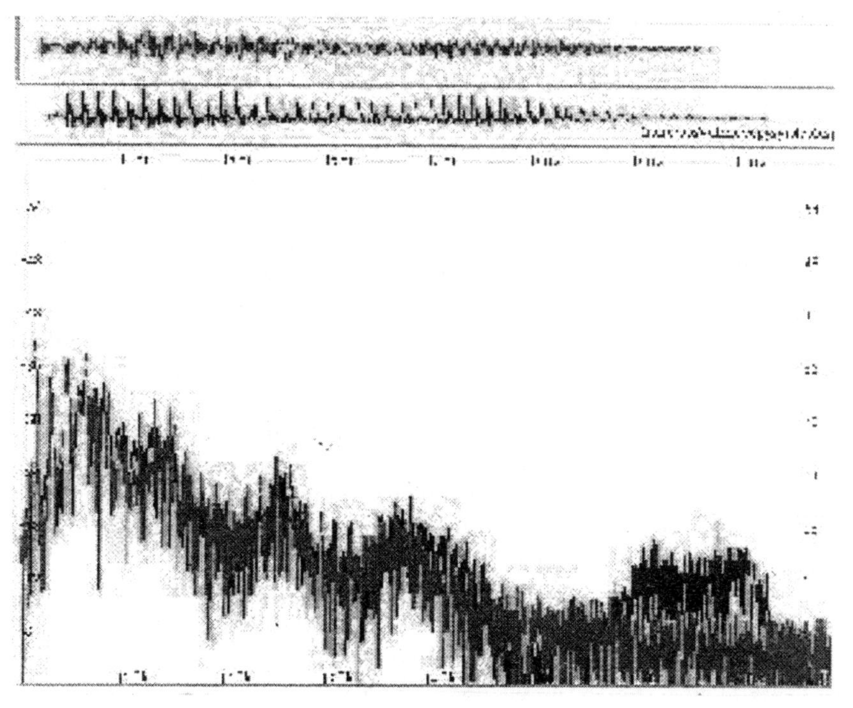

Figura 5. Espectros y oscilogramas de la secuencia [ala] en su versión sintetizada y en su versión natural.

A su vez el habla natural puede también modificarse para la preparación de los estímulos que se utilizan en las pruebas de percepción. Las dos técnicas principales son la segmentación, consistente en una modificación en el dominio del tiempo alargando o acortando la duración de un segmento, y el filtrado, mediante el cual se eliminan determinadas bandas de frecuencia.

De forma paralela a lo descrito para los elementos segmentales, una manera de valorar el grado de adecuación de los patrones entonativos es someterlos a una prueba de carácter perceptivo. Los estímulos empleados en la preparación de tales pruebas pueden proceder del habla natural (Thorsen, 1979), segmentada o filtrada (Lehiste, 1979), o del habla sintetizada ('t Hart-Collier-Cohen, 1990; Enríquez *et al.*, 1989, para el español). En el caso del uso de estímulos sintetizados, la técnica LPC permite la modificación de los contornos frecuenciales y su posterior síntesis.

3. La conversión de texto a habla

3.1. Presentación general

Tal como se ha expuesto al principio, la conversión de texto a habla es una técnica que permite realizar automáticamente la lectura de un texto escrito en ortografía convencional siempre que esté disponible en formato digital. Un sistema de conversión de texto a habla incorpora diversos módulos con información fonética y lingüística que realizan una serie de transformaciones en la cadena inicial de caracteres ortográficos hasta convertirla en una onda sonora (Allen *et al.*, 1987; Klatt, 1987) y constituye tanto una aplicación informática útil para acceder mediante el habla a información almacenada en forma escrita como una herramienta de investigación en fonética que permite validar las hipótesis sobre producción y percepción del habla realizadas desde diversos marcos teóricos.

A grandes rasgos, los módulos que configuran un conversor de texto a habla pueden dividirse entre los que realizan un procesado lingüístico y los que se centran en las características acústicas de la onda sonora resultante. Aunque la arquitectura concreta de cada sistema pueda variar, en general el tratamiento lingüístico se realiza en los módulos de pre-tratamiento del texto, transcripción fonética automática, análisis morfológico y sintáctico y en el módulo prosódico, mientras que el procesado acústico se lleva a cabo en un módulo diseñado para tal fin, que incorpora un modelo de síntesis a fin de generar una señal de habla. Algunos ejemplos de sistemas de conversión de texto a habla en español pueden verse en Castejón *et al.* (1994), Martí y Niñerola (1987), Martínez *et al.* (1986), Pérez y Vidal (1991) y Rodríguez *et al.* (1993), entre otros.

En los apartados siguientes se describen algunas estrategias para la incorporación de conocimientos fonéticos y lingüísticos a dos de los módulos de un sistema de conversión de texto a habla: el que se ocupa de la transcripción fonética automática, es decir, del paso de la representación ortográfica a una representación fonética, y el que tiene como objetivo la asignación de elementos prosódicos como la duración, las pausas o la entonación.

3.2. La transcripción fonética automática

Un transcriptor o fonetizador es un algoritmo que transforma una cadena de caracteres ortográficos en una cadena de caracteres fonéticos. Un transcriptor, por lo tanto, pone en relación dos representaciones de un mismo texto (la ortográfica y la fonética) a través de una operación informática de transducción. El algoritmo de fonetización —neologismo que utilizamos como sinónimo de "transcripción fonética automática"— ha de llevar a cabo la misma lectura que realizaría un hablante-lector de la lengua, por lo que necesita la información que éste posee. La explicitación del conocimiento del hablante hace de la transcripción fonética automática un campo de investigación lingüística susceptible de múltiples estudios, tal como se describe a continuación.

3.2.1. *Descripción de la pronunciación*

Un sistema de transcripción ha de reflejar de una manera fiel la pronunciación de una lengua; se necesitan, por tanto, descripciones exhaustivas de los fenómenos fonéticos. Aunque las aplicaciones industriales de la transcripción suelen trabajar con la variedad estándar de la lengua, por la ventaja que ofrece de ser un modelo común a todos los hablantes, un fonetizador también puede ser aplicado para transcribir variantes dialectales y sociales si así se requiere: el registro de habla transcrito deberá estar en consonancia con el enunciado que se transcriba. Asimismo, la transcripción es susceptible de ser aplicada a los textos de un determinado período histórico de la lengua. En cualquier caso, es necesario partir de estudios que describan la pronunciación de la variante de habla o del período elegidos.

3.2.2. *Descripción de la relación entre la ortografía y la pronunciación*

La interpretación fónica de la ortografía que realiza la transducción implica contar con descripciones del valor de los grafemas, de la agrupación silábica de los segmentos y de las normas de acentuación gráfica en las lenguas con acento léxico libre.

Estas descripciones son imprescindibles en la elaboración de un fonetizador ya que la elección de una determinada estrategia de transcripción, por reglas o por diccionario, está condicionada por la complejidad de las normas ortográficas y por la mayor o menor adecuación de éstas a la descripción de las características fonológicas de la lengua. Un sistema de transcripción será más eficaz cuanto más extensa sea su aplicación, con un menor coste, de los medios informáticos empleados y de la información requerida. La transcripción por reglas parece ser el medio más útil en aquellas lenguas que se alejan poco del principio fonémico de la representación ortográfica por el que cada fonema se representa con un único grafema y cada grafema representa un único fonema; por ejemplo, los sintetizadores para el español SINCAS (Martí y Niñerola, 1987) y AMIGO (Rodríguez *et al.* 1993) utilizan transcriptores por reglas. Si la pronunciación de los enunciados no siempre es predecible a partir de la ortografía, se ha de contar con listas de excepciones que corrijan la aplicación de las reglas. Cuanto más se aleje la lengua de aquel principio, más necesaria es la transcripción por diccionario. Como ejemplos de transcriptores que utilizan el léxico podemos citar, para el inglés, el trabajo pionero de Coker *et al.*. (1973) y el sistema de fonetización desarrollado en el MIT (Allen *et al.*, 1987).

Es preciso contar con descripciones exhaustivas de lo regular e irregular en la relación ortografía-pronunciación de las lenguas y de los contextos exactos de aplicación de las regularidades e irregularidades. La exhaustividad y la exactitud en la descripción de los fenómenos y de los contextos son una exigencia del medio informático utilizado en la transcripción: toda aquella información necesaria para realizar las operaciones de transducción ha de estar explícita en la codificación del algoritmo.

3.2.3. *Descripción del conocimiento lingüístico del hablante*

Una transcripción fonética es la formalización de un determinado conocimiento del hablante, esencialmente, de su conocimiento fonológico: el repertorio de fonemas y de alófonos de una lengua y su distribución; los procesos fonológicos que relacionan alófonos y fonemas; la organización silábica de la cadena fónica y las restricciones de combinación de los grupos consonánticos y vocálicos; la acentuación, incluyendo la determinación del carácter tónico o átono de una determinada unidad léxica, la posición del acento y los fenómenos de reacentuación.

Sin embargo, el conocimiento del hablante que refleja la transcripción trasciende los aspectos meramente fonológicos; por ejemplo, el conocimiento del carácter átono de las partículas forma parte de la competencia fonológica, pero se relaciona con la competencia gramatical en la medida en que se requiere saber la categoría de los elementos léxicos. Es tarea de la investigación lingüística determinar la información que necesita el fonetizador, es decir, el conjunto de conocimientos implicados en el proceso de transcripción.

3.2.4. *Los estudios que genera la construcción de un transcriptor*

También son fuente de investigación los aspectos derivados de las propias carecterísticas del sistema automático y de la resolución de problemas técnicos de la formalización.

En la elaboración de un transcriptor se han de tomar determinadas decisiones. En relación con los aspectos teóricos y formales de la transcripción, se ha de decidir qué se transcribe y cómo (Beckman, 1990). Por lo tanto, es imprescindible reflexionar sobre qué debe constituir una transcripción fonética, cuáles han de ser sus objetivos, qué información lingüística ha de aportar y qué convenciones ha de contener un alfabeto fonético para que el sistema de representación sea racional y operativo.

Se ha de determinar a partir de qué tipo de análisis (articulatorio o acústico) se describe la pronunciación de los enunciados. Por ejemplo, en español, la dentalización de /s/ no parece ser relevante acústicamente, según el estudio de Quilis (1966), pero sí articulatoriamente, como señala Martínez Celdrán (1993); una transcripción basada en el estudio articulatorio ha de recoger el alófono dental correspondiente, que no deberá contemplarse si se transcribe tomando como base los resultados acústicos. Además, se deberá decidir el nivel de abstracción de la representación obtenida (transcripción fonológica o transcripción fonética) y la exhaustividad de la descripción: se pueden generar transcripciones fonéticas más o menos estrechas en función de las necesidades de la aplicación y de la investigación. En cada caso, se ha de determinar lo pertinente para la transcripción de cada nivel.

La transcripción fonética, como medio capaz de representar la pronunciación de los enunciados de las lenguas ha de poseer un mecanismo formal claro, que responda a unos objetivos lingüísticos concretos. Los inventarios fonéticos que se conocen en la actualidad —por ejemplo, el Alfabeto Fonético Internacional (AFI) de la *International Phonetic Association* (IPA) y el alfabeto de la *Revista de Filología Española* (RFE)— presentan numerosos problemas: las convenciones permiten la posibilidad de una doble representación de los sonidos y los diacríticos adoptados no contemplan todas las caracterizaciones fonéticas (de la Mota y Ríos, 1995). A estos problemas se suman las limitaciones del medio informático, allí donde la técnica condiciona los medios de representación lingüística: la proliferación de diacríticos complica la codificación informática del alfabeto, como puede observarse en las propuestas de Esling (1988) y Esling y Gaylor (1993) para el AFI; no todos los sistemas operativos (por ejemplo, el VAX-VMS) poseen fuentes fonéticas y la configuración de los teclados de los ordenadores no representa todos los símbolos y diacríticos de los alfabetos fonéticos comúnmente utilizados en el ámbito de la lingüística; no siempre los alfabetos fonéticos utilizados en los medios informáticos poseen representación para el repertorio de alófonos que se haya fijado la transcripción, lo cual ha llevado a propuestas como la de Wells (1987, 1990) para el desarrollo del proyecto SAM (*Multilingual Speech Input/Output Assessment, Methodology and Standardisation*) basadas en un enfoque fonológico, posteriormente complementadas con codificaciones del AFI de carácter más fonético (Wells, 1995).

3.2.5. *Transcripción fonética automática y lingüística*

El carácter utilitario de todo transcriptor no significa que se desvincule necesariamente de los estudios lingüísticos teóricos. Un sistema puede implementar las propuestas de un modelo fonológico, como hacen Howard y Goldman (1994) en su transcriptor del español, donde las reglas de silabificación siguen el algoritmo de Hualde (1991), inscrito en la fonología generativa.

El diseño mismo de un sistema de transcripción fonética automática puede responder a los principios de una determinada teoría lingüística. El algoritmo creado por Laporte (1988) para la generación del DELAP (*Dictionnaire Electronique du Laboratoire d'Automatique Documentaire et Linguistique pour la Phonemique*) se inscribe dentro de los presupuestos de la gramática léxica, elaborados por Gross (1975) a partir de los estudios de Zellig Harris. El objetivo de una gramática léxica es realizar "una descripción lingüística sistemática", que ha de entenderse como la enumeración estructurada de las reglas gramaticales que definen una lengua, así como la representación exacta de las unidades del léxico en las que se aplican. Para generar el DELAP, se parte de un diccionario electrónico ortográfico del francés en el que se codifican numéricamente, con una particularidad de lectura, aquellos elementos léxicos cuya pronunciación no se puede deducir a partir de la ortografía (existen 200 tipos distintos de particularidades de lectura). El algoritmo de fonetización calcula la pronunciación de los elementos léxicos a partir de dos informaciones: las reglas generales y el tipo de particularidad de lectura que se aplica a cada palabra. Además, el DELAP está concebido para generar la representación fonética de las formas flexivas de nombres, adjetivos y verbos a partir de la representación ortográfica canónica de las palabras: todas las entradas léxicas están codificadas alfanuméricamente para indicar la pronunciación de su paradigma flexivo, por lo que las reglas morfofonológicas vinculadas con la flexión están representadas en las unidades del léxico en las que se aplican.

Un transcriptor, como instrumento, puede beneficiarse de la aplicación de los métodos y conocimientos de la lingüística. El procedimiento utilizado para el tratamiento de las irregularidades en la creación del DEFE (*Diccionario Electrónico Fonético del Español*), en el *Laboratori de Lingüística Informàtica* del Departament de Filologia Espanyola de la Universitat Autònoma de Barcelona, aplica principios generales de la lengua al tratamiento de las irregularidades ortográficas en palabras con secuencias consonánticas anómalas en español (Ríos, 1993):

—La aplicación de las reglas de silabificación generan secuencias regulares, por ejemplo: entre dos consonantes que no formen grupo tautosilábico siempre habrá un límite silábico: *pa-lim-p-sesto / an-g-s-trom.*

—Después de la silabificación se aplica una regla que recoge un principio general de la sílaba en español: "ningún segmento consonántico puede formar sílaba aislado, sin apoyarse en una vocal". Esta regla borra cualquier consonante situada entre dos límites silábicos consecutivos y se completa con otra regla que resilabifica [s], única consonante que forma grupo consonántico en la rima: *ans-trom.*

Si lo comparamos con la tradicional lista de excepciones o con la multiplicación de reglas *ad-hoc*, una para cada contexto, como hacen Cabrera *et al.* (1991), este procedimiento, al basarse en principios fonológicos generales de la lengua, posee mayor capacidad descriptiva: se aplica a todas las palabras que tengan el mismo esquema ortográfico, y mayor capacidad explicativa: se puede aplicar a cualquier palabra de nueva incorporación; además, resulta informáticamente más económico.

En estas líneas sólo hemos esbozado algunos aspectos concernientes a la fonetización como materia de investigación lingüística. A modo de conclusión: la transcripción fonética del habla debe constituir un método eficaz para representar mediante símbolos la pronunciación de enunciados de cualquier lengua; el desarrollo de transcriptores automáticos capaces de cumplir esa tarea con un margen de error virtualmente nulo es una materia de investigación de gran interés para la lingüística, por sus aplicaciones tecnológicas (procesamiento lingüístico para la conversión de texto a habla y en el almacenamiento de bases de datos lingüísticas, enseñanza de lenguas, corrección ortográfica, etc.) y por ser fuente de estudios que redundan en un mayor conocimiento de las lenguas.

3.3. Elementos para un modelo prosódico en la conversión de texto a habla

Uno de los módulos que mayor interés despierta actualmente en el proceso de conversión de texto a habla es precisamente el que se ocupa de determinar las características suprasegmentales del habla, ya que de ellas depende en buena parte la naturalidad de la salida vocal de un sistema de síntesis. Por ello, presentamos en los siguientes apartados algunos elementos que configuran este módulo como la asignación y modelización de la duración segmental, la inserción automática de pausas y la definición de un modelo de entonación.

3.3.1. *La duración segmental*

La complejidad teórica que entraña el análisis de la duración segmental proviene, básicamente, del elevado número de factores que convergen en este fenómeno lingüístico. Probablemente sea ésta su característica más destacable. Por ello, la elaboración de un modelo de duración debe hacer especial hincapié en el adecuado tratamiento de estos factores y de las relaciones que mantienen entre sí.

La organización temporal del enunciado es resultado de la interacción de fenómenos diversos, como su extensión, la duración intrínseca propia de cada segmento, el número de alófonos de la sílaba, el acento léxico, la estructura sintáctica o la información que tal enunciado aporta (Di Cristo, 1985; Ríos, 1991 y Marín, 1995 para el español). El acento, la posición en la frase, la estructura silábica, la posición en la sílaba, el carácter sordo o sonoro de los sonidos adyacentes o la posición respecto a la sílaba acentuada son algunos de los factores que aparecen de forma más recurrente en los trabajos dedicados a la duración segmental.

No obstante, en la revisión que presentamos aquí, trataremos únicamente, por motivos de espacio, la influencia del acento y la posición en la frase, además de la duración intrínseca de cada sonido.

Uno de los problemas teóricos que debemos plantearnos a la hora de desarrollar un modelo de duración no es otro que el de hallar la unidad lingüística en la que se estructura la información temporal. Este aspecto resulta especialmente controvertido, ya que las unidades propuestas son muy diversas: la sílaba, la palabra, el grupo acentual, el grupo fónico, etc. (Noteboom, 1991; Fant, 1991). Por ello, en el presente apartado dejaremos de lado esta cuestión.

3.3.1.1. La duración vocálica

Al estudiar la duración de los sonidos vocálicos en español, podemos constatar, en primer lugar, que las vocales poseen una duración propia y característica: en un mismo contexto, cada una de las vocales se manifiesta sistemáticamente con diferentes valores de duración con respecto al resto de vocales.

Sobre este punto concreto, Marín (1995) considera que podemos dividir las vocales en tres grupos diferenciados: [i] y [u] son las vocales que presentan una menor duración, seguidas de [e] y [o] y, por último, de [a]. Estos resultados son muy similares a los que aparecen en Navarro Tomás (1916). Como vemos, la duración intrínseca de las vocales se relaciona con un parámetro articulatorio: una mayor obertura se corresponde con una mayor duración.

Por lo que respecta al acento, cabe indicar que una vocal acentuada presenta una mayor duración que la misma vocal no acentuada en un contexto idéntico. Tanto Borzone y Signorini (1983) como Marín (1995) coinciden en señalar este comportamiento.

La posición en la frase es una de las variables que más claramente incide en la cantidad de los sonidos: la duración de una vocal aumenta considerablemente cuando se encuentra en posición prepausal. Sobre este fenómeno, que se conoce con el nombre de *Prepausal Lengthening Effect*, existe un amplio consenso en los trabajos dedicados a la duración segmental. Varios autores —Navarro Tomás (1916), Borzone y Signorini (1983), Santos *et al.* (1988), Macarrón *et al.* (1991) y Marín (1995), entre otros— constatan la existencia de este fenómeno.

En el caso de la duración vocálica, el análisis de las vocales en contacto y de los diptongos necesita de un análisis específico, tal como puede observarse en Aguilar (1991).

3.3.1.2. La duración consonántica

Al igual que las vocales, las consonantes también poseen una duración intrínseca. A este respecto, del Barrio y Torner (1995) plantean que las consonantes del español se pueden ordenar, de mayor a menor duración, del siguiente modo: consonantes sordas, vibrante múltiple, nasales, fricativas sonoras, laterales y vibrante simple.

Como se puede observar, en lo que a su duración se refiere, la agrupación de las consonantes puede realizarse según el carácter sordo o sonoro y el modo de articulación.

No existe un claro consenso sobre la influencia del acento en la duración consonántica. Así, mientras que Borzone y Signorini (1983) afirman que las consonantes que se encuentran en sílaba acentuada presentan una mayor duración que las que aparecen en sílaba no acentuada, del Barrio y Torner (1994) señalan que el acento únicamente produce el alargamiento de [n], [l] y [r] cuando, además, se encuentran en coda silábica. Los resultados que aparecen en Ríos (1991) y en Iglesias (1994) también parecen indicar que el acento no es un factor que tenga una clara incidencia en la duración de las consonantes del español.

Varios son los autores que coinciden en señalar un alargamiento de la duración de las consonantes cuando se encuentran en posición prepausal. Así lo afirman Navarro Tomás (1918), Borzone y Signorini (1983) y del Barrio y Torner (1994), entre otros. Navarro Tomás (1918) resalta, además, el mayor alargamiento de las laterales en este contexto.

3.3.1.3. La modelización de la duración

A la hora de implementar los resultados de un análisis de duración segmental en un conversor de texto a habla, disponemos de varios sistemas de representación y cálculo de la duración.

Así, por ejemplo, podemos elaborar una base de datos en la que aparezca un valor de duración específico para cada sonido en un contexto determinado, desarrollar sistemas de reglas o ecuaciones, o representar nuestros datos mediante árboles binarios. Las diferencias entre estos sistemas de representación y cómputo de la duración son importantes, ya que la elección de uno u otro tipo puede obligarnos a estructurar nuestros datos de tal forma que se establezcan reglas más generales y de mayor alcance.

La modelización de los datos de duración no consiste únicamente en buscar el método más adecuado para representar y calcular dichos datos. En este proceso aparecen también algunos problemas teóricos de gran interés como, por ejemplo, la influencia simultánea de dos o más factores. Disponemos de tres posibilidades básicas, presentadas detalladamente en van Santen y Olive (1990): el efecto combinado de dos o más factores es mayor que la suma de las influencias de cada uno de los factores por separado (interacción), es menor (incompresibilidad) o igual (juntura independiente).

El problema que acabamos de plantear debe ser tenido en cuenta en el momento de realizar el diseño experimental. En este caso, pensamos que un posicionamiento apriorístico queda fuera de lugar. Serán los datos experimentales los que nos indicarán cuál de las tres posibilidades afecta a la relación entre dos factores concretos.

Otro de los aspectos que emergen a la hora de modelizar la duración es el de su carácter absoluto o relativo; esto es, si la influencia de un factor (p.ej. el acento) en un sonido determinado es absoluta (debemos añadir una cantidad en milisegundos) o es relativa a la duración que ya posee ese sonido (debemos añadir un tanto por ciento). En el primer caso, hablaremos de un modelo aditivo y, en el segundo, de un modelo multiplicativo. Para el español, tanto Macarrón *et al.* (1991) como Marín (1994) proponen la utilización de modelos multiplicativos.

Finalmente, cabe señalar la existencia de otras aproximaciones al problema de la modelización de la duración como, por ejemplo, los árboles de regresión de Riley (1992) o la propuesta de Campbell (1992).

3.3.2. *La asignación automática de pausas*

La complejidad a la hora de modelar de forma adecuada la duración segmental descrita en el apartado anterior se reproduce en el caso de la asignación automática de pausas. Por un lado, factores de diferente naturaleza condicionan la segmentación prosódica de un texto realizada por un hablante: desde factores fisiológicos, como la necesidad de respirar, hasta factores sociolingüísticos, psicolingüísticos o lingüísticos (Goldman-Eisler, 1961; Dechert-Raupach, 1980; Nespor y Vogel, 1983; Cruttenden, 1986); por otro lado, ciertas pausas son opcionales, lo que dificulta cualquier intento de sistematización de este fenómeno.

Cabe destacar, además, que si el modelo de predicción de la aparición y localización de pausas se incorpora en un sistema de conversión de texto a habla, se requiere, a la vez, que pueda ejecutarse en tiempo real y que analice cualquier tipo de texto.

Sin embargo, a pesar de estas dificultades metodológicas, el interés en el desarrollo de procedimientos automáticos de asignación de pausas es creciente, debido principalmente al desarrollo de sistemas multilingües en prototipos de laboratorio y al crecimiento de los servicios vocales que usan la síntesis de habla. Por otro lado, se intenta solventar así uno de los principales problemas en los sistemas de conversión de texto a habla: la falta de naturalidad debida a las deficiencias en la información prosódica y lingüística señalada al principio (Boëffard *et al.*, 1996).

En general, se reconoce que una adecuada segmentación del texto en grupos fónicos contribuye a la mejora de la inteligibilidad y de la aceptabilidad de este tipo de sistemas por parte del usuario. Ello es así debido al papel que desempeña la prosodia en la percepción del habla: en concreto, las pausas ayudan a segmentar en palabras y en grupos de palabras, además de ofrecer un tiempo adicional para procesar la información lingüística (Nooteboom *et al.*, 1978; Scharpff-van Heuven, 1988).

Con el objetivo de contribuir a la mejora de la calidad de los sistemas de conversión de texto a habla, se han desarrollado una serie de algoritmos de segmentación prosódica que abordan el problema desde perspectivas diferentes: desde partir de un análisis sintáctico completo que posteriormente es reinterpretado en términos prosódicos (Frenkenberger *et al.*, 1994) hasta prescindir de la información sintáctica para centrarse únicamente en cuestiones morfológicas (Emerard *et al.*, 1992).

Para el español, por ejemplo, encontramos en el sistema de conversión de texto a habla de Telefónica I+D un módulo de asignación automática de pausas basado en las categorías morfológicas de las palabras (Castejón *et al.*, 1994). El módulo examina la secuencia de categorías de la frase en dos etapas: los signos de puntuación —considerados como una categoría más— se corresponden invariablemente con una pausa; si la secuencia resultante es demasiado larga, se asignan pausas adicionales de acuerdo con criterios morfológicos: ciertas categorías gramaticales favorecen más que otras la aparición de una pausa. Dichas categorías, en orden de prioridad, son: las conjunciones coordinantes, las conjunciones subordinantes, los verbos y las palabras funcionales. El módulo examina la secuencia y asigna la pausa en el lugar correspondiente.

Por su parte, López (1993) desarrolla un modelo de asignación prosódica basado en unos coeficientes —del 1 al 9— que indican la relación más o menos estrecha entre las palabras de una frase: cuanto más alto es el coeficiente, mayor probabilidad de aparición de pausa, dado que se interpreta que el grado de cohesión entre esas dos palabras contiguas es bajo. La asignación de pausa depende de ese coeficiente de relación, del cual es responsable la categoría gramatical de la palabra.

Sin embargo, el enfoque considerado actualmente como más adecuado es el que conjuga en la predicción de las fronteras prosódicas la importancia de factores sintácticos y no sintácticos (Ladd, 1987; Bachenko-Fitzpatrick, 1990; Monaghan, 1992; Quené-Kager, 1992; Hirschberg-Prieto, 1994; Gili-Quazza, 1996). Los algoritmos desarrollados en esta línea comparten la idea de que los fenómenos suprasegmentales no pueden derivarse únicamente de la estructura sintáctica, sino que hay que acudir además a informaciones como la longitud de la frase o la función discursiva de las palabras.

Desde este punto de vista, no se considera necesario un análisis sintáctico exhaustivo. Por ejemplo, las reglas propuestas por Bachenko y Fitzpatrick (1990) sólo utilizan un subconjunto de la información sintáctica ofrecida por un analizador. Dichas reglas han de tener acceso a la categoría léxica, a los núcleos, a la distribución y al orden de constituyentes, pero no necesitan conocer las relaciones entre predicados y argumentos, la distribución en cláusulas o la posición de los modificadores en la frase.

O'Shaughnessy (1990), por su parte, considera que para generar de forma adecuada la distribución de las pausas es suficiente conocer la posición de los verbos en la frase, las fronteras sintácticas mayores y las palabras acentuadas.

En el caso del español, Casacuberta *et al.* (1996), implementando los resultados obtenidos en el análisis experimental presentado en Marín *et al.* (1996), proponen un tratamiento en el que se combina la información sintáctica y la prosódica. La unidad básica de dicho trabajo es el grupo acentual categorizado (GAC), que podría definirse como un grupo acentual (GA) etiquetado sintácticamente.

El modelo de asignación de pausas consta de las siguientes fases: 1) segmentación del texto en GAs; 2) etiquetado sintáctico de los GAs; 3) aplicación de un conjunto de restricciones prosódicas, entre las cuales cabe destacar la longitud de la frase (en número de GAs) y la distancia mínima (también en número de GAs) que debe existir entre una pausa y el inicio o el final de un enunciado; 4) aplicación de una jerarquía, basada en criterios sintácticos, sobre la probabilidad de aparición de pausa delante de un GAC. Al final de este proceso, se determina si una pausa es obligatoria o no, y en caso afirmativo, el lugar adecuado para su aparición.

Por último, el uso de dominios fonológicos permite disponer de una unidad entre la palabra y el constituyente sintáctico que resulta útil para la predicción de la distribución de las pausas en las frases. Hirschberg y Prieto (1994) adoptan la teoría entonativa de Pierrehumbert (Pierrehumbert, 1980; Beckman-Pierrehumbert, 1986) para desarrollar un módulo de segmentación prosódica integrado en un conversor de texto a habla del español mexicano. Las reglas se adquieren de forma automática a partir de texto anotado, mediante la técnica estadística de obtención de datos y de parametrización de las variables descrita en Riley (1988) —CART, *Classification And Regression Trees*—. Esta técnica también se empleó para el desarrollo de un modelo similar en un conversor del inglés (Wang-Hirschberg, 1991).

A modo de conclusión, cabe mencionar que en el problema de la asignación automática de pausas se pone de manifiesto la necesidad de una relación entre disciplinas como la prosodia, la sintaxis y la tecnología del habla, con el fin de establecer un modelo en el cual se definan las unidades y los niveles de análisis adecuados. Por otro lado, desde el punto de vista de las aplicaciones, es necesario el desarrollo de sistemas con un bajo coste computacional y que no impongan restricciones sobre los textos de entrada.

3.3.3. *Modelos entonativos*

Los sistemas de conversión de texto a habla incluyen como parte de su módulo prosódico un submódulo entonativo. Este módulo utiliza normalmente la información proporcionada por los módulos de análisis lingüístico del conversor para determinar la asignación de una cadena de valores de F_0 (frecuencia fundamental) asociada al enunciado que va a ser sintetizado. La descripción de las curvas melódicas de una lengua que subyace a estos módulos recibe habitualmente el nombre de modelo entonativo, entendiéndose por entonación el equivalente a "curva melódica" o "evolución de la frecuencia fundamental a lo largo del tiempo".

El desarrollo de modelos entonativos ha sido una tarea abordada en los últimos años tanto por ingenieros como por lingüistas, usando herramientas y enfoques teóricos muy diferentes. Se han propuesto modelos para lenguas como el alemán, el danés, el francés, el inglés americano, el inglés británico, el japonés, o el sueco, entre otras, tantos que resulta imposible enumerarlos todos en este breve espacio. Para el español, se han publicado algunos trabajos en esta dirección (Fant, 1984; Garrido, 1991; Fujisaki *et al.*, 1994; López *et al.*, 1994; de la Mota, 1995; Garrido, 1996).

Con independencia del enfoque adoptado, el desarrollo de un modelo entonativo implica normalmente una primera fase de representación de las curvas melódicas, que facilite el análisis posterior, y una segunda fase de descripción de los patrones melódicos y de determinación de las reglas que controlan su uso, que implica muchas veces una validación perceptiva de los mismos.

Durante la fase de representación, las curvas melódicas se convierten en una cadena de símbolos convencionales (transcripción) o en una representación simplificada de la forma de la curva (estilización). El uso de un sistema de transcripción se asocia normalmente a aproximaciones fonológicas (de niveles), en tanto que la estilización se ha asociado más a aproximaciones fonéticas (por contornos). Suele evitarse la incidencia de la micromelodía tomando en consideración sólo la información frecuencial procedente de los núcleos silábicos. La fase de estilización puede ir seguida de un proceso de normalización. Los valores frecuenciales se pueden normalizar a partir de la caracterización de la frecuencia fundamental habitual de cada hablante, ya sea a partir del rango —o diferencia entre el máximo y mínimo—, como en el modelo de Takefuta (1975), o a partir del valor mínimo —con el diseño previo de una línea de base—, como en el caso del sistema propuesto por Pierrehumbert (1980). Otra manera de normalizar los datos de frecuencia fundamental es estudiar las diferencias entre los diversos puntos que definen la evolución del contorno frecuencial, más que el valor de los puntos en sí. Tanto la formulación matemática del análisis por semitonos (logarítmico) de 't Hart, Collier y Cohen (1990) como otros análisis de naturaleza lineal determinan la distancia relativa existente entre dos valores de frecuencia. En de la Mota (1995) se propone un sistema basado en el cálculo de desniveles frecuenciales, de tal manera que se normalizan a la vez la información temporal y la frecuencial.

En la figura 6 se presenta un ejemplo de curva estilizada obtenida automáticamente, en la que la curva original se ha reducido a una serie de puntos de inflexión unidos por líneas rectas. Esta representación ha sido obtenida por medio del sistema descrito en Jiménez (1994).

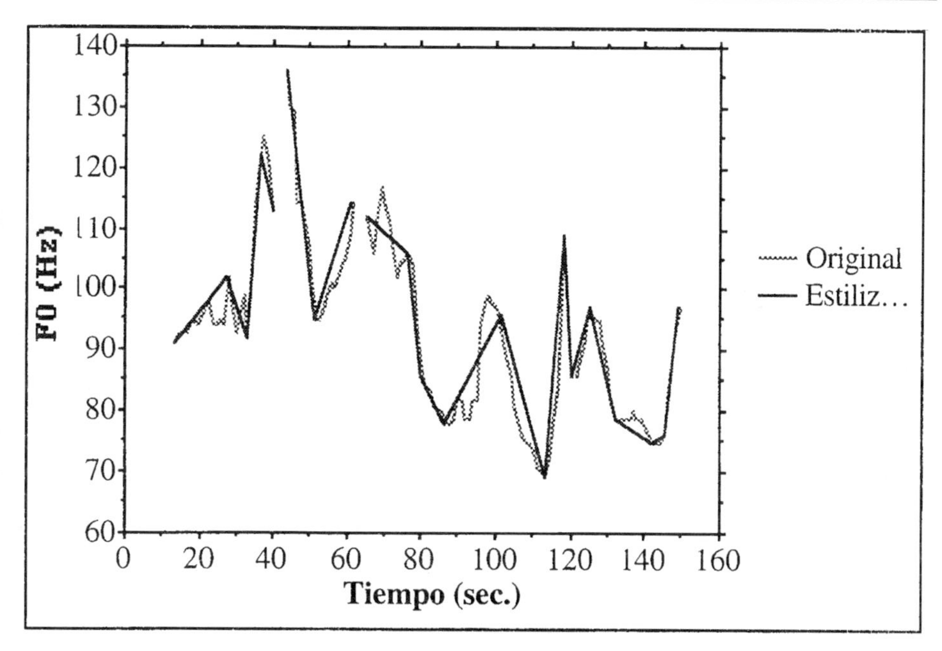

Figura 6. Curva melódica original (en línea discontinua) y curva estilizada correspondiente al enunciado 'La organización terrorista ha protagonizado en lo que va de año' pronunciado por un locutor masculino.

En la fase de descripción, se realiza normalmente la estandarización o definición de los patrones entonativos. En unos casos, éstos se definen también utilizando procedimientos automáticos o semi-automáticos, o con métodos estadísticos (ten Bosch, 1993). En otros, la definición se lleva a cabo manualmente (Garrido, 1996). El objetivo es, en cualquier caso, obtener una descripción formal de los contornos típicos de entonación y definir explícitamente los factores que determinan su uso.

Los modelos entonativos se pueden dividir, siguiendo la clasificación propuesta por Ladd (1988), en lineales y jerárquicos. Los modelos lineales consideran que la entonación es el resultado de la concatenación lineal de diferentes niveles tonales —por ejemplo, *H(igh)*, *L(ow)*—, y que éstos se construyen de izquierda a derecha, en un solo ciclo (Pierrehumbert, 1980). Los modelos jerárquicos, en cambio, suponen que los contornos entonativos se generan en varios ciclos ('t Hart *et al.*, 1990). En el caso de los modelos jerárquicos, se supone la existencia de patrones de diferentes niveles, que se superponen para la obtención del contorno final. El número de niveles considerados varía de unos modelos a otros, pero como mínimo, dos niveles están siempre presentes: un nivel global, que define la forma general de la curva melódica a lo largo del enunciado, y un nivel local, que modela los picos y valles de la curva.

La forma de los patrones globales se ha asociado típicamente en español a la modalidad oracional (Navarro Tomás, 1944; Garrido, 1991). Sin embargo, también parece estar relacionada con otros factores, como la duración del enunciado. Estos patrones se han asociado típicamente al ámbito de la unidad melódica, aunque también se ha observado que pueden definirse patrones globales de ámbito superior, que abarcan incluso un párrafo entero (Garrido *et al.*, 1993).

Una manera de representar los patrones globales es mediante una línea que determina la evolución general de la curva melódica a lo largo de un enunciado; sobre esta línea se superpondrán las variaciones locales debidas al acento. Esta es la aproximación subyacente en descripciones clásicas del español como la de Navarro Tomás (1944) y en los patrones propuestos en Garrido (1991). Sin embargo, la evolución global de la curva melódica también puede representarse de otras formas, como por ejemplo por medio de líneas, paralelas o convergentes, que definen los diferentes niveles que puede alcanzar la curva entonativa en cada instante de tiempo. Ésta es la aproximación seguida, por ejemplo, en 't Hart *et al.* (1990), y para el español, en Garrido *et al.* (1993) y Garrido (1996). El tipo de representación obtenido se ejemplifica en la figura 7.

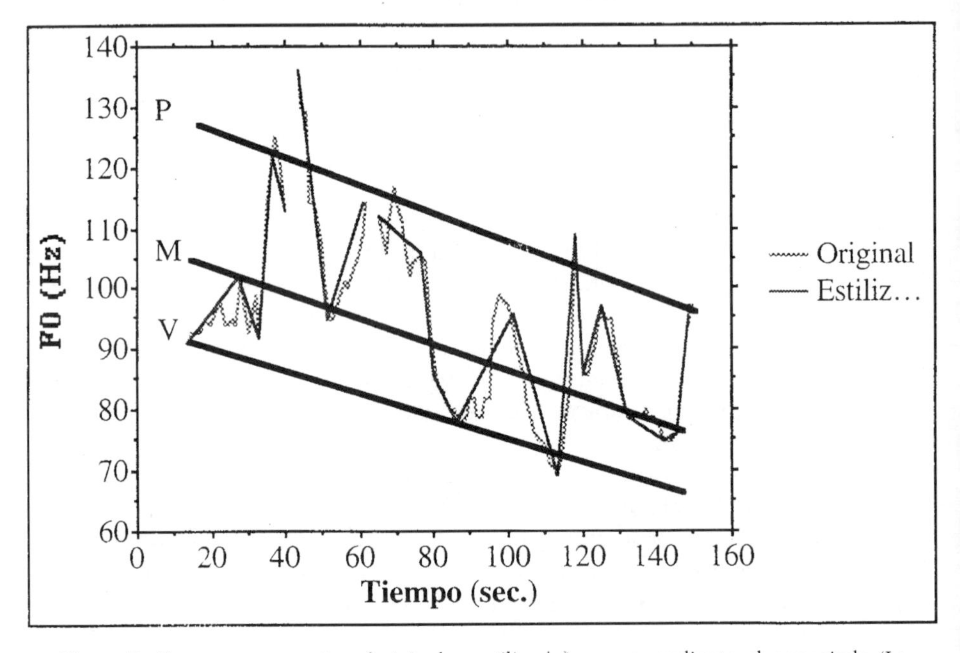

Figura 7. Contorno entonativo (original y estilizado) correspondiente al enunciado 'La organización terrorista ha protagonizado en lo que va de año', pronunciado por un locutor masculino. El patrón melódico global está modelado por medio de tres líneas descendentes que definen tres niveles teóricos a lo largo de la curva.

En el caso de los patrones locales, se suele distinguir entre los patrones en posición inicial, interior y final de grupo melódico. Los patrones en posición final son los que se asocian a los llamados tonemas (Navarro, 1944) o junturas terminales (Quilis, 1993) descritos en la bibliografía. La forma de los patrones iniciales e interiores se ha relacionado típicamente con la localización del acento léxico o del enfático (de la Mota, 1995), aunque últimamente también se ha analizado su relación con la estructura sintáctica del enunciado (Llisterri *et al.*, 1995). Por lo que se refiere a los patrones finales, se han estudiado tradicionalmente en relación con la modalidad oracional o el límite sintáctico ante el que aparecen (Estruch-Garrido, 1995). El ámbito de estos patrones no está aún muy definido, aunque suelen asociarse con sílabas, grupos acentuales o grupos tónicos.

Los patrones locales se pueden definir, en función del tipo de representación (transcripción o estilización) como series de niveles asociados a determinados puntos del enunciado (Pierrehumbert, 1980, por ejemplo) o como series de movimientos que definen un contorno típico ('t Hart *et al.*, 1990). Un ejemplo de modelización por contornos de los patrones locales de un enunciado se ofrece en la figura 8.

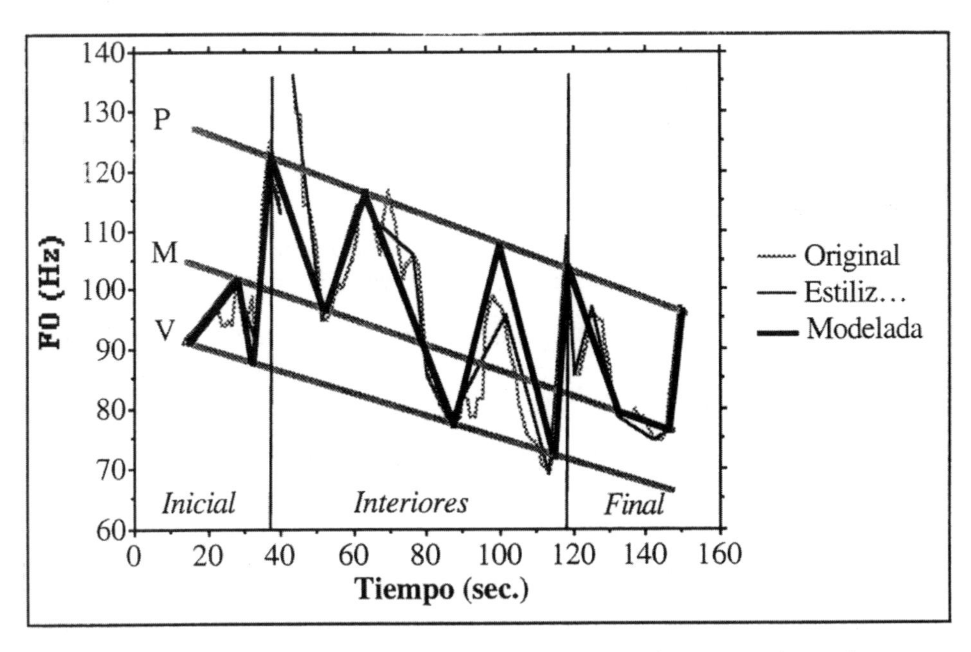

Figura 8. Contorno entonativo (original, estilizado y modelado) correspondiente al enunciado 'La organización terrorista ha protagonizado en lo que va de año', pronunciado por un locutor masculino. Los diferentes patrones locales (inicial, interiores y final) se han superpuesto al patrón global para formar la curva modelada.

Por último, los patrones obtenidos deben ser validados perceptivamente para comprobar la interpretación que éstos reciben por parte de los receptores. La validación puede hacerse directamente mediante la implementación en el sistema, o bien mediante la realización de pruebas de percepción. En este caso, es necesario disponer de una herramienta adecuada que permita la modificación de las curvas melódicas y la síntesis con el contorno modificado.

4. Conclusión

A lo largo de este capítulo se ha pretendido ofrecer una muestra de cómo el surgimiento de nuevas herramientas informáticas incide en la metodología de una disciplina lingüística como es la fonética y, a la vez, permite incorporar los conocimientos obtenidos a sistemas de utilidad práctica como los conversores de texto a habla. Con ello se ha querido poner de manifiesto, tomando como punto de partida la experiencia de nuestro grupo de investigación, la imbricación existente entre los métodos de análisis del habla y los resultados que pueden obtenerse en la descripción fonética de las lenguas, haciendo patente también que una aproximación experimental a la fonética lleva al desarrollo de sistemas de comunicación persona-máquina en el área de las tecnologías del habla. Esta doble perspectiva es posible partiendo de la base de una teoría que oriente la utilización de los métodos y herramientas de observación sin descuidar los requisitos prácticos impuestos por la necesidad de crear aplicaciones. La informática desempeña en este proceso un papel relevante, puesto que constituye simultáneamente una herramienta y un entorno de desarrollo de sistemas, los cuales, a su vez, plantean problemas que deben solucionarse con nuevos métodos contribuyendo, en última instancia, a una renovación de las teorías.

Referencias bibliográficas

ABBS, J. H., K.L. WATKIN (1976), "Instrumentation for the Study of Speech Physiology", en N.J. LASS (ed.) *Contemporary Issues in Experimental Phonetics*, NewYork: Academic Press, pp. 41-75.

ABERCROMBIE, D. (1967), *Elements of General Phonetics*, Edinburgh: Edinburgh University Press.

AGUILAR, L. (1991), *Algunas cuestiones en torno a la reducción fonética en secuencias de vocales en contacto*, Trabajo de investigación de tercer ciclo, Departament de Filologia Espanyola, Universitat Autònoma de Barcelona.

— (1994), *Los procesos fonológicos y su manifestación fonética en diferentes situaciones comunicativas: la alternancia vocal/ semiconsonante/ consonante,* Tesis doctoral, Departament de Filologia Espanyola, Universitat Autònoma de Barcelona.

AGUILAR, L., BLECUA, B., MACHUCA, M., MARÍN, R. (1993), "Phonetic Reduction Processes in Spontaneous Speech", en *Eurospeech'93. 3rd European Conference on Speech Communication and Technology. Berlin. Germany.21-23 September 1993,* Vol. 1, pp. 433-436.

AGUILAR, L., ANDREU, M. (1991), "Acoustic description of Spanish approximants in laboratory speech and in continuous speech", en *Actes du XIIème Congrès International des Sciences Phonétiques. 19-24 août 1991, Aix-en-Provence, France.* Aix-en-Provence: Université de Provence, Service des Publications, Vol 3, pp. 362-365.

ÁLVAREZ HENAO, L. E. (1977), *Fonética y Fonología del Español*, Colombia: Ediciones La Cátedra.

ALLEN, J., HUNNICUTT, M. S., KLATT, D. H. (with R. C. ARMSTRONG and D. PISONI) (1987), *From Text to Speech: The MITalk System,* Cambridge: Cambridge University Press (Cambridge Studies in Speech Science and Communication).

ATAL, B. S. (1985), "Linear Predictive Coding of Speech", en FALLSIDE, F.- WOODS, W. A. (eds.), *Computer Speech Processing*, Englewood Cliffs, N. J.: Prentice Hall International, pp. 81-124.

ATAL, B. S., HANAUER, S. L. (1971), "Speech analysis and synthesis by linear predictive coding of the speech wave", *Journal of the Acoustical Society of America*, 50: 637-55; en FLANAGAN, J. L., RABINER. L. R. (eds.) (1973), *Speech synthesis*, Stroudsburg, Penn.: Dowden, Hutchinson & Ross, pp. 270-278.

BACHENKO, J., FITZPATRICK, E. (1990), "A computational grammar of discourse-neutral prosodic phrasing in English", *Computational Linguistics*, 16, 3, pp. 155-170.

BALL, M. J. (1989), *Phonetics for speech pathology*, London - New Jersey: Whurr Publishers Ltd.

BARRIO, L. del, TORNER, S. (1995), "La duración consonántica en castellano", Comunicación presentada en el XXV Simposio de la Sociedad Española de Lingüística, Zaragoza, 11-14 de diciembre de 1995. Resumen publicado en *Revista Española de Lingüística*, 26,1, pp. 126-127.

BECKMAN, M. E. (ed.) (1990), *Phonetic Representation. Journal of Phonetics*, 18, 3.

BECKMAN, M., PIERREHUMBERT, J. (1986), "Intonational structure in Japanese and English", *Phonology Yearbook*, 3, pp. 15-70.

BECKMAN, M. E. (1988), "Phonetic Theory", en NEWMEYER, F.J. (ed.), *Linguistics: The Cambridge Survey. Vol I. Linguistic Theory: Foundations*, Cambridge: Cambridge University Press. pp. 216-238. Trad. cast. de L. A. Santos: "Teoría Fonética", en NEWMEYER, F.J. (Ed), *Panorama de la lingüística moderna de la Universidad de Cambridge. I Teoría lingüística: Fundamentos*, Madrid: Visor (Lingüística y Conocimiento, 7) 1990, pp. 259-282.

BLECUA, B. (1996), *Caracterización acústica de las vibrantes del español en posición intervocálica,* Trabajo de investigación de tercer ciclo. Departament de Filologia Espanyola, Universitat Autònoma de Barcelona.

BOËFFARD, O. (1993), *Segmentation automatique d'unités acoustiques pour la synthèse de la parole*, Tesis Doctoral, Université de Rennes I- CNET.

BOËFFARD, O. *et al.* (1996), "Utilisation de techniques d'apprentissage automatique pour les traitements linguistiques et prosodiques en synthèse de la parole: quelques résultats en Anglais, Allemand et Français", *Actes des XXIèmes Journées d'Études sur la Parole, Avignon, France*, pp. 383-386.

BORZONE DE MANRIQUE, A. M., SIGNORINI, A. (1983), "Segmental Duration and Rythm in Spanish", *Journal of Phonetics,* 11, pp. 117-128.

BOSCH, L. ten (1993), "Algorithmic classification of pitch movements", *Working Papers. Lund University, Department of Linguistics*, 41 *(Proceedings of an ESCA Workshop on Prosody, september 27-29, 1993, Lund, Sweden)*, pp. 242-245.

CABRERA, C., CONTINI, M., BOË, L.-J. (1991), "La phonétisation du castillan", *Actes du XIIème Congrès International des Sciences Phonétiques. 19-24 août 1991, Aix-en-Provence, France,* Aix-en-Provence: Université de Provence, Service des Publications, vol. 4, pp. 114-117.

CAMPBELL, W. N. (1992), "Syllable-based segmental duration", en BAILLY, G., BENOÎT, C. (eds.), *Talking Machines. Theories, Models and Designs*, Amsterdam: North-Holland / Elsevier Science Publishers, pp. 211-224.

CASACUBERTA, D., MARÍN, R., AGUILAR, L. (1996), "A formal description of a syntactico-prosodic analysis for unrestricted text", en *Proceedings of the II International Conference on Mathematical Linguistics, Universitat Rovira i Virgili, Tarragona.*

CASTEJÓN, F., ESCALADA, G., MONZÓN, L., RODRÍGUEZ, M. A., SANZ, P. (1994), "Un conversor texto-voz para el español", *Comunicaciones de Telefónica I+D,* 5, 2, pp. 114-131.

CODE, C., BALL, M. (eds.) (1984), *Experimental Clinical Phonetics. Investigatory Techniques in Speech Pathology and Therapeutics*, London & Camberra: Croom Helm.

COKER, C. H., UMEDA, N., BROWMAN, C. P. (1973), "Automatic Synthesis from Ordinary English Text", en FLANAGAN, J. L., RABINER, L. R. (eds.), *Speech synthesis*, Stroudsburg, Penn.: Dowden, Hutchinson & Ross, pp. 400-411.

COLE, R. A., MARIANI, J., USZKOREIT, H., ZAENEN, A., ZUE, V. (eds.) (1996), *Survey of the State of the Art in Human Language Technology.* Publicación electrónica. URL: http://www.cse.ogi.edu/CSLU/HLTsurvey/HLTsurvey.html

CRUTTENDEN, A. (1986), *Intonation*, Cambridge: Cambridge University Press (Cambridge Textbooks in Linguistics). Trad. cast. de I. Mascaró: *Entonación. Teoría general y aplicación al inglés*, Barcelona: Teide (Serie Lingüística), 1990.

DECHERT, H. W., RAUPACH, M. (eds.) (1980), *Temporal Variables in Speech*, Mouton: The Hague.

DI CRISTO, A. (1985), *De la microprosodie à l'intonosyntaxe*, Aix-en-Provence: Université de Provence, Service des Publications.

EMERARD, F., MORTAMET, L., COZANNET, A. (1992), "Prosodic processing in a text-to-speech synthesis system using a database and learning procedures", en BAILLY, G., BENOÎT, C. (eds.), *Talking Machines: Theories, Models and Designs*,. Amsterdam: Elsevier Science Publishers, pp. 225-254.

ENRÍQUEZ, E., CASADO, C., SANTOS, A. (1989), "La percepción del acento en español", *Lingüística Española Actual*, 11, pp. 241-269.

ESLING, J. H. (1988), "Computer coding of IPA symbols and detailed phonetic representation of computer data bases", *Journal of the International Phonetic Association*, 18, 2, pp. 99-106.

ESLING, J. H., GAYLORD, H. (1993), "Computer codes for phonetic symbols", *Journal of the International Phonetic Association*, 23, 2, pp. 83-97.

ESTRUCH, M., GARRIDO, J. M. (1995), "Análisis y clasificación de los contornos melódicos finales en un corpus de frases aisladas del español", Comunicación presentada en el *XXV Simposio de la Sociedad Española de Lingüística, Zaragoza, 11-14 de diciembre de 1995.* Resumen publicado en: *Revista Española de Lingüística,* 26,1, pp. 138-139.

FALLSIDE, F. (1985), "Frequency domain analysis of speech", en FALLSIDE, F., WOODS, W. A. (eds.), *Computer Speech Processing*, Englewood Cliffs, N.J.: Prentice Hall International, pp. 418-80.

FANT, G. (1960), *Acoustic Theory of Speech Production*, Mouton: The Hague.

— (1991) "Units of temporal organization. Stress groups versus syllables and words", en *Actes du XIIème Congrès International des Sciences Phonétiques. 19-24 août 1991, Aix-en-Provence, France*, Aix-en-Provence: Université de Provence, Service des Publications, pp. 247-250.

FARMER, A. (1984), "Spectrography", en CODE, C., BALL, M. (eds.), *Clinical Phonetics. Investigatory Techniques in Speech Pathology and Therapeutics*, London: Croom Helm, pp. 21-40.

FRENKENBERGER, S. *et al.* (1994), "Prosodic parsing based on parsing of minimal syntactic structures", en *Conference Proceedings of the Second ESCA/IEEE Workshop on Speech Synthesis. September 12-15, 1994. Mohonk Mountain House, New Paltz, New York, USA*, pp. 143-146.

FRY, D. B. (1979), *The Physics of Speech*, Cambridge: Cambridge University Press (Cambridge Textbooks in Linguistics).

FUJISAKI, H. (1991), "Modelling the generation process of F0 contours as manifestation of linguistic and paralinguistic information", en *Actes du XIIème Congrès International des Sciences Phonétiques. 19-24 août 1991, Aix-en-Provence, France*, Aix-en-Provence: Université de Provence, Service des Publications.

FUJISAKI, H., OHNO, S., NAKAMURA, K., GUIRAO, M., GURLEKIAN, J. (1994), "Analysis of accent and intonation in Spanish based on a quantitative model", *Proceedings of the 1994 International Conference on Spoken Language Processing*, vol. 1, pp. 355-358.

GARRIDO, J. M. (1991), *Modelización de patrones melódicos del español para la síntesis y el reconocimiento de habla*, Bellaterra: Universitat Autònoma de Barcelona.

— (1996), *Modelling Spanish Intonation for Text-to-Speech Applications*, Tesis doctoral. Departament de Filologia Espanyola, Universitat Autònoma de Barcelona.

GARRIDO, J. M., LLISTERRI, J., DE LA MOTA, C., RÍOS, A. (1993), "Prosodic differences in reading style: Isolated vs. Contextualized Sentences", en *Eurospeech'93. 3rd European Conference on Speech Communication and Technology. Berlin, Germany, 21-23 September 1993.*, vol 1, pp. 573-576.

GARRIDO, J. M., LLISTERRI, J., MARÍN, R., DE LA MOTA, C., RÍOS, A. (1995), "Prosodic markers at syntactic boundaries in Spanish", en ELENIUS, K., BRANDERUD, P. (eds.) *ICPhS 95, Proceedings of the XIIIth International Congress of Phonetic Sciences. Stockholm, Sweden, 13-19 August, 1995*, Vol. 2, pp. 370-373.

GILI FIVELA, B., QUAZZA, S. (1996), "A Prosodic Parser for an Italian Text-to-Speech System", en *Actas del XII Congreso de la Sociedad Española para el Procesamiento del Lenguaje Natural, Sevilla, septiembre de 1996. Procesamiento del Lenguaje Natural*, 19, pp. 189-200.

GOLD, B., RABINER, L. (1969), "Parallel Processing Techniques for Estimating Pitch Periods of Speech in the Time Domain", *Journal of the Acoustical Society of America*, 46, pp. 442-448.

GOLDMAN-EISLER, F. (1972), "Pauses, Clauses, Sentences", *Language and Speech*, 15, pp. 103-113.

GROSS, M. (1975), *Méthodes en syntaxe. Régime des constructions complétives*, Paris: Hermann.

HARMEGNIES, B., POCH-OLIVÉ, D. (1992), "A study of style-induced vowel variability: Laboratory versus spontaneous speech in Spanish", *Speech Communication*, 11, 4-5, pp. 429-438.

HART, J. t', COLLIER, R., COHEN, A. (1990), *A Perceptual Study of Intonation. An Experimental - Phonetic Approach to Intonation*, Cambridge: Cambridge University Press. (Cambridge Studies in Speech Science and Communication).

HESS, W. (1983), *Pitch Determination of Speech Signals*, New York: Springer Verlag.

HIRSCHBERG, J., PRIETO, P. (1994), "Training intonational phrasing rules automatically for English and Spanish text-to-speech", en *Conference Proceedings of the Second ESCA/IEEE Workshop on Speech Synthesis. September 12-15, 1994. Mohonk Mountain House, New Paltz, New York, USA*, pp. 159-162.

HIRST, D. J., ESPESSER, R. (1993), "Automatic modelling of fundamental frequency using a quadratic spline function", *Travaux de l'Institut de Phonetique d'Aix*, 15, pp. 71-85.

HOLMES, J. N. (1988), *Speech Synthesis and Recognition*, Wokingham: Van Nostrand Reinhold (Aspects of Information Technology).

HOWARD, H., GOLDMAN, R. P. (1994), "From Text to Syllable in Castilian", en *Actas del X Congreso de la Sociedad Española para el Procesamiento del Lenguaje Natural, Córdoba, 20-22 julio 1994, Universidad de Córdoba.*

HUALDE, J. I. (1991), "On Spanish Syllabification", en CAMPOS, H., MARTÍNEZ GIL, F. (eds.), *Current Studies in Spanish Linguistics*, Washington, D.C.: Georgetown University Press, pp. 475-494.

IGLESIAS, J. L. (1994), *La duración de consonantes oclusivas y de consonantes aproximantes*, Manuscrito no publicado. Departament de Filologia Espanyola, Universitat Autònoma de Barcelona.

JAVKIN, H. R. (1996), "Speech analysis and synthesis", en LASS, N. J. (ed.) *Principles of Experimental Phonetics.* St Louis: Mosby. pp. 245-276.

JIMÉNEZ, J. (1994), *Implementació d'un métode d'estilitzat de corbes melòdiques,* Manuscrito no publicado, Barcelona: Enginyeria La Salle, Universitat Ramon Llull.

KELLER, E. (ed.) (1994), *Fundamentals of Speech Synthesis and Speech Recognition. Basic Concepts, State of the Art and Future Challenges,* Chichester: John Wiley & Sons.

KENT, R. D., READ, Ch. (1992), *The Acoustic Analysis of Speech.* London - San Diego: Whurr Publishers - Singular Publishing Group.

KLATT, D. H. (1987), "Review of Tex-to-Speech Conversion for English", *Journal of the Acoustical Society of America,* 82, 3, pp. 737-793; en ATAL, B. S., MILLER, L. J., KENT, R. D. (eds.) (1991), *Papers in Speech Communication: Speech Processing,* New York: Acoustical Society of America, pp. 57-114.

LADD, D. R. (1988), "'Declination reset' and the hierarchical organization of units", *Journal of the Acoustical Society of America,* 84, 2, pp. 530-544.

— (1987), "A Model of Intonational Phonology for Use in Speech Synthesis by Rule", en LAVER, J., JACK, M. A. (eds.), *European Conference on Speech Technology. Edinburgh, September 1987,* Edinburgh: CEP Consultants Ltd, pp. 21-24.

LADEFOGED, P. (1996), *Elements of Acoustic Phonetics,* Chicago - London: University of Chicago Press. Second Edition.

LAPORTE, E. (1988), *Méthodes algoritmiques et lexicales de phonetisation de textes,* tesis doctoral, Centre d'études et de recherches en informatique linguistique, Université de Paris 7.

LEHISTE, I. (1979), "Perception of Sentence and Paragraph Boundaries", en LINDBLOM, B., ÖHMAN, S. (eds.) *Frontiers of Speech Communication Research.,* London: Academic Press, pp. 191-201.

LEVELT, W. J. M. (1989), *Speaking. From Intention to Articulation,* Cambridge, Mass.: The MIT Press (ACL-MIT Press Series in Natural Language Processing).

LINDBLOM, B. (1986), "On the origin and purpose of discreteness and invariance in sound patterns", en PERKELL, J. S., KLATT, D. H. (eds.), *Invariance and Variability in Speech Processes,* Hillsdale: Lawrence Erlbaum Ass, pp. 493-523.

— (1990), "Explaining Phonetic Variation: A Sketch of the H and H Theory", en HARDCASTLE, W. J., MARCHAL, A. (eds.), *Speech Production and Speech Modelling,* Dordecht: Kluwer Academic Publishers (NATO ASI Series D: Behavioural and Social Sciences, vol 55), pp. 403-439.

LLISTERRI, J. (1991), *Introducción a la fonética: el método experimental,* Barcelona: Anthropos (Autores, Textos y Temas, Lingüística, 3).

LLISTERRI, J., MARÍN, R., MOTA, C. de la, RÍOS, A. (1995), "Factors affecting F0 peak displacement in Spanish", en *Eurospeech'95. 4th European Conference on Speech Communication and Technology. Madrid, Spain, 18-21 September, 1995,* vol. 3, pp. 2061-2064.

LÓPEZ, E. (1993), *Estudio de técnicas de procesado lingüístico y acústico para sistemas de conversión texto-voz en español basados en concatenación de unidades,* tesis doctoral. Escuela Técnica Superior de Ingenieros de Telecomunicación, Universidad Politécnica de Madrid.

LÓPEZ, E., ÁLVAREZ, J., HERNÁNDEZ, L. A. (1994), "Metodología para el modelado prosódico de un sistema de conversión de texto a habla en castellano", en *Actas del X Congreso de la Sociedad Española para el Procesamiento del Lenguaje Natural. Córdoba, 20-22 julio 1994, Universidad de Córdoba.*

MACARRÓN, A., ESCALADA, G., RODRÍGUEZ, M. A. (1991), "Generation of duration rules for a Spanish text-to-speech synthesizer", en *Eurospeech'91. 2nd European Conference on Speech Communication and Technology. Genova, Italy, 24-26 September 1991*, pp. 617-620.

MACHUCA, M. (1991), *Estudio de las consonantes nasales del español en habla espontánea y en habla de laboratorio*, Trabajo de investigación de tercer ciclo, Departament de Filología Espanyola, Universitat Autònoma de Barcelona.

MARÍN, R. (1994), "Diseño y evaluación de un modelo de duración vocálica del español para la síntesis del habla", en *Actas del X Congreso de la Sociedad Española para el Procesamiento del Lenguaje Natural, Córdoba, 20-22 de julio de 1994, Universidad de Córdoba*.

— (1995), "La duración vocálica en español", *Estudios de Lingüística* (Alicante), 10, pp. 213-226.

MARTÍ, J. (1988), "FFT como herramienta de análisis en fonética", *Estudios de fonética experimental*, 3, pp. 233-251.

MARTÍ, J., NIÑEROLA, D. (1987), "SINCAS: un conversor texto-voz en castellano", en *Actas del III Congreso de la Sociedad Española para el Procesamiento del Lenguaje Natural, Procesamiento del Lenguaje Natural, Boletín* nº 5, pp. 112-122.

MARTÍNEZ CELDRÁN, E. (1985), "Cantidad e intensidad de los sonidos obstruyentes del castellano: hacia una caracterización acústica de los sonidos aproximantes", *Estudios de fonética experimental I*, Barcelona: PPU.

— (1993), "Nuevos datos sobre la dentalización de /s/", comunicación presentada en el *XXIII Simposio de la Sociedad Española de Lingüística*, Universidad de Lleida, 13-16 diciembre. Resumen publicado en *Revista Española de Lingüística*, 26, 1.

MONAGHAN, A. I. C. (1992), "Heuristic strategies for higher level analysis of unrestricted text", en BAILLY, G., BENOÎT, C. (eds.), *Talking Machines: Theories, Models and Designs*, Amsterdam: Elsevier Science Publishers, pp. 143-162.

MOTA, C. de la, RÍOS, A. (1995), "Problemas en torno a la transcripción fonética del español: los alfabetos fonéticos propuestos por IPA y RFE y su aplicación a un sistema automático", *Acta Universitatis Wratislaviensis*, nº 1660, Estudios Hispánicos IV. Wroclaw, pp. 97-109.

— (1991), "A study of [r] and [ɾ] in spontaneous speech", en *Actes du XIIème Congrès International des Sciences Phonétiques. 19-24 août 1991, Aix-en-Provence, France*, Aix-en-Provence: Université de Provence, Service des Publications, vol 4, pp. 386-389.

— (1995), *La representación gramatical de la información nueva en el discurso*, Tesis doctoral, Departament de Filologia Espanyola, Universitat Autònoma de Barcelona.

NAVARRO TOMÁS, T. (1916) "Cantidad de las vocales acentuadas", *Revista de Filología Española*, 3, pp. 387-407.

— (1918), "Diferencias de duración entre las consonantes españolas", *Revista de Filología Española*, 5, pp. 367-393.

— (1918), *Manual de pronunciación española*, Madrid: CSIC, 21ª edición, 1982.

— (1944), *Manual de entonación española*, Madrid: Guadarrama, 4ª edición.

NESPOR, M., VOGEL, I. (1983), "Prosodic Structure above the Word", en CUTLER, A., LADD, R. D. (eds.) *Prosody. Models and Measurements*, Heidelberg: Springer Verlag, pp. 123-140.

NOOTEBOOM, S. G. (1991), "Some observations on the temporal organisation and rhythm of speech", en *Actes du XIIème Congrès International des Sciences Phonétiques. 19-24 août 1991, Aix-en-Provence, France*, Aix-en-Provence: Université de Provence, Service des Publications, pp. 228-237.

NOOTEBOOM, S. G. *et al.* (1978), "Contributions of prosody to speech perception", en LEVELT, W. J. M., FLORES D'ARCAIS, G. G. (eds.) *Studies in the Perception of Language*, Chichester: John Wiley, pp. 75-107.

O'SHAUGHNESSY, D. (1987), *Speech Communication. Human and Machine*, Reading, Mass.: Addison Wesley.

— (1990), "Relations between syntax and prosody for speech synthesis", *Proceedings of the ESCA Workshop on Speech Synthesis*, Autrans, France.

PÉREZ, J. C., VIDAL, E. (1991), "Un sistema de conversión de texto a voz para el castellano", *Sociedad Española para el Procesamiento del Lenguaje Natural, Boletín nº 11*, pp. 197-208.

PIERREHUMBERT, P. (1980), *The Phonology and Phonetics of English Intonation*, tesis doctoral, Massachussets Institute of Technology. Bloomington: Indiana University Linguistics Club, 1987.

QUENÉ, H., KAGER, R. (1992), "The derivation of prosody for text-to-speech from prosodic sentence structure", *Computer Speech and Language*, 6, pp. 77-98.

QUILIS, A. (1966), "Sobre los alófonos dentales de /s/", *Revista de Filología Española*, XLIX, pp. 335-343.

— (1981), *Fonética acústica de la lengua española*, Madrid: Gredos (Biblioteca Románica Hispánica, Manuales, 49).

— (1985), *El comentario fonológico y fonético de textos. Teoría y práctica*, Madrid: Arco/Libros.

— (1993), *Tratado de fonología y fonética españolas*, Madrid: Gredos (Biblioteca Románica Hispánica, Manuales, 74).

QUILIS, A., FERNÁNDEZ, J. A. (1964), *Curso de fonética y fonología españolas para estudiantes angloamericanos*. Madrid: Consejo Superior de Investigaciones Científicas (Collectanea Phonetica 2), 1982, 10ª edición.

RILEY, M. D. (1992), "Tree-based modelling of segmental durations", en BAILLY, G., BENOÎT, C. (eds) *Talking Machines. Theories, Models and Designs*, Amsterdam: North-Holland / Elsevier Science Publishers, pp. 265-274.

RÍOS, A. (1991), *Caracterización acústica del ritmo del castellano*, Trabajo de investigación de tercer ciclo, Departament de Filologia Espanyola, Universitat Autònoma de Barcelona.

— (1993), "La información lingüística en la transcripción fonética automática del español", *Sociedad Española para el Procesamiento del Lenguaje Natural, Boletín nº* 13, pp. 381-387.

RODRÍGUEZ, M. A., ESCALADA, J. G., MACARRÓN, A., MONZÓN, L. (1993), "AMIGO: Un conversor texto-voz para el español", *Sociedad Española para el Procesamiento del Lenguaje Natural, Boletín nº* 13, pp. 389-400.

SAGER, J. C. (1992), "La industria de la lengua", en SAGER, J. C., *La industria de la lengua, La lingüística computacional - los trabajos de UMIST. La traducción especializada y su técnica*, Barcelona: Servei de Llengua Catalana, Universitat de Barcelona, pp. 7-29.

SANTEN, J. P. H. van (1992), "Deriving text-to-speech durations from natural speech", en BAILLY, G., BENOÎT, C. (eds.), *Talking Machines. Theories, Models and Designs*, Amsterdam: North-Holland / Elsevier Science Publishers, pp. 265-274.

SANTEN, J. P. H. van, OLIVE, J. P. (1990), "The analysis of contextual effects on segmental duration", *Computer Speech and Language*, 4, pp. 359-361.

SANTOS, A., MUÑOZ, P., MARTÍNEZ, M. (1988), "Diseño y evaluación de reglas de duración en la conversión de texto a voz", *Procesamiento del Lenguaje Natural, Boletín nº 6*, pp. 69-92.

SAWUSCH, J. R. (1996), "Instrumentation and methodology for the study of speech perception", en LASS, N. J. (ed.) *Principles of Experimental Phonetics*. St Louis: Mosby, pp. 525-550.

SCHARPFF, P. J., HEUVEN, V. J. van (1988), "Effects of pause insertion on the intelligibility of low quality speech", en *Proceedings of the 7th FASE symposium (Speech'88), Edinburgh.* Vol. 1, pp. 261-268.

STEVENS, K. N. (1989), "On the quantal nature of speech", *Journal of Phonetics,* 17, pp. 3-45; en KENT, R. D., ATAL, B. S., MILLER, J. L. (eds.) (1991), *Papers in Speech Communication: Speech Production,* New York: Acoustical Society of America, pp. 357-399.

STONE, M. (1996), "Instrumentation for the study of speech physiology", en LASS, N. J. (ed.) *Principles of Experimental Phonetics,* St Louis: Mosby, pp. 495-524.

TAKEFUTA, Y. (1975), "Method of Acoustic Analysis of Intonation", en SINGH, S. (ed.), *Measurement Procedures in Speech, Hearing and Language,* Baltimore: University Park Press, pp. 363-378.

VIDAL BENEYTO, J. (dir) (1991), *Las industrias de la lengua,* Madrid: Fundación Germán Sánchez Ruipérez y Ediciones Pirámide (Biblioteca del Libro, 5).

WAKITA, H. J. (1996), "Instrumentation for the study of speech acoustics", en LASS, N. J. (ed.), *Principles of Experimental Phonetics,* St Louis: Mosby, pp. 469-494.

WANG, M.Q., HIRSCHBERG, J. (1992), "Automatic classification of intonational phrase boundaries", *Computer Speech and Language,* 6, pp. 175-196.

WELLS, J. (1987), "Computer-coded phonetic transcription", *Journal of the International Phonetic Association,* 17, 2, pp. 94-114.

WELLS, J. C. (1990) "Computer-coded Phonemic Notation of Individual Languages of the European Community", *Journal of the International Phonetic Association,* 19, 1, pp. 31-54.

— (1995) "Computer-coding the IPA: a proposed extension of SAMPA", Publicación electrónica. URL: http://www.phon.ucl.ac.uk/home.sampa/home/x-sampa.html.

DOLORS POCH OLIVÉ
BERNARD HARMEGNIES
Universidad de Autónoma de Barcelona
Universidad de Mons - Hainaut

Informática y enseñanza de lenguas a las puertas del tercer milenio

1. Introducción

Ningún pedagogo se atrevería, hoy en día, a defender que la preeminencia de las prácticas educativas en enseñanza de lenguas extranjeras debe reservarse al escrito. El surgimiento de la lingüística moderna, su descubrimiento por parte de los profesores de lenguas y la evolución de la pedagogía hacia modelos de enseñanza cada vez más cercanos a la realidad de los procesos de aprendizaje, han provocado que se tome conciencia, en el mundo de la didáctica de las lenguas extranjeras, de la importancia del *aspecto oral* de las mismas. Así pues, actualmente, todo el mundo reconoce la necesidad de concederle la preeminencia en el proceso de aprendizaje.

No obstante, los productos informatizados más difundidos en el dominio de la enseñanza de lenguas extranjeras explotan todavía, esencialmente, la modalidad escrita de la comunicación. O, lo que es lo mismo, suelen limitarse a aquellos ámbitos del lenguaje en los que existe un amplio consenso multisecular en torno a su descripción. Dichos ámbitos son, sobre todo, el léxico y la gramática.

Por otra parte y, con demasiada frecuencia, los productos informatizados utilizados en el dominio de la didáctica de las lenguas se basan en concepciones pedagógicas subyacentes, al lado de las cuales, el pensamiento de Rousseau podría ser considerado vanguardista. Este estado de cosas choca con el aura de modernidad que caracteriza los productos más recientes de un mercado de la informática dominado por los conceptos de multimedia, interactividad y telecomunicación.

A pesar de todo ello si, como hemos mencionado, todo el mundo está de acuerdo en reconocer la importancia del oral y si, paralelamente, la investigación y la tecnología conocen evoluciones que las llevan hacia la apertura de nuevas perspectivas, tal vez ha llegado el momento de establecer un marco de reflexión sistemático en el seno del cual sea posible preguntarse por las nuevas posibilidades de actuación pedagógica.

El objetivo de este artículo es contribuir a dicha reflexión, sentando las bases necesarias para realizar un análisis de las posibilidades de la informática, en tanto que instrumento de apoyo para la enseñanza del aspecto oral de las lenguas. Para tratar de alcanzar dicho objetivo intentaremos, en primer lugar, determinar la especificidad del tratamiento informático de los sonidos del habla.

A continuación, señalaremos los avances conceptuales aportados por la investigación relativa a la comunicación hablada, y, finalmente, procuraremos determinar qué medios tecnológicos y qué conocimientos científicos permiten pensar en la posibilidad de una didáctica de las lenguas centrada sobre su aspecto oral.

2. Especificidad de la actuación del ordenador sobre el habla

En este apartado, intentaremos establecer, desde un plano técnico, qué posibilidades de actuación del ordenador pueden ser explotadas para la enseñanza del oral. Una vez establecido nuestro ángulo de ataque a la cuestión de la enseñanza / aprendizaje de lenguas, nos centraremos sobre el problema de la aprehensión, por el ordenador, de las manifestaciones físicas de la comunicación verbal. El punto de vista adoptado será, pues, el que generalmente se denomina *tratamiento de la señal* y estableceremos la lista de las diferentes funciones que puede realizar el ordenador a este respecto. Por último, como ya hemos mencionado, trataremos de determinar cuáles, de entre ellas, pueden ser más convenientes para los diferentes tipos de actuación pedagógica.

Una de las prestaciones más interesantes que puede realizar el ordenador en el terreno de la didáctica del oral está ligada a su capacidad de *grabar, almacenar y reproducir* sonidos. Esta función necesita poder efectuar una transformación numérica de la señal física producida en el mundo real. Dicha tarea se conoce como *numerización* y es realizada por una unidad denominada *conversor analógico-digital.* El problema de la numerización presenta aspectos muy diversos, pero aquí trataremos tan sólo los dos que nos parecen más importantes desde el punto de vista de nuestra exposición: el muestreo y la cuantificación.

Para aprehender la señal, el ordenador debe realizar una tarea difícil: pasar del mundo *continuo* al mundo *discreto.* En efecto, los valores que se pueden extraer de la señal (variaciones de la presión sonora en función del tiempo, variaciones de la corriente eléctrica en función del tiempo, etc.) se definen sobre ejes que los matemáticos califican de *reales.* Esto significa que, entre dos puntos del eje del tiempo pueden ser identificados una infinidad de valores. Igualmente, entre dos puntos de cualesquiera de los ejes sobre los que se realice una medición de la señal (presión, corriente eléctrica, etc.), también pueden identificarse una infinidad de valores.

El ordenador, que es un objeto concreto del mundo tangible, no puede tomar en cuenta más que un subconjunto de esa infinidad de valores y, por tanto, debe efectuar operaciones de selección.

El *muestreo* es la operación mediante la cual el ordenador selecciona un número finito de puntos en el eje temporal para determinar los valores de la señal. En la práctica, las muestras se toman a intervalos regulares de tiempo y el ritmo al que se realiza dicha selección se denomina *frecuencia de muestreo.* La elección de la frecuencia de muestreo determina la calidad del tratamiento. Así, se ha demostrado que si se quiere dar cuenta de los componentes frecuenciales de una señal hasta una frecuencia determinada, es necesario realizar el muestro a una frecuencia doble, como mínimo, de la que se ha establecido como límite. En otros términos, es necesario poseer dos muestras por ciclo de cada componente que se quiera analizar.

Cuando no se respeta esta regla se generan artefactos perturbadores. Por ejemplo, si se utiliza una frecuencia de muestreo demasiado baja, se hace aparecer artificialmente un componente frecuencial que, en realidad, no está presente en la señal. Este fenómeno, por el cual un componente de alta frecuencia se toma, erróneamente, por un componente de baja frecuencia, se denomina *aliasing*.

Esta fuente de errores se puede evitar mediante dos estrategias diferentes. La primera consiste en filtrar la señal, antes de que entre en el conversor analógico-digital, para eliminar los componentes de alta frecuencia que podrían ser confundidos con componentes de baja frecuencia. La segunda estrategia consiste en utilizar frecuencias de muestreo suficientemente elevadas para que ningún componente frecuencial de la señal original, incluso si ésta es de alta frecuencia, corra el riesgo de sufrir el fenómeno de aliasing.

Estos requisitos del proceso de muestreo son muy complejos en el caso del tratamiento de la señal de habla. Si, como se suele admitir, el dominio frecuencial del habla, para los humanos, se extiende en una banda de frecuencias comprendida entre 20 y 20.000 Hz, podemos calcular rápidamente que la frecuencia de muestreo debe ser de, aproximadamente, 40.000 Hz. si se desea tomar en cuenta todos los componentes de la señal. Estas exigencias requieren que el ordenador que realice esta operación sea muy potente ya que, por una parte, es necesario que la máquina sea lo suficientemente rápida para escrutar la señal 40.000 veces cada segundo y, por otra parte, debe poseer una memoria importante puesto que cada segundo de señal de habla será codificado por alrededor de 40.000 valores.

Hay que tener en cuenta, además, otro aspecto de la numerización directamente ligado a la potencia requerida para realizar el tratamiento: se trata de la *cuantificación*. Sea cual sea la forma en que se considere la señal de habla (como la variación de la amplitud en función del tiempo, como la variación de una presión en función del tiempo o, incluso, como la variación de una corriente eléctrica en función del tiempo), la cantidad que varía en función del tiempo se define según los valores del conjunto de los números reales. Ya hemos visto que, entre dos puntos cualesquiera del eje que representa esta variable, puede encontrarse una infinidad de puntos. De la misma forma que ha sido necesario solucionar este problema sobre el eje temporal para llevar a cabo el muestreo, en el caso de la cuantificación, ha sido necesario también desarrollar un procedimiento que permita tomar en cuenta el subconjunto de todos los valores posibles. Para cuantificar, dicha operación se lleva a cabo determinando *cuántos valores diferentes* podrían ser tomados en consideración. Para realizar este cálculo, el eje que representa la variable concernida se divide en el mismo número de partes iguales que la cantidad de valores que se ha decidido tomar en cuenta. En muchos de los algoritmos de digitalización, si un valor de la señal no es igual a uno de los valores esperados, se asimila al valor más próximo.

Dado que el ordenador no puede tomar en consideración más que dos estados eléctricos (la corriente circula o no circula) es habitual, en el mundo de la informática, utilizar la representación numérica de *base 2.* Cada posición numérica susceptible de tomar el valor 1 o el valor 0 se denomina *bit.* Así, los distintos valores de la señal susceptibles de ser tomados en cuenta en la cuantificación, se expresan mediante el número de bits necesario para representarlos. Por ejemplo, una cuantificación de 8 bits permite considerar 2^8 valores diferentes, es decir, 256. Una cuantificación de 16 bits permite considerar 2^{16}, es decir, 65.536.

Es evidente que la digitalización es más fiel cuanto mayor es el número de valores mediante los que se realiza. Si dicho número es pequeño, las transiciones entre dos valores posibles de la señal son abruptas y el oyente puede llegar a percibir lo que se denomina *ruido de cuantificación.* Se puede también definir una *relación entre señal y ruido de cuantificación,* lo cual permite medir dicho fenómeno. Esta relación es del orden de 48 decibelios para una cuantificación a 8 bits y de 96 decibelios para una cuantificación a 16 bits.

La combinación de las exigencias de la cuantificación con las del muestreo requiere la utilización de una importante memoria. A título de referencia, citemos las opciones que se suelen tomar en el dominio de la HIFI digital: una frecuencia de muestreo de 44.1 Khz con una cuantificación de 16 bits. En otras palabras, el almacenamiento, en estas condiciones, de una muestra de habla de 1 minuto de duración necesita 60 x 44.100 x 16 posiciones binarias, es decir, 42.336.666 valores binarios.

El hecho de que se necesite esta potencia, en términos de velocidad de cálculo y de capacidad de almacenamiento, explica por qué, durante mucho tiempo, los ordenadores personales no han permitido realizar tratamiento de la señal, especialmente en el marco de programas de enseñanza asistida por ordenador. No obstante, con el tiempo, han invadido el mercado potentes procesadores, provistos de elementos periféricos dotados de gran memoria, que han permitido a los ordenadores personales realizar tareas como éstas. El auge de los multimedia ha sido facilitado por la entrada, en el circuito comercial de la informática personal, de unos procedimientos y un material conocidos desde tiempo atrás, pero que requerían el uso de dispositivos cuyos costes eran incompatibles con el segmento de mercado que representa el usuario individual.

Las consecuencias directas de todo ello, para la informatización del dominio de la enseñanza de lenguas, son fáciles de adivinar: actualmente es posible, para un individuo o para la comunidad educativa, adquirir máquinas de coste abordable capaces de grabar, almacenar y restituir los sonidos del habla con una calidad satisfactoria.

Un ordenador que disponga de estas posibilidades puede realizar las mismas funciones que la mayor parte de los dispositivos clásicos usados en la enseñanza asistida y que se suelen denominar *material audiovisual.* En efecto, para el ordenador, el tratamiento de la señal sonora requiere, en un primer momento, la realización de tareas similares a las que se llevan a cabo en el dominio del tratamiento de la señal visual. En el plano de la funcionalidad, en el marco de la actuación pedagógica, el ordenador multimedia puede representar una alternativa para el magnetófono o para el vídeo. No obstante, es necesario hacer una observación importante al respecto: al contrario que los dispositivos que almacenan sobre una cinta magnética, el ordenador no se ve limitado por el acceso secuencial a la señal.

El hecho de que en la memoria del ordenador se disponga de una representación numérica de la señal sonora permite aplicar, a los números que la constituyen, diversas transformaciones matemáticas. Así, además de ser una máquina que permite grabar, almacenar y reproducir, el ordenador puede ser considerado también un dispositivo capaz de transformar las señales almacenadas. Mediante la aplicación de ecuaciones específicas, es posible obtener diversos filtrajes de la señal almacenada. Así, ciertas zonas frecuenciales pueden ser atenuadas y otras pueden ser amplificadas. De esta manera, es posible privilegiar, a veces, las bajas frecuencias, otras veces, las altas frecuencias y, también, si se quiere, una o varias bandas frecuenciales específicas.

Desde el punto de vista de la didáctica de las lenguas, esta funcionalidad es particularmente interesante, en la medida en que permite poner de relieve ciertos aspectos de la señal sonora y, si conviene, prescindir de otros. El interés del ordenador, en este plano, comparado con los dispositivos clásicos, es la flexibilidad de su utilización. Al contrario que en los dispositivos analógicos clásicos, no es necesario realizar manipulaciones complicadas y temporalmente costosas para seleccionar tal o cual dispositivo que permita aplicar un filtrado determinado. Estas posibilidades pueden facilitar prácticas metodológicas como la *pronunciación matizada*. El objetivo de dicha pronunciación, como es sabido, consiste en presentar al estudiante un modelo deformado en función de la criba fonológica de su lengua materna. Por ejemplo, la realización del fonema francés /y/ puede ocasionar, para un italianófono o para un hispanófono, la realización de una [u]. En cambio, en el caso de un locutor de origen eslavo, puede manifestarse mediante la realización de una [i]. El método verbo-tonal (Renard, 1972) muestra que, en este caso, el modelo presentado al alumno debe acentuar las características acústicas que fallan. Por ejemplo, para obtener un oscurecimiento del timbre de la [i] realizada por el hablante de origen eslavo, será necesario privilegiar, en el modelo presentado, las bajas frecuencias, en detrimento de las altas, para hacerle escuchar así un modelo más oscuro que la realización normativa y conseguir, de esta forma, que su propia realización tienda hacia la esperada. Al contrario, en el caso del hablante italianófono o hispanófono habrá que privilegiar los componentes agudos del modelo presentado a fin de conseguir que la realización tienda hacia [y].

En otros casos, la percepción de la línea melódica plantea problemas con vistas a establecer, en el estudiante, una prosodia conforme con la de la lengua que se aprende. En estos casos, puede ser de ayuda presentar al estudiante enunciados que privilegien las frecuencias graves, que son las únicas que contienen información vehiculada por la frecuencia fundamental.

Estos dos tipos de transformaciones de la señal de habla, citadas aquí a título puramente ilustrativo, subrayan el interés que puede presentar, para un profesor que enseñe el aspecto oral de la lengua, un dispositivo capaz de manipular los sonidos de forma que se puedan magnificar ciertos aspectos de sus contenidos frecuenciales.

Además de estas transformaciones matemáticas, que resultan de la aplicación de distintos tipos de filtros, el ordenador puede igualmente efectuar diversas tareas en el dominio de lo que comúnmente se denomina *edición*. El objetivo que se persigue en este caso es realizar el corte o la inserción de un segmento determinado de señal.

Esta posibilidad puede también utilizarse en la perspectiva de acciones conducentes a modificar los estímulos presentados al alumno. Es posible, por ejemplo, extraer y presentar, de manera sistemática, al estudiante diversos segmentos lingüísticamente similares de un discurso espontáneo. Se puede pensar, igualmente, en alargar la duración de un sonido determinado mediante la reproducción repetida de diversas partes del mismo y también, mediante un proceso similar, es posible reducir la duración de un determinado segmento de la cadena hablada. Manipulaciones de este tipo pueden ser particularmente útiles en el marco de los contactos entre la lengua del alumno y la lengua que se aprende cuando, por ejemplo, esta última utiliza una estrategia acentual centrada en el aumento de los parámetros de intensidad y de frecuencia (sería el caso del francés y del español) y la primera utiliza una estrategia basada en el aumento de la duración (sería el caso del ruso).

En las funciones que hemos mencionado hasta ahora, el habla emitida por el ordenador tiene siempre un origen natural: es una copia, deformada o no, de una señal emitida por un ser humano. No obstante, las posibilidades actuales de los sistemas de síntesis del habla permiten la generación de señales similares a las producidas por los humanos.

En el plano didáctico, esta posibilidad presenta el interés de dotar al dispositivo de enseñanza asistida de posibilidades de producción de corpus virtualmente ilimitados. Los segmentos, palabras y frases que se quieran producir no deben, necesariamente, haber sido realizados antes para que el ordenador las emita. No obstante, la cuestión de la *calidad* de la síntesis es especialmente importante a este respecto. Si bien podemos admitir que el aspecto metalingüístico de la comunicación entre el ordenador y el estudiante revista un carácter de voz artificial, es, en cambio, más difícil, aceptar que los modelos presentados para ejercitar las facultades de audición y de reproducción no posean la mínima calidad necesaria. Lo que está aquí implicado es la cuestión de la ecología, si no de la autenticidad, de la comunicación en situación de aprendizaje. Los progresos en el dominio de la síntesis han sido considerables durante los últimos decenios. Pero es necesario subrayar que la calidad de la síntesis está directamente relacionada, no sólo con la potencia del dispositivo informático que genera el habla, sino igualmente con la validez del conocimiento que se posee de la lengua objeto así como con la utilización de dicho conocimiento en la definición de las unidades de la síntesis. Al contrario de lo que ocurre en las operaciones de numerización y de transformación, la producción de habla sintetizada de alta calidad requiere aún aumentar el conocimiento que se posee actualmente de las lenguas. El aumento de dicho conocimiento debe proceder tanto de la investigación fundamental como de la investigación aplicada.

Finalmente, es posible pedirle al ordenador que realice transformaciones matemáticas de la señal conducentes a diversas formas de análisis de la misma. Por ejemplo, la aplicación a la señal temporal de la *transformada de Fourier* lleva a la realización de un análisis espectral del segmento que constituye el objetivo de la transformación. Dicha transformación indica cuál es la repartición de la energía en función de la frecuencia. Otros tratamientos, a menudo derivados de la transformada de Fourier, pueden proporcionar información sobre otras características de la señal: intensidad global, evolución de la frecuencia fundamental, etc. Estas características de la señal acústica han permitido, a lo largo de la historia del estudio del habla, describir sus características. Esta funcionalidad del ordenador permite pues, orientarse hacia el *reconocimiento*.

Desde el punto de vista de la didáctica de las lenguas, este tipo de tratamiento presenta el interés de abrir el camino a la posibilidad de que el ordenador "comprenda" los propósitos de su interlocutor, el estudiante. No obstante, si bien el análisis, por lo que éste pone de manifiesto en cuanto a características acústicas de la señal, no plantea problemas de *tratamiento* en sentido estricto, relacionar estas características físicas con clases de objetos lingüísticos requiere un excelente conocimiento de la señal de habla. En otras palabras, la calidad del reconocimiento está en función de los algoritmos de análisis utilizados, pero es imposible concebirlo sin considerar que, previamente, la investigación fundamental ha realizado una descripción lo más precisa posible de los diferentes aspectos de la variabilidad de la señal. Si, hoy en día, es posible afirmar que el ser humano comprende sin problemas el habla emitida por el ordenador, hay que admitir que no se da la situación recíproca. La máquina posee todavía posibilidades de "comprensión" muy limitadas. Ello no es debido a una falta de potencia o de capacidad de almacenamiento de la máquina, sino más bien a la impotencia del investigador en el momento de indicarle el camino que debe seguir para, a partir del análisis acústico, realizar el reconocimiento fonémico que conduce a las inferencias semiológicas.

Habida cuenta del carácter eminentemente variable del habla y de la mala correlación entre características acústicas y rasgos fonológicos, es crucial que la investigación fundamental arroje luz sobre las estructuras de variabilidad de la señal aislando y cuantificando el efecto de cada una de las fuentes de variación.

3. Las aportaciones conceptuales de la investigación sobre el habla

La bibliografía fonética tradicional ha puesto de manifiesto que, desde el punto de vista acústico, nunca se dan dos realizaciones idénticas de un mismo sonido; las características de duración, frecuencia de formantes, localización de picos de energía, etc., si bien suelen mantenerse dentro de ciertos márgenes para cada una de las unidades, nunca presentan los mismos valores para dos realizaciones identificadas como pertenecientes a la misma categoría.

Si nos preguntamos por la naturaleza de estas variaciones y nos centramos, para estudiar este problema, en una única clase de sonidos, por ejemplo las vocales, llegaremos a la conclusión de que, desde el punto de vista anatómico, la mecánica de la producción vocálica cuenta con unos elementos constantes y con otros elementos variables.

Los elementos constantes son los órganos de producción del habla:

— el sistema pulmonar, que funciona como un fuelle que propulsa el aire hacia el exterior;

— la laringe y la glotis, que puede estar abierta o cerrada y en la cual se encuentran las cuerdas vocales que producen el tono laríngeo;

— las cavidades supralaríngeas, cuya forma y volumen es capaz de amplificar selectivamente ciertas frecuencias (igual que la caja de resonancia de un instrumento musical);

Los elementos variables son los siguientes:

— los músculos de la laringe, que permiten al hablante controlar la frecuencia fundamental: dos vocales con un mismo timbre pueden presentar alturas diferentes;

— las cavidades de resonancia, que pueden ver modificada su forma y/o su volumen: además de que dichas variaciones dan lugar a que se emita uno u otro fonema vocálico, variaciones mínimas en las cavidades de resonancia provocan también que realizaciones identificadas como "iguales" (es decir, como el mismo fonema) presenten, desde el punto de vista estrictamente físico, variaciones en sus valores de frecuencia y/o intensidad y/o duración.

Este tipo de variabilidad, como hemos mencionado antes, es la que está asociada estrictamente a la mecánica de la producción, pero hay más factores que producen variaciones en la señal acústica y que se pueden clasificar en tres grandes bloques:

—variación geográfica;

—variación sociolingüística;

—variación estilística.

La variación geográfica es la mejor conocida y la más estudiada. Bajo esta denominación, y ateniéndonos tan sólo al aspecto fonético de las lenguas, se agrupan las distintas formas de realizar los sonidos por hablantes de la misma lengua en función de su lugar de nacimiento. Surgen así variantes como las que encontramos, por ejemplo en español: el andaluz, el aragonés, el español hablado en México, en Cuba, en Argentina, etc.

La variación sociolingüística se asocia a las diferentes formas de hablar de los individuos en función de la clase social a la que pertenecen.

Finalmente, la variación estilística se refiere a las diferencias en los modos de hablar una lengua en función de la situación de comunicación.

La tercera fuente de variación que hemos mencionado, la estilística o situacional es la menos conocida, la menos estudiada pero, en cambio, es fundamental en el dominio de la enseñanza de lenguas extranjeras. Con el fin de mostrar estas variaciones bajo la influencia del cambio de estilo, hemos analizado los sistemas vocálicos del español (Harmegnies y Poch, 1992) y del francés (Poch y Harmegnies, 1994) en dos situaciones de comunicación (o estilos de habla) muy diferentes: por una parte en una conversación normal (habla espontánea) y, por otra, en lectura de listas de palabras aisladas (habla de laboratorio). Los resultados del análisis acústico de las vocales que constituyeron el corpus de trabajo muestra que, en ambas lenguas, las vocales se comportan de modo diferente según se considere su realización en habla de laboratorio o en habla espontánea. En el caso del español las tendencias del sistema son, por una parte, el desplazamiento hacia el centro del espacio vocálico y, por otra parte, el aumento del grado de superposición de las realizaciones de las diferentes áreas de dispersión. En el caso del francés, si bien no se observa la misma tendencia a la centralización del español sí, en cambio, está claramente presente el desplazamiento de unas áreas vocálicas hacia otras lo que hace aumentar, igual que en español, la tendencia a la superposición de las unidades que integran el sistema. Es decir, el cambio de estilo implica una reorganización de los elementos que integran el conjunto.

Los datos que acabamos de comentar implican que el timbre de las vocales varía de un estilo a otro en la misma lengua y éste es un aspecto fundamental que debiera tomarse en cuenta en la perspectiva de la didáctica de las lenguas. Las modificaciones que se producen globalmente en el sistema fonológico según la situación de comunicación son importantes: desde eliminación de determinados sonidos pasando por simplificaciones de grupos consonánticos hasta variaciones en el timbre de las vocales. Este tipo de ajustes en la pronunciación, que un hablante nativo lleva a cabo de forma automática, ponen de manifiesto con gran claridad que la persona que no los realiza no está hablando su lengua y tiene, por tanto, un marcado "acento extranjero". Parece, pues, esencial, integrar estos fenómenos en la enseñanza de la pronunciación a los estudiantes.

El problema que se plantea en el momento de integrar todos estos factores de variación en un soporte informático consiste básicamente en el hecho de que es necesario hacer una elección, entre todas las posibilidades, de qué material oral se va a presentar a los alumnos. La elección implica que lo elegido es "bueno", con lo cual el problema de la norma de pronunciación se sitúa en primer plano. Pero, quien habla bien una lengua no es quien la habla según la norma, sino quien es capaz de ajustar su forma de hablar a la variabilidad necesaria en función de los factores que hemos mencionado más arriba. ¿Cómo aunar ambas perspectivas?

4. La interacción entre tecnología y didáctica

Las aplicaciones existentes en el dominio de la enseñanza asistida por ordenador pueden ser clasificadas, en una primera aproximación, en función de la naturaleza de quien realice la *regulación* del aprendizaje.

Si se acepta que toda actuación pedagógica constituye un proceso de carácter teleológico, éste debe conducir a alcanzar los fines propuestos.

En la concepción más tradicional, el regulador del aprendizaje es el profesor. Ello significa que, en función de la naturaleza de las informaciones que recoge sobre la progresión del estudiante, decide aplicar o no tal o cual actuación específica. La situación ordinaria del profesor en clase de lenguas corresponde a este modo regulador. Las funciones del ordenador que más se adaptan a este tipo de situación son las que se corresponden estrechamente con los medios audiovisuales clásicos. El profesor decide grabar tal o cual corpus producido por el estudiante y/o por un tercero y pide a la máquina la reproducción de dicho corpus grabado. En función de las necesidades, decide realizar diversas transformaciones sobre la señal, por ejemplo un filtrado.

La regulación del aprendizaje puede realizarla también la propia máquina. En este caso, el ordenador debe disponer de las mismas posibilidades de emisión que las utilizadas cuando el profesor realiza la regulación y, además, la máquina debe estar dotada de posibilidades de *recepción* eficaces. Esta concepción de la regulación informatizada del aprendizaje requiere poder recurrir a procedimientos de análisis y de reconocimiento adaptados. Está claro que, en el estadio actual del conocimiento, este tipo de interacción entre máquina "docente" y estudiante, no puede concebirse más que en la medida en que el vocabulario que vaya a recibir el ordenador sea reducido y/o pequeño el número potencial de hablantes-estudiantes. En otras palabras, si bien es posible, en este caso, el reconocimiento de los segmentos aislados, hay que constatar que esta tarea constituye tan sólo el primer estadio de un proceso conducente a la construcción del sentido, al análisis del mismo y, finalmente, a la emisión de los corpus y/o textos y/o imágenes deseados. Recurrir de forma intensiva a esta concepción de la regulación en la pedagogía del oral, sólo es posible en la medida en que el dominio del análisis evolucione y aumente el conocimiento que hoy día se posee de las características de la señal de habla.

La regulación puede realizarla también el propio alumno, en el marco de una concepción *autónoma* del aprendizaje. En este caso, pueden utilizarse todas las posibilidades del ordenador en el dominio del tratamiento de la señal. Es posible imaginar situaciones muy simples, tales como un "drill" en un pseudo-laboratorio de lenguas informatizado. Se puede imaginar también que el ordenador analice las producciones del alumno indicándole la distancia existente entre el objetivo que se quiere alcanzar y la realización producida. También es posible pensar en procesos como la auto-escucha, eventualmente mediante filtros.

Finalmente, la regulación puede también realizarse mediante las relaciones entre el alumno y la situación de aprendizaje y puede ser completada, si es necesario, por la actuación de un profesor-regulador. El concepto de *micro-mundo* ilustra perfectamente este tipo de concepción.

Dicho concepto ha sido introducido por Seymour Papert (1980). Formado en la tradición de Jean Piaget, Seymour Papert es particularmente sensible al carácter interaccionista y estructurador de cualquier aprendizaje. Partiendo del principio de que *sólo se aprende actuando,* Papert ha desarrollado el conocido lenguaje de programación LOGO, que permite a los niños, mediante la manipulación de un conjunto reducido de instrucciones simples, explorar muy especialmente las reglas de la Geometría y otras nociones lógicas. La idea es crear un entorno artificial, dotado de un sistema de restricciones simplificado en relación al que caracteriza el entorno natural. El ordenador así utilizado es especialmente útil en un contexto como éste, gracias a su forma de funcionar autónoma, que le lleva a adoptar un comportamiento a veces muy complejo cuyas características han sido enteramente definidas por el programador. Dicho de otra forma, al contrario que los demás instrumentos didácticos, el ordenador posee el poder de generar la información que presenta al estudiante, en función de las reacciones de este último y de los principios de acción que han gobernado su programación.

Aplicado a la didáctica de las lenguas, este principio sugiere la transferencia de la noción de *situación de aprendizaje* a la de *situación de comunicación*. Se trataría, así, de crear, de forma artificial, las condiciones simplificadas de un diálogo. Es evidente que este tipo de dispositivo requiere la utilización de todo el conjunto de posibilidades del ordenador que hemos visto hasta ahora. Si esta concepción de la asistencia informática al aprendizaje de lenguas constituye, en el plano pedagógico, una de las más elaboradas, hay que constatar que necesita además, desde el punto de vista del tratamiento de la señal, la utilización de conocimientos que la investigación fundamental no posee todavía.

Todo lo que hemos dicho sobre las posibilidades del ordenador y sobre las relaciones entre didáctica y tecnología informática puede aplicarse, bien a un ordenador situado en el mismo lugar que el estudiante o bien a un ordenador que esté a centenares o a miles de kilómetros del alumno. Desde este punto de vista, la telemática no aporta ninguna funcionalidad específica diferente de las consideradas hasta aquí. No obstante, es cierto que permite el acceso a gran número de fuentes de información y generalmente abre nuevas posibilidades de *comunicación* reales entre un alumno y un profesor físicamente distantes entre sí (habitando en países o en continentes diferentes). Las posibilidades del correo electrónico son utilizadas, a veces, por profesores de lenguas como instrumentos para motivar al alumno a comunicarse. Sin duda, desde este punto de vista, Internet es a un estudiante de hoy día lo que la pluma de ave era a Emile, a quien Jean Jacques Rousseau animaba a mantener correspondencia con terceros a fin de cultivar su conocimiento de la lengua.

Si el ordenador puede gestionar la información, si puede, en función de datos externos, decidir adoptar tal o cual comportamiento, le falta ser capaz de integrar la información que le está destinada y emitir la que está destinada a su entorno. El problema de las modalidades de esta comunicación es crucial, sobre todo en materia de didáctica de lenguas. Así, aparece como una necesidad capital tender hacia interacciones estudiante-máquina que se acerquen lo máximo posible al habla natural.

5. Conclusiones

El examen de las prácticas actuales en materia de asistencia informatizada a la enseñanza de lenguas revela que el escrito conserva una preeminencia notable sobre el oral.

Esta especificidad, esta focalización sobre la lengua escrita, se justifica, sin ninguna duda, por razones de tipo técnico. En efecto, la transformación numérica-digital y digital-numérica es un proceso muy costoso en tiempo de tratamiento, y hasta hace muy poco tiempo no ha sido posible realizar dichas transformaciones utilizando equipos de bajo coste o, en cualquier caso, de un coste compatible con los medios económicos que están al alcance del mundo de la enseñanza. El desafío al que se enfrenta actualmente la enseñanza de lenguas extranjeras es la introducción de la lengua oral en la informática educativa. No obstante, hay que contar con el hecho de que la variabilidad que caracteriza la actualización de la "lengua" en "habla" constituye un factor disuasorio para el tratamiento didáctico del aspecto oral de la comunicación.

El estado actual de la técnica y de los conocimientos permite, de forma relativamente fácil, restituir habla *copiada* por un dispositivo informático. También es posible sintetizar el habla de forma satisfactoria. No obstante, si la inteligencia humana es capaz de aprehender el habla sintetizada incluso si es de mala calidad los ordenadores no consiguen, por lo menos hoy en día, "comprender" el habla natural, incluso la de calidad excelente.

En este punto precisamente reside la dificultad: la tecnología informática está, ahora, bastante desarrollada para que la señal acústica le sea accesible y puede, además, adaptar su funcionamiento a modelos complejos. A las ciencias del habla les falta, no obstante, modelos suficientemente precisos que permitan establecer relaciones de correspondencia entre conceptos fonológicos y realidad acústica. Las investigaciones fundamentales o aplicadas que se orientan hacia este tipo de objetivos no pueden más que contribuir a mejorar el proceso de informatización en el mundo de la didáctica de lenguas.

Sólo la posibilidad de interacción verbal entre el alumno y el ordenador permitiría el desarrollo de herramientas informáticas verdaderamente útiles en la pedagogía del oral. Unicamente con esta condición, la potencia del ordenador puede ser puesta plenamente al servicio de la didáctica de las lenguas. Este estadio de desarrollo no podrá, no obstante, alcanzarse sin llevar a cabo investigaciones que permitan dotar a las máquinas de una capacidad de discriminación que iguale o sobrepase las competencias fonéticas y fonológicas del ser humano. Es necesario, pues, emprender investigaciones fundamentales sobre el habla que, el día de mañana, permitirán a las aplicaciones tecnológicas poner en evidencia, en la didáctica de lenguas, las posibilidades de una metodología que ya ha sido probada en otras áreas.

Estos aspectos, hasta hace poco completamente inhibidores, parecen ser, hoy en día, menos perturbadores. Por otra parte, la evolución de la tecnología ha permitido que el ordenador individual entrara en el área de los "multimedia": el tratamiento del sonido (y de la imagen) ya no son sistemas costosos e inaccesibles a los profesores. Además, la investigación fundamental y la investigación aplicada han realizado importantes esfuerzos tendentes a "domesticar" la extraordinaria variabilidad del oral considerada como inabordable hasta hace muy poco (en este sentido hay que recordar la afirmación saussuriana (SAUSSURE, 1916: 169): "Le tout du langage est inconnaissable").

No hay que confundir progreso de la técnica y progreso del saber. Si la tecnología de hoy ha progresado, permitiendo resolver un número cada vez mayor de problemas, no es evidente que esos problemas sean los más o los únicos importantes. Los profesores de lenguas deben cuidarse, aunque queden fascinados por las posibilidades de nuevos materiales, de no olvidar la especificidad misma de las metodologías que utilizan. Es necesario evitar, a cualquier precio, que la tecnología, imponiendo los límites de la actuación pedagógica, se convierta es reestructuradora de la metodología.

Lo que importa es que, frente a las nuevas posibilidades que ofrece al usuario individual la reciente evolución de la informática, el profesor de lenguas se plantee las cuestiones conceptuales y epistemológicas que aparecen y se imponen.

Hoy más que nunca, es importante llevar a cabo una reflexión teórica sobre los objetivos de las investigaciones que se deben emprender. La reflexión teórica es la que debe estructurar el campo de posibilidades. No a la inversa.

Referencias bibliográficas

HARMEGNIES, B., POCH-OLIVÉ, D. (1992), "A study of style-induced vowel variability: Laboratory versus spontaneous speech in Spanish", *Speech Communication,* 11, pp. 429-437.

PAPPERT, S. (1980), *Desafío a la mente: computadoras y educación,* traducción española de 1981, Buenos Aires: Galápago.

POCH-OLIVÉ, D., HARMEGNIES, B. (1994), "Formants frequencies variability in French vowels under the effect of various speaking styles", *Journal de Physique,* IV, 4, pp. 509-512.

RENARD, R. (1979), *La méthode verbo-tonale de correction phonétique,* Bruxelles: Didier.

SAUSSURE, F. DE (1916), *Cours de Linguistique Générale,* Paris: Payot; edición de Tullio de Mauro.